sociología
y
política

POBREZA, DESIGUALDAD Y EXCLUSIÓN SOCIAL EN LA CIUDAD DEL SIGLO XXI

coordinadores

ROLANDO CORDERA
PATRICIA RAMÍREZ KURI
ALICIA ZICCARDI

colaboradores

LEONARDO LOMELÍ * PAULETTE DIETERLEN * ALICIA ZICCARDI
LUIS REYGADAS * PATRICIA RAMÍREZ KURI * SERGIO ZERMEÑO
CARLOS MARTÍNEZ ASSAD * MARCELA MENESES REYES * SARA MAKOWSKI
MARIO LUIS FUENTES * EMILIO DUHAU * MARÍA CRISTINA BAYÓN
PABLO YANES * HÉCTOR CASTILLO BERTHIER * CRISTINA SÁNCHEZ-MEJORADA F.
GUILLERMO BOILS MORALES * ALBERTO AZIZ * JUAN ESTRELLA
VÍCTOR MANUEL DURAND PONTE * SARA GORDON R.
ADOLFO SÁNCHEZ ALMANZA *OMAR VICENTE PADILLA PÁEZ
VERÓNICA MONTES DE OCA * MIRNA HEBRERO * JOSÉ LUIS URIONA
EFTYCHIA BOURNAZOU * PRISCILLA CONNOLLY

siglo xxi editores, s.a. de c.v.
CERRO DEL AGUA 248, ROMERO DE TERREROS, 04310, MÉXICO, D.F.

siglo xxi editores, s.a.
TUCUMÁN 1621, 7º N, C1050AAG, BUENOS AIRES, ARGENTINA

siglo xxi de españa editores, s.a.
MENÉNDEZ PIDAL 3 BIS, 28036, MADRID, ESPAÑA

HC79.P6
P63
2008 *Pobreza, desigualdad y exclusión social en la ciudad del siglo XXI* / coordinadores Rolando Cordera, Patricia Ramírez Kuri, Alicia Ziccardi ; colaboradores Leonardo Lomelí … [et al.]. — México : Siglo XXI : UNAM, Instituto de Investigaciones Sociales, 2008
438 p. 16 il. — (Sociología y política)

ISBN: 978-607-3-00043-7

1. Pobreza urbana — México — Siglo XXI. 2. Pobreza — Aspectos sociales. 3. Pobreza — América Latina
I. Cordera, Rolando, ed. II. Ramírez Kuri, Patricia, ed. III. Ziccardi, Alicia, ed. IV. Lomelí, Leonardo, colab. V. Ser.

Este libro fue sometido a un proceso de dictaminación por académicos externos al Instituto, de acuerdo con las normas establecidas por el Consejo Editorial de las Colecciones de Libros del Instituto de Investigaciones Sociales de la Universidad Nacional Autónoma de México.

primera edición: noviembre de 2008

isbn 978-607-3-00043-7

proyecto papiit in301706
"pobreza urbena, exclusión social y políticas sociales"

impreso en litográfica tauro
andrés molina enríquez 4428
col. viaducto piedad
08200 méxico, d.f.

A la memoria de Vania Salles

A la memoria de Ruth Cardoso

Científicas latinoamericanas comprometidas con
la equidad y la justicia social

PRÓLOGO

EL DERECHO AL DESARROLLO Y EL DERECHO A LA CIUDAD: PARA RECONSTRUIR EL FUTURO

ROLANDO CORDERA CAMPOS*

En contraposición con el discurso homologador de la modernidad, la diversidad y la multiplicidad definen el mundo que emerge de los formidables momentos de cambio que se volvieron vértigo planetario con el fin de la Guerra Fría, el desplome del comunismo soviético y la fase terminal del régimen bipolar que organizó al mundo después de la segunda guerra mundial. La uniformidad proclamada por algunos profetas instantáneos de un nuevo orden todavía ausente, choca con esta condición fundamental de racionalidad en la globalización: sólo a partir de nuestra diversidad esencial tiene sentido proponerse ser globales.

Con el cambio del mundo que pareció culminar con la caída del Muro de Berlín se decretó derruidos los principios operativos, las creencias y las mistificaciones que pretendían ofrecer a la comunidad internacional hipótesis racionales para pensar e imaginar un planeta ya para entonces cruzado por tendencias que imponían la imagen de un mundo sin control. Hoy la sociedad planetaria vive presa de nuevas incertidumbres, sin contar con los recursos de contención simbólicos (y no tanto) que le ofrecía la Guerra Fría.

En la era que el gran historiador británico Eric Hobsbawm (1994) llamara la "edad de oro" del capitalismo se presumía poder enfrentar un inventario en apariencia congelado de riesgos, conflictos y conjeturas estratégicas. Hoy, mucho más que en aquel ayer organizado por el equilibrio del terror y la destrucción mutua, pero también por reglas diplomáticas y financieras que pretendieron dar coherencia global a la reconstrucción y al caos monetario de la posguerra, todo se nos presenta fungible e incierto, nada dura, "todo lo sólido se desvanece en el aire" (C. Marx y F. Engels, 1999).

La globalización, que es presentada insistentemente como mantra sustituto de las terribles certezas de la bipolaridad, así como el vehículo óptimo de un progreso universal y generoso, no ha cumplido sus promesas de nuevo orden mundial ni de avance económico y social sostenido y generalizado. Sus promesas más bien nos remiten a más de un "falso amanecer" y a inevitables frustraciones presentes (J. Gray, 1998).

En la actualidad, entendida desde el 11 de septiembre de 2001, el proyecto globalizador "a la americana" se ve obligado a ponderar sus dinámicas por el imperio del

* Facultad de Economía de la Universidad Nacional Autónoma de México.

factor seguridad internacional contra el terrorismo, y no puede sino ofrecer panoramas de restricción del tránsito de personas y mercancías que son un rotundo mentís a su entusiasta mensaje cosmopolita. La perspectiva de un mundo desbocado en el que todo, lo bueno, lo malo, lo feo y lo terrible, son posibles, deja de ser visión apocalíptica o de ficción y se vuelve componente cotidiano de nuestras pesadillas.

En medio de esta perspectiva es oportuno volver la mirada a cuestiones básicas de la modernidad y para reivindicar la idea de la planeación como un vector de fuerza para apropiarse del futuro desde un presente calificado por la diversidad y el arrebato del cambio planetario. La planeación representa la reconstitución del presente mediante un esfuerzo, tanto intelectual como de la voluntad política, destinado a erigir una arquitectura de las relaciones humanas que pueda servir de cauce racional y progresista, democrático y de equidad, para la sociedad internacional, que a pesar de todo surge en busca de un nuevo orden planetario que pueda, a la vez, ser proyecto civilizatorio.

La búsqueda de un régimen global con rostro humano y comprometido con la inclusión participativa de sus miembros deja de ser utopía y pasa a ser la única combinación capaz de ofrecernos una salida a la fiebre distópica que se ha apoderado del mundo en estos años de mudanza frenética. La única ruta capaz de ofrecer a la especie humana no sólo visos de supervivencia, sino horizontes de evolución viables y sustentables: de defensa y promoción del bienestar social y de la naturaleza, que ha empezado en estos años a pasar la factura de decenios de descuido y abuso por parte de sus criaturas más preciosas –y soberbias–.

Desde la economía política, cuyo calificativo de "ciencia lúgubre" ganó Malthus a pulso, podemos detectar un espacio de encuentro optimista entre vocaciones y prácticas. Este espacio puede ser el del desarrollo económico y social. Es en este tema donde ayer y hoy la producción material y el uso del territorio, el cálculo optimizador y el entendimiento de las potencialidades y exigencias del hábitat han tenido que verse las caras una y otra vez, en busca de un entendimiento entre el gusto y la necesidad, la ética y la estética, la justicia distributiva y el privilegio de la sensibilidad ante el arte y la cultura.

El desarrollo moderno es inseparable de lo que podríamos llamar el derecho universal a la ciudad. Hoy, cuando una nueva ola de reclamos planetarios actualiza el derecho al desarrollo, la ciudad se nos vuelve a presentar como el *locus* universal de la política moderna (o posmoderna), pero también como una abrumadora concentración de calamidades y frustraciones del desarrollo anterior, reproducidas y agudizadas por las crisis de fin de siglo y por el impacto de una globalización en extremo asimétrica.

Las formas de la propiedad y el uso de espacios reflejan el estadio de la convivencia, la distribución del ingreso y las oportunidades. La función que se asigna al espacio no sólo expresa una jerarquía y se forma de una gran diversidad de identidades. Según Marcuse, el espacio urbano se encuentra fragmentado por diversos sectores sociales y económicos (L. López Levi, en A. Carrillo, 2005: 459); la calle, por lo tanto, es uno de los espacios donde esta ordenación social se define y delimita sus prioridades.

Los paisajes urbanos reflejan los grandes cambios sociales y económicos. Sus nunca estáticos espacios públicos son constantemente reinventados por las experiencias, las ideas, las frustraciones y las ambiciones de la vida social. La apropiación colectiva y privada de los espacios es un proceso esculpido por fuerzas dominantes, donde se muestran las relaciones productivas, el intercambio, las estructuras de poder, la cultura y las relaciones sociales que conforman las prácticas cotidianas. El uso del espacio es una imagen concreta de la organización social y la ideología que impera durante su configuración (L. López Levi, *op. cit.*: 456-457). La exclusividad del espacio, por ejemplo, busca una homogeneidad de residentes, explicada por la inseguridad y la identidad elitista, en aislamiento. Esta segregación forma parte de la identidad de las élites urbanas en manifestaciones de distinción (I. Rodríguez Chumillas, en A. Carrillo, *op. cit.*: 435-446).

Coexiste, sin embargo, con una gran diversidad de identidades urbanas. A la ciudad se le veía como la posibilidad de una gran culminación del cambio histórico, como la concreción de una utopía milenaria. Ahora tenemos que rendirnos ante la evidencia de sus insuficiencias y excesos; y, sin embargo, es en la ciudad, megalópolis y cosmopolita, red de redes y punto de concentración y de intercambio de saberes y talentos, destrezas y ambiciones, donde los nuevos mundos de la globalización pueden descubrir un contexto físico y humano articulador y productor de sentido histórico renovado.

Nadie está a salvo de los monstruos que produce la razón moderna, nos diría Goya. Las grandes metrópolis que recogían los portentos de la primera modernidad reciben y reproducen con celeridad el nuevo reclamo del desarrollo, encarnado por la migración masiva de sur a norte y de este a oeste. Se trata de un reto, que parece interminable, a la organización política de los estados nacionales y sus tradiciones constitucionales; es, a la vez, un desafío al orden urbano conocido, que no ha podido asimilar una demografía despegada de lo local que advierte que el mundo es uno, diverso y múltiple, pero intensa y trágicamente unificado por la ciencia y la tecnología, así como por la pobreza de las masas que se mudan para mejorar, como decía el clásico mexicano del Siglo de Oro español, pero sobre todo para sobrevivir a la amenaza del abandono económico y laboral y a las embestidas inclementes del cambio climático global.

Así, economía política y urbanismo pueden encontrar en la idea y la práctica de la planeación un nicho promisorio para la revisión y el enriquecimiento de conceptos y perspectivas. Pero es en el desarrollo donde, a la vez, pueden detectarse con naturalidad los puentes para la construcción de una nueva agenda que, para serlo, tiene que ir más allá de las comunidades especializadas y volverse mapa y coordenadas para un proyecto epistémico global. A ello dedico lo que resta de este trabajo.

EL DESARROLLO: AVENTURAS Y DESVENTURAS

La idea del desarrollo como progreso, como "estar al día", a la par de lo que se considera lo más avanzado, es tan vieja como la modernidad. Forma parte del pensamiento clásico de las ciencias sociales, así como de la experiencia política internacional de los dos últimos siglos. No por casualidad Adam Smith, el padre fundador de la economía política, intituló su obra más célebre *Una investigación sobre la naturaleza y causa de la riqueza de las naciones* (1776).

Sin embargo, la preocupación por este proceso central en la vida de los países se volvió universal y estratégica hasta la segunda mitad del siglo XX. Antes, más bien pertenecía al arsenal de los estadistas del "círculo íntimo" de las naciones poderosas, entre cuyos retos siempre estaba alcanzar al que llevaba la delantera e impedir que los que les seguían subieran la escalera por la que ellos ascendían. El resto del planeta era visto, en todo caso, como la "carga del hombre blanco" (Ha Joon Chang, 2002).

Aunque nunca fiel a la realidad que vivían los que solían denominarse "pueblos sin historia", lo que predominaba en el imaginario metropolitano era que Occidente era La Ciudad, y El Campo el resto del mundo. El progreso y la opulencia eran atributos de esa ciudad, mientras que el extremo del no desarrollo quedaba relegado a los nativos del resto de las latitudes. Un etnocentrismo sin cimientos sólidos pero con retórica eficaz, y soberbia sin freno.

Esta soberbia y este cosmopolitismo selectivo encontraron su primer gran revés en la primera guerra mundial y su secuela de grandes crisis económicas y descalabros de la democracia, avasallada en muchos lados por los fascismos y otras tentaciones totalitarias. Pero fue en la segunda guerra donde el mundo topó con su gran punto de inflexión histórica. La segunda guerra fue destructiva, y una enorme licuadora para las culturas y la experiencia humana. En más de un sentido fue la primera gran vivencia masiva de la globalización. Puso en contacto a hombres de todas las latitudes, los desplazó por territorios hasta entonces desconocidos para el habitante promedio, e introdujo a poblaciones enteras de las regiones atrasadas en lo que hoy llamaríamos la modernidad.

Todo esto se hizo a través de la destrucción más violenta imaginable, pero sus lecciones fueron asimiladas por las élites emergentes o en formación en esas regiones y pronto fueron traducidas en un reclamo de descolonización, mejoramiento material, independencia nacional y avance social.

En América Latina, en condiciones y perspectivas diferentes a la vez que familiares de lo que luego se dio en llamar el "Tercer Mundo", se empezó a vivir también el sueño del desarrollo. Industrialización, sustitución de importaciones, nuevas maneras, más sólidas y controladas nacionalmente, de vincularse con la economía mundial que se reconfiguraba, formaron parte del arsenal de políticas y visiones del desarrollo a que convocaran Raúl Prebisch y sus compañeros de la CEPAL apenas terminada la guerra.

Como contraparte, los combatientes del mundo avanzado y sus familias, agudizada y enriquecida su memoria de las crisis de entreguerras por la experiencia dolorosa del conflicto bélico, empezaron a asumir la protección social y la presencia activa del Estado como un derecho adquirido y hasta exigible. Todo esto derivaba racional y políticamente en la centralidad universal del desarrollo.

En el pensamiento latinoamericano del desarrollo se quería combinar racionalidad económica con necesidad histórica a través de la política y la acción del Estado nacional, cuyas tareas se reivindican como centrales para la evolución económica a la vez que empiezan a revisarse frente a una sociedad que se urbaniza, se organiza y empieza a generar novedosos reclamos de democratización y redistribución social. Sin adueñarse del centro, como hoy ocurre, la democracia es avizorada como la plataforma institucional y de participación social que puede conjugar una interdependencia protagónica entre un Estado con nuevas encomiendas y una sociedad que cambia y busca nuevas formas de relación con un mundo que se transforma después del desastre de las crisis de entreguerras y su trágica consumación en la contienda bélica mundial.

Así, el mundo entero se dio a la búsqueda explícita del crecimiento económico, considerado indispensable para el bienestar social y para la consolidación de las democracias. Con el triunfo de la revolución china y la independencia de India, una porción significativa de la población del orbe pareció capaz de concretar estas expectativas, no sólo de progreso material para todos sino de poder trazar trayectorias históricas novedosas, incluso radicalmente distintas a las conocidas hasta entonces como exitosas.

La capacidad de la URSS para saltar hacia adelante en medio de la gran depresión de los años treinta y de resistir victoriosamente la invasión nazi en los cuarenta contribuía en aquellos años a convertir al desarrollo en la idea-fuerza del mundo que emergía en la posguerra. Actor central en este drama fue la planeación, que al ser adoptada por el ímpetu desarrollista y de la reconstrucción posbélica dejó su rigidez centralista y empezó a verse como una posibilidad para nuevas combinaciones entre Estado y mercado, para una economía mixta creativa y sustentable. La Guerra Fría, al imponer la ideología como el factor determinante de la política mundial, hizo del desarrollo una variable estratégica en el enfrentamiento bipolar. Paradójicamente, fue al calor de este conflicto como muchos países recién nacidos pudieron intentar rutas de progreso económico y social que pretendían recoger lo mejor de las dos experiencias que entonces se presentaban como las únicas alternativas. Las "terceras vías" de aquellos años fueron, tal vez, poco exitosas, pero la idea misma de usar y explorar tradiciones e idiosincrasias como plataformas y condiciones iniciales para el desarrollo económico quedó en reserva, y ahora, en medio de las tormentas de la globalización, reclama un lugar estelar en el inventario de las políticas y las instituciones para el desarrollo en el nuevo milenio.

Por décadas el mundo se las arregló para realizar el desarrollo en un equilibrio delirante de destrucción mutua. Como paradigma central reinaban el pleno empleo y la protección social, y en el lado oscuro del planeta se veía al crecimiento económico sostenido como la ruta por excelencia para arribar a esas plataformas de progreso que se resumían en los Estados de Bienestar. Intervenciones sistemáticas del Estado en las decisiones y procesos económicos; aprovechamiento intenso de los fondos externos de ayuda, préstamo o inversión; protección y hasta invención del precario empresariado doméstico: todo esto y más se puso en juego en esos años bajo las divisas del crecimiento y el arribo pronto a actividades modernas, del más alto valor agregado posible. La acumulación de capital y la inversión productiva, junto con la industrialización ampliada de las economías y la urbanización acelerada de las sociedades, eran los vectores de esta gran transformación de la segunda mitad del siglo XX.

Además, los avances tecnológicos, las grandes migraciones y la idealización de la modernidad abrieron la conformación de grandes espacios que durante este siglo consiguieron urbanizar a las poblaciones. Hace cien años sólo dieciséis ciudades tenían más de un millón de habitantes, y ahora más de quinientas ciudades pueden ostentar aglomeraciones de tal magnitud; tres de éstas (Bombay, São Paulo y la zona metropolitana de la ciudad de México) con alrededor de 20 millones de habitantes. El carácter administrativo y el número creciente de actividades de distribución integrado a los mercados más dinámicos dan, por consiguiente, una función que Castells llama de "gestión-dominación", agregándole a la ciudad una "primacía social del aparato político administrativo" (M. Castells, 1983). Esta hegemonía desprende una responsabilidad amplia al esfuerzo de planeación, como ejercicio ordenador de la actividad no sólo de la vida de una concentración extensa de personas, sino de la misma actividad productiva y política de sus zonas de influencia. Es reflejo de un orden político y de una organización económica (*ibid.*).

La eficacia política y la creación material sostenida fueron puestas por encima de lo que hoy se llama las "mejores prácticas", o las "políticas correctas", las instituciones "adecuadas" y la eficiencia. Pero el resultado de este esfuerzo no se corresponde con lo que después se trataría de imponer como la "leyenda negra" del desarrollo como proyecto y política de Estado.[1] Aquéllos fueron tiempos de expansión productiva y cambio social, plasmado en la urbanización, la ampliación de los sectores sociales medios, el consumo moderno y la ampliación de las esferas del Estado y de lo público. La composición de la población en este periodo dio un importante paso, rápido y firme, para convertirse en mayoritariamente urbana; según la CEPAL, en promedio para toda la América Latina, la participación de una población urbana de 42% en 1950, que rebasó, por mucho, la mitad en 1970 hasta verse en 80% para el año 2005. Este ritmo de urbanización fue seguido por los países del Caribe que enfrentaron dificultades distintas.

Las relaciones productivas se diversificaron de tal forma que incluso su producción comerciable dejó de ser completamente primario-exportadora. El modelo urbano imputa un modelo cultural completo, desde el dominio político hasta el crecimiento demográfico. Las concentraciones humanas en el espacio centran la atención en las transformaciones de su actividad. El primer momento de la urbanidad contrapone lo industrial con lo agrícola, para tomar una caracterización propia

[1] Cf. Enrique Cárdenas *et al.*, 2003.

en el empleo y el desempleo urbanos. Frente a este cambio sigue existiendo una notable participación de actividades agrícolas y extractivas para toda la región latinoamericana en la última década. Sin embargo, el dinamismo de estas relaciones y su penetración en las venas de los procesos de producción nacionales han visto importantes cambios en las relaciones económicas y en las formas de convivencia. Para México, las exportaciones primarias perdieron rápidamente participación, irónicamente, con desequilibrio y desmembramientos productivos internos más pronunciados que algunos países con exportaciones primarias donde los desarrollos y encadenamientos han facilitado el acercamiento entre productores, modificando las relaciones entre lo urbano y lo rural.

Más tarde, en los años ochenta, vendrían el ajuste de las cuentas externas y fiscales y los afanes de corregir cuanto antes lo que se vio como excesos y adiposidades de esta vertiginosa carrera hacia el progreso. A partir de las sucesivas crisis petroleras y de la gran explosión de la deuda externa en 1982 se trazan nuevos y radicales linderos al desarrollo. La urbanidad está ligada a una relación técnica de producción con el entorno, e implica la difusión y penetración de un sistema de valores identificado hasta entonces con el modernismo (M. Castells, *op. cit.*). La actualidad urbana tendió hacia el sector terciario de la economía, y de considerar a la industria como el centro de su actividad productiva viró hacia "el consumo, los servicios y la información" (López Levi, 2005: 453). Se fue tan lejos en esta nueva ronda que anunciaba el actual vuelco mundial, que incluso se pretendió desaparecer del mapa de las prioridades internacionales la idea misma del desarrollo.

LOS VERICUETOS DE LA GLOBALIZACIÓN

Con las convulsiones que propulsaron la globalización de fin de siglo sobrevino un radical cambio paradigmático. En vez de pleno empleo y protección social se impuso la lucha contra la inflación, por la estabilidad financiera y por la reducción de los compromisos del Estado con el bienestar, en pos de una dinámica económica, pero también de la sociedad en su conjunto, orientada a lograr una eficiente asignación de los recursos por los mercados.

En los países en desarrollo se volvió central la noción del ajuste externo y el pago de la deuda, la revisión a la baja de los estados intervencionistas y la mutación radical de políticas sociales y redistributivas en consonancia con lo que se llamó el Consenso de Washington. Con su catálogo de recomendaciones destinadas a "volver a lo básico", el Consenso pretendió redefinir el perfil global del mundo y asegurar la implantación de un nuevo orden mundial para la post Guerra Fría (D. Ibarra, 2005).

La individualización del imaginario colectivo se volvió uno de los constituyentes principales de la propuesta globalista. La visión de una libertad individual irrestricta como eje de las relaciones democráticas sustenta la propuesta casi universal de reducir al Estado a su mínimo, hasta volverlo una entidad puramente instrumental.

Sin embargo, al enfrentar los derechos ganados, concebidos por la gente no sólo como exigibles por todos sino como un componente insustituible de la historia presente, esta iniciativa de recuperación del individualismo sienta ahora las bases políticas y culturales para emprender un nuevo "doble movimiento de la sociedad" en defensa de ella misma y de la naturaleza que la sustenta. En este doble movimiento podrán gestarse convocatorias que dejen atrás la dicotomía que desdibuja el conflicto central del presente: la que se ha querido imponer entre la libertad republicana que refiere a la democracia y la libertad posesiva y exclusivamente negativa que refiere al mercado como ordenador único e inapelable de la vida política y comunitaria (K. Polanyi, 1957).

Sin renunciar del todo a la idea del desenvolvimiento económico, la historia en que se inspiraban las visiones y estrategias que dieron cuerpo a la economía del desarrollo fue revisada y vuelta a escribir en estos primeros años de la nueva globalización. El éxito económico y social quiso verse como el resultado de una combinación virtuosa de libre mercado global con libre iniciativa local, reduciendo al mínimo la intervención política en la economía a través del Estado. La democracia misma, sostiene la ideología globalista, tenía que ser repensada y regimentada, como condición *sine qua non* de una gobernanza que superase los excesos propiciados por una pluralidad política renuente a asumir sus costos crecientes sobre las finanzas del Estado y las ganancias de la empresa.

Al proponerse a la globalización basada en un mercado mundial libre y unificado como sendero único hacia una nueva sociedad internacional, el entendimiento del desarrollo y de su historia cambió, hasta llegar a los excesos ideológicos neoliberales para los que no sólo el futuro sino el presente y el pasado tienen una sola racionalidad derivada del pensamiento deductivo y los modelos abstractos; las particularidades nacionales y las identidades locales habrían de agruparse por igual en esta idea uniformadora.

Esta ronda no terminó con las primeras disrupciones brutales de la globalización realmente existente, pero cada vez recoge menos aceptación dentro y fuera de los países desarrollados y de las instituciones económicas internacionales que ellos dominan. Frente a la globalización como trayecto y pensamiento único se propone que "otro mundo es posible", y frente a la dictadura del ajuste financiero y el equilibrio fiscal, entendido unívocamente como "déficit cero", se plantean nuevas maneras de administrar el Estado social sin renunciar al comercio exterior y a la interdependencia global, sólo que buscando poner por delante la noción operativa pero trascendente del desarrollo humano.

Con la adopción de las metas del milenio en las Naciones Unidas, y la constatación cotidiana de que frente a las asimetrías mundiales acentuadas por la globalización las sociedades atrasadas se "ajustan" al mundo subversivamente mediante la migración en masa, muchas iniciativas para construir un orden internacional con perspectivas globales empiezan a reconocer la necesidad de imaginar el mundo futuro a partir de repensar la historia mundial sin mistificar la experiencia del desarrollo. De esta nueva revisión de la memoria puede emanar otra ola de pensamiento y de acción colectiva, que recupere para el desarrollo su lugar central en la historia moderna no sólo de Occidente sino del planeta en su conjunto.

Con las mudanzas culturales e ideológicas con que se cerró el siglo, las nociones de ciudadanía y de los derechos humanos registran ampliaciones y mutaciones. La ciudadanía se presenta como indivisible en sus varias dimensiones: civil, política y social, y los derechos humanos se expanden hacia los derechos económicos, sociales y culturales que abren una perspectiva generacional ilimitada. En este contexto, el "derecho al desarrollo" que reclamaron las naciones atrasadas al término de la segunda guerra se acuña como derecho fundamental e impulsa el desarrollo de los derechos, que empieza a entenderse como el sostén primordial de la equidad, la ciudadanía y la democracia misma.

Los factores económicos y los lenguajes de exclusión y de respeto a los marcos legales construyen también el paisaje citadino y su distribución espacial. Los espacios públicos promueven la convivencia y, por ello, su grado de acceso también puede desprender desigualdades. El contexto urbano muestra profundas desigualdades sociales en medio de una urbanidad fragmentada por el desempleo, la inseguridad, la centralidad del transporte por sus grandes extensiones y presiones de vivienda, que revelan la percepción de una ciudad hostil: "desplazando a sus habitantes" (López Levi, *op. cit.*: 460-468).

El uso del espacio muestra nociones de un ideal sobre la calidad de vida. La dinámica de mercado del suelo se ha insertado en las definiciones de la planeación y la regulación del espacio de manera que promueva la inversión, sin tener siempre presente la "comodidad de sus habitantes" (*ibid.*: 469). Desde una visión de mercado, las grandes inversiones deben de ser rentables, como también útiles para la convivencia. No sólo por el empleo remunerado del que está siempre sedienta la megalópolis, sino por el uso de los espacios y por la coexistencia entre la producción, la vivienda y la ocupación de la calle. Estos elementos están consecuentemente inmersos en una compleja discusión sobre este desarrollo de los derechos.

Las jerarquías, el orden, lo moral y lo deplorable se hacen visibles e invisibles en la estructuración de estos espacios. La apropiación del espacio público cambia sus tendencias. En esta preocupación también están involucradas las tendencias del empleo y de la posesión de la vivienda; la precariedad de los asentamientos irregulares está presente, al igual que la propagación del comercio informal; todos ellos procesos colectivos anárquicos a considerar para la proyección del crecimiento urbano y el uso de sus espacios.

La globalización, así, produce otras figuras políticas y retóricas, narrativas y relatos, tan globales como lo son la gran empresa multinacional, los mercados financieros o la guerra contra el terrorismo. Estas criaturas son sin duda transfiguradas por los vuelcos del mundo, las que en los inicios de la modernidad le dieron sentido a lo que de otra manera hubiera sido una historia evanescente.

En el centro de ellas estuvo y seguirá la del desarrollo, ahora adjetivado por la equidad y la democracia que suponen no la minimización del Estado sino su transformación ampliada. Configurar una ecuación compleja pero positiva con estas variables es el reto principal para los planificadores y los practicantes de la economía política del desarrollo.

LA ENCRUCIJADA LATINOAMERICANA

En América Latina los primeros grandes impactos de la globalización se combinaron con una de sus peores crisis económicas, probablemente la más larga y compleja. En más de un sentido, si se atiende a lo ocurrido con las principales variables productivas y, sobre todo, con las que tienen que ver con el nivel y la calidad de vida de la población, podría decirse que esta crisis no ha terminado.

El estallido de la crisis internacional de la deuda, iniciada en México en 1982, determinó el arranque de una drástica revisión de la economía política de la región. El significado de esta coyuntura trascendió con mucho los problemas de liquidez internacional que aparecieron en la superficie, y pronto se puso sobre la mesa, en toda su complejidad política y social, el tema del financiamiento del desarrollo nacional en su conjunto. Un componente decisivo de esta cuestión era y es la forma en que estas economías se relacionan con el resto del mundo. Puede decirse que en este sentido mucho se ha avanzado: varios países latinoamericanos han redefinido a fondo la estructura de sus exportaciones y la deuda externa parece haber dejado de tener el peso fatal y letal de antes, sin demérito de la participación lograda por varias economías en las complejas cadenas de valor de la producción internacional. La verdad, sin embargo, es que una y otra vez, en prácticamente toda la región, se asiste a la vulnerabilidad financiera externa, ahora acentuada por el gran peso que han adquirido los movimientos de capital internacional de corto plazo, como contraparte de los beneficios que promete una apertura financiera de tal magnitud como la realizada en estos lustros.

Por otro lado, la producción y el uso del excedente social, que tiene que ver directamente con la distribución del ingreso y su destino, apenas ha recibido atención por parte de los estados y los partidos que protagonizan la vuelta o el estreno democráticos de América Latina. En la actualidad, buena parte del éxito exportador logrado depende de pautas salariales y de empleo que redundan en una mayor concentración de los frutos del crecimiento económico alcanzado. En América Latina, a partir de 2002, dos de cada tres nuevos asalariados se incorporaron a empleos con prestaciones sociales, contrastando con la década anterior, en la que siete de cada diez nuevos empleos pertenecían al sector informal. Sin embargo, la proporción general entre los empleos asalariados y los trabajadores no afiliados a los sistemas de seguridad social no mejoró: "si bien en este periodo de bonanza hubo una importante recuperación del empleo asalariado, ésta no se complementó con un cambio significativo de su calidad".[2]

[2] Cf., CEPAL, *Panorama Social 2006*, publicación en línea <www.eclac.cl>, consulta en mayo de 2007, pp. 22-24.

Los avances en la productividad de algunos núcleos exportadores son, en buena medida, el fruto de acciones defensivas de las empresas, que más que modernizar su planta se empeñan en una reducción absoluta de sus costos, con cargo al desempleo directo y a los bajos salarios medios. Así, los efectos esperados de la apertura comercial y del cambio estructural en términos de empleo, salarios y distribución de la productividad no se han concretado; o bien, han presentado dificultades de adaptación a las nuevas dinámicas competitivas y mayores grados de desigualdad.

En el caso de México, por ejemplo, las expectativas iniciales de la apertura comercial y del Tratado de Libre Comercio de América del Norte (TLCAN), de que con ellos se atraería inversión hacia los sectores con mano de obra abundante, poco o nada calificada, no se han cumplido, y el formidable dinamismo exportador alcanzado no se ha transmitido al resto de la economía. El crecimiento del empleo total ha sido insuficiente para absorber la demanda de trabajo, y el mercado interno ha evolucionado con lentitud. La brecha social, en consecuencia, tan sólo por el peso de una demografía en transición, se ha ampliado.

Para fines de previsión, desde este panorama laboral cobra importancia el respeto real del marco legal, las condiciones de empleo y pobreza restan capacidad de influencia al Estado, afectando cuestiones del ámbito colectivo, como el uso del espacio mismo. Las normas son desafiadas y las políticas de vivienda y de espacios comunes se dificultan, más allá de la función y la eficiencia, por la gran masa de autoempleados; en este sentido, la planeación requiere no sólo de ideas y del desarrollo de derechos, sino de estructuras institucionales confiables: "no poder ejecutar las leyes equivale simplemente a la no existencia de leyes, y [...] un gobierno sin leyes resulta en política un misterio inconcebible para la inteligencia humana, [además de ser] incompatible con la existencia de la sociedad" (J. Locke, 1990, apartado 220, tomo II: 166). La necesidad de este desarrollo de los derechos se vierte también en la consecución de los medios para alcanzar el empleo, el ingreso y la seguridad, que en otro sentido compensan las actividades informales, su solidaridad y su abuso del espacio.

Hasta el momento de la crisis de la deuda se otorgaba al Estado un papel central en la industrialización de la región, a la que se confió el papel de dinamizar e integrar las economías y las sociedades latinoamericanas. La apuesta de largo plazo de este consenso era que el crecimiento industrial basado en la sustitución de importaciones permitiría mantener altas tasas de crecimiento, cerrar progresivamente la brecha externa y mejorar el nivel de vida de la población, a través sobre todo de la ampliación y el mejoramiento del empleo urbano.

Entonces se prestaba poca atención a lo que Raúl Prebisch ya había advertido y resumía en su noción de "insuficiencia dinámica" del crecimiento. Esta insuficiencia se expresaba en un desempeño externo crónicamente deficitario, que asociaba el crecimiento con déficits cada vez mayores en la cuenta corriente de la balanza de pagos. También se asociaba con una precaria articulación doméstica de la estructura productiva, donde encontraba su raíz lo que se llamó la "heterogeneidad estructural" latinoamericana, que cruza mercados de bienes y trabajo y desemboca en cuotas de desigualdad, y ahora de pobreza, muy por encima de lo que podría esperarse de estructuras productivas como las que América Latina pudo construir en el siglo XX.

Esta forma de crecimiento llevó a las economías latinoamericanas a una fuerte dependencia de su capacidad para absorber capital externo, en especial mediante el endeudamiento. La fórmula que se consideraba como principal para elevar el bienestar general de la población puede verse hoy como una fórmula simplista, literalmente aritmética: bastaba con que creciera la producción por encima de la población para garantizar un aumento en el ingreso per cápita, que tarde o temprano se reflejaría en el incremento de los ingresos y en las oportunidades para los distintos sectores de la población.

Así, se postulaba un círculo virtuoso articulado por la modernización económica y social fruto del desarrollo industrial cuyos encadenamientos productivos serían el impulso para el resto de los sectores. En los hechos, en prácticamente toda la región se descuidó la construcción de redes sociales de alcance universal, lo que se agravaba por la progresiva segmentación de los mercados laborales que apuntaba a dosis de marginalidad crecientes. Las ciudades empezaron su deterioro precoz, mientras las zonas rurales se despoblaban, sin dejar de ser los receptáculos por excelencia de la pobreza extrema. Y por su parte, el Estado desarrollista, acosado por la deuda y el creciente reclamo de compensación social, se asomaba a un futuro de despojo de sus capacidades elementales. Con la hecatombe de la deuda el modelo se declaró agotado sin haber superado los rasgos más negativos de la desigualdad económica que ha caracterizado a la región a lo largo de su historia. Tampoco se pudo superar la vulnerabilidad externa, que imponía una aguda dependencia financiera del crecimiento global.

Al ocurrir en medio de una acelerada urbanización y en un contexto político dominado por una intensa participación social que antecedió a un reclamo democrático extendido, la crisis indujo a revisar las instituciones económicas y políticas, así como las estrategias sobre las que se había fincado la expansión económica de la región a partir de la segunda guerra mundial. Se tejió así la "leyenda negra" del desarrollo latinoamericano, en la que los excesos y defectos se magnificaron y los logros se minimizaron. Esta *tabula rasa*, intentada con furia en varios de nuestros países, logró muchos cambios, pero no propició la consolidación de nuevas formas de crecer y de distribuir compatibles con la convivencia política y social que es inherente a la democracia representativa.

La "vieja" manera de entender y de vivir el desarrollo latinoamericano, resumida en la industrialización dirigida y protegida por el Estado, y en los distintos autoritarismos que la acompañaron permanente o intermitentemente durante medio siglo, no ha tenido una solución de continuidad virtuosa. Se vislumbra la posibilidad de una inserción productiva en la globalización, de un cosmopolitismo benefactor de las sociedades y de los estados, pero no se han podido concretar los mecanismos productivos e institucionales que permitan una "nacionalización" de la globalización emprendida con tanto entusiasmo a partir de la gran crisis de la deuda externa de principios de los años ochenta. Por ello tiene que hablarse todavía de una encrucijada que reclama apuestas políticas e institucionales que, como ocurrió en la fase anterior de desarrollo, se propongan "hacer época" (J. A. Ocampo, 2004).

Frente a esta exigencia de renovación es preciso admitir que en el mundo y en la región se vive una nueva subjetividad que obliga a repensar los quehaceres y cometidos de la política. A partir de estas mutaciones del entorno y del individuo la política tiene que hacerse cargo de los matices y de los reflejos singulares y colectivos en formación, con el fin de abordar la difícil tarea de crear mecanismos de adopción y de adaptación al proceso global con arraigo e identidad propia. La mundialización de la política y de la economía, y el choque cultural que permite a gran escala el avance tecnológico, se topan con un proceso desarticulador, de individualización y despolitización social, que no sólo hace peligrar la estabilidad y la legitimidad de las instituciones, polarizando visiones e intereses, sino que desgasta los mecanismos creativos de hacer política con visión de largo plazo.

Como resultado de los traumas que trajeron consigo la crisis de la deuda y el ajuste externo a que fueron sometidas las economías de la región, se impuso la idea de ir "más allá del ajuste" y realizar un cambio estructural que permitiera superar la crónica debilidad externa del desarrollo y abriera paso a una fase distinta de la evolución económica. Ésta es, a la fecha, la franja de transición en la que se mueven la política y la democracia recientemente adquirida, pero también los resortes más profundos que organizan la subsistencia y la coexistencia de los latinoamericanos. Más que transición, para muchos se trata de una interminable tierra baldía.

Los ajustes que tuvieron lugar en los primeros años ochenta fueron ajustes recesivos que afectaron negativamente el ritmo de crecimiento de la economía y del empleo y desembocaron en un empeoramiento de la distribución del ingreso. En esa década adquiere carta de naturalización la pobreza extensa y extrema como resultado del estancamiento productivo y de la caída de la ocupación, así como de las devaluaciones y del agravamiento de la inflación que acompañaron el periodo de ajuste.

La combinación de todos estos factores permite hablar de una fase de crisis profunda y más o menos general, dentro de la cual tiene lugar, sin embargo, una búsqueda afanosa y muy costosa del cambio hacia una nueva forma de crecimiento. El cambio estructural, no obstante, amplió y agudizó las desigualdades sociales, sectoriales y regionales, puso al descubierto profundas fallas fiscales y financieras, e hizo evidentes los grandes nudos que sofocaban y deterioraban la organización estatal. Así, a los rezagos históricos de tipo social y productivo que caracterizaron el desarrollo anterior se añaden ahora los costos sociales del ajuste y del cambio. Esta acumulación de faltantes debe inscribirse, además, en el marco de las limitaciones que la globalización impone a las decisiones y visiones estatales.

De aquí la relevancia de un empeño por devolverle a la idea de la planeación su dignidad clásica. No es tarea sencilla, si asumimos en toda su profundidad los cambios del mundo y las dislocaciones enormes que en la economía, la política y la cultura han traído consigo. Al sustituir la noción de objetivos que es propia de la planeación, por la de oportunidades, que más bien nos refiere al mercado y su inmediatez, la función de la política deja de ser entendida como creación de orientaciones de largo plazo y se impone el desgastante día a día que redunda en su progresiva deslegitimación y agotamiento. Este debilitamiento de la conducción política equivale a perder la visión de perspectiva que es inherente a todo ejercicio de proyección. Se impone el presente continuo, omnipresente, y se cuestiona la idea misma de proporciones y prioridades. Y en éstas estamos, perdidos en la transición sin fecha de término y en una globalización inevitable pero carente de rumbo.[3]

Los retos que se plantean a la región y a México al inicio del milenio son enormes. Superar el malestar *en* la democracia y evitar que se vuelva un malestar con la democracia, como nos ha advertido el Programa de las Naciones Unidas para el Desarrollo (2004) no es el menor de ellos, y recuperar la política porque sin ella no hay proyecto colectivo ni comunidad realmente nacional, es otro fundamental. Para terminar, todos ellos pueden unificarse en el desafío mayor, histórico, de reasumir la aventura del desarrollo, el de hoy y el de mañana. Como lo fue ayer, cuando se pensaba que apropiarse del futuro para reinventarlo a través de la planeación era una utopía viable.

BIBLIOGRAFÍA

Castells, Manuel, 1983, *La cuestión urbana*, México, Siglo XXI.

Chang, Ha-Joon, 2002, *Kicking away the Ladder: Development Strategy in Historical Perspective*, Londres, Anthem Press.

Gray, John, 1998, *False Dawn: The delisions of global capitalism*, Nueva York, New Press.

Hobsbawm, Eric J., 1994, *The Age of Extremes: a history of the world, 1914-1991*, Nueva York, Vintage.

Ibarra, David, 2005, *Ensayos sobre la economía mexicana*, México, Fondo de Cultura Económica.

Lechner, Norbert, 2002, *Las sombras del mañana. La dimensión subjetiva de la política*, México, Lom Ediciones.

Locke, John, 1990, *Ensayo sobre el gobierno civil*, México, Aguilar.

López Levi, L., 2005, "Las calles de la ciudad de México", en Alejandro Carrillo Luvianos, *Recomposiciones regionales, sociales y culturales en el mundo actual*, México, UAM-Xochimilco.

Marx, C., y F. Engels, 1999, *El manifiesto comunista*, México, Edivisión.

Ocampo, José Antonio, 2004, *Reconstruir el futuro. Globalización, desarrollo y democracia en América Latina*, Bogotá, CEPAL-Norma.

Polanyi, Karl, 1957, *The Great Transformation: The political and economic origins of our time*, Boston, Beacon Press.

Programa de las Naciones Unidas para el Desarrollo, 2004, *Informe sobre la democracia en América Latina*, México.

Rodríguez Chumillas, Isabel, 2005, "Nuevas versiones de las identidades urbanas de las élites: Los fraccionamientos cerrados", en Alejandro Carrillo Luvianos, *Recomposiciones regionales, sociales y culturales en el mundo actual*, México, uam- Unidad Xochimilco.

Smith, Adam, 1993 [1776], *An inquiry into the nature and causes of the wealth of nations*, Oxford, Oxford University Press.

[3] Cf., N. Lechner, 2002.

POBREZA URBANA, DESIGUALDAD Y EXCLUSIÓN SOCIAL EN LA CIUDAD DEL SIGLO XXI. UNA INTRODUCCIÓN

PATRICIA RAMÍREZ Y ALICIA ZICCARDI*

La pobreza urbana, la desigualdad y la exclusión social constituyen procesos claramente observables en la mayoría de las ciudades latinoamericanas del siglo XXI. Es cierto que los sectores populares de nuestras ciudades siempre han padecido condiciones de trabajo y de vida precarias, pero actualmente estas condiciones no sólo se han amplificado y las desigualdades sociales se han acrecentado, sino que se advierten nuevas y diferentes formas de exclusión social, las cuales se observan tanto en las prácticas discriminatorias que prevalecen en el mercado de trabajo como en el acceso y la calidad diferenciada de los bienes y servicios de la ciudad según el origen socioeconómico y étnico de la ciudadanía y su lugar de residencia (barrio, zona, ubicación en la ciudad). Precisamente este último aspecto hace del territorio una fuente de exclusión y de desigualdad y no sólo una expresión espacial de los procesos de acumulación de desventajas económicas, sociales, culturales y ambientales que caracterizan a los diferentes colectivos sociales que habitan en la ciudad.

Sin duda la ciudad se ha transformado profundamente como consecuencia de los cambios que han provocado en su economía los procesos de globalización y la aplicación de políticas neoliberales. En lo fundamental, en las grandes ciudades la desindustrialización cede el paso a la expansión de un sector de servicios polarizado, en el interior del cual adquieren mayor importancia las actividades financieras y de la informática, demandando mano de obra de alta calificación, a la vez que se expanden las actividades informales y la precariedad laboral que se expresa principalmente en el comercio que invade las calles y los espacios públicos y donde también suelen realizarse actividades delictivas, en particular distribución y venta de drogas.

De esta forma los ciudadanos de la ciudad deben aprender a vivir en un espacio en el que se concentran todo tipo de riesgos, donde la vida comunitaria se halla en franco deterioro y donde están dadas todas las condiciones para un debilitamiento de la cohesión social y para un incremento de las formas de violencia e inseguridad. Es cierto que nuestras ciudades se han caracterizado siempre por ser producto de un patrón de urbanización basado en la proliferación y masividad de asentamientos precarios, situados en una periferia cada vez más lejana y conformados por viviendas autoconstruidas o por conjuntos habitacionales promovidos en muchos casos por la acción social del Estado, espacios que suelen presentar equipamientos e infraestructuras escasos y de baja calidad. El traslado desde estos barrios periféricos a

* Instituto de Investigaciones Sociales de la Universidad Nacional Autónoma de México.

los lugares de trabajo o de estudio implica invertir mucho tiempo y dedicar buena parte de los pocos recursos al pago de los mismos. Por otra parte, si bien subsisten en los centros de las ciudades viejas y deterioradas viviendas en las cuales se paga una renta relativamente baja, es en estas zonas de la ciudad donde los espacios públicos, las calles, están tomadas por las actividades informales, lo cual genera condiciones sociales y ambientales francamente desfavorables para el conjunto de la ciudadanía. Para las capas medias los condominios constituyen la mejor opción habitacional, pero la calidad de vida en los mismos está en estrecha relación con el origen socioeconómico y, por lo tanto, con la capacidad de pago de quienes los habitan. A estos rasgos de la morfología urbana se agregan los nuevos enclaves de las clases altas, símbolos de una ciudad de consumo de lujo, de fraccionamientos cerrados, de agrupamiento de casas o de condominios donde sus habitantes pretenden acceder a bienes y servicios urbanos exclusivos de una élite y no parte de una única ciudad. Así, las marcadas desigualdades económicas y sociales son claramente observables en el territorio y la ciudad tiene pocas posibilidades de cumplir sus funciones de integración social y de hacer efectivos los derechos económicos, sociales, culturales y ambientales que definen la condición de ciudadano.

En este contexto, desde hace algunos años la investigación social latinoamericana ha emprendido un gran esfuerzo para elaborar herramientas analíticas novedosas, promover el debate académico y aportar los conocimientos surgidos de un análisis profundo y sistemático de esta nueva realidad económica, social, política, cultural y urbana. Este libro es parte de esta tarea académica colectiva y presenta los resultados de las investigaciones realizadas por un amplio grupo de destacados investigadores pertenecientes a diferentes universidades y centros de investigación de México y de jóvenes estudiantes de posgrado de la UNAM. Los mismos fueron presentados y debatidos en el seminario al que convocaron, en el año 2006, los miembros del proyecto especial "Pobreza urbana, exclusión y políticas sociales en las sociedades complejas"[1] cuya sede fue el Instituto de Investigaciones Sociales, el que cuenta con un apoyo de la Dirección General de Apoyo al Personal Académico de la UNAM. Luego que los autores revisaron y reelaboraron los textos originales, las versiones finales fueron agrupadas en los cinco ejes temáticos que componen este libro, no obstante que la principal riqueza del mismo es el ofrecer una perspectiva multidimensional sobre los complejos procesos de pobreza, exclusión y desigualdad que caracterizan a nuestras ciudades.

Cabe señalar también que la intención de este libro es múltiple puesto que trata de ofrecer en primer lugar un conjunto de conocimientos surgidos del trabajo de investigación que permitirán avanzar sustancialmente en este campo de conocimientos y que contribuirán al desarrollo de labores docentes. Pero sin duda constituye un material socialmente útil para las organizaciones civiles y sociales que tra-

[1] Participan en este proyecto: Héctor Castillo Berthier, Paulette Dieterlen, Leonardo Lomelí, Patricia Ramírez, Rolando Cordera (corresponsable) y Alicia Ziccardi (responsable), así como un amplio número de alumnos de las licenciaturas de economía, sociología y ciencias políticas y de los posgrados de Urbanismo y Ciencias Políticas y Sociales de la UNAM.

bajan para mejorar la calidad de vida del conjunto de la ciudadanía, para quienes asumen la difícil tarea de gobernar en la democracia y con eficiencia y en particular para quienes desde el gobierno local se confrontan diariamente con la necesidad de dar respuesta al conjunto de necesidades insatisfechas de los sectores populares que viven en nuestras ciudades.

LA PERSPECTIVA MULTIDIMENSIONAL DE LA POBREZA URBANA, LA EXCLUSIÓN Y LA DESIGUALDAD SOCIAL

Sin lugar a dudas la pobreza, la exclusión y la desigualdad son los más graves problemas que enfrentan las sociedades contemporáneas, y dada su complejidad, el análisis de los mismos, en busca de caminos para su superación, exige adoptar un enfoque multidimensional. En este sentido, aceptando desde el inicio que en todas las épocas la pobreza encuentra sus principales fundamentos, aunque no los únicos, en las condiciones estructurales de la economía, el trabajo elaborado por Leonardo Lomelí, constituye una valiosa reflexión sobre las primeras aportaciones que ofreció la economía al intentar dar cuenta de las causas que generaban este fenómeno. El autor comienza por colocar el interrogante formulado por Adam Smith (1958) sobre cómo se puede alcanzar el mayor bienestar para la sociedad: ¿confiando en un poder (el Estado) que organice sus actividades en beneficio de la colectividad o dejando a cada individuo en libertad para tratar de incrementar su propio bienestar? La respuesta de Smith fue que el mejor camino para lograr el máximo bienestar social era dejar a los hombres perseguir su propio beneficio. Es decir, en esta argumentación el adecuado funcionamiento de los mercados era visto como la solución para la pobreza, ya que una economía de mercados competitivos entraría en un círculo virtuoso de profundización de la división del trabajo que elevaría la productividad, y con ello la producción, la riqueza nacional, los salarios, el ingreso de los familias y el consumo, lo que constituiría un nuevo estímulo para profundizar aún más la división del trabajo y para alimentar un proceso de crecimiento económico que podría llegar a ser ininterrumpido, con sucesivas mejoras en los salarios reales y, por consiguiente, en los niveles generales de existencia. Pero el autor de este artículo señala que esa visión promisoria se desvaneció cuando Malthus señaló que mientras la población crecía geométricamente la producción lo hacía aritméticamente, hasta llegar a un punto en el cual no era posible continuar creciendo porque los recursos naturales eran fijos. En consecuencia, los salarios podían crecer mientras la producción lo hacía, pero una vez que se llegaba a la frontera de posibilidades de producción de la economía los salarios convergían al nivel del salario de subsistencia, y entonces el hambre y el miedo a la miseria actuarían como frenos naturales de la población.

Pero Lomelí recupera el pensamiento de John Stuart Mill, para él el último gran economista clásico, quien al analizar la pobreza ofrecía una importante reflexión sobre las posibilidades de redistribuir el ingreso, a partir de la afirmación de que en una economía que no crece, la pobreza sólo puede reducirse a través de una redistribución del ingreso. Stuart Mill (1943) trató de avanzar en la identificación de aquellas circunstancias en las cuales los mercados no funcionan adecuadamente, distinguiendo entre funciones necesarias y funciones facultativas del Estado. Reconocía la necesidad de que el Estado garantizara la igualdad de oportunidades para todos como condición indispensable para un buen funcionamiento de la economía de mercado y para generar incentivos a la población que permitieran mejorar sus niveles de vida a través del esfuerzo individual. Pero el avance significativo del pensamiento económico sobre la pobreza aportado por Stuart Mill (1943), sostiene Lomelí, es el reconocimiento de que la capacidad de exclusión puede ser un factor que impida que los esfuerzos individuales permitan por sí solos superar la pobreza. Si así fuese, la política social que se desprende de este razonamiento tendría que estar basada en la igualdad de oportunidades, no de la renta, reconociendo además la existencia de una desigualdad natural de talentos. Por ello las principales medidas que John Stuart Mill propuso al respecto fueron garantizar el acceso a la educación y a los servicios de salud para los pobres, sin pensar en canalizar hacia ellos ayudas monetarias que podían generar desincentivos al trabajo. De igual forma, su defensa de la educación pública como igualadora de oportunidades y como transmisora de valores laicos y de un sano "gusto por los valores capitalistas" debe ser entendida dentro de este esquema de interpretación.

A partir de estos razonamientos Lomelí se ubica en los postulados de las políticas aplicadas en años recientes, afirmando que el pensamiento económico en materia de pobreza ha tenido una importante renovación al considerar, por un lado, el papel de la exclusión social en la reproducción de la pobreza, aunque una vez más se le ha querido enfocar desde la perspectiva del mal funcionamiento de los mercados. Así, en el enfoque de las fallas del mercado, desarrollado también a partir de la economía del bienestar que es retomada por Lomelí, los problemas de información asimétrica y de mercados incompletos afectan severamente la eficiencia de los mercados y han sido vistos como factores que contribuyen a la reproducción de la pobreza. De ahí surge el énfasis en la necesidad de generar inversión en capital humano y en crear mercados de crédito accesibles para los sectores de menores recursos, de modo que puedan generar un patrimonio propio. Sin embargo, aunque para el autor estas ideas representan un avance significativo en la comprensión y el combate del problema de la pobreza, no agotan la amplia agenda de cuestiones no resueltas por el pensamiento económico en torno de la pobreza. Para Lomelí la preocupación fundamental de la economía como disciplina, a partir del análisis de los mejores mecanismos para promover el bienestar social por la vía de una más eficiente asignación de los recursos, debe incluir un componente ético que a lo largo de los dos últimos siglos ha dado lugar a nuevas aportaciones para tratar de comprender la permanencia y, en algunos casos, la agudización de la pobreza.

Precisamente éste es el tema que desde una perspectiva filosófica desarrolla Paulette Dieterlen, quien aborda la preocupación por el daño que la pobreza produce a la dignidad y a la autoestima de las personas, al excluirlas como miembros de una comunidad, lo cual indica la necesaria incorporación de la dimensión ética en el análisis. Para esta autora es importante analizar el tema de los derechos económicos y sociales, tanto desde la perspectiva de su crítica como de su defensa. Para ello retoma el pensamiento crítico de Robert Nozick (1988) vertido en su obra *Anarquía, Estado y utopía,* donde se considera que la satisfacción de esos derechos obliga al Estado a implantar políticas redistributivas que violan la autonomía de algunas personas al tratarlas como simples medios para que otras puedan satisfacer los derechos antes mencionados. Para Dieterlen el argumento fuerte de los críticos de los derechos económicos y sociales es que la obligación de pagar impuestos para satisfacer los derechos económicos y sociales de todos los ciudadanos no sólo violenta un orden económico, sino que genera acciones coercitivas que son violatorias de la autonomía de las personas, convirtiendo la imposición del Estado en un problema moral. En cuanto a la crítica desde el punto de vista legal, ésta consiste en sostener que los derechos económicos y sociales no tienen deberes correlativos y que, por lo tanto, no existen instituciones o personas que tengan la obligación de cumplir con su satisfacción.

En contrapartida, para los defensores de los derechos económicos y sociales su incumplimiento viola la autonomía de las personas porque se les impide ejercer su capacidad de decisión. La tesis de estos pensadores es que existe la posibilidad de cambiar las instituciones para proporcionar un nivel de vida adecuado de salud y bienestar, alimentación, vestido, vivienda, asistencia médica y servicios sociales que todos los ciudadanos necesitan. A la defensa moral de autores de la filosofía del derecho, como Nino (1997 y 2000) se suma la defensa legal de autores como Pogge (2005) que consideran que los derechos establecen condiciones a una serie de acciones que no se refieren exclusivamente a la protección de las personas. Pogge afirma que los derechos establecidos en el artículo 25 de la Declaración Universal de los Derechos Humanos generan, para el Estado y los ciudadanos, deberes negativos, como el de no permitir que existan situaciones de pobreza extrema. Es aquí, para Dieterlen, donde debe introducirse la noción de exclusión, la cual remite al hecho de negarle a algunas personas la posibilidad de adquirir un bien, un lugar, un beneficio, un servicio que, en condiciones normales, les correspondería, por lo cual la misma estaría íntimamente conectada con el concepto de "libertad". Así, recuerda que la carencia del ejercicio de la libertad provoca que las personas carezcan de lo que Rawls (1986) ha llamado "los bienes primarios", entre los que se encuentran precisamente las diferentes libertades y las bases sociales del respeto de sí mismos.

Sin duda debe reconocerse que la polémica noción de exclusión ha sido incorporada por la sociología francesa desde los años setenta, y más recientemente se ha señalado que la misma es útil para hacer referencia a los procesos económicos que han generado el debilitamiento de la sociedad salarial y en consecuencia de las instituciones propias del modelo de Estado de Bienestar social, cuyo corolario es la generalizada precariedad e informalidad laboral que caracteriza a la sociedad occidental en la era global. Asimismo alude a las prácticas de discriminación de que son objeto principalmente las clases populares por razones de nacionalidad, origen étnico, sexo, edad, diferencias personales o lugar de residencia, dimensiones todas éstas no económicas, sino sociales y culturales. Por ello, una de las preguntas que, desde una perspectiva latinoamericana, hace Alicia Ziccardi en su artículo que se incluye en este libro, es: ¿cuáles son los puntos de encuentro y cuáles las diferencias entre el concepto de marginalidad desarrollado por la teoría sociológica latinoamericana en los años sesenta y la noción de exclusión social, surgida de la sociología francesa en la década siguiente y considerada ahora útil para el análisis de la sociedad y la ciudad del siglo XXI?

En este sentido, Ziccardi caracteriza dos momentos de la historia y la realidad latinoamericana en los cuales la magnitud y centralidad de la pobreza urbana concentran la atención de los estudios sociológicos: la década de los años sesenta, cuando se desarrollan las teorías de la marginalidad, y la última década, cuando se incorpora la noción de exclusión social que alude al conjunto de prácticas discriminatorias y desventajas sociales de que son objeto las clases populares en las ciudades, tal como se hizo referencia. En relación con el primer periodo la autora se ubica en un contexto regional signado por los efectos negativos de la sobreurbanización y del desarrollo económico dependiente, a partir del cual retoma las discusiones que, desde la naciente sociología, intentan explicar la presencia de un amplio contingente de la fuerza de trabajo urbana que al no integrarse plenamente a las actividades productivas de manera estable y con remuneraciones adecuadas debe aceptar vivir en la precariedad, en barrios populares periféricos de casas autoconstruidas (favelas, villas miseria, callampas, colonias populares, etc.). Estas discusiones dieron origen a consistentes y diferentes teorías de la marginalidad: por un lado, las que surgieron de la búsqueda de explicaciones desde el interior del materialismo histórico, entre las cuales, para la autora, son dos las principales aportaciones que inician el debate, la de José Nun (2001) y la de Fernando H. Cardoso (2001); por otro, la variedad de ideas que sobre la marginalidad surgen desde la sociología funcionalista, en el interior de la cual prevalecen el pensamiento y los análisis de Gino Germani (1967,1971) y la DESAL (1970) chilena. Pero desde ambas corrientes teóricas el análisis se centra en hallar las causas que generan la marginalidad y los efectos políticos que encierra la presencia de este contingente de trabajadores que no logra insertase plenamente en el sistema productivo, pero cuya presencia y magnitud es disputada por las fuerzas políticas en la época que actúan en las ciudades. El segundo momento analizado por Ziccardi se inicia en la década de los noventa, cuando se advierten los efectos negativos de las políticas de ajuste y de adopción de modelos económicos neoliberales sobre el mercado de empleo urbano, lo cual lleva a que los trabajadores de menor calificación deban aceptar opciones ocupacionales precarias, informales y de muy bajas remuneraciones. La crisis de la sociedad salarial y el desmantelamiento del modelo de Estado de Bienestar analizados en el trabajo pionero de Robert Castel (1997) para el contexto de la sociedad europea, así como las nuevas formas de discriminación y de exclusión social estudiadas desde la realidad de las ciudades españolas por el equipo que coordina Joan Subirats, ofrecen nuevas interpretaciones sobre los mecanismos que afectan la cohesión social en la llamada sociedad del riesgo. Pero, sin duda, es útil confrontar las mismas con los procesos que ocurren en las ciudades latinoamericanas, buscando sus coincidencias y diferencias, puesto que en un mundo globalizado como el actual ambas realidades, a pesar de registrar marcadas diferencias, presentan nuevas formas de expresión de la pobreza urbana y nuevas formas de exclusión social que hacen confluir los análisis. El planteamiento de la autora a partir de este análisis es que se elabore una nueva y colectiva agenda de investigación sociológica que retome esta temática, que es de central importancia para comprender los límites que enfrentan los procesos de construcción de ciudadanía y de consolidación de las democracias latinoamericanas, particularmente en el espacio local.

Ahora bien, analizar la cuestión social desde la pobreza y la exclusión adquiere nuevas y diferentes connotaciones al introducir en el análisis la problemática de la desigualdad. El trabajo de Luis Reygadas, desde la investigación histórica y social, considera que la desigualdad es un fenómeno multidimensional, fruto de complejas relaciones de poder en las que se combinan diversos factores para producir una distribución asimétrica de ventajas y desventajas. Estas relaciones de poder construyen estructuras duraderas que sin embargo no son estáticas. Por ello las desigualdades son persistentes, pero cambian con el tiempo, las viejas formas de inequidad se transforman y se entrelazan con nuevas disparidades. El autor analiza con detenimiento la superposición de distintos dispositivos generadores de desigualdad y advierte que en cada época predominan diferentes procesos y mecanismos que producen y reproducen las desigualdades, que en conjunto forman matrices distintivas. Pero también, como lo demuestra el análisis de Reygadas, cada época genera distintas utopías igualitarias y diferentes estrategias para enfrentar la falta de equidad.

A partir del análisis del caso mexicano y latinoamericano el autor distingue tres matrices generadoras de desigualdad, que surgieron en distintos momentos históricos y que corresponden a configuraciones sociales profundamente diferentes: la sociedad agraria, la sociedad industrial y la sociedad del conocimiento. Así, una matriz corresponde a las desigualdades premodernas y coloniales, otra a las desigualdades modernas en los estados nacionales y la última a las desigualdades posmodernas de la época de la globalización. No obstante, para este autor ninguna de las matrices desapareció para dar paso a la siguiente, sino que perduró y se combinó con otras, de modo que se acumularon ventajas y desventajas a lo largo del tiempo. Por ello es posible afirmar que en la actualidad pueden detectarse los efectos combinados de las tres matrices, cada una de las cuales es analizada por Reygadas a partir de una profunda y sistemática revisión bibliográfica.

LOS PROCESOS DE EXCLUSIÓN SOCIAL Y LAS TRANSFORMACIONES DEL TERRITORIO

Pensar la ciudad del siglo XXI a la luz de los procesos urbanos que emergen en las últimas tres décadas nos remite a realidades que se producen en contextos locales y regionales, mostrando formas distintas de exclusión social. En este segundo grupo de trabajos se abordan algunas de estas realidades, que adquieren visibilidad en el entorno construido y en los espacios públicos de las grandes ciudades, revelando intensos conflictos socioculturales y políticos, así como formas muy diversas de urbanización de las condiciones de desigualdad y de pobreza. En este marco general, Patricia Ramírez Kuri analiza algunos de los problemas en el uso del concepto de lo público para comprender las nuevas realidades urbanas y para intervenir en la revalorización de la ciudad como espacio de la ciudadanía. La autora discute sobre la importancia y el significado actual de lo público urbano en la vida social, cultural y política y sitúa la discusión en el contexto del nuevo orden económico, de cambios en la relación Estado-sociedad y de desarrollo de la sociedad informacional.

La autora presenta una revisión conceptual sobre el espacio público, reconociendo la vigencia de la perspectiva arendtiana en el debate actual en tanto contribuye a repensar el significado de lo público como proceso que une o separa a quienes intervienen en su construcción y como espacio de relación en el que la pluralidad y la diferencia adquieren sentido pleno cuando aparecen articuladas a la búsqueda de lo común como elemento cohesionador. De igual forma, retoma las ideas centrales de Richard Sennett (1978), quien plantea, desde una perspectiva sociológica, que la problemática de la vida pública en la sociedad moderna se condensa en la ciudad cosmopolita, donde ocurren encuentros e intercambios entre diferentes y extraños, donde lo público alude a vínculos de asociación y de compromiso mutuo referidos a un pueblo más que a una familia o a un grupo de amigos.

En estas condiciones, cruzadas por fenómenos de segregación y de exclusión, se debate para Ramírez Kuri el sentido de lo público en la ciudad, como espacio de relación y como el lugar referente de lo común y compartido, accesible a todos, que de una parte aparece de manera fragmentada y degradada mientras de otra resurge y se revalora como el espacio de construcción de ciudadanía y de participación democrática donde se expresan disputas por el acceso a la ciudad y a los bienes públicos. Ejemplificando con el caso de la ciudad de México, donde más de la mitad de los habitantes experimentan diversas formas de pobreza, se analizan los procesos de segregación urbana y de desigualdad social que enfatizan la tendencia al debilitamiento y abandono de lo público como patrimonio común y como espacio de todos. Pero al mismo tiempo la autora enfatiza el hecho de que son estos mismos procesos los que contribuyen a la construcción de lo público como el lugar del conflicto sociocultural por la reivindicación y ampliación de derechos.

Una reflexión en torno de la relación exclusión-integración en la ciudad es presentada por Sergio Zermeño a partir del análisis de la condición de "los de afuera y de abajo", de los excluidos, planteando que mientras estos sectores ocupan horizontalmente la arena social y el espacio público, se observa el repliegue de los "integrados", de los actores de la modernidad, de aquellos sectores y clases con mejores condiciones socioculturales, políticas y económicas de acceso a los recursos de la sociedad y más cercanos a prácticas que expresan formas de ciudadanía individualizada. El análisis de Zermeño se sitúa en el contexto del tránsito hacia la democracia, que divide en tres momentos: el primero corresponde al optimismo en torno de las posibilidades redistributivas, de fortalecimiento de la sociedad civil y de cohesión social. El segundo momento, frente al fracaso del anterior, corresponde al cinismo como forma de aceptación de un modelo estructurado en dos niveles: el de abajo, donde se extiende el mundo de la exclusión y el desorden, de la precariedad, de la anomia y la incultura, y el de arriba, correspondiente al mundo de los integrados, vinculados en los espacios de la modernidad a través de acuerdos, pactos y alianzas. El tercer momento, derivado del desgaste de esta situación, está representado por la penetración de los de afuera, "en sistema institucional y en los lugares de la sociedad integrada", a través de movilizaciones que logran posicionar a "sus clientelas" en espacios urbanos donde fluyen los recursos.

En el marco de la mundialización, desde la perspectiva de los países dependientes el tema central de nuestra época lo define el hecho de que el espacio de lo social está siendo ocupado mayoritariamente y en forma progresiva por individuos y colectivos que no están recreando una superación racional y afectiva que realice las potencialidades humanas del sujeto (Touraine y Farhad, 2000); una comprensión y un cuidado de su entorno social y natural (Leff, 1986); un fortalecimiento del espacio público, del uso de la razón en él, de unos principios básicos de convivencia logrados a través del diálogo y la interacción comunicativa (Habermas, 1999a, Sauri, 2002); un orden social tendiente a fortalecer la confianza, la honestidad, la reciprocidad, la cooperación (Fukuyama, 1999). El espacio social está siendo ocupado, entonces, por agentes que parecen más bien alejarse de un tipo de orden en el que la "sociedad se produciría a sí misma", dinamizada por movimientos, actores e identidades colectivos (Touraine, 1973), y aparecen comportamientos colectivos que van en detrimento del espacio público en donde se desarrolla la vida de los hombres en sociedad (Habermas, 1999a).

Ahora bien, uno de los principales procesos que marcan actualmente a las ciudades son las migraciones internacionales, y es a partir de su análisis que Carlos Martínez Assad discute la relación integración-exclusión en el nivel macrosocial. El autor reflexiona sobre los cambios ocurridos en el último medio siglo y trata los factores problemáticos que le dan especificidad a la migración en el contexto actual de predominio de sociedades complejas y mundializadas. Sitúa la discusión en contextos con fronteras conflictivas social, política y culturalmente, y aborda los costos económicos que implica el ser inmigrante. Presenta un recorrido por Estados Unidos y México, Marruecos y España, y también considera casos como los de Canadá, país receptor de numerosos inmigrantes por razones políticas; Líbano, a raíz de los bombardeos recientes de Israel en este país; Chechenia y Yugoslavia; África, a través de la salida de habitantes de Malí, Gambia, Senegal y Mauritania, que entre otros países experimentan actualmente verdaderos éxodos humanos que develan y ocultan intercambios culturales, persecuciones, opresión y conflictos sociales y políticos, los cuales, en muchos casos, se dirimen a través de enfrentamientos armados. Para este autor el tema que más preocupa respecto de los desplazamientos de un país a otro es el de la integración, valor al que conservadores como Samuel P. Huntington (2004) le dan la mayor importancia, señalando que la migración no es solamente un asunto de quienes llegan, sino también de los nativos que lo esgrimen como evidencia de la falta de compromiso de los inmigrantes, uno de los argumentos utilizados por los que rechazaron las movilizaciones de mexicanos y de otros hispanos en las ciudades de Estados Unidos en la primavera de 2006. Para Martínez Assad la dualidad exclusión-inclusión es una condición inherente al emigrante que comparte múltiples identidades en su lucha por la pertenencia.

Pero desde una perspectiva más general entre los diferentes conjuntos sociales que se hallan en mayor condición social de vulnerabilidad y pobreza se encuentran los jóvenes, los cuales según Sara Makowski están expuestos a estos procesos tanto por las transformaciones que se observan en la estructura socioeconómica como en el papel del Estado frente a la sociedad. Su análisis se sitúa en el contexto de las sociedades latinoamericanas, en las que predominan marcadas inequidades en la distribución del ingreso y la riqueza, con políticas sociales y económicas que aumentaron la vulnerabilidad y la exclusión y con un mercado laboral que tiende a incluir a una población cada vez menor (Minujin, 1998). En el caso de México se destaca, con base en estudios recientes, el debilitamiento y la ruptura de la ruta de integración social a través de la familia, la escuela, el empleo y la participación en la vida pública. A esto se agrega la disociación entre demandas y necesidades de los jóvenes y las políticas institucionales que parecieran alejarse de la posibilidad de lograr formas reales de inclusión de sectores sociales. En esta línea de reflexión, el texto aborda la fragilidad de los lazos sociales, los cambios en las formas de pertenencia a una comunidad y a un lugar determinado y valorado socialmente. Con base en el estudio realizado sobre la vida de los niños y jóvenes de la calle en la ciudad de México, la autora plantea que esta experiencia los transforma en itinerantes urbanos, sujetos que se desplazan y son desplazados del espacio público, que deambulan por calles y plazas, estaciones del metro, mercados, cruceros y avenidas. Las instituciones se incorporan en este circuito de itinerancia, pero en esta trayectoria Makowski afirma que la lógica institucional y gubernamental de intervención es un factor que influye en el fracaso de los intentos por integrar socialmente a los jóvenes. Ante esta situación, explica que los jóvenes parias urbanos oponen una política del tránsito y del desplazamiento, una suerte de resistencia en movimiento que conecta y desconecta la experiencia de la exclusión social.

La preocupación por los jóvenes que se hallan en permanente condición de exclusión social en la gran ciudad es el tema del estudio de Marcela Meneses, que ubica su análisis en las construcciones socioculturales situadas en contextos espaciotemporales específicos. En esta reflexión la juventud y el riesgo se abordan como categorías interconectadas que adquieren, en la experiencia vivida, contenidos dramáticos que sustentan la construcción de prejuicios y estereotipos negativos. La autora afirma que en ciudades como la capital del país, el sujeto protagonista de la inseguridad es el joven pobre y marginado, y los contenidos de riesgo que se le imputan son, sobre todo, la criminalidad y el delito. En esta línea se desarrolla la discusión sobre culturas e identidades juveniles. Ante ello plantea, por un lado, que en la actualidad la experiencia y las condiciones de vida de los jóvenes urbanos está marcada más por prácticas itinerantes y menos por el localismo y la territorialización; y por otro lado, que en la definición de los jóvenes como sujetos de riesgo, en muchos casos influye más la condición de pobreza y de exclusión social en que viven y menos los ilícitos cometidos, para concebirlos como transgresores potenciales del orden social.

Para Meneses no sólo se trata de colocar los mecanismos de control social en un continuo de expresiones que van de la permisividad al castigo con la cárcel, sino que también están presentes en fenómenos y formas de expresión social donde el poder, de acuerdo con Korinman y Ronai (1980), tiene la cualidad de hacerse transparente y no por ello dejar de operar con sus efectos insidiosos. En este sentido, para la autora no cabe duda de que las políticas públicas de muchas instituciones y dependencias sociales manejan diversos mecanismos de control que esconden el ejercicio de relaciones de poder discriminativas dentro de sus iniciativas asistenciales, creándose trabas y obstáculos que afectan a distintos sectores de la juventud. De acuerdo con Meneses, en la actualidad existen más obstáculos que iniciativas que incentiven a los diferentes grupos juveniles, pero particularmente a aquellos en condiciones desventajosas y de pobreza, para desarrollar sus capacidades, construir formas de vida independientes y transformar las condiciones degradantes y de violencia que tienden a predominar en los entornos urbanos locales de los que provienen. Sin embargo, la autora reconoce que en estos contextos adversos también emergen formas diversas de resistencia y de participación orientadas a contrarrestar los efectos excluyentes de los nuevos procesos urbanos que afectan particularmente a las juventudes contemporáneas.

En sus reflexiones para comprender estos procesos sociales, Mario Luis Fuentes introduce las nociones de "complejidad" y "riesgo", a las que debe vincularse directamente la exclusión social, que sitúan a las personas en circunstancias de vulnerabilidad social. Para este autor los nuevos riesgos sociales son fundamentalmente la pobreza masiva y la vulnerabilidad de las personas de caer en la pobreza debido a gastos catastróficos en salud, o por la pérdida del jefe o jefa de familia, la ausencia de políticas de cuidado de la salud mental y las enfermedades mentales, la violencia, la desprotección jurídica e institucional, la discriminación, las llamadas enfermedades globales y el cambio climático a partir del siglo XX, que hace que las personas están cada vez más expuestas a los desastres naturales, e incluso antropogénicos. Así, estos nuevos riesgos sociales configuran lo que puede llamarse "contextos propicios" para la manifestación y reproducción de la exclusión social. Estos contextos no sólo son campo propicio para la manifestación de una sociedad esencialmente excluyente, sino que además generan y pueden producir mayores condiciones y círculos de reproducción de factores que deriven en formas de exclusión. La exclusión social implica rechazo, violencia y negación de derechos, a veces de la propia existencia de las personas, familias o comunidades enteras, y entendida como fenómeno constituye uno de los principales retos a enfrentar en las sociedades contemporáneas, un reto de la imaginación política y de la capacidad humana para el entendimiento, un reto a la vez ético y político que exige iniciar la transformación de las instituciones del Estado, de modo que promuevan y fomenten una nueva civilización que busque en todo momento la inclusión del otro, con base en el reconocimiento de la diversidad y la diferencia que presentan las sociedades complejas.

Fuentes se pregunta si los conceptos de sociedad y de exclusión social son entonces, por necesidad, antagónicos y quizás irreconciliables. Para responder a estos interrogantes recurre a Jürgen Habermas (1999b) quien en su texto *La inclusión del otro* expone el sentido de sostener que hay categorías morales que pueden tener validez objetiva, si se apela a una racionalidad no instrumental, a una moral de igual respeto para cada cual, y de la responsabilidad solidaria universal de uno para con el otro. Esta idea según Fuentes, invita a pensar en cómo se puede construir una posición ética, y cuáles son las consecuencias de esta posición en sociedades cada vez más diversas, complejas y amenazadas mayoritariamente por los riesgos que este autor expone en su artículo. Es decir, su preocupación es cómo generar una moral compartida por todos, en medio de ideas, creencias, religiosidades, sexualidades y tradiciones distintas y hasta contrapuestas. La invitación a fundamentar racionalmente una postura moral frente a una nueva noción de riesgos en el ámbito internacional tiene como objetivo final reconocer que la única manera de lograr la permanencia y pervivencia de la especie humana depende de que podamos, independientemente de nuestras creencias, valores, tradiciones y culturas, asumir principios que puedan ser aceptados por todos, con base en la aceptación de la diferencia y fortaleciendo y reforzando la noción de la tolerancia y la convivencia con los otros. Una moral de este tipo para el autor es una moral con amplias capacidades para ser instrumentada a través de las instituciones democráticas de los estados contemporáneos.

LAS CARAS DE LA DESIGUALDAD SOCIAL Y ESPACIAL

Desde el análisis sociológico, Emilio Duhau hace referencia a que la ciudad moderna puede ser vista como la dimensión urbana de las diversas formas de socialización del acceso y del consumo vía bienes y servicios públicos propia del Estado Benefactor (Gough, 2002), lo cual se corresponde con el desarrollo del modelo de Estado de Bienestar instalado en las democracias de la posguerra. Pero Duhau advierte que en la literatura sobre las metrópolis latinoamericanas los procesos de transformación urbana asociados a la globalización son caracterizados como procesos de polarización del ingreso, de dualización del mercado de trabajo y de fragmentación creciente del espacio y la sociedad urbanos, lo que implica, entre otras cosas, el confinamiento de los pobres en periferias cada vez más lejanas, la autosegregación de las clases media y alta y la estigmatización de los espacios de la pobreza. Para este autor en la dimensión urbana existen al menos tres procesos que deben ser tenidos en cuenta: 1] las nuevas formas adoptadas por la división social residencial del espacio urbano, o segregación residencial; 2] la transformación de las modalidades adoptadas por el consumo y los artefactos urbanos relacionados con éste, y 3] el aumento acelerado de las tasas de automovilización, y asociado a dicho aumento, en el caso de las metrópolis latinoamericanas y particularmente de la ciudad de México, la veloz adaptación y subordinación de una serie de dispositivos y artefactos urbanos a las prácticas socioespaciales vinculadas al uso del automóvil particular, aun cuando el acceso al mismo continúa siendo una condición minoritaria. La idea central de este trabajo es que existen un conjunto de procesos socioespacialmente desintegradores que conllevarían poderosos efectos de exclusión social y para este autor los efectos de desintegración/integración, exclusión/inclusión, presentan múltiples dimensiones, las cuales no necesariamente han venido evolucionando en el mismo sentido ni de forma unívoca.

Las condiciones de "privación social en el actual escenario", en el marco de los procesos globales y los cambios socioeconómicos ocurridos en las últimas décadas en América Latina, los cuales transformaron profundamente el mundo del trabajo y del empleo, son analizadas por Cristina Bayón. La autora discute conceptual y metodológicamente esta situación generadora de incertidumbre individual y colectiva que al afectar las condiciones y expectativas de bienestar, ha debilitado los lazos sociales y las relaciones de pertenencia, alterando identidades y dinámicas familiares. Bayón reconoce que no todo se explica a través de los procesos de globalización, ya que no obstante que éstos han transformado la estructura urbana de las ciudades no eliminan "las viejas historias", incluso movilizan o enfatizan divisiones persistentes. Al destacar la importancia de abordar las diversas, complejas y dinámicas condiciones de privación desde perspectivas analíticas innovadoras, plantea que en el análisis de la exclusión social es necesario no sólo incluir la estructura social, sino también relacionarla con las formas de polarización, de diferenciación y de desigualdad social que le son inherentes. En efecto, la exclusión no es lineal y, como reconoce acertadamente este trabajo, se trata de un "concepto pivote" que muestra relaciones entre procesos micro y macro sociales (Yépez del Castillo, 1994). De otra parte, la autora sostiene que diferenciación y exclusión tienen un sustento material asociado a la existencia de diversas carencias que hacen que unos grupos sean más vulnerables a la experiencia de la exclusión social. De aquí la referencia al carácter acumulativo de situaciones de desventaja señalado por Paugam (1995) y a los circuitos de privación o empobrecimiento identificados por Estivill (2003). Recupera evidencias empíricas y pone atención especial en la distribución desigual de oportunidades laborales y educativas, destacando acertadamente que no se trata sólo de un problema de acceso, sino de la calidad del acceso. Frente a la elevada desigualdad de oportunidades la autora concluye que las ventajas o desventajas iniciales no sólo se mantienen y profundizan durante el curso de la vida sino que tienden a reproducirse intergeneracionalmente. Esta situación, nos dice, requiere, además de ser reconocida, la elaboración de diagnósticos y de políticas de equidad y de inclusión que tengan el propósito de contrarrestar las desigualdades persistentes.

El texto de Pablo Yanes expone la temática de la desigualdad en relación con la condición de pluriculturalización y etnización, tomando como marco de referencia los procesos que ocurren en la ciudad de México, donde la expansión urbana y los flujos migratorios impulsados por una multiplicidad de factores, particularmente en el curso de la segunda mitad del siglo XX y principios del XXI, han producido una megalópolis caracterizada por una gran diversidad. En este contexto, el autor abre dos líneas de análisis de especial relevancia para la comprensión de la problemática de los indígenas urbanos en la capital del país. La primera tiene que ver con el reclamo de reconocimiento de derechos colectivos que aparece en el espacio urbano, inscrito en el derecho a la ciudad, en términos de condiciones de equidad y en cuanto a calidad de oportunidades de acceso a los recursos sociales, de desarrollo de capacidades y de fortalecimiento de vínculos de pertenencia e identidad. La segunda se expresa a través de la condición misma de pertenencia étnica que actúa como factor activo de desventaja estructural y de discriminación, lo que enfatiza la desigualdad social que experimentan estos grupos. Con base en estas consideraciones, una de las cuestiones problemáticas que el texto hace evidente es la metodología practicada para estimar, contar y clasificar a los miembros de los pueblos indígenas en el Distrito Federal, lo que ha dado lugar a discrepancias en las estadísticas proporcionadas por las instituciones responsables de esta tarea. Lo mismo ocurre con las estimaciones de la proporción de indígenas nacidos y no nacidos en la capital, lo que tiene que ver de manera importante con el grado de consolidación del proceso migratorio. En este sentido, el autor afirma que la condición de exclusión se inicia en la estadística que revela criterios de reconocimiento y de desconocimiento de estos actores, cuya presencia en la vida urbana transita de manera "oculta, mimética e incluso subterránea". Otra cuestión problemática asociada a la anterior se expresa a través de los factores de expulsión de las comunidades de origen y los factores de atracción hacia la ciudad de México, percibida como el lugar donde se puede acceder a bienes públicos y a mejores condiciones de vida en materia de necesidades básicas, como salud, educación, vivienda e ingreso. Pero tanto los indicadores como la realidad muestran que si bien hay un nivel de mejora en estos aspectos, los miembros de los pueblos indígenas se ubican debajo de la media en la ciudad, con menor calidad y mayor desventaja para satisfacer estas necesidades. A esta condición de desigualdad se agregan distinciones de género, entre los mismos pueblos indígenas, en las condiciones de inserción laboral, condiciones de trabajo, percepción de ingresos y calidad de la vivienda, que en conjunto son aspectos que muestran marcadas diferencias entre indígenas y no indígenas. El repertorio de desigualdades acumulativas y yuxtapuestas que experimentan los pueblos indígenas en la capital del país implica, entre otras cuestiones, como señala Pablo Yanes, reconstruir y ampliar derechos, así como formular políticas distributivas e incluyentes.

La relación exclusión y juventud popular es analizada por Héctor Castillo Berthier a partir de las condiciones sociales y organizativas, así como de las limitaciones de las políticas de atención a la juventud. La reflexión señala que mientras en el contexto europeo el fenómeno de la exclusión social resurge y es reconocido en las últimas décadas, en América Latina representa una condición histórica que afecta a la mayoría de la población que habita en las ciudades. Pero en la actualidad esta condición de exclusión adquiere sentido en el contexto de la globalización y es resultado de múltiples factores que afectan negativamente a personas y grupos, limitando o impidiendo el acceso a condiciones de bienestar y a los procesos de desarrollo (Quinti, 1997, Ziccardi, 2001). La pobreza, la precariedad del mercado de trabajo y la degradación en la vivienda y del hábitat son dimensiones centrales de este fenómeno, a las que se agregan cuestiones de género, edad, clase y etnia (Brugué, Gomá y Subirats, 2002). El autor se pregunta cómo se interconecta esta experiencia de privación social con la condición juvenil, y nos propone pensar en los aspectos que afectan las trayectorias de vida de este sector de la sociedad. Al ser una construcción histórica y social, la juventud se configura y cambia a través de la forma en que la conciben la sociedad y los propios jóvenes, pero también a través de las prácticas sociales y culturales de los grupos juveniles en contextos específicos (Nateras, 2000). Actualmente el debilitamiento o disfuncionamiento de los mecanismos de integración social, tales como la educación, el trabajo y la familia, afectan particularmente a la juventud pobre. Estos sectores enfrentan problemas de inserción laboral, lo que deriva en precariedad del empleo y desocupación, revelando además condiciones críticas en la relación causal educación y empleo, ya que los niveles de capacitación son insuficientes para la obtención de empleos de calidad. Castillo Berthier, frente a los alcances limitados y a los serios problemas y conflictos de las instituciones responsables de las políticas públicas de la juventud, que se expresan en el distanciamiento entre éstas –en particular el Instituto Mexicano de la Juventud– y la mayoría de los jóvenes, propone diez criterios básicos para rediseñar las políticas de juventud.

En este conjunto de preocupaciones el texto de Cristina Sánchez-Mejorada analiza la relación género-pobreza, a partir de la discusión conceptual y del acercamiento empírico a las experiencias de vida de adolescentes de entre 14 y 19 años de edad que habitan en barrios pobres de la ciudad de México, espacios donde la violencia cruza la trama de relaciones cotidianas y afecta de manera específica a las mujeres. Como explica la autora, la relación género y diferencia es uno de los factores que influye significativamente en la construcción del sistema de desigualdades y de condiciones de pobreza en una sociedad determinada (Narotski, 1995). A través de esta relación que orienta el análisis empírico, se observa la mayor vulnerabilidad y riesgo de las mujeres a experimentar la pobreza, entre otras cuestiones, debido a la desigualdad de oportunidades que como género tienen para acceder a los recursos sociales, así como para participar en decisiones públicas. Los activos materiales, sociales y culturales son relativamente más escasos en las mujeres (CEPAL, 2004), lo que significa que la pobreza es un problema que va más allá de la carencia de recursos, y que abarca "condiciones estructurales de ventajas y desventajas" en las que la exclusión es producto de la concentración y acumulación de desventajas (Saraví, 2004). Algunas de las ventajas y desventajas pueden producirse en los contextos locales, laborales y familiares, pero el género representa una de las desventajas más importantes, revelando la definición de roles, jerarquías y desigualdades entre los sexos, en contextos histórico-sociales específicos de sociedades patriarcales. Según Sánchez-Mejorada es en estos contextos de desigualdad donde emerge la violencia de género, que tiende a enfatizarse en las condiciones actuales –locales y mundiales–, en donde los referentes colectivos y valores compartidos se debilitan, generando inquietud, anomia e incertidumbre. En estas condiciones se sitúa el caso de estudio que revela en el nivel microsocial la ruptura del "circuito ideal propuesto para la inserción de los jóvenes a la sociedad: familia-escuela-trabajo-participación". Esta ruptura genera en la actualidad un escenario de riesgo de exclusión sin precedentes, en el que convergen mercado, Estado, sociedad y familia. En este escenario la violencia emerge como forma de comunicación, de dominación y de resistencia que se internaliza como conducta y se generaliza como práctica social, sustituyendo el vínculo afectivo por la desconfianza al poder y a formas de dominación. El trabajo reflexiona consistentemente sobre estos aspectos de la violencia basada en el género, reconociendo distintos tipos de comportamientos: físicos, emocionales y sexuales que causan daño a las mujeres, ya sean niñas, jóvenes o adultas. En casos extremos, el suicidio aparece como un recurso que tiende a incrementarse, ya que en la actualidad representa la tercera causa de muerte en las jóvenes. La autora sustenta la interpretación y el análisis en datos duros y en testimonios producto de entrevistas cualitativas, y afirma que la violencia, la exclusión juvenil y los vacíos normativos se interconectan en la comprensión racional de los problemas de los jóvenes; sin embargo, estas cuestiones no se han tomado en cuenta en el diseño de las políticas públicas.

Finalmente, en este grupo de estudios, un claro ejemplo de cómo en las ciudades del siglo XXI se expresan y se refuerzan espacialmente los procesos de exclusión social es ofrecido en el artículo de Guillermo Boils, quien analiza principalmente los efectos sociales de un modelo habitacional caracterizado por grandes conjuntos de viviendas, el cual es ampliamente promovido por los actuales programas de vivienda de México. El autor se detiene en el examen de las diferentes formas de exclusión que existen para acceder a una vivienda por parte de la mayoría de las familias que tienen más limitaciones económicas y que se encuentran imposibilitadas de participar en las líneas de crédito que se ofrecen para la adquisición de ese bien. En especial, analiza los criterios con que operan las empresas privadas, llamadas desarrolladoras de vivienda, encargadas del diseño, construcción y comercialización de estas viviendas, y el producto que ofrecen, el cual se inscribe en un modelo habitacional popular en el que las viviendas se caracterizan por su lejanía, por la precariedad de los medios de transporte para movilizarse, por el elevado número de viviendas que conforman estos conjuntos y por las mínimas dimensiones de las casas. En este análisis es claro que las empresas, al privilegiar el móvil de las elevadas ganancias, obligan a pagar a los usuarios una alta cuota de segregación espacial, la cual refuerza la exclusión social y constituye el germen de un alto potencial conflictivo.

Además, el autor recuerda que la urbanización de la pobreza es un proceso de carácter global al que de manera alguna escapa la sociedad mexicana contemporánea. Sólo que en nuestro país las manifestaciones de la exclusión espacial se extienden más allá de los sectores sociales subalternos. La búsqueda de suelo barato para desarrollar conjuntos de gran tamaño lleva a las empresas involucradas a adquirir grandes predios en zonas cada vez más alejadas de las ciudades. Lo que deriva, como ya se vio, en la gestación de nuevos asentamientos, apartados de diversos servicios y equipamientos, lo que a su vez se traduce en una dosis variable de exclusión para las familias ahí alojadas. Así, por ejemplo, son frecuentes las condiciones de exclusión de acceso a los equipamientos culturales, a las instalaciones hospitalarias y de educación media superior o superior, en una buena porción de los nuevos desarrollos habitacionales. Ante ello, Boils incorpora la referencia a las modalidades que asumió la vivienda en grandes conjuntos habitacionales de la periferia (*banlieues*) de las ciudades francesas, centrándose en sus aspectos excluyentes y en el potencial de violencia social que esta forma de asentamientos habitacionales contribuye a propiciar, sobre todo entre los jóvenes que ahí habitan.

DESIGUALDAD, EXCLUSIÓN Y EJERCICIO DE LA CIUDADANÍA

Uno de los esfuerzos que los científicos sociales han emprendido recientemente consiste en vincular estos diferentes análisis de la pobreza urbana, la desigualdad y la exclusión social, como procesos que obstaculizan o impiden el ejercicio pleno de los derechos de la ciudadanía. En la era del conocimiento, estos procesos dejan al descubierto la incapacidad de amplios grupos de la población para garantizar el acceso a bienes y servicios básicos que requiere su propia existencia y que debieran estar garantizados por el Estado en función de su condición de ciudadano/a. En este sentido, una reflexión sobre la relación ciudadanía-exclusión es ofrecida por Juan Estrella, quien toma como punto de partida la distinción que establece Bauman (2004) entre "modernidad sólida" y "modernidad líquida" para hacer referencia a la "centralidad del Estado" en el ejercicio del poder y su presencia en la sociedad, y la "desterritorialización" de las entidades efectivas de poder, más allá del Estado y de la esfera de lo público, lo cual caracterizaría la segunda modernidad. Estrella recupera también la conocida definición de ciudadanía ofrecida por Marshall (1998), para quien este concepto alude a un *status* que se otorga a los que son miembros de pleno derecho de una comunidad. Todos los que poseen ese *status* son iguales en lo que se refiere a los derechos y deberes que implica. No hay principio universal que determine cuáles deben ser estos derechos y deberes, pero las sociedades donde la ciudadanía es una institución en desarrollo crean una imagen de la ciudadanía ideal en relación con la cual puede medirse el éxito y hacia la cual pueden dirigirse las aspiraciones. El avance en el camino así trazado es un impulso hacia una medida más completa de la igualdad, un enriquecimiento del contenido del que está hecho ese *status* y un aumento del número de aquellos a los que se les otorga.

Pero lo fundamental es que pone en entredicho la posibilidad de alcanzar ese tipo ideal, puesto que el acceso efectivo a la ciudadanía implica un ejercicio diferenciado para los distintos miembros de una comunidad, el cual está sujeto a condiciones de clase, etnicidad y género. En consecuencia, la igualdad jurídica entre "individuos" queda acotada por las condiciones reales en las que se desenvuelven; los derechos y las formas de participación que definen a la ciudadanía no son más un atributo *per se* de los "individuos". Esto se encuentra en la base de los procesos de exclusión que caracterizan a la sociedad actual y que llevan a considerar dos tipos de exclusión particulares; por un lado, la exclusión política, entendida como la carencia de derechos efectivos que permitan tomar parte en el ejercicio del poder político, y por el otro, la exclusión social, entendida como la ausencia de derechos efectivos para alcanzar un mínimo de bienestar económico y seguridad en cuanto al derecho a participar del patrimonio social. Así, en las ciudades se observa claramente la marca de estos procesos de exclusión social que expresan, según Estrella, el debilitamiento de la acción estatal frente a las nuevas entidades que conducen el actual proceso de globalización económica, que actúan con amplios márgenes de discrecionalidad y que escapan al escrutinio de lo público. El corolario no es otro que realizar un trayecto en dirección contraria al ejercicio efectivo de los derechos de la ciudadanía.

Un análisis diferente de la exclusión y la ciudadanía es presentado por Víctor Manuel Durán, para quien la integración social ya no es realizable en los marcos de las sociedades contemporáneas caracterizadas por el fin de la sociedad salarial y por la crisis de los mecanismos institucionales –el mercado de trabajo formal, la familia y el Estado Benefactor– que articulaban el conjunto de sus miembros. Por ello, para este autor lo fundamental es repensar la integración social, lo cual requiere la construcción de una nueva y diferente sociedad; es decir, en términos sociológicos se trata de un cambio civilizatorio que se asienta en el agotamiento de la relación entre organización y expansión, en diferenciar para integrar; de alguna manera la relación entre acumulación y expansión, complejidad, diferenciación e integración se desvincula. Si esto es así, la distinción entre estructura y agencia o entre sistema y acción pierde parte de su filo para el análisis, pues se basa en la diferenciación para organizar e incluir, y ahora se trata de diferenciación y selección, de eliminación. El cómo se pueden articular esos dos elementos es lo que marca el umbral civilizatorio. Para este autor la disputa entre mercado y sociedad deberá encontrar una nueva solución civilizatoria (sin descontar la barbarie), y en esa posibilidad los marginales y los excluidos deben jugar un importante papel; si quedan fuera, si son expulsados, el resultado será la barbarie. Pero también es importante destacar que los marginales o excluidos no son homogéneos. Cada contingente de marginados tiene sus especificidades y su posible participación política, su conversión en ciudadanos está marcada por ese origen. Para ejemplificar, vale decir que los marginales urbanos jamás podrán seguir la ruta de los movimientos indígenas, cuyo principal capital es poseer comunidades consolidadas.

Para Durán el tema de la exclusión que indica la presencia de un componente diverso se suma a la creciente complejidad y a la dinámica de las sociedades actuales, marcada por fuertes transformaciones estructurales, donde se destaca el problema del aumento de la pobreza y de la desigualdad; la polarización social que escinde a las sociedades entre un sector altamente integrado a los procesos globales, con ingresos y niveles de productividad muy altos, sometidos a niveles de competitividad y de cambio incesantes, y en el otro extremo mayorías que se empobrecen, que son desafiliadas y excluidas del proceso, que se reproducen en ocupaciones de muy baja productividad, percibiendo bajos ingresos y soportando el empobrecimiento de su cotidiano y la destrucción de sus redes sociales (Kaztman y Wormald, 2002). Por ello, para este autor pensar la ciudadanía en este contexto de heterogeneidad social parece difícil, y propone buscar soluciones en el campo de la política, no en el de la política pública contra la pobreza –en el cual se despolitiza al pobre y se le define con criterios técnicos– sino en el de una política que permita la participación de quienes no son parte o han dejado de serlo. Desde el punto de vista de los pobres, en su heterogénea especificidad, la nueva política implica la definición del diferendo con el orden actual, que no puede pensarse dentro de la lógica de la sociedad salarial ni suponiendo que los antiguos mecanismos políticos de integración pueden funcionar, sino que conlleva tanto la modificación del orden social y político como la creación de nuevos mecanismos de participación y representación políticas. En síntesis, Durán sostiene que debe empoderarse a los grupos marginales y excluidos para que puedan convertirse en actores estratégicos de su futuro y de la definición del nuevo orden social.

Pero los problemas de la pobreza y la exclusión también pueden ser analizados como lo hace Alberto Aziz, explorando su vínculo con la democracia y con la construcción de ciudadanía. Para este autor, una buena parte de las teorías políticas insisten en que una democracia, para consolidarse y funcionar con estabilidad, requiere de una cultura política de respaldo, sin la cual dicha empresa no sería posible. A este supuesto se le ha llamado culturalismo. En trabajos recientes existe una larga argumentación sobre este tema, pero con una perspectiva diferente, representada entre otros por Przeworski (1998). El institucionalismo y el *rational choice* se dedican a desmontar la argumentación de los llamados culturalistas y las conclusiones, según Aziz, son interesantes, aunque polémicas y discutibles. Las preguntas principales son: ¿se necesita una cultura política para contar con una democracia estable?, ¿cuánta ciudadanía se necesita?, ¿qué nivel de pobreza soporta una democracia? Pregunta esta última que a Alberto Aziz le interesa responder particularmente en su artículo y para ello realiza una revisión de los estudios sobre cultura política que se han dedicado a indagar sobre la construcción de ciudadanía, y señala que en ellos se expone una serie de cadenas causales según las cuales para tener una democracia estable se necesita una cultura política que la respalde y ésta, a su vez, requiere instituciones y una ciudadanía madura, activa y participativa. Sin embargo el autor reconoce que no se sabe qué valores, qué niveles de educación, qué perfil de ciudadanía, qué tipo de información, cuánta homogeneidad, cuánta heterogeneidad, cuánto ingreso y hasta qué niveles de pobreza soporta una democracia para seguir siendo tal. Lo que sí se sabe es que el nivel de pobreza que existe en México genera una democracia precaria, sin calidad, y abre las puertas al clientelismo y al mercado político de los votos que se venden como mercancía. A estos interrogantes agrega muchos otros, pero después de una profunda y ordenada revisión bibliográfica concluye que existen datos preocupantes en México, masas de ciudadanos poco informados y poco interesados en la política y en lo público; con fuertes contrastes y desniveles que se ubican en la escala educativa, lo cual es acorde con la idea de los clásicos de que para ser ciudadano se requiere educación y un salario digno. Una visión más democrática y corresponsable pareciera darse más entre los jóvenes y entre ciudadanos educados, pero se registran también niveles bajos de participación y un asociacionismo muy limitado. Por otra parte, para Aziz, mientras la correlación de fuerzas no camine en la ruta de una consolidación democrática –entendida como las condiciones para ejercer derechos ciudadanos dentro de un marco institucional acorde para ello–, mientras la conveniencia de los actores y fuerzas no se empeñe en reformar las reglas del juego para consolidar un sistema democrático, estará cuesta arriba subsanar los déficits de nuestra democracia y la fragilidad de la ciudadanía. Esa parte de la ciudadanía altamente vulnerable no saldrá de esa condición, por más cultura política democrática que hagan llegar, si no hay un nuevo arreglo institucional que permita que la democracia, un sistema de derechos positivos, pueda construir las condiciones para que esa vulnerabilidad sea superada. La pregunta inicial formulada por Aziz sigue abierta entonces.

Sara Gordon introduce en este libro el polémico tema del *capital social*, comenzando por señalar que la investigación reciente sobre pobreza urbana en América Latina ha reconocido la complejidad de los procesos que inciden en la creciente vulnerabilidad de sectores de la sociedad y ha destacado la importancia de relacionar entre sí los órdenes institucionales: Estado, mercado y comunidad. De este modo se ha abordado el análisis de la oferta de oportunidades de integración social que proporcionan el mercado, el Estado y la organización de la sociedad, en el que están comprendidas las oportunidades de acceso al empleo, a la salud, a la educación y a la protección que otorga la previsión social, pero también las oportunidades de interacción dentro de la comunidad por la existencia de redes y organizaciones sociales.

A esta autora le interesa recuperar los diferentes enfoques que incorporan el análisis de las relaciones sociales como parte de las oportunidades y condiciones que favorecen la inserción social. Entre éstos tienen un lugar de importancia las redes sociales que favorecen los contactos y dan acceso a información, lo que permite abrir oportunidades a los hogares y constituir un activo familiar. Pero a ello se agrega actualmente que la investigación sobre pobreza urbana introduce el concepto de *capital social*, ampliando el campo de análisis. El artículo que se incluye en este libro no sólo presenta un análisis conceptual de esta polémica noción de *capital social* sino que ofrece los resultados de una encuesta realizada en el año 2004 en tres municipios mexicanos: Monterrey, Saltillo y Chilpancingo. Su principal aporte es ilustrar algunos fenómenos o procesos relacionados con la pobreza urbana que se han identificado en varios países de la región, en particular las oportunidades de interacción entre población de estratos socioeconómicos distintos que, de acuerdo con varios autores (Kaztman, 2002; Duhau, 2005) sufren un proceso de reducción entre los sectores más pobres. Asimismo, se afirma que de manera creciente los contactos sociales de personas de escasos recursos se limitan a la vinculación con personas de su misma situación socioeconómica, lo cual tiene efectos en la limitación de oportunidades a las que pueden acceder. Este trabajo, en consecuencia, analiza las relaciones entre la pobreza y el capital social, vinculando las estructuras de las relaciones sociales con fenómenos que caracterizan la condición socioeconómica de grupos de bajos ingresos, poniendo el acento en la incidencia de variables socioculturales.

INDICADORES, MEDICIONES Y MAPAS PARA EL ANÁLISIS DE LA POBREZA, LA EXCLUSIÓN Y LA DESIGUALDAD

Uno de los temas vinculados a la temática de la pobreza que mayor interés ha despertado en los científicos sociales latinoamericanos en general, y mexicanos en particular, es el de los métodos de medición. Esto no sólo responde a un ejercicio académico sino a la necesidad de medir la escala de los más graves problemas que enfrentan nuestras sociedades, la pobreza y la desigualdad, a fin de diseñar programas y políticas sociales para su superación. En su artículo, Adolfo Sánchez Almanza realiza una interesante comparación entre los conceptos de desigualdad y pobreza a partir de considerar que se tratan de fenómenos que se explican en diferentes teorías y que se pueden medir con varios métodos y técnicas, bajo las limitaciones de calidad y comparabilidad de la información disponible en cada sociedad y momento histórico. Para Sánchez Almanza, el análisis de estos fenómenos es útil para conocer las condiciones de equidad o inequidad social en el nivel de bienestar, y con ello evaluar y orientar la acción gubernamental. Para este autor los índices de desigualdad corresponden a corrientes de pensamiento que les dan sentido y constituyen formas de medición útiles para establecer la magnitud en que se separan las unidades de análisis, que pueden ser hogares, familias o personas, o bien unidades territoriales, como entidades federativas, municipios o localidades. En su opinión, la discriminación estadística resulta indispensable para el diseño de las políticas públicas, aunque es necesario seleccionar aquellos índices que resulten más adecuados para este fin, considerando que algunos no se pueden comparar entre sí, o bien, teniendo en cuenta que algunos mantienen una alta correlación, por lo que sería posible optar por alguno en vez de otro. Así, según este autor, el Índice de Gini ofrece varias ventajas para medir la desigualdad por ingreso y territorio, y para medir la concentración de la riqueza en cada momento histórico, mientras que el Índice de Marginación es adecuado para medir rezagos según las necesidades básicas en el territorio y permite discriminar estadísticamente las distancias entre unidades territoriales y ofrecer elementos para la acción complementaria de las esferas social, gubernamental y mercantil. El Índice de Atkinson permite establecer metas sociales en función del grado de aversión a la pobreza. A su vez, el Índice de Theil puede ser redundante con el Índice de Gini.

La importancia de realizar una reflexión crítica sobre los fundamentos teórico-epistemológicos que están presentes al tratar de explicar o de hacer comprensible un fenómeno socioterritorial como el de la *precarización del empleo en las grandes ciudades latinoamericanas,* a través de "indicadores" generalmente relacionados con ciertas condiciones sociolaborales es el tema del trabajo de Omar Padilla. Su principal hipótesis es que el fenómeno de precarización del empleo en las grandes ciudades no puede ser entendido sólo por la particularidad de las relaciones laborales y de las condiciones de trabajo, sino esencialmente como una expresión de los diferentes desdoblamientos socioterritoriales de la actual lógica y dinámica del proceso de trabajo capitalista (espacialidad del capital) y producto de un patrón de reproducción del capital exportador de especialización productiva que se ha venido imponiendo desde la década de los ochenta. Padilla realiza una revisión crítica de la metodología, indicadores y estadísticas que el Instituto Nacional de Estadística, Geografía e Informática utiliza para definir lo que entiende como "precariedad laboral", definición que por cierto es la que predomina en la literatura que versa sobre dicho fenómeno. Asimismo, intenta explicar la relación que existe entre el proceso de metropolización, superexplotación del trabajo, precarización del trabajo y pobreza urbana a través de las nociones teóricas de patrón de reproducción y espacialidad del capital.

Un interesante ejercicio metodológico de diagnóstico sociodemográfico y antropológico que pretende en este momento dar seguimiento y evaluar los esfuerzos en materia de diseño de políticas sociales hacia la población adulta mayor residente en áreas rurales y urbanas del estado de Guanajuato es presentado por Verónica Montes de Oca, Mirna Hebrero y José Luis Uriona. Estos investigadores retoman el tema de la calidad de vida de la población mayor a partir de considerar algunas evidencias sobre las condiciones de salud física, mental y emocional encontrados en la población de 50 años y más de la entidad. Para ello, algunas de las variables que se captaron y construyeron fueron: la función física, el rol físico, el dolor corporal, la salud general, la vitalidad, la función social, el rol emocional, la salud mental y la percepción de la salud el año anterior, lo cual puede denominarse "transición de salud notificada". Además, en este trabajo se considera que deben tomarse en cuenta otras cuestiones, como el seguimiento sociodemográfico a través de una caracterización metodológica, la participación social y la multidimensionalidad, la formación de recursos humanos, la profesionalización y el desempeño institucional. Es decir, en este planteamiento metodológico se consideran dimensiones propias de la población sujeta de atención, como de las instituciones y sus recursos humanos. Un aspecto adicional es que se considera la dimensión interinstitucional y el poder que la temática tiene en la agenda pública. La idea central es que la cultura de la evaluación obliga a mantener un mayor seguimiento sobre los procesos de construcción de política, así como de los programas sociales que tienen impacto en las comunidades a fin de modificar lo más pronto posible las estrategias de intervención que utilizan tanto las instituciones gubernamentales como las no gubernamentales.

Otra perspectiva que enriquece el análisis es la que incorpora elementos para el análisis de la dimensión territorial de la pobreza. En estas líneas, el trabajo de Eftychia Bournazou presenta los recientes rasgos territoriales de la pobreza en la gran ciudad latinoamericana, lo cual, según la autora, demanda nuevos enfoques y categorías para expresar el fenómeno tanto cualitativa como cuantitativamente. La segregación social del espacio es concebida en este trabajo como fenómeno bidimensional y multifacético, y puede ser el medio para representar el acceso deficitario a bienes de consumo colectivo ofertados por la ciudad y el incremento de la homogeneidad de los espacios habitados por los pobres. Así, se plantea que el acceso deficiente a satisfactores de consumo colectivo –equipamiento para educación, salud, abasto y esparcimiento, entre otros, así como la accesibilidad física–, elemento trascendental en los activos en capital físico, humano y social, conduce a ciertos autores a considerar este tipo de privaciones como un factor explicativo de la pobreza (Small y Newman, 2001). Los criterios para determinar una distribución justa de los bienes públicos, fundamentales para el bienestar, abre el interesante debate sobre la idea de igualdad de oportunidades frente a la igualdad de resultados (Talen, 1998; Aparicio y Seguin, 2006). Por ello, para esta autora, en vista de las abismales asimetrías socioeconómicas, políticas y culturales que caracterizan a la ciudad latinoamericana, el segundo enfoque figura como el único para intentar alcanzar cierta justicia social. Las zonas más deprimidas deberían dotarse con más y mejores servicios y equipamiento, si se pretende contrarrestar sus profundas desventajas.

Este libro concluye con un esfuerzo profundo y crítico sobre los procesos de elaboración de mapas y las interpretaciones que se realizan a partir de los mismos, elaborado por Priscilla Connolly, quien en su artículo presenta los resultados de una investigación sobre la forma como en el análisis de la dimensión territorial de los fenómenos sociales se recurre de manera creciente a representaciones cartográficas. Frente a ello, esta autora realiza un sistemático y detallado análisis con la intención de llamar la atención sobre ciertos aspectos perversos del "poder de los mapas" en general, y del "poder de los mapas digitalizados" en particular, cuya factura se ha facilitado enormemente por la revolución en las tecnologías de la información geográfica.

La autora parte de reconocer el carácter simbólico de los mapas como representaciones parciales de la realidad, con lo cual surgen una serie de nuevas consideraciones. Primero, se abre la definición de "mapa" para denotar cualquier "representación gráfica que facilita la comprensión espacial de cosas, conceptos, condiciones, procesos o eventos en el mundo humano" (Harley y Woodward, 1987) y no sólo las representaciones que se apegan a las convenciones del mapa moderno. Segundo, si el sistema simbólico incorporado en un mapa tiene particularidades culturales, preocupa ahora la historia y la fuente de su autoridad. De ahí que para Connolly sea relevante preguntar sobre la autoría, el propósito y la selección de técnicas de representación de los mapas. Pero además en un mapa cuya temática trasciende las convenciones geográficas normales, como es el caso de la pobreza (aunque ya hay convenciones para ello), preocupa también la metodología de su elaboración. Al mismo tiempo, la autora expone algunas limitaciones específicas de la visualización cartográfica de la pobreza, con base en ejemplos concretos, y a partir de ello esboza caminos alternativos que exploten las posibilidades tecnológicas de información geográfica para comprender y combatir la pobreza urbana. Luego de analizar detenidamente diferentes tipos de mapas de pobreza que se han elaborado en América Latina y México, principalmente a través de una cartografía digitalizada, le interesa contraponerlos a los imaginarios y prácticas cotidianos de la ciudad. En este sentido, su principal aportación son sus críticas alrededor de la reducción de la pobreza territorial a índices compuestos y promediados, asignados a unidades territoriales en función de la situación de sus residentes. Connolly advierte que éstos no son los únicos mapas que pueden representar la pobreza sino que puede haber otros que, más que zonificar las medidas de atención, señalen las rutas de salida, expresen demandas más que dosificar remedios, faciliten soluciones negociadas y representen la visión y las prioridades de los pobres y no las del cartógrafo. Para ello, la autora afirma que existe la tecnología adecuada, y concluye que toda visión de la pobreza es territorial, y toda visión territorial de la pobreza necesita un mapa, por lo que propone que se hagan mapas para salir de la pobreza.

BIBLIOGRAFÍA CITADA

Apparicio, Philippe y Anne-Marie Seguin, 2006, "Measuring the accessibility of services and facilities for residents of public housing in Montreal", en *Urban Studies,* vol. 43, núm. 1, enero, Reino Unido, University of Glasgow.

Bauman, Zigmund, 2004, *Modernidad líquida,* México, FCE.

Brugué, Q., R. Goma y J. Subirats, 2002, "De la pobreza a la exclusión social. Nuevos retos para las políticas públicas", en *Revista Internacional de Sociología,* tercera época, núm. 33, septiembre-diciembre.

Cardoso, Fernando H., 2001, "Comentarios sobre los conceptos de sobrepoblación relativa y marginalidad", en José Nun, *Marginalidad y exclusión social,* México, Fondo de Cultura Económica.

Castel, Robert, 1997, *La metamorfosis de la cuestión social. Una crónica del asalariado,* Buenos Aires, Paidós.

Centro para el Desarrollo Económico y Social de América Latina (DESAL), 1970, *La marginalidad urbana: origen, proceso y modo,* Buenos Aires, Ediciones Troquel.

Comisión Económica para América Latina y el Caribe (CEPAL), 2004, "Entender la pobreza desde la perspectiva de género", serie *Mujer y desarrollo,* núm. 52, Santiago de Chile, enero.

Duhau, Emilio, 2005, "As novas formas da divisão social do espaço nas metropoles latinoamericanas: uma visão comparativa a partir da cidade do México", en *Caderno CRH,* vol. 18, núm. 45, septiembre-diciembre, Salvador, Brasil.

Estivill, J., 2003, Panorama de la lucha contra la exclusión social. Conceptos y estrategias, Ginebra, Organización Internacional del Trabajo.

Fukuyama, Francis, 1999, *La gran ruptura, la naturaleza humana y la reconstrucción del orden social*, Buenos Aires, México Atlántida.

Germani, Gino, 1967, "La ciudad como mecanismo integrador", en *Revista Mexicana de Sociología*, vol. 29, núm. 3, julio-septiembre, México.

—, 1971, *El concepto de marginalidad*, Buenos Aires, Nueva Visión.

Gough, Jamie, 2002, "Neoliberalism and socialization in the contemporary city: Opposites, complements and instabilities", *Antipode*, vol. 34, núm. 3, julio.

Habermas, Jürgen, 1999a, *Teoría de la acción comunicativa; Racionalidad de la acción y racionalidad social*, Madrid, Taurus.

—, 1999b, *La inclusión del otro*, España, Paidós.

Harley, J. Brian y David Woodward, 1987, "Maps, knowledge and power", en *The iconography of landscape: Essays on the symbolic representation, design and use of past environments. Cambridge Studies in Historical Geography 9.*

Huntington, Samuel P., 2004, *The Hispanic Challenge*, Foreing Policy, marzo-abril.

Kaztman, Rubén y Guillermo Wormald (coords.), 2002, *Trabajo y ciudadanía. Los cambiantes rostros de la integración y exclusión social en cuatro áreas metropolitanas de América Latina*, s/e.

Korinman, Michel y Maurice Ronai, 1980, "El modelo blanco", en François Chatelet y Gerard Mairet (comps.), *Historia de las ideologías*, tomo III: *Saber y poder (del siglo XVIII al XX)*, México, Premià.

Leff, Enrique, 1986, *Ecología y capital*, México, Siglo XXI Editores.

Marshall, Thomas Humphrey, 1998, *Ciudadanía y clase social*, Madrid, Alianza Editorial.

Mill, John Stuart, 1943, *Principios de economía política, con algunas de sus aplicaciones a la filosofía social*, edición e introducción de William J. Ashley, traducción de Teodoro Ortiz, México, Fondo de Cultura Económica.

Minujin, Alberto, 1998, "Vulnerabilidad y exclusión en América Latina", en Eduardo Bustelo y Alberto Minujin (eds.), *Todos entran. Propuesta para sociedades incluyentes*, Colombia, UNICEF, Santillana.

Narotzki, Susan, 1995, *Mujer, mujeres, género. Una aproximación crítica al estudio de las mujeres en las ciencias sociales*, Madrid, CSIC.

Nateras Domínguez, Alfredo, 2000, "Jóvenes, identidad y diversidad", en *Travesaño 2000. Temas de población*, año 3, núm. 8, México, Gobierno del Estado de Guanajuato – Consejo Estatal de Población, Guanajuato.

Nino, Carlos S., 1997, *La constitución de la democracia deliberativa*, Barcelona, Gedisa.

—, 2000, "Sobre los derechos sociales", en M. Carbonell, J. Cruz y R. Vázquez (eds.), *Derechos sociales y derechos de las minorías*, México, Instituto de Investigaciones Jurídicas, UNAM.

Nozick, Robert, 1988, *Anarquía, Estado y utopía*, México, Fondo de Cultura Económica.

Nun, José, 2001, *Marginalidad y exclusión social*, México, Fondo de Cultura Económica.

Paugam, S., 1995, "The spiral of precariousness: a multidimensional approach to the process of social disqualification in France", en G. Room (ed.), *Beyond the threshold: The measurement and analysis of social exclusion*, Bristol, The Policy Press.

Pogge, Thomas, 2005, *La pobreza en el mundo y los derechos humanos*, Barcelona, Paidós.

Przeworski, Adam *et al.*, 1998, *Democracia sustentable*, Buenos Aires, Paidós.

Quinti, Gabriele, 1997, "Exclusión social: Sobre medición y sobre evaluación", en *Pobreza, exclusión y política social*, Rafael Menjívar Larín, Dirk Kruijt y Lieteke van Vucht Tijssen (eds.), Buenos Aires, FLACSO, Universidad de Utrecht, UNESCO-Programa MOST, Costa Rica. Disponible en <http://www.unesco.org/most/povpobre.htm>

Rawls, John, 1986, "Unidad social y bienes primarios", en *La justicia como equidad*, Buenos Aires, Tecnos, Madrid.

Saraví, Gonzalo A., 2004, "Segregación urbana y espacio público. Los jóvenes en enclaves de pobreza estructural", en *Revista de la CEPAL*, 83, Chile.

Sauri, Alejandro, 2002, "Arendt, Habermas y Rawls, razón y espacio público", en *Filosofía y cultura contemporánea*, México, Universidad de Campeche y Ediciones Coyoacán.

Sennett, Richard, 1978, *El declive del hombre público*, 1a. ed. en español, Barcelona, Península.

Small, Mario Luis, y Katherine Newman, 2001, "Urban poverty after the truly disadvantaged: The rediscovery of the family, the neighborhood, and the culture", en *Annual Review of Sociology*, 27, Department of Sociology, Cambridge, Massachusetts, Harvard University.

Talen, Emily, 1998, "Visualizing Fairness", en *Journal of the American Planning Association*, invierno, vol. 64, núm. 1, American Planning Association, Chicago.

Touraine, Alain, 1973, *Production de la Société*, París, Éditions du Seuil.

Touraine, Alain y Farhad Khosrokhavar, 2000, *La recherche de soi. Dialogue sur le sujet*, París, Fayard.

Yépez del Castillo, I., 1994, "A comparative approach to social exclusion: Lessons from France and Belgium", en *International Labour Review*, 133 (5-6), Génova.

Ziccardi, Alicia, 2001, "Las ciudades y la cuestión social", en Alicia Ziccardi (coord.), *Pobreza, desigualdad social y ciudadanía. Los límites de las políticas sociales en América Latina*, Buenos Aires, CLACSO, ASDI, IIS-UNAM, FLACSO.

I. LA PERSPECTIVA MULTIDIMENSIONAL DE LA POBREZA URBANA, LA EXCLUSIÓN Y LA DESIGUALDAD SOCIAL

LA POBREZA EN LOS ORÍGENES DEL PENSAMIENTO ECONÓMICO

LEONARDO LOMELÍ VANEGAS*

La pobreza ha estado presente en el pensamiento económico desde sus orígenes, si bien no siempre de manera explícita. La preocupación inicial de Adam Smith no era lograr una explicación coherente acerca del funcionamiento del sistema económico, sino responder la pregunta que ya se había planteado en su primer libro, *La teoría de los sentimientos morales*, y que podríamos resumir de la siguiente manera: ¿Cómo puede alcanzarse el mayor bienestar para la sociedad, confiando en un poder (el Estado) que organice sus actividades en beneficio de la colectividad, o dejando a cada individuo en libertad para tratar de incrementar su propio bienestar? La respuesta que argumentó extensamente en su libro clásico y fundacional, *Investigación sobre la naturaleza y causa de la riqueza de las naciones*, no podía ser más paradójica a simple vista: reconociendo como principal característica de la naturaleza humana el egoísmo y, por consiguiente, el desinterés del hombre en el bien común, o en el mejor de los casos la subordinación del mismo a su interés individual, Smith concluyó que el mejor camino para lograr el máximo bienestar social era dejar a los hombres perseguir su propio beneficio.

La armonización de los intereses individuales no se lograría mediante una acción planificada e instrumentada por el Estado, sino por la "mano invisible" del mercado. Al buscar obtener la máxima utilidad posible a partir de sus actividades económicas, los individuos tendrían que responder a necesidades sociales: quienes vendieran su fuerza de trabajo solamente podrían dedicarse a aquellas actividades socialmente necesarias, pues de lo contrario la gente no estaría dispuesta a remunerar su trabajo; quienes invirtieran sus capitales para producir bienes tendrían que satisfacer una demanda social y por lo tanto producirían bienes y servicios considerados útiles y necesarios por la colectividad. En aquellas actividades donde la oferta fuera claramente insuficiente para satisfacer la demanda social, los precios de los bienes se elevarían como consecuencia de su escasez relativa, provocando ganancias extraordinarias que atraerían a nuevos productores, por lo que la oferta crecería y, al hacerlo, haría bajar los precios. El mercado lograba, así, satisfacer las necesidades sociales de la manera más eficiente posible y generaba incentivos para la innovación, ya que aquellos que quisieran obtener ganancias extraordinarias sólo podrían hacerlo bajando sus costos de producción, pero toda mejora tecnológica terminaría difundiéndose tarde o temprano, por lo que habría una tendencia sostenida a la reducción de los precios.

* Facultad de Economía de la Universidad Nacional Autónoma de México.

LA POBREZA EN LA ECONOMÍA POLÍTICA CLÁSICA

La economía clásica consideró que el mercado constituía el mejor mecanismo de asignación de los recursos. Sin embargo, en un esquema tan consistente analíticamente, ¿dónde entraba la pobreza? Era indudable que existía y, más aún, que era generalizada incluso en los países más prósperos de Europa occidental a finales del siglo XVIII, pero se atribuía más a los defectos del sistema anterior, por lo que había la confianza tácita en Smith de que a medida que el mercado se fuera imponiendo como el principal mecanismo de asignación de los recursos, el problema se iría resolviendo por la dinámica propia del sistema capitalista. Las primeras ideas de los economistas clásicos parecían sugerir que la pobreza era resultado de al menos tres factores principales:

1. Restricciones al libre funcionamiento de los mercados, que ocasionaban una ineficiente asignación de los recursos y en consecuencia limitaban las posibilidades de expansión de la economía.
2. La supervivencia de privilegios feudales que limitaban la movilidad de la mano de obra y, con ello, la posibilidad de que los trabajadores pudieran desplazarse hacia actividades mejor remuneradas.
3. Una actitud paternalista hacia los pobres por parte de la Iglesia y el Estado, que no discriminaba entre aquellos que a todas luces estaban impedidos para llevar a cabo actividades productivas y quienes pudiendo hacerlo preferían vivir de la caridad.

El adecuado funcionamiento de los mercados era la solución para la pobreza que se desprendía del análisis de Smith. Una economía de mercados competitivos entraría en un círculo virtuoso de profundización en la división del trabajo que elevaría la productividad, con ello la producción, la riqueza nacional, los salarios, el ingreso de las familias y el consumo, lo que constituiría un nuevo estímulo para profundizar aún más la división del trabajo y alimentar un proceso, que podría llegar a ser ininterrumpido, de crecimiento económico, con sucesivas mejoras en los salarios reales y por consiguiente en los niveles generales de existencia.

Smith fue un crítico de las leyes de pobres vigentes en Inglaterra, por considerar que no ayudaban a combatir el problema de raíz y en cambio generaban restricciones a la libre movilidad de la mano de obra, ya que de acuerdo con los Estatutos de Pobres expedidos por la reina Isabel I, correspondía a las parroquias auxiliar a los menesterosos, pero para que éstos tuvieran derecho a solicitar tal ayuda debían acreditar primero su condición de residentes en la parroquia, para lo cual necesitaban haber residido por lo menos cuarenta días en ella. De esta manera se generaban incentivos para vivir de la caridad pública en vez de trasladarse en busca de mejores oportunidades a otra comarca. Éste era un claro ejemplo de disposiciones que buscando corregir un mal lo retroalimentaban. La eliminación de este tipo de restricciones a la libre circulación de las personas les permitiría acceder a mejores trabajos, y por esa vía incrementar sus ingresos y salir de la situación de pobreza. La asistencia social debería limitarse a las personas incapacitadas para conseguir trabajo ya fuera por impedimentos físicos o mentales.

En la obra de Smith ocupa un lugar fundamental una preocupación social que paulatinamente comenzaría a diluirse en la corriente principal del pensamiento económico. En sentido estricto, Smith no estaba interesado en hacer la apología del mercado, sino en explicar bajo qué circunstancias puede ser el mejor mecanismo de asignación de los recursos escasos con que cuenta la sociedad para satisfacer las necesidades de los individuos. En ese sentido, la obra de Smith debe leerse con cuidado, ya que está escrita como una crítica frente a los excesos de la intervención estatal propio de las políticas mercantilistas, pero reconoce también que el egoísmo de los individuos solamente puede dar buenos resultados bajo ciertas condiciones, las que corresponden a los mercados competitivos, sin las cuales el Estado tiene un papel muy importante que cumplir en la regulación de los mercados y en la protección de la sociedad. En ese sentido, el pensamiento de Smith no debe entenderse como una ideología proempresarial, sino como una defensa liberal de un mecanismo interpersonal de asignación de los recursos que puede ser eficiente cuando ninguna de las partes que participa en las transacciones tiene poder para fijar un precio por encima del costo marginal de producir un bien o proporcionar un servicio. Cuando existen factores económicos o políticos que no permiten que el intercambio se dé en un ambiente competitivo entre productores y con pleno respeto a la soberanía de los consumidores, los mercados fallan, y como reconoce el propio Smith, los empresarios continuamente conspiran para coludirse, por lo que el Estado ocupa un lugar importante, aunque muy diferente al que le adjudicaban los mercantilistas, como regulador de la actividad económica.

La visión promisoria que se desprendía de la obra de Smith no tardaría en desvanecerse. En unas cuantas décadas, que van de la publicación de *La riqueza de las naciones* de Smith en 1776 a la del *Ensayo sobre el principio de la población* de Malthus en 1798, la economía política pasó de ser la nueva disciplina nacida en la aurora del capitalismo y que anunciaba sus bienaventuranzas, a la ciencia lúgubre, calificativo con el que se le conoció durante la mayor parte del siglo XIX. La razón era muy simple: los razonamientos de Malthus sobre el crecimiento de la población y su relación con el crecimiento de la producción y con el *stock* de recursos naturales disponible lo llevaban a la conclusión de que el crecimiento económico estaba limitado, lo que a su vez implicaba que la población no podría crecer indefinidamente y que la clase trabajadora tendría que vivir en el largo plazo con salarios de subsistencia.

La población, decía Malthus, crece geométricamente, mientras que la producción lo hace aritméticamente, hasta llegar a un punto en el cual no es posible continuar creciendo porque los recursos naturales son fijos. En consecuencia, los salarios podrán crecer mientras la producción lo haga, pero una vez que se llega a la frontera de posibilidades de producción de la economía los salarios convergen al nivel del salario de subsistencia y el hambre y el miedo a la miseria actúan como frenos naturales de la población. Tan sombrío panorama, combinado con la teoría del fondo de salarios, según la cual al incorporarse a la producción de alimentos tierras cada vez de menor calidad aumentaría la renta de las tierras de buena calidad, con cargo a los beneficios, y en consecuencia la acumulación de capital disminuiría hasta llegar a cubrir únicamente la depreciación, configuraron la teoría del estado estacionario, según la cual la dinámica del crecimiento económico vislumbrada por Smith terminaría convergiendo en un crecimiento nulo de la producción y la población. La incorporación de nuevas tierras en otros continentes mediante la conquista o la colonización retrasaría el arribo del estado estacionario, pero no podría conjurarlo en la medida en que sólo se podía disponer de los recursos naturales del planeta, y éste cuenta con una superficie finita.

Aceptando la hipótesis del estado estacionario, quedaba entonces el problema de que la pobreza no se podría erradicar por la vía del simple crecimiento económico. Más aún, existía el problema de que desde la lógica malthusiana, la pobreza era un freno natural al crecimiento demográfico, y en esa medida muchos encontraron en esta afirmación una justificación que estaba ausente del pensamiento original de Malthus, que en su debate con Ricardo sobre las leyes de granos demostró que estaba a favor de un incremento en los salarios reales, aunque su lógica indicaba que dicho incremento sólo podía ser transitorio.

EL ECONOMISTA DE LA TRANSICIÓN: JOHN STUART MILL

El problema de la pobreza llevó a John Stuart Mill, el último gran economista clásico, a realizar una importante reflexión sobre las posibilidades de redistribuir el ingreso. En una economía que no crece, la pobreza sólo puede reducirse a través de una redistribución del ingreso, por lo que Suart Mill planteó los fundamentos de una política fiscal redistributiva en la cual los impuestos sobre las herencias, al gravar directamente la riqueza, deberían ser preferidos a los impuestos sobre la renta, y éstos a su vez deberían preferirse a los impuestos sobre el consumo, ya que los impuestos sobre la renta son proporcionales al ingreso de las personas y pueden ser progresivos a medida que aumenta el ingreso, en tanto que los impuestos al consumo se aplican sin importar la capacidad de pago del consumidor.

La redistribución del ingreso sería de esta forma la solución para los principales problemas sociales, mediante una política de asistencia social operada por el Estado y la impartición de educación pública gratuita a las clases menesterosas. En el análisis sobre las funciones obligatorias del Estado, al que nos referiremos más adelante, Stuart Mill no incluía ninguna forma de seguros sociales, como los que surgirían en Alemania unas décadas más tarde. El enfoque general tenía que ver con la corrección de situaciones que impiden el buen funcionamiento de los mercados sin que la intervención del Estado genere incentivos negativos al esfuerzo individual y al trabajo. En ese sentido, Stuart Mill no podía apartarse demasiado del utilitarismo de su padre, James Mill, y de su mentor, Jeremy Bentham, por lo que buscó fundamentar la necesidad de corregir la mala distribución del ingreso como situaciones excepcionales que requieren de soluciones que procuren interferir lo menos posible en el buen funcionamiento del mecanismo del mercado.

Stuart Mill se interesó de manera especial por la nueva ciencia de la sociedad que Augusto Comte intentaba construir a mediados del siglo XIX. Al tratar de aplicar las ideas de Comte a la economía, Stuart Mill distinguía entre las leyes de la producción, que definían la llamada estática económica, de las leyes de la distribución, que cambian como consecuencia de la evolución de la sociedad. Comte, a su vez, había propuesto como ejes de la sociología a la estática y a la dinámica sociales, el análisis de la estructura, relaciones y funcionamiento de una sociedad en un momento en el tiempo, y la manera en que esa estructura y esas relaciones evolucionan hacia estadios superiores. De los conceptos de estática y dinámica sociales deriva directamente la premisa positivista de orden y progreso: el primero como condición del segundo; la evolución como el camino que debían seguir las sociedades, en lugar de la revolución, para alcanzar mejores condiciones materiales de existencia y formas de organización política y social superiores. En síntesis, una sociedad que avanza por la senda del progreso como resultado de la aplicación del conocimiento científico a las esferas de la economía y del gobierno.

Sin embargo, Stuart Mill terminó reconociendo que el buen funcionamiento de los mercados no bastaba por sí solo para corregir algunos de los problemas sociales más acuciantes, en particular la pobreza y la desigualdad. Ante la crítica del socialismo utópico en la primera mitad del siglo y del marxismo en la segunda, Stuart Mill trató de avanzar en la identificación de aquellas circunstancias bajo las cuales los mercados no funcionan adecuadamente. Este enfoque, que daría lugar en el siglo XX al desarrollo de la teoría de las fallas del mercado, se basa en la distinción entre funciones necesarias y funciones facultativas del Estado:

> Es preciso especificar las funciones que o bien son inseparables del concepto de un gobierno o se ejercen habitualmente sin objeción por todos los gobiernos, distinguiéndolas de aquellas acerca de las cuales se ha considerado discutible si los gobiernos deben ejercerlas o no. Se puede llamar a las primeras funciones necesarias de gobierno, y a las segundas, facultativas. Y al decirse facultativas no quiere significarse que pueda ser indiferente o de elección arbitraria, el que el gobierno tome o no sobre sí el ejercicio de esas funciones; sino sólo que la conveniencia de ejercerlas no llega hasta ser una necesidad, y es asunto sobre el cual pueden existir diferentes opiniones.[1]

Entre las funciones necesarias del Estado en la economía, Stuart Mill incluyó las facultades de imponer tributos, acuñar moneda y establecer un sistema uniforme de pesos y medidas; la protección contra la violencia y el fraude; la administración de justicia y la vigencia de los contratos; el establecimiento y protección de los derechos de propiedad, incluyendo la determinación del uso del entorno; el

[1] John Stuart Mill, 1943, pp. 681-682.

establecimiento de los intereses de los menores y de los mentalmente incapacitados y la provisión de determinados bienes y servicios públicos que, siendo de interés general, no son provistos en forma adecuada por los particulares, ya que carecen de incentivos económicos para hacerlo, como la construcción de carreteras, canales, diques, puentes, puertos, faros y servicios sanitarios.[2]

Las llamadas funciones facultativas del Estado incluían la protección al consumidor, la educación básica para las clases menesterosas, la educación superior, la conservación del entorno natural, la protección selectiva de la vigencia de los contratos permanentes basados en la experiencia futura (entre ellos, el matrimonio) la regulación de los servicios públicos y la asistencia social. Sin embargo, es necesario tener presente que John Stuart Mill siempre consideró estas intervenciones como excepciones a la regla, que establecía con claridad la superioridad del mercado como mecanismo de asignación de los recursos. En ese sentido, la acción del Estado debía estar encaminada únicamente a resolver casos de excepción. En todos los demás casos la interferencia del Estado se consideraba nociva. Reconociendo la necesidad de la intervención pública, al economista político inglés le preocupaba que ésta se diera de tal forma que generara incentivos para no trabajar:

> La condición de pobre tiene que dejar de ser, como ha llegado a serlo, objeto de deseo y envidia para el trabajador independiente. Hay que facilitar ayuda; no debe permitirse la inanición; los niveles mínimos de vida y de salud tienen que estar a disposición de cuantos los soliciten; pero todos los que son capaces de trabajar deben ser atendidos en términos tales que la necesidad de aceptarlos sea considerada como una desgracia [...] Con este fin, sólo debe concederse ayuda a cambio de trabajo, y un trabajo por lo menos tan molesto y difícil como el del menos afortunado de los trabajadores independientes.[3]

Mill criticaba la propuesta de los socialistas utópicos de elevar los salarios por decreto, no solamente por contravenir el funcionamiento del mercado sino porque, en su opinión, siguiendo un razonamiento malthusiano, los trabajadores tendrían más hijos al elevar sus ingresos y a la larga el incremento del número de trabajadores terminaría por anular los efectos positivos de la medida al devolver a los salarios a su nivel inicial, por la abundancia de mano de obra resultante. En cambio, reconocía la necesidad de que el Estado garantizara la igualdad de oportunidades para todos, como condición indispensable para un buen funcionamiento de la economía de mercado y para generar incentivos a la población para mejorar sus niveles de vida a través de su esfuerzo individual:

> Muchos, es cierto, no tienen éxito a pesar de que sus esfuerzos son mayores que los que realizan los que lo consiguen, no por diferencia en los méritos respectivos, sino en las oportunidades; pero si se hiciera todo lo que pudiera hacer un buen gobierno por medio de la

[2] John Stuart Mill, 1943, pp. 681-686.
[3] John Stuart Mill, 1967, p. 361.

instrucción y la legislación para disminuir esa desigualdad de oportunidades, las diferencias de fortuna que se derivan de las ganancias personales no podrían causar recelos.[4]

El avance significativo del pensamiento económico sobre la pobreza con Stuart Mill se debe al reconocimiento de que la capacidad de exclusión puede ser un factor que impida que los esfuerzos individuales permitan por sí solos superar la pobreza. En consecuencia, la política social que se desprende de este razonamiento tiene que estar basada en la igualdad de oportunidades, no de la renta, reconociendo además la existencia de una desigualdad natural de talentos. Por ello las principales medidas que propuso Stuart Mill al respecto fueron garantizar el acceso a la educación y a los servicios de salud para los pobres, sin que pensara en canalizar hacia ellos ayudas monetarias que podrían generar desincentivos al trabajo. La defensa de John Stuart Mill de la educación pública como igualadora de oportunidades y como transmisora de valores laicos y de un sano "gusto por los valores capitalistas" debe ser entendida dentro de este esquema de interpretación.

Al introducir la discusión sobre las funciones del Estado, el economista y filósofo político inglés planteó una agenda de investigación que sería retomada por varios autores, desde los institucionalistas americanos de finales del siglo XIX, con Thorstein Veblen a la cabeza, hasta los intentos por construir, a partir de la economía neoclásica, una teoría de las fallas del mercado que constituye la columna vertebral de la Economía del Bienestar. La historia de estas importantes corrientes del pensamiento económico ameritaría por sí misma una reflexión aparte. Baste decir que la complejidad del pensamiento de John Stuart Mill sobre esta cuestión sigue siendo, a casi 130 años de su muerte, muy sugerente, y que sólo ha sido recuperada parcialmente por los enfoques derivados de la economía neoclásica.

LA ECONOMÍA DEL BIENESTAR

El pensamiento económico tuvo presente el tema de la pobreza desde su inicio. Sin embargo, la pobreza era vista originalmente como un resultado del mal funcionamiento de un sistema económico (el feudalismo) que inhibía el desarrollo de las fuerzas productivas y la libre circulación de los factores de la producción. Una mejor asignación de los recursos mediante el libre funcionamiento de la economía de mercado permitiría el incremento sostenido del empleo y los salarios, y de esta forma la sociedad sólo debería preocuparse de las personas incapacitadas para trabajar. Posteriormente, la inclusión de la demografía y de su impacto en los mercados laborales llevó a la conclusión de que había fuerzas que no permitirían eliminar la pobreza, dado un *stock* de recursos naturales fijo que marcaba las fronteras de posibilidades de producción de la economía. Este enfoque, combinado con

[4] John Stuart Mill, 1943, p. 223.

la teoría del fondo de salarios, llevaba a la conclusión de que la pobreza sería un freno natural al crecimiento demográfico, lo que en principio implicaba que habría que resignarse a que fuera un elemento permanente del capitalismo. Finalmente, Stuart Mill introduce el problema de la exclusión como determinante de la pobreza y plantea la necesidad de una política gubernamental encaminada a lograr la igualdad de oportunidades para todos los participantes del sistema económico. A partir de sus propuestas se desarrollaron los principales enfoques del siglo XX sobre la política social desde la perspectiva del pensamiento económico.

El surgimiento de la Economía del Bienestar, durante las primeras décadas del siglo XX, constituyó una aportación fundamental que fue parcialmente opacada por la revolución keynesiana, pero sentó las bases para el desarrollo posterior de la economía pública y de las herramientas fundamentales del análisis económico aplicado al diseño y evaluación de políticas sociales. La Economía del Bienestar trató de conciliar la preocupación fundacional de la disciplina por el bienestar general con el modelo de equilibrio general planteado por Walras en la segunda mitad del siglo XIX. Reconoce el principio de que los mercados competitivos son los mecanismos más eficientes de asignación de recursos, pero también la posibilidad de que den lugar a una distribución del ingreso que no satisfaga a la sociedad y que justifique la intervención del Estado para buscar otra más equitativa.

El teorema fundamental de la Economía del Bienestar postula que una economía de mercados descentralizados alcanza una asignación de los recursos que siempre será óptima en el sentido de Pareto. El segundo teorema de la Economía del Bienestar establece que cualquier redistribución inicial de los recursos que permita que los individuos intercambien sus bienes en mercados competitivos posibilitará que se alcance una asignación óptima en el sentido de Pareto. Dicho de otra manera, la Economía del Bienestar considera que una redistribución (que necesariamente debe ser llevada a cabo por el Estado) de los recursos, permitiendo que éstos los intercambien libremente en el mercado, dará lugar a una situación que será óptima en el sentido de Pareto, lo que quiere decir que permitirá una asignación eficiente de los recursos en el sentido de que nadie podría mejorar su situación después de realizados los intercambios si no es a costa de otros. Sin embargo, el segundo teorema parte del supuesto de que no hay costos ni pérdidas de eficiencia asociadas a la redistribución.

La teoría económica posterior se encargó de demostrar que existen altos costos en términos de pérdida de eficiencia asociados a los impuestos. Esta opinión reforzaría los argumentos más conservadores a favor de un Estado pequeño, al fundamentar la hipótesis de que existe una correlación inversa entre el tamaño del Estado y la eficiencia económica. Sin embargo, la propia Economía del Bienestar abrió una puerta para explicar en qué circunstancias una sociedad estaría dispuesta a sacrificar eficiencia económica a cambio de mayor equidad en la distribución de los recursos, a través del concepto de funciones de bienestar social. Estas funciones resultarían de una agregación de las funciones individuales de utilidad. Las funciones de bienestar social se pueden expresar mediante curvas de indiferencia social que muestran las diferentes distribuciones de utilidad entre los miembros de una sociedad, entre las cuales la sociedad es indiferente, o mejor dicho, las diferentes combinaciones de utilidad individual que proporcionan el mismo nivel de bienestar social. Esto significa que a lo largo de una misma curva de indiferencia social, unos individuos pierden utilidad mientras otros ganan.

Existen diferentes tipos de funciones de bienestar social, dependiendo de la posición que asuma la sociedad ante los niveles de utilidad de sus miembros. De esta forma, mientras que las funciones de bienestar social utilitaristas consideran que lo importante es la maximización de la suma de las utilidades individuales sin importar su distribución, las funciones de bienestar social rawlsianas[5] consideran que la sociedad no está mejor si no se incrementa la utilidad de los individuos peor situados. Dependiendo de la forma de las funciones de bienestar social, una sociedad podrá tener actitudes más o menos favorables a la redistribución.

Las funciones de bienestar social han sido largamente debatidas y enfrentan fuertes cuestionamientos analíticos, el más importante relativo a los problemas que supone la agregación y la comparación interpersonal de utilidades. Sin embargo, muchas herramientas utilizadas para evaluar las políticas se derivan directamente de este concepto, como los análisis de costo-beneficio social basados en el principio de compensación. En los hechos es plausible suponer que existen importantes diferencias en la actitud de las distintas sociedades en relación con la desigualdad y la distribución del ingreso, como lo demuestran las diferencias en la carga fiscal y la oferta de servicios públicos incluso entre países desarrollados. Sin embargo, es necesario reconocer que estas diferentes actitudes tienen mucho que ver con la capacidad y la credibilidad del Estado para llevar a cabo una activa política redistributiva.

En los años recientes el pensamiento económico en materia de pobreza ha tenido una importante renovación al considerar, por un lado, el papel de la exclusión social en la reproducción de la pobreza, aunque una vez más se le ha querido enfocar desde la perspectiva del mal funcionamiento de los mercados. En el enfoque de las fallas del mercado, desarrollado también a partir de la Economía del Bienestar, los problemas de información asimétrica y de mercados incompletos afectan severamente la eficiencia de los mercados y han sido vistos como factores que contribuyen a la reproducción de la pobreza. A partir de este enfoque se ha puesto énfasis en la inversión en capital humano y en crear mercados de crédito accesibles para los sectores de menores recursos, de modo que puedan generar un patrimonio propio. Sin embargo, aunque representan un avance significativo en la comprensión y el combate del problema de la pobreza, no agotan la amplia agenda de cuestiones no resueltas por el pensamiento económico en torno de la pobreza.

El desarrollo de nuevos enfoques que retoman la importancia de las instituciones en el desarrollo económico puede contribuir a mejorar la comprensión de los economistas sobre el tema de la pobreza, sobre todo si entendemos a las institucio-

[5] Se les da ese nombre con base en una interpretación de las ideas del filósofo John Rawls.

nes en su sentido amplio, como reglas formales e informales que condicionan la actividad humana y que actúan como incentivos o desincentivos para la actividad económica. A su vez, la llamada economía evolucionista puede aportar elementos que ayuden a comprender la persistencia de la pobreza en ciertos ambientes sociales y culturales, asumiendo que se trata de un fenómeno que responde a una gran diversidad de causas y que, a su vez, existen muchos caminos para su superación que incluyen factores económicos, políticos, sociales y culturales. En ambos casos, más allá de las limitaciones propias de ambos enfoques, se advierte la intención de recuperar una perspectiva de economía política que trascienda el análisis pretendidamente positivo que caracteriza al pensamiento económico neoclásico y que se ha revelado claramente insuficiente para explicar la complejidad y la persistencia de la pobreza, incluso en países altamente desarrollados.

En síntesis, la preocupación fundamental de la economía como disciplina, el análisis de los mejores mecanismos para promover el bienestar social por la vía de la más eficiente asignación de los recursos, incluía un componente ético que a lo largo de los dos últimos siglos ha dado lugar a nuevas aportaciones para tratar de comprender la permanencia y, en algunos casos, la agudización de la pobreza. La superación de la pobreza ocupa un lugar relevante en la discusión internacional, pero el debate sigue moviéndose en torno de dos coordenadas: mejor funcionamiento de los mercados o mayor intervención del Estado. Una combinación eficaz de ambos elementos es deseable, pero no siempre asequible dada la polarización ideológica que siempre ha caracterizado a la economía política.

BIBLIOGRAFÍA

Arrow, Kenneth y Tibor Scitovsky, 1974, *La Economía del Bienestar*, 2 vols., México, Fondo de Cultura Económica (Lecturas de El Trimestre Económico 7).

Ayala Espino, José Luis, 1999, *Instituciones y economía. Una introducción al neoinstitucionalismo económico*, México, Fondo de Cultura Económica.

Ekelund, Robert y Robert Hebert, 1992, *Historia de la teoría económica y de su método*, Madrid, McGraw Hill, 3a. ed.

Hodgson, Geoffrey M., 1996, *Economics and evolution. Bringing life back into economics*, Ann Arbor, The University of Michigan Press.

—, 1999, *Economics and utopia. Why the learning economy is not the end of history*, Londres, Routledge.

—, 2001, *How economics forgot history. The problem of historical specificity in social science*, Nueva York, Routledge, Federico List.

—, 1942, *Sistema nacional de economía política*, traducción y prólogo de Manuel Sánchez Sarto, México, Fondo de Cultura Económica.

Marx, Carlos y Federico Engels, 1983, *Obras escogidas*, Moscú, Progreso.

Mill, John Stuart, 1943, *Principios de economía política, con algunas de sus aplicaciones a la filosofía social*, edición e introducción de William J. Ashley, traducción de Teodoro Ortiz, México, Fondo de Cultura Económica.

—, 1967, *Essays on economics and society*, Toronto, Universidad de Toronto, Emma Rotschild.

—, 2002, *Economics sentiments: Adam Smith, Condorcet and the enlightment,* Cambridge, Harvard University Press, Joseph A. Schumpeter, Massachusetts.

—, 1984, *Historia del análisis económico,* 2 tomos, traducción de Lucas Mantilla, México, Fondo de Cultura Económica, Ernesto Screpanti y Stefano Zamagni.

—, 1997, *Panorama de historia del pensamiento económico,* Barcelona, Ariel Economía, Ben B. Seligman.

—, 1967, *Principales corrientes de la economía mundial. El pensamiento económico después de 1870,* Barcelona, Oikos-Tau Ediciones.

Smith, Adam, 1958, *Una investigación sobre la naturaleza y causas de la riqueza de las naciones,* 2a. ed., México, Fondo de Cultura Económica.

—, 2006, *Teoría de los sentimientos morales,* México, Fondo de Cultura Económica.

Veblen, Thorstein, 1951, *Teoría de la clase ociosa,* traducción de Vicente Herrero, México, Fondo de Cultura Económica.

—, 1965, *Teoría de la empresa de negocios,* traducción de Alberto Tripodi, Buenos Aires, Eudeba.

LA DIMENSIÓN ÉTICA DE LA POBREZA Y LA EXCLUSIÓN

PAULETTE DIETERLEN*

INTRODUCCIÓN

Gran parte de los especialistas en el estudio de la pobreza ha manifestado una preocupación por el daño que ésta produce a la dignidad y a la autoestima de las personas. Por ello, si bien reconocemos que la pobreza representa un problema multidimensional, una de las dimensiones que es indispensable tomar en cuenta cuando la estudiamos es la consideración ética. Por supuesto, no debemos olvidar que la pobreza es un problema que tiene que ver con la economía, las políticas públicas y el ambiente, pero también afecta considerablemente el ejercicio de los derechos económicos y sociales que deben ser garantizados a todas las personas. En este trabajo haremos una defensa de estos derechos para mostrar cómo su anulación golpea fuertemente la autoestima y la dignidad de las personas y las excluye como miembros de una comunidad.

El punto de partida para estudiar la pobreza, desde una perspectiva moral y legal, se encuentra en la formulación de dos artículos de la Declaración Universal de los Derechos Humanos (DUDH). El artículo 25 afirma lo siguiente: "Toda persona tiene derecho a un nivel de vida adecuado que le asegure, así como a su familia, la salud y el bienestar, y en especial la alimentación, el vestido, la vivienda, la asistencia médica y los servicios sociales necesarios..." (DUDH, 2004: 384). Por su parte, el artículo 28 establece que: "Toda persona tiene derecho a que se establezca un orden social e internacional en el que los derechos y las libertades proclamados en esta Declaración se hagan plenamente efectivos" (p. 385).

Además, en el año 2000, en la Cumbre del Milenio de las Naciones Unidas, 189 líderes firmaron un acuerdo sobre los Objetivos de Desarrollo del Milenio, en el que se encontraban una serie de metas medibles para combatir la pobreza, el hambre, las enfermedades, el analfabetismo, la degradación del ambiente y la discriminación contra las mujeres, así como los plazos para alcanzarlas. En la cumbre, los líderes también coincidieron en la necesidad de establecer un programa de desarrollo mundial: el Proyecto del Milenio. En el parágrafo III.11 de la introducción del documento se establece que: "No se escatimarán los esfuerzos para liberar a los hombres, mujeres y niños de la condición deshumanizante de pobreza extrema en la que se encuentran aproximadamente mil millones de personas" (UN, 2000).

* Instituto de Investigaciones Filosóficas de la Universidad Nacional Autónoma de México.

A pesar de las buenas intenciones manifestadas en la Declaración Universal de los Derechos Humanos y de la preocupación por la pobreza expresada en la Cumbre del Milenio, la situación en el mundo sigue siendo de extrema gravedad. Según Thomas Pogge, "Alrededor de 2 800 millones de personas, esto es, el 46% de la humanidad, viven debajo de la línea de pobreza que el Banco Mundial fija en menos de 2 dólares diarios…" (Pogge, 2005: 14).

Si bien el problema empírico nos muestra la incapacidad de los países de buscar los medios para satisfacer lo que establece el artículo 25 de la DUDH, hay posiciones teóricas que muestran la dificultad que supone hacerlos accesibles a todos los ciudadanos de un país. Por esta razón es importante analizar el tema de los derechos económicos y sociales, ver algunas críticas y exponer las líneas de pensamiento de aquellos que los defienden.

CRÍTICAS A LOS DERECHOS ECONÓMICOS Y SOCIALES

Las críticas a los derechos económicos y sociales se han hecho desde varios puntos de vista. En este trabajo sólo nos referiremos a dos: uno moral y otro legal. El primero afirma que la satisfacción de los derechos económicos y sociales obliga al Estado a implantar políticas redistributivas que violan la autonomía de algunas personas al tratarlas como simples medios para que otras puedan satisfacer los derechos anteriormente mencionados. La crítica desde el punto de vista legal consiste en sostener que los derechos económicos y sociales no tienen deberes correlativos y, por lo tanto, no existen instituciones o personas que tengan la obligación de cumplir con su satisfacción.

La crítica moral

Una de las críticas más fuertes a los derechos económicos y sociales se encuentra en la obra de Robert Nozick, *Anarquía, Estado y utopía* (Nozick, 1988: 7-11). La tesis de dicho autor ha sido ampliamente defendida y puesta en práctica por gobiernos conservadores. Ésta consiste en defender que los seres humanos son autónomos, que pueden ejercitar su racionalidad y tienen voluntad para llevar a cabo sus propios planes de vida, por lo tanto son agentes morales en el sentido kantiano del término. La idea de fondo es que las personas no deben ser tratadas únicamente como medios sino también como fines. Los derechos constituyen "restricciones morales" de lo que "no puede hacerse" a ciertos individuos. Un Estado que impone deberes a ciertas personas para satisfacer los derechos económicos y sociales de otros miembros de la comunidad es coercitivo. Dicho Estado lleva a cabo políticas paternalistas porque expande sus atribuciones de una manera ilegítima, tratando a los individuos como si éstos no supieran lo que desean. Un Estado de esta clase debe aplicar políticas redistributivas, las cuales crean cargas en ciertas personas porque, mediante un sistema fiscal, se les obliga a gastar lo que legítimamente les pertenece, con el pretexto de que con ello alivian la situación de otros. Estas acciones coercitivas del Estado violan la autonomía de las personas.

Los derechos como la educación, la salud, la vivienda, se han instrumentado obligando a ciertos grupos de una comunidad a pagar impuestos. De esta manera el Estado ha propiciado que la caridad sea obligatoria y que, por lo tanto, desaparezcan los actos de benevolencia que tienen por objeto la ayuda a las personas que se encuentran en una situación de pobreza extrema. El único mecanismo redistributivo que funciona para promover el bienestar de una comunidad es el mercado. Mediante un sistema fiscal que realmente respete los derechos de los individuos y sus acciones voluntarias se garantizaría la satisfacción de ciertas necesidades básicas de los miembros menos favorecidos de una sociedad. Esto puede lograrse alentando la caridad y la filantropía. En pocas palabras, el mercado puede garantizar los satisfactores básicos que los programas estatales supuestamente proveen (Nozick, *op. cit.*: 151).

El argumento fundamental de los críticos de los derechos económicos y sociales es que la obligación de pagar impuestos para satisfacer los derechos económicos y sociales de todos los ciudadanos no violenta exclusivamente un orden económico sino que genera acciones coercitivas que son violatorias de la autonomía de las personas, convirtiendo la imposición del Estado en un problema moral.

La crítica legal

Una dificultad para plantear la plausibilidad de que los derechos económicos y sociales puedan satisfacerse ha sido expuesta por ciertos filósofos del derecho como Joel Feinberg (cf. Feinberg, 1973: cap. IV). La tesis que defienden es que un derecho constituye "algo" que puede ser demandado o exigido a otras personas o al Estado. Para aclarar esta tesis necesitamos hacer una distinción entre derechos y libertades. Una libertad es, simplemente, la ausencia de una obligación. De manera que no todas las libertades constituyen derechos, aunque sí todos los derechos generan libertades, ya que los derechos incluyen como componentes ciertas libertades. El hecho de que los derechos generen libertades es de suma importancia porque, como veremos más adelante, una definición de "libertad" está en el origen de la defensa de los derechos económicos y sociales. Cuando hablamos de un derecho decimos que su poseedor puede reclamarlo incluso recurriendo a la autoridad. Este derecho no es un regalo o un favor producto de un acto de amor o de amistad, y su cumplimiento no debe generar un sentimiento de gratitud. Si un derecho no se respeta, podemos esperar una reacción de indignación. Un mundo con derechos es aquel en el que las personas, en cuanto portadoras de ellos, se respetan a sí mismas y son respetadas por los demás. La fuerza de los derechos no puede ser sustituida por el amor y la compasión ni por razones religiosas o jerárquicas.

Los que sostienen esta tesis afirman que entre los derechos y los deberes existe una correlatividad lógica. En pocas palabras, todos los deberes implican derechos de otras personas, y todos los derechos de otras personas implican deberes. Es necesario hacer esta aclaración porque en innumerables situaciones usamos dichas palabras aunque no exista una correlación entre los derechos y los deberes. Cuando lo hacemos se debe al "uso" que le damos a las palabras, pero éste no tiene ninguna fuerza legal.

Otros autores han señalado que los únicos derechos que merecen ese nombre son aquellos que generan deberes negativos, lo que significa, por ejemplo, "no hacer daño a una personas", "no incumplir contratos", "no quitarle a las personas sus pertenencias cuando las han adquirido legítimamente", es decir, aquellos derechos que protegen las libertades políticas y civiles de los ciudadanos. El Estado tiene el deber de garantizar esos derechos. Los derechos a la protección deben ser distribuidos de manera igualitaria, pero esta afirmación no se aplica a los derechos sociales, los cuales imponen cargas fiscales a unos ciudadanos para que otros mejoren. Además, con frecuencia se menciona que los estados no generan recursos suficientes para dar cumplimiento a las exigencias del artículo 25 de la DUDH y, por lo tanto, no los podemos exigir.

DEFENSA DE LOS DERECHOS ECONÓMICOS Y SOCIALES

La defensa de los derechos económicos y sociales critica severamente la tesis de que la satisfacción de éstos viola la autonomía de las personas. Por el contrario, sus defensores afirman que su incumplimiento viola la autonomía de las personas porque se les impide ejercer su capacidad de decisión. Los defensores de los derechos económicos y sociales defienden la tesis, como lo veremos a continuación, de que es posible cambiar las instituciones para proporcionar el nivel de salud y bienestar, alimentación, vestido, vivienda, asistencia médica y servicios sociales que todos los ciudadanos necesitan.

La defensa moral

Una línea de argumentación para defender los derechos económicos y sociales, desde el punto de vista moral, radica en la tesis de que los derechos no sólo exigen deberes negativos sino también positivos, esto significa que si reconocemos que una persona tiene un derecho, reconocemos el deber de otras y del Estado de "hacer algo" para satisfacerlo; por ejemplo, tenemos el deber de ayudar a las personas que se encuentran en un estado de pobreza y de exclusión. El filósofo del derecho Carlos Nino explicó ciertas confusiones que sostienen los defensores de los derechos y los deberes en sentido negativo (Nino, 2000: 138). Una de ellas consiste en pensar que la autonomía personal está constituida por condiciones negativas, como la no interferencia de terceros, y afirmar que los bienes y los recursos deben ser proveídos por la conducta activa de un sector privado de la población y no necesariamente por el Estado (Nino, *op. cit.*: 139).

Nino señala que otra confusión de los defensores de los derechos negativos radica en la culpabilidad que se le asigna al Estado por obligar a ciertos miembros de la sociedad a pagar impuestos que se destinan a financiar ciertos derechos sociales. Él piensa, sobre el deber de garantizar los derechos sociales: "es de todos los ciudadanos en un sentido amplio [*in a general conjunctive way*], para usar la terminología de G.H. von Wright. Son ellos quienes están obligados a realizar acciones, como pagar contribuciones, de forma tal que los ciudadanos cuya autonomía esté disminuida puedan tener los recursos para gozar de igual autonomía que el resto" (Nino, *op. cit.*: 142). En general todos aquellos autores que defienden los derechos humanos tomando en cuenta la igualdad defienden la tesis de los deberes positivos que tenemos con nuestros conciudadanos.

La defensa legal

Una línea de argumentación legal afirma que los derechos económicos y sociales generan, también, deberes negativos. En esta línea de pensamiento Thomas Pogge ha expresado que dichos derechos establecen condiciones de una serie de acciones que tampoco pueden hacerse a una persona y que no se refieren exclusivamente a su protección; por ejemplo, no debemos dejar que muera de hambre, no debemos permitir que carezca de cuidados de la salud, no debemos aceptar que no tenga acceso a la educación, es decir, no debemos tolerar una situación en la que las personas no tengan un mínimo de bienes necesarios para llevar una vida que vaya más allá de una condición de supervivencia. Su tesis consiste en que los derechos establecidos en el artículo 25 de la DUDH generan, para el Estado y los ciudadanos, deberes negativos, como el de no permitir que existan situaciones de pobreza extrema. Él afirma que "Cada miembro de la sociedad, con arreglo a sus medios, debe colaborar en la creación y el mantenimiento de un orden social y económico en el que todos tengan acceso seguro a la satisfacción de sus necesidades básicas" (Pogge, 2005: 96). También intenta mostrar que la violación de los derechos económicos y sociales provoca una situación, para una gran mayoría de las personas, de incapacidad para ejercer su autonomía, y por lo tanto una situación de exclusión. Pogge sostiene una interpretación institucional sobre los derechos económicos y sociales. Ésta contrasta con una interaccional que presenta a los derechos como exigencias que marcan el límite entre lo que una persona no puede hacer a otra e insiste en los deberes que los derechos generan. Esta forma de tratar a los derechos no presupone la existencia de instituciones sociales sino de agentes que tienen el deber correspondiente de satisfacer la demanda del derecho. Por su parte, la interpretación institucional concibe un derecho humano como un derecho moral de disponer de un derecho jurídico efectivo. Los estados deberían garantizar que sus textos legales fundamentales incorporasen los derechos humanos, incluyendo los económicos y sociales, y que, bajo su jurisdicción, fuesen observados y se hicieran valer mediante un sistema judicial efectivo. Por ejemplo, la mejor manera de realizar el derecho humano a una alimentación mínimamente adecuada no significa el derecho de recibir comida en caso de necesidad, sino algún otro mecanismo jurídico que impida la concentración de la propiedad de la tierra, que prohíba la usura o el acaparamiento especulativo de los artículos de primera necesidad, o que proporcione atención a la infancia, educación, subsidios para la reorientación profesional, las prestaciones, el desempleo o los créditos de puesta en marcha (cf. Pogge, *op. cit.*: 92).

Esto significa tomar seriamente el artículo 28 de la DUDH que establece el derecho a que se logre un orden social e internacional en el que los derechos y las libertades proclamados en dicha Declaración se hagan plenamente efectivos. También significa concebir los derechos no como límites de las acciones del Estado o de los demás ciudadanos, sino como aquello que nos permite vivir en una sociedad ampliamente cooperativa.

Tomando en cuenta las dos líneas de argumentación expuestas anteriormente queremos enfatizar que el incumplimiento de los derechos económicos y sociales excluye de la vida política y social a un gran número de personas porque les impide ejercer plenamente la ciudadanía. Tal como lo menciona Carlos Nino: "Si alguien se está muriendo de inanición, o se encuentra muy enfermo y privado de atención médica, o si carece de toda posibilidad de expresar sus ideas a través de los medios de prensa, el sistema democrático se vería dañado del mismo modo que lo sería si ese individuo estuviera privado de sus derechos civiles" (Nino, 1997: 276).

Lo que queremos sostener es que los derechos económicos y sociales constituyen una poderosa herramienta para combatir la pobreza, y si no se toman seriamente no será posible cumplir los Objetivos de Desarrollo del Milenio. La pobreza es la principal forma de exclusión y de marginación de los seres humanos.

Ahora bien, para comprender mejor este tema es necesario analizar la palabra "exclusión" para mostrar que su significado está enraizado en la violación constante de los derechos económicos y sociales.

EL PROBLEMA DE LA EXCLUSIÓN

En filosofía, la palabra "exclusión" nos remite al hecho de negarles a algunas personas la posibilidad de adquirir un bien, un lugar, un beneficio, un servicio que, en condiciones normales, le correspondería. La palabra está íntimamente conectada con el concepto de "libertad". Si somos excluidos para ocupar un lugar, para obtener un bien o un servicio, nos encontramos con muy pocas o casi ninguna posibilidad de elegir. Si no tenemos posibilidades de elección, carecemos de posibilidades para ejercer nuestra libertad.

Ahora bien, la carencia del ejercicio de la libertad provoca que las personas carezcan de lo que Rawls ha llamado "los bienes primarios", entre los que se encuentran precisamente las diferentes libertades y las bases sociales del respeto de sí mismos. Este bien necesita ser garantizado por las instituciones básicas, ya que son esenciales para que los ciudadanos tengan un sentido vivo de su propio valor como personas morales, y sean capaces de realizar sus intereses de orden supremo y de promover sus fines con confianza en sí mismos (cf. Rawls, 1986: 193).

Lo que nos interesa destacar es que cuando hay exclusión, en este caso por razones económicas, no estamos respetando a nuestros conciudadanos, y la falta de respeto refleja una sociedad que, aparte de injusta, no es decente.

Uno de los filósofos que ha tratado el tema del respeto y de la sociedad decente es Avishai Margalit (cf. Margalit, 1997). Él se pregunta acerca del aspecto que tienen los seres humanos que justifica el respeto que se merecen simplemente por ser humanos. De la concepción que tengamos de dicho respeto podemos concluir si una sociedad es o no, según su terminología, "decente".

Margalit examina tres clases de justificaciones que se han dado sobre el respeto a las personas: la justificación positiva, la escéptica y la negativa.

Justificación positiva

La justificación positiva se basa en tres ideas. La primera es la del "reflejo de la gloria". Ésta afirma que las personas han sido creadas a imagen y semejanza de Dios y por lo tanto merecen ser respetadas. Los defensores de esta idea dicen que no es el hombre, en cuanto hombre, el que merece respeto, sino que más bien lo merecen las personas porque son un "reflejo de Dios". Dios es el único creador y sólo él merece veneración. El respeto por los humanos se debe meramente al reflejo de la gloria que emana de Dios. Sin embargo, Margalit señala que la idea es confusa, ya que supuestamente Dios carece de imagen y por lo tanto es difícil entender qué significa que las personas sean consideradas como su imagen. Para defender la idea de la dignidad humana debemos buscar una justificación directa del respeto que merecen los hombres, es decir, un llamado a los atributos de los seres humanos sin ninguna mediación, como sería la invocación a Dios.

El argumento del "reflejo de Dios" es problemático porque, por un lado, no considera el valor intrínseco del hombre, y por el otro, no puede ser considerado por las personas que carecen de la creencia de que somos efectivamente un reflejo de Dios.

La segunda idea de la justificación positiva está conectada con lo que Margalit llama el *kitsch moral*, que consiste en defender un sentimentalismo moral. La tesis del *kitsch* sostiene que una justificación para respetar a los seres humanos es que todos ellos son capaces de sufrir. Si bien, según Margalit, esta tesis tiene cierto valor, enfrenta un gran peligro: el de ver a los seres humanos siempre como víctimas. La exigencia de tratar a los seres humanos cuando son víctimas reales e inocentes es fácil, pero la idea de respetar a los humanos como seres humanos debe sostenerse cuando no son víctimas inocentes o cuando son parcialmente inocentes (cf. Margalit, 2005).

La tercera idea de la justificación positiva se refiere a los "logros del hombre" y está basada en la creencia de que la raza humana ha logrado grandes éxitos en todos los terrenos y que la gloria por esos logros puede ser compartida por todos los miembros de la raza humana. "Si Buda, Aristóteles, Mozart, Shakespeare y Newton son figuras culminantes de la humanidad, nosotros participamos de su gloria aunque nunca lleguemos a alcanzar sus hitos" (Margalit, 1997: 58). Este argumento es fácil de rechazar. Existen dos razones para hacerlo; la primera consiste en que el talento no es distributivo; la segunda, que así como hay "logros del hombre" también hay horrores. No existe una razón aparente que nos permita sentirnos orgullosos de las composiciones musicales de Mozart y no sentirnos culpables por los crímenes cometidos por los nazis.

Justificación escéptica

Ahora bien, la solución escéptica que mencionamos anteriormente se basa en el hecho de que es común a muchas formas de vida pensar que los seres humanos merecen respeto. Según esta posición, los seres humanos son valiosos porque otros los valoran, y no en virtud de cualquier característica anterior que justifique tal valoración (cf. Margalit, 1997: 71). Un aspecto complementario de esta justificación radica en considerar el respeto a "todas" las personas, independientemente del grupo social al que pertenezcan, exclusivamente porque otros los valoran. Una crítica inmediata a la postura escéptica es la que afirma que si "nuestra" forma de vida incluye realmente una actitud básica de respeto a las personas como seres humanos, esto no es más que un vestigio de la creencia religiosa según la cual los humanos están creados a imagen y semejanza de Dios. Una crítica a la solución escéptica tiene que ver con la distinción entre el acto de tratar a las personas con respeto y el concepto de respeto en sí. Una sociedad puede ser humillante en el trato que dispensa a las personas que se encuentran en ellas y, al mismo tiempo, tener un claro concepto del respeto que debería otorgar a todas las personas como seres humanos (cf. Margalit, 1997: 73).

Justificación negativa

Por último, la justificación negativa consiste en rechazar la tesis por la que se pretende tratar a los seres humanos como si no lo fuesen. Dicha justificación se encuentra en la manera como vemos a los seres humanos. Cuando una sociedad no ve a una persona como un ser humano es una sociedad que humilla. Esto significa tener actitudes semejantes a las de los explotadores, que tratan a las personas como máquinas, a las de los individuos que estigmatizan a algunas personas por tener ciertas enfermedades, por el color de la piel, por la raza, por las preferencias sexuales, etcétera. En palabras de Margalit, las sociedades que tratan a ciertos sectores de su población como si fueran no humanos son aquellas que humillan, y el concepto clave de la humillación es el rechazo de la comunidad humana. Pero tal rechazo no se basa en ninguna creencia o actitud según la cual la persona rechazada es simplemente un objeto o un animal. El rechazo consiste en actuar *como si* la persona fuese un objeto o un animal. E invariablemente tal rechazo consiste en tratar a los humanos como infrahumanos (cf. Margalit, 1997: 96). Pensamos que esta idea está íntimamente conectada con la exclusión.

Hasta aquí las justificaciones que han sido recurrentes cuando hablamos del respeto que le debemos a los seres humanos, pero que no son del todo convincentes. Ahora pasaremos a ciertos argumentos que podemos considerar positivos en cuanto al valor por el respeto y a la condena de la exclusión.

La justificación positiva aceptable

Dice Margalit que cualquier característica que aspire a justificar la exigencia de no excluir y de tratar con respeto a todos los seres humanos debe satisfacer los requisitos siguientes:

1. No debe ser una característica susceptible de gradación, puesto que el respeto se debe a todos los seres humanos por igual, es decir, no puede haber personas de primera y de segunda por su raza, sus creencias religiosas, su género o sus preferencias sexuales.
2. Debe tener una relevancia moral que haga respetar a los humanos, lo que significa que es necesario incluir aquellos aspectos que moralmente justifiquen el respeto.
3. Debe proporcionar una justificación humanística del respeto; es decir, la justificación sólo se puede hacer en términos humanos, sin apelar a entidades divinas (cf. Margalit, 1997: 60-61).

Otra parte de esta justificación positiva se encuentra en la ética de Kant. Kant especificó los componentes que dan valor a la humanidad: 1] ser una criatura que determina los fines, es decir, una criatura que da valor a las cosas; 2] ser una criatura con capacidad de autonomía; 3] ser capaz de perfeccionarse, de lograr cada vez más una mayor perfección; 4] tener la capacidad de ser un agente moral; 5] ser racional; 6] ser la única criatura capaz de trascender la causalidad natural (citado por Margalit, 1997: 60).

A estas características podríamos añadir, con Bernard Williams, que los seres humanos deben ser considerados como humanos porque en cierto grado son conscientes de ellos mismos y del mundo en el que viven. La importancia de la idea de

Williams consiste en que defiende la idea de que la condición social y el ambiente intervienen de manera directa en la conciencia que tienen las personas de sí mismas y del ambiente en el que viven (cf. Williams, 1979: 236). La inclusión de la situación de la persona, de su condición social y del ambiente es de suma importancia para el estudio de la dignidad del hombre. Por ejemplo, ciertas condiciones relacionadas con el ambiente impiden que las personas sean realmente capaces de trascender la causalidad natural. Esta idea es sumamente importante para distinguir la pobreza urbana de la rural.

Podemos concluir que situaciones como la pobreza y cualquier otra forma de exclusión disminuyen la posibilidad de las personas de ejercer su racionalidad, su voluntad, de plantearse fines y de buscar los medios más adecuados para llevarlos a cabo. En palabras de Margalit, una sociedad que permite que existan estas situaciones es una sociedad que humilla, y que por lo tanto no es "decente".

Las posiciones anteriormente señaladas enfatizan la necesidad de respetar a las personas. Cualquier política social que soslaye la dimensión moral de la pobreza, la violencia y la discriminación correrá el riesgo de fracasar. El combate a dichas actitudes debe contribuir de una manera enfática para que todos los seres humanos puedan ejercer su autonomía, para que logren establecer sus propios planes de vida y puedan buscar los medios adecuados para llevarlos a cabo y, finalmente, para que puedan alcanzar e incrementar las bases sociales del respeto de sí mismos. Esto significa que en la medida en que la exclusión desaparezca, la libertad de los seres humanos se incrementará, pues contarán con mayores posibilidades de elección. Una sociedad que no logre este objetivo es una sociedad que desconoce la dignidad de las personas porque simple y sencillamente, al excluirlas, las humilla.

CONCLUSIÓN

Lo que nos interesa destacar es que la premisa que fundamenta la crítica de los derechos económicos y sociales es que el Estado y los ciudadanos tienen el deber negativo de no violar la libertad de los demás, pero no así de contribuir a que todas las personas alcancen un nivel de vida adecuado que les asegure el cumplimiento de sus derechos, tal y como se encuentran estipulados en el artículo 25 de la DUDH. Esta idea se refiere únicamente a la protección de la libertad negativa. Isaiah Berlin ha definido esta libertad de la siguiente manera: "Si otras personas me impiden hacer algo que de otra manera hubiese hecho, en esa medida no soy libre; y si otros hombres restringen esa área más allá de cierto límite, se me puede describir como un ser coercionado y tal vez hasta esclavizado" (Berlin, 1978: 141-142). Sin embargo, existe otra forma de concebir la libertad, que es la positiva. Ésta, en palabras del propio Berlin, significa "El deseo que tienen los individuos de ser sus propios amos. Yo deseo que mi vida y mis decisiones dependan exclusivamente de mí y no de fuerzas externas. Quiero ser mi propio instrumento y no depender de la voluntad de otros. Quiero ser sujeto y no objeto; moverme por razones, por propósitos conscientes que son míos, no por causas que me afecten, como si vinieran del exterior. Quiero ser alguien y no nadie; alguien que hace, que decide y que no espera que los demás tomen la decisión por él, quiero tener la posibilidad de dirigir mis acciones y de ninguna manera actuar por la sumisión a las leyes de la naturaleza y de otros hombres como si fuese un animal, o un esclavo incapaz de actuar como humano, esto es, de concebir metas políticas propias y de poder realizarlas" (Berlin, 1978: 140). Esta forma de concebir la libertad corresponde a la defensa de los derechos establecidos en el artículo 25 de la DUDH. Asimismo, nos permite mostrar que existe una violación de la libertad cuando hay una situación de coerción, pero también cuando no tenemos la posibilidad de tomar decisiones porque nos encontramos en un estado de supervivencia, de dependencia de los demás, y cuando somos objeto de una humillación constante. La pobreza y la exclusión impiden que las personas sean capaces de tomar decisiones porque se les niegan alternativas. Tal como lo mencionamos anteriormente, en la medida en que la exclusión desaparezca, la libertad de los seres humanos se incrementará, porque contarán con mayores posibilidades de elección.

Por último, deseamos enfatizar que en el fondo del descuido de los derechos económicos y sociales se encuentra enraizada una actitud de exclusión que alcanza al 46% de la población mundial.

BIBLIOGRAFÍA

Berlin, Isaiah, 1978, "Two Concepts of Liberty", en Anthony Quinton (ed.), *Political Philosophy*, Oxford, Oxford University Press.

"Declaración Universal de Derechos Humanos", 2004, en Fernando Ferrer MacGregor y Miguel Carbonell (eds.), *Compendio de derechos humanos*, México, Porrúa, Comisión Nacional de los Derechos Humanos.

Feinberg, Joel, 1973, *Social Philosophy*, Nueva Jersey, Prentice Hall.

Margalit, Avishai, 1997, *La sociedad decente*, México, Barcelona, Buenos Aires, Paidós.

—, 2005, "Human Dignity between Kitsch and Deification", conferencia impartida en el XXI Simposio Internacional de Filosofía del Instituto de Investigaciones Filosóficas, UNAM, el 17 de octubre. Véase en <http://www.filosoficas.unam.mx/act_acad/simposio/AMargalit.pdf>

Nino, Carlos S., 1997, *La constitución de la democracia deliberativa*, Barcelona, Gedisa.

—, 2000, "Sobre los derechos sociales", en M. Carbonell, J. Cruz y R. Vázquez (eds.), *Derechos sociales y derechos de las minorías*, México, Instituto de Investigaciones Jurídicas, UNAM.

Nozick, Robert, 1988, *Anarquía, Estado y utopía*, México, Fondo de Cultura Económica.

Pogge, Thomas, 2005, *La pobreza en el mundo y los derechos humanos*, Barcelona, Paidós.

Rawls, John, 1986, "Unidad social y bienes primarios", en *La justicia como equidad*, Madrid, Tecnos.

United Nations, 2000, United Nations Millennium Declaration, pdf, version at http://www.un.org/millennium/summit.htm [6 de octubre de 2006]. La traducción es mía.

Williams, Bernard, 1979, "The idea of equality", en *Problems of the self*, Cambridge, Cambridge University Press.

CIUDADES LATINOAMERICANAS: PROCESOS DE MARGINALIDAD Y DE EXCLUSIÓN SOCIAL*

ALICIA ZICCARDI**

INTRODUCCIÓN

La pobreza es una de las principales temáticas en las que han concentrado históricamente sus mejores esfuerzos las ciencias sociales latinoamericanas, pero su creciente magnitud en el medio urbano y la aparición de nuevas formas de exclusión social de que son objeto determinados colectivos sociales de las clases populares le otorga a la misma una nueva centralidad y exige realizar un esfuerzo teórico-conceptual para comprender sus actuales características. Existe un campo de investigación fecundo y complejo que obliga a replantear el fenómeno de la pobreza urbana desde un análisis estructural y multidimensional –que vincule los determinantes económicos con los sociales, políticos, territoriales y culturales– e incluya el reconocimiento de situaciones y prácticas sociales de exclusión social, tales como la discriminación por género, por identidad étnica o por lugar de residencia, procesos éstos que refuerzan la condición inicial de privación de bienes y servicios básicos.

Por otra parte, conocer la trayectoria conceptual de la pobreza y más recientemente de la noción de exclusión social permitirá saber de qué manera la sociología latinoamericana ha construido en diferentes épocas un conjunto de ideas para comprender socialmente estos fenómenos y contribuir a diseñar las llamadas políticas sociales.

Este trabajo comienza presentando los principales marcos conceptuales que, sobre la pobreza urbana y la marginalidad social ha aportado la sociología latinoamericana en los últimos cuarenta años. En este largo periodo se pueden identificar dos momentos en que este tema es preocupación central de un pensamiento latinoamericano rico en interpretaciones conceptuales. El primero se ubica en los años sesenta, en los que se advierten los efectos negativos de los procesos de urbanización acelerada y desarrollo económico dependiente, entre los cuales resalta la presencia de un amplio contingente de la fuerza de trabajo urbana que al no integrarse plenamente en las actividades productivas de manera estable y con remuneraciones adecuadas debe aceptar vivir en la precariedad en barrios populares periféricos de

* Este trabajo es un avance del proyecto especial "Pobreza, exclusión y políticas sociales en las sociedades complejas", el cual se lleva a cabo en la Universidad Nacional Autónoma de México gracias a su apoyo otorgado por la Dirección General de Apoyos al Personal Académico.

** Instituto de Investigaciones Sociales de la Universidad Nacional Autónoma de México.

casas autoconstruidas. En éste se desarrollaron diferentes teorías de la marginalidad, tanto desde una perspectiva marxista como funcionalista. El segundo momento se ubica en la década de los noventa, cuando se advierten los efectos negativos de la adopción de modelos económicos neoliberales sobre el mercado de empleo urbano, en particular para los trabajadores de menor calificación que debe aceptar opciones ocupacionales precarias, informales y con muy bajas remuneraciones.

También se abordan las principales interpretaciones e ideas que alimentan actualmente el debate europeo sobre la pobreza y la exclusión social, las cuales pueden ser útiles para comprender y confrontar nuestra realidad latinoamericana, principalmente porque en un mundo globalizado, en el que se advierte un generalizado incremento de la pobreza urbana y nuevas formas de exclusión social, los planteamientos y debates surgidos de diferentes regiones tienden a confluir.

Finalmente, se hacen algunas reflexiones sobre la agenda de investigación de la sociología en esta temática que es de central importancia para comprender los límites que enfrentan los procesos de construcción de ciudadanía y la profundización de las democracias latinoamericanas.

URBANIZACIÓN, DESARROLLO Y MARGINALIDAD URBANA

En los años sesenta el concepto de marginalidad es incorporado a los dos principales paradigmas teóricos de la joven sociología latinoamericana: el funcionalismo y el marxismo. Sin duda, la forma como perciben el problema de la pobreza urbana una y otra perspectiva son sustancialmente diferentes, pero lo común es que parten de dos ejes que organizan el análisis de una y otra: a] las causas de la pobreza urbana y b] los efectos políticos que podía tener la existencia de este amplio contingente de trabajadores urbanos viviendo en barrios populares en las periferias paupérrimas.

La perspectiva funcionalista de la marginalidad

Desde la perspectiva funcionalista, preocupada por hallar mecanismos de integración social, los trabajadores pobres eran analizados en tanto individuos, y las causas de su precaria existencia son de tipo psicosocial y ecológico. Para el pensamiento funcionalista la marginalidad estaba asociada a los intensos procesos de urbanización, identificando la dimensión territorial y política que acarreaba el uso de un término que Robert Park (1928), principal exponente de la escuela de Chicago, originalmente acuñara en la segunda década del siglo XX, desde una perspectiva ecológica.

Posteriormente la marginalidad fue el núcleo central de los desarrollos teóricos que, en los años sesenta y en el marco de un intenso proceso de urbanización, producto de intensas migraciones campo-ciudad, intentaban explicar las causas y las dificultades de la sociedad latinoamericana para crear mecanismos efectivos de integración económica y social. Los estudios de los fenómenos urbanos adquieren en el contexto latinoamericano una importancia social tal vez similar a la que le otorgó la escuela de sociología urbana de Chicago. Los procesos de marginalidad económica, social y territorial que debía soportar gran parte de la mano de obra, principalmente los migrantes del medio rural, se expresan espacialmente en las favelas, villas miseria, colonias populares, ranchos, campamentos o poblaciones, denominaciones que reciben estas formas habitacionales precarias en distintos países latinoamericanos.

La integración y el conflicto social

Robert Park estaba preocupado por dar cuenta del alto grado de conflictividad y de desintegración que existía en su ciudad lo cual provocaba elevados niveles de malestar social. Sus diagnósticos dieron origen a una teoría psicosocial del hombre marginal que consideraba que el espacio urbano degradado, la pobreza urbana de ciertas zonas de la ciudad, era la principal causa del comportamiento antisocial de los individuos. Esta concepción de la sociología urbana funcionalista fue sistemática y profundamente criticada, muchas décadas después, desde una visión estructural marxista, por Manuel Castells (1974) en su conocido libro *La cuestión urbana*.

En el contexto latinoamericano es Gino Germani, creador de la carrera de sociología en Argentina, quien elabora varios textos que describen las condiciones de marginalidad social. En 1967 publica en la *Revista Mexicana de Sociología* un artículo titulado "La ciudad como mecanismo integrador", en el que sostiene que deben considerarse dos aspectos diferentes: a] la integración geográfica de la sociedad nacional, definida como el proceso equilibrado de modernización y desarrollo económico de sus regiones y su participación igual o proporcional en la vida económica, cultural y política de la nación, y b] la integración social que está vinculada a nociones tales como participación, movilización y marginalidad. Precisamente para este último concepto reserva una visión ecológica y psicosocial. Sin embargo, distinguiéndose de la sociología norteamericana cuya principal preocupación es la "desintegración social" creadora de conflicto para Germani lo central es la "integración social" por lo cual la ciudad es vista como un espacio que proporciona mecanismos de movilización que se contraponen a la desorganización: concretamente la educación y los medios de comunicación.

Los trabajos de Germani se inscriben en los textos de la época que describían el intenso crecimiento poblacional de las ciudades como un proceso de "sobreurbanización" que, a diferencia de lo ocurrido en los países desarrollados precedía al desarrollo económico, entendido éste principalmente como desarrollo industrial. Además se ofrecía una concepción gradual del cambio social como una sucesión de etapas para transformar las estructuras hasta alcanzar la modernidad; ideas éstas que el autor construye a partir de confrontar la realidad latinoamericana con los patrones presentados por los países centrales (Germani, 1967: 290).

Más tarde, Germani (1971) intenta ampliar su perspectiva descriptiva y reconoce que el problema de la marginalidad, que ha desatado muchas discusiones, acaba siempre por involucrar explícita o implícitamente la problemática relativa a las causas del subdesarrollo, tales como las explicaciones basadas en el contraste entre los factores internos y externos (sistemas y conflictos de clase, condiciones históricas) y causas culturales y psicosociales (actitudes, valores, formas de comportamiento y, particularmente, el contraste entre los modelos capitalistas, neocapitalistas o socialistas de desarrollo) (Germani, 1971: 9-11). En su análisis crítico intenta organizar esquemáticamente el estudio de la marginalidad urbana a partir de distinguir el plano descriptivo del plano causal, propone un análisis multidimensional y operacionaliza la noción de marginalidad para poder realizar investigaciones empíricas lo cual constituye una interesante aportación metodológica para el análisis sociológico.

Pero para ese entonces un destacado grupo de sociólogos latinoamericanos había avanzado en reflexionar sobre las causas estructurales y la función que cumplían estos sectores marginales urbanos en el proceso de acumulación capitalista, desde el marco conceptual del materialismo histórico. Sin embargo, entre unos y otros no existe ningún diálogo académico, las dos escuelas –la funcionalista y la marxista– conforman dos universos conceptuales más bien confrontados entre sí, sobre todo en relación con los efectos políticos que podían tener estos fenómenos económico-sociales. Así, en el texto publicado en 1971, Germani presenta un estado del conocimiento sobre la temática en el cual sólo recoge vagamente algunos planteamientos provenientes de la producción marxista, por ejemplo cuando dice:

> Muchos autores diferencian netamente el fenómeno de la "pobreza" del de marginalidad [...] aunque ambos van usualmente asociados; se trataría de condiciones analíticamente distintas, incluso si se admite la posibilidad de marginalidad sin pobreza, o con pobreza menor que ciertos sectores participantes. Esta distinción se relaciona con aquella que diferencia entre los estratos bajos o populares "establecidos" [...] y la población marginal, la que se situaría así fuera del sistema de clases, o el de estratificación, acaso como forma de "outcasts" [...] El diferenciar netamente la marginalidad de la "pobreza" y, más aún, el percibir el sector marginal como colocado fuera del sistema de estratificación y ni siquiera como el estrato más bajo del mismo, implica atribuir a la situación de marginalidad un carácter de radicalidad y totalidad que lleva implícita una distinción drástica entre el sector marginal y el sector participante (Germani, 1971: 17-18).

Esto nos introduce en lo político como el segundo eje que, a nuestro entender, organiza las ideas centrales que sobre la marginalidad urbana tenían las diferentes concepciones teóricas, aunque es difícil afirmar que las mismas incidieron en las orientaciones que tuvieron las políticas públicas dirigidas a estos sectores populares urbanos en la época.

Los nuevos actores políticos

En el marco de frágiles democracias y del triunfo de la revolución cubana, una de las principales preocupaciones subyacentes en estos debates conceptuales sobre la marginalidad es el potencial político que tenían estos colectivos sociales urbanos, que se diferenciaban estructuralmente de la clase obrera, considerada tradicionalmente como el principal agente portador del cambio social. El principal interrogante era cuál sería su comportamiento político y si podían constituir una base popular para las fuerzas políticas de izquierda que pugnaban por una profunda transformación social.

Por otra parte, en la llamada sociología del cambio social el desenlace político de la presencia de estos grupos de trabajadores pobres urbanos constituía una de sus preocupaciones centrales. Irving L. Horowitz (1966) ofrecía un conjunto de reflexiones sobre la política y sobre el juego político en el medio urbano, analizando los mecanismos de cooptación, el comportamiento de élites locales, los efectos sociales de las migraciones campo-ciudad y la cultura política de los diferentes grupos sociales. Para él las ciudades latinoamericanas eran laboratorios para el examen y el análisis de las clases sociales emergentes, para explotar los efectos de la industrialización y para los estudios sobre el cambio social basado en la reforma.

Pero para Germani (1967) desde su perspectiva sociológica e integradora una consecuencia muy importante y diferente de la urbanización era que el sector marginal urbano podía ser políticamente importante sin perder marginalidad cultural y económica, con lo cual este autor más que estar preocupado por el hombre marginal parkiano, pretendía aprehender con el concepto de marginalidad el fenómeno político que protagonizaba el amplio conjunto de trabajadores urbanos, que en el caso de Argentina era el principal apoyo político del peronismo y que para él debía ser caracterizado como nacional populismo.

Un caso particular fue Chile, país considerado un laboratorio ideal para analizar el nuevo papel que jugaban estos sectores populares urbanos en la vida política nacional, primero en el gobierno de la Democracia Cristiana y luego con la Unidad Popular. Respecto del primer periodo, Jorge Giusti (1968) analiza los rasgos organizativos en el poblador marginal urbano latinoamericano, influido marcadamente por el propio Germani y busca los referentes históricos del comportamiento político del "hombre marginal" chileno. Se detiene en el análisis de la política asistencialista desarrollada por la Democracia Cristiana tomando como fundamento conceptual los desarrollos del Centro para el Desarrollo Económico y Social de América Latina (DESAL, 1970) y su propuesta de "promoción popular". Según el DESAL, la marginalidad era una manifestación de la desintegración interna de grupos sociales afectados por la desorganización familiar, la anomia y la ignorancia, lo cual impedía a estos grupos intervenir en las decisiones colectivas, y esa falta de participación activa era la causa de su bajísima participación pasiva en los bienes constitutivos de la sociedad global. Según esta concepción, debía promoverse la tolerancia política hacia su existencia y al mismo tiempo suministrar servicios y mejoras en las condiciones de vida. Pero sin duda es durante el gobierno de la Unidad Popular cuando estos grupos sociales urbanos constituyen la base social de las diferentes corrientes de izquierda y llegan a desarrollar experiencias en estos barrios populares.

La perspectiva marxista de la marginalidad

En contraposición a estas perspectivas funcionalistas se elaboran y publican en la época un conjunto de profundas y rigurosas reflexiones que desde el marxismo buscaban comprender las diferentes formas en que los trabajadores se integraban a los distintos procesos de la producción capitalista de los países dependientes. El centro de un álgido debate lo protagonizan José Nun y Fernando Henrique Cardoso, a quien se suman, entre otros, importantes autores latinoamericanos como Quijano, Singer, Dos Santos, Kowarick, Sigal. No obstante, puede decirse que la polémica se desata inicialmente en la región a partir de que Nun y su equipo, integrado por destacados académicos –Murmis, Marín, Balbé– proponen la categoría de masa marginal y señalan sus diferencias respecto de los conceptos de ejército industrial de reserva y superpoblación relativa surgidos del marxismo,[1] lo cual es cuestionado por Fernando H. Cardoso. Cabe señalar que no es el propósito de este trabajo hacer un recuento de las diferentes aportaciones teóricas ofrecidas por el amplio número de autores latinoamericanos que trataron el tema de la marginalidad en la época, sino colocar el núcleo conceptual básico de un debate que cuestionaba los alcances del desarrollo y que ofrecía explicaciones estructurales para entender la creciente pobreza en las ciudades.

Así, desde el materialismo histórico la principal preocupación es comprender las causas y los efectos que generaba un proceso de acumulación capitalista, dependiente y desigual, particularmente para un segmento importante de la fuerza de trabajo urbana que no lograba insertarse plenamente en el sistema productivo y debía aceptar vivir en las principales ciudades en condiciones precarias y deterioradas. Desde esta perspectiva conceptual la noción de "masa marginal" dio lugar a un interesante debate sobre si ésta se podía diferenciar o debía asimilarse a las categorías de "superpoblación relativa" y "ejército industrial de reserva" propias de la matriz conceptual marxista.

Masa marginal y relaciones de producción

En 1969 José Nun afirmaba que no toda superpoblación relativa constituía necesariamente un ejército industrial de reserva, y que esta asimilación era incorrecta porque se trataba no sólo de dos categorías distintas sino que se situaban en di-

[1] Recientemente José Nun (2001) publicó un libro titulado *Marginalidad y exclusión social* en el que se reproducen los principales artículos que dieron origen a esa polémica y se agrega un nuevo texto sobre la situación actual. Las citas de este artículo relativas a los artículos publicados en 1969 y 1971 corresponden a su republicación en este reciente libro.

ferentes niveles de generalidad. Para este autor, mientras el concepto de ejército industrial de reserva corresponde a la teoría particular del modo de producción capitalista, los conceptos complementarios de "población adecuada" y de "superpoblación relativa" pertenecen a la teoría general del materialismo histórico. Las dos proposiciones básicas de su análisis son: 1] son los medios de empleo y no los medios de subsistencia los que hacen ingresar a los trabajadores en la categoría de superpoblación y, 2] no toda la superpoblación constituye necesariamente un ejército industrial de reserva.

Al recurrir a indicadores cuantitativos advierte que el desempleo y el subempleo se incrementaron notablemente en América Latina entre las décadas de los años cincuenta y sesenta, y afirma que una parte considerable de la superpoblación generada por el proceso de acumulación hegemónico no establece relaciones funcionales con el sistema integrado de las grandes empresas monopolistas. Ese contingente constituye, entonces, una masa marginal respecto del mercado de trabajo de capital industrial monopolístico y está constituido por diferentes segmentos que pueden ser identificados analíticamente: a] una parte de la mano de obra ocupada por el capital competitivo; b] la mayoría de los trabajadores que se "refugian" en actividades terciarias de bajos ingresos; c] la mayoría de los desocupados y, d] la totalidad de la fuerza de trabajo mediata o inmediatamente "fijada" por el capital comercial; y el "resto" de los grupos a], b], c] sigue produciendo los efectos directos e indirectos propios de un ejército industrial de reserva (Nun, 2001: 133-134).

Este autor concluye que:

> la masa marginal –en contraste con el ejército industrial de reserva clásico– indica ese bajo grado de "integración del sistema", debido a un desarrollo capitalista desigual y dependiente que, al combinar diversos procesos de acumulación en el contexto de un estancamiento crónico, genera una superpoblación relativa no funcional respecto de las formas productivas hegemónicas (Nun, *op. cit.*: 137).

Fernando Henrique Cardoso (2001: 152-165)[2] discute esta afirmación, sosteniendo que existe una funcionalidad general de la superpoblación. Para este autor: a] la superpoblación es relativa a los medios de producción y no a la población obrera; tampoco se compara la superpoblación obrera con el resto de la población; b] esta superpoblación o ejército de reserva está compuesta de trabajadores desempleados, ex desempleados o consolidados en la población de desempleados, y no por el conjunto de la población que no está empleada por el capital y, c] la magnitud del ejército de reserva crece proporcionalmente con los avances de la acumulación social, a pesar de las variaciones tópicas de esta tendencia.

Para Cardoso no cabe duda que una proporción de esa masa marginal –correspondiente a los grupos *b*], *c*] y *d*]– es a la vez conceptualizable como un ejército de

[2] El texto de Fernando Henrique Cardoso incluido en el libro de Nun, J. (2001) fue originalmente publicado en la *Revista Latinoamericana de Sociología* en 1970.

reserva respecto del mercado de trabajo del capital industrial competitivo (Cardoso, *op. cit.*: 179), y concluye que "la creencia en la falta de dinamismo del capitalismo monopólico –vista desde la perspectiva de la creación del empleo–, cotejada con el "problema de la población", lleva a Nun a una visión necesariamente catastrófica que difícilmente se apoya en los hechos. No es que no exista un excedente de superexplotados: parte considerable de los negros americanos, de los puertorriqueños, "braceros" mexicanos, etcétera, son ejemplos obvios. Por ello no debería escandalizar, a quien parte del esquema marxista de explicación de la acumulación, el que la contradicción entre riqueza y miseria es fundamental y no es muy diferente a la constatación de Marx sobre los efectos del capitalismo en la Inglaterra del siglo XIX (Cardoso, *op. cit.*: 183).

Para Cardoso el contexto económico se caracteriza por un acentuado dinamismo del capitalismo monopólico para crear empleos, pero advierte que aunque fuesen verdaderas las tendencias catastróficas, éstas indicarían más bien que existe una relación directa entre acumulación y superpoblación relativa, sin que hubiese necesidad de proponer el concepto de "masa marginal", y afirma que "la distinción entre ejército de reserva y masa marginal deja de justificarse, incluso operacionalmente" (Cardoso, *op. cit.*: 183).[3]

Treinta años después, Nun (2001: 249) publica un artículo titulado "Nueva visita a la teoría de la masa marginal", recordando que su preocupación no sólo había sido con relación al creciente desempleo, principalmente tecnológico, según lo expresan hoy autores como Kumar, Rifkin, Beck u Offe, sino en torno de la asimilación que autores como Lange o Paul Sweezy habían hecho de las categorías de ejército industrial de reserva y masa marginal, sin advertir la importante diferencia que existe entre la génesis de una población excedente y los efectos que su aparición provoca en el sistema que le da origen, es decir una masa marginal que opera como excedentes de población no funcionales.

Nun (2001) reitera que cuando planteó inicialmente la tesis de la masa marginal sus propósitos inmediatos eran tres: 1] poner en evidencia la relación estructural que existía entre los procesos latinoamericanos de acumulación capitalista y los fenómenos de la pobreza y de la desigualdad social, lo que contrastaba con las tendencias entonces en boga de hacer recaer las responsabilidades sobre las propias víctimas; 2] marcar la heterogeneidad y la fragmentación crecientes de la estructura ocupacional latinoamericana, procesos diferentes a la visión de Marx de que la superpoblación relativa estaba dominada por la modalidad flotante, lo que llevaba a suponer que la mayoría de los trabajadores haría, en algún momento de su vida, esa experiencia de fábrica que él consideraba tan crucial para organizar las solidaridades y los antagonismos y, 3] llamar la atención acerca de los modos en que incidía sobre la integración del sistema la necesidad de afuncionalizar los excedentes de población para evitar que se volviesen disfuncionales, dando como ejemplo los me-

[3] En 1971 Nun publica en la *Revista Latinoamericana de Ciencias Sociales*, FLACSO, el texto "Marginalidad y otras cuestiones", el cual es reproducido bajo el título "Respuesta a la crítica", texto que también es incluido en el libro del Fondo de Cultura Económica (2001).

canismos de dualización y de segregación que eran mucho menos supervivencias de un pasado todavía tradicional que expresiones de un presente ya moderno (Nun, *op. cit.*: 294-295).

Más allá del valor académico de este riguroso debate teórico el mismo cobra importancia actualmente, ya que como se verá más adelante, la limitada oferta de empleos dignos para las y los trabajadores continúa siendo uno de los principales componentes de la cuestión social en América Latina.

La potencialidad política de los sectores populares urbanos

En realidad las formas de organización social y política que había desarrollado ese universo "marginal" indicaban que para entonces se había constituido una base social que partidos políticos, diferentes organizaciones de la sociedad civil (asistencialistas, religiosas) e instituciones gubernamentales se disputaban como clientela de su acción. No debe olvidarse que es la época en que reclamaba profundos cambios en la estructura social, y este sector de la población constituye un actor social alternativo al considerado tradicionalmente como principal agente portador del cambio social: la clase obrera.

La sociología urbana latinoamericana de la década se ubica en una perspectiva crítica que, apoyada en diferentes vertientes del materialismo histórico, ofrece nuevas bases teóricas para el análisis de los fenómenos urbanos. Horowitz (1966) por ejemplo aporta un conjunto de reflexiones sobre la política, sobre el juego político en el medio urbano, describiendo procesos tales como: mecanismos de cooptación, comportamiento de élites locales, efectos sociales de las migraciones campo-ciudad y cultura política de diferentes grupos sociales. Este autor comparte la idea de que las ciudades latinoamericanas son laboratorios para el examen y el análisis de las clases sociales emergentes, para explorar los efectos de la industrialización y para los estudios sobre el cambio social basado en la reforma, advirtiendo claramente este autor que "y si esto falla lo serán para un cambio basado en la revolución social".

Desde este mismo pensamiento marxista los representantes que tienen más presencia en el ámbito latinoamericano son Manuel Castells y Jordi Borja, quienes introducen la noción de los "movimientos sociales urbanos", en el que incorporan el conjunto de movilizaciones y luchas de los habitantes de los barrios populares deteriorados, considerándolos actores sociales fundamentales del cambio social, urbano y por supuesto político. Sin duda, el escenario urbano y social se transformaba intensa y rápidamente y los habitantes de las favelas, villas miseria, callampas chilenas, que formaban parte de ese denominado universo "marginal" latinoamericano, habían comenzado a desarrollar formas de organización social (sectoriales, asistencialistas y religiosas) y de organización política que en algunos casos se vinculaban a partidos políticos de izquierda y a diferentes organizaciones de la sociedad civil (cf. Ziccardi, 1989).

Precisamente en la perspectiva marxista de la marginalidad de los años sesenta subyacía el interés por explorar los posibles efectos que estas intensas transformaciones económicas tenían sobre la vida social y política. Nun (2001) recupera la idea de Marx de que los ingleses confunden habitualmente las manifestaciones de un fenómeno con sus causas, porque aumentó la inquietud de los sectores dominantes al percibir a las áreas marginales como un terreno propicio para las prédicas subversivas y revolucionarias. La vivienda, por ejemplo, más que un problema técnico se convertía en un problema social y pasaba a ser la principal reivindicación alrededor de la cual se organizaron movimientos sociales urbanos en diferentes países de la región. Así, las políticas sociales dirigidas a los sectores populares urbanos fueron inicialmente políticas de vivienda que pretendían transformar esas condiciones de vida precarias en que vivían los marginales. Sin embargo, el bajo ingreso de estas familias impedía que pudieran participar en el mercado habitacional aun subsidiado, por lo que cuando se crearon, o se fortalecieron donde ya existían, las primeras instituciones gubernamentales para la construcción de vivienda popular masiva, los destinatarios de esta oferta habitacional no fueron los segmentos más pobres de la población de las ciudades sino los asalariados de mejores ingresos. Para los más pobres, en cambio, la imposición de regímenes militares en diferentes países se tradujo en una acción gubernamental de expulsión de estas familias desde sus barrios originales hacia las periferias lejanas (cf. Ziccardi, A., 1983 y 1984). A partir de entonces, y hasta las aperturas democráticas de la década de los ochenta, el pensamiento y las reflexiones de las ciencias sociales poco incidieron en la formulación de las políticas sociales para abatir la pobreza y promover el desarrollo de los países latinoamericanos.

LA CIUDAD DEL SIGLO XXI Y LAS NUEVAS FORMAS DE EXCLUSIÓN SOCIAL

La noción de exclusión social, reinterpretada en la última década en el contexto de la aplicación de políticas neoliberales generadoras de informalidad y precariedad laboral, sin duda amplía y se diferencia del concepto de pobreza urbana incorporando las dimensiones no económicas de este fenómeno. La noción surge de la sociología francesa, cuando se observa que entre otras cosas: existe un desempleo de larga duración, un número considerable de personas no tienen vivienda de calidad, existen nuevas formas de pobreza entre inmigrantes, mujeres y jóvenes, el Estado benefactor se reestructura ante la crisis fiscal y que los sistemas de la seguridad social ceden el paso a la solidaridad para atender la cuestión social (cf. Rosanvallon, 1995).

Aunque suele reconocerse que la noción de exclusión social la acuñó, a mediados de los años setenta, René Lenoir (1974),[4] en el libro *Les Exclus*, ésta comenzó a ser adoptada con recurrencia en el análisis social de la sociología urbana francesa

[4] Cit. en Mariangela Belfiore, 2003. José Nun (2001) afirma que fue Pierre Massé el primero que introdujo esta categoría en un libro publicado en 1965, y que dado que se creó en una época de bonanza económica el mismo tuvo una circulación limitada en Europa.

y en el discurso de la Unión Europea, en la década de los noventa, para hacer referencia a nuevas prácticas económicas y sociales que surgen de las modalidades que adquiere el empleo y el nuevo régimen social. La misma pretende describir situaciones generalizadas de privación de bienes y servicios para los trabajadores y sus familias, derivadas principalmente de la precariedad, la inestabilidad, la flexibilidad y la degradación de las condiciones prevalecientes del mercado del trabajo urbano. A ello se suman las mayores restricciones que presenta la acción social del Estado como consecuencia de la crisis por la que atraviesan los diferentes modelos de regímenes sociales de bienestar.

De esta forma se debilitaron los cimientos propios de la llamada sociedad salarial (Castel, 1997) lo cual obligó a advertir que en lugar de grupos particulares de excluidos se creaba una situación que pesaba cada vez más en diferentes sectores de la población. En este sentido, se advierte no sólo un incremento de la pobreza sino nuevas formas de exclusión económico-social en función del género, la nacionalidad, el barrio, etcétera.

Un esfuerzo importante por identificar los factores que están incidiendo en los procesos de exclusión social lo ofrecen Brugué, Goma y Subirats (2002). Estos autores identifican tres grupos de factores que inciden en los procesos de la exclusión: 1] la fragmentación tridimensional de la sociedad, que genera la diferenciación étnica, la alteración de la pirámide poblacional y la pluralidad de las formas de convivencia familiar; 2] el impacto sobre el empleo de la economía posindustrial, que por un lado genera trayectorias ocupacionales en un abanico de itinerarios complejos y dilatados en el tiempo, y por otro la irreversible flexibilidad de los procesos productivos en la economía informacional, la desregulación laboral, la erosión de derechos laborales y el debilitamiento de esquemas de protección social, y 3] el déficit de inclusividad del Estado de Bienestar que ha consolidado fracturas de ciudadanía y el carácter segregador de ciertos mercados de bienestar con una presencia pública muy débil (por ejemplo, el mercado del suelo y la vivienda).

Las dimensiones o los campos que exige operacionalizar el concepto de exclusión social como diferente al de pobreza, son, entre otros: las dificultades de acceso al trabajo, al crédito, a los servicios sociales, a la justicia, a la instrucción; el aislamiento, la segregación territorial, las carencias y mala calidad de las viviendas y los servicios públicos de los barrios de las clases populares; la discriminación por género a que están expuestas las mujeres en el trabajo y en la vida social; la discriminación política, institucional o étnico-lingüística en que se encuentran algunos grupos sociales. Todos estos procesos y prácticas de las sociedades complejas son "factores de riesgo social" que comparten determinados grupos de las clases populares (inmigrantes, colonos, indígenas, discapacitados). Ante esto, cualquier política pública sectorial será sumamente débil si no se incorpora a una acción social pública e integral que enfrente no sólo la pobreza sino la exclusión social. Esto señala el amplio campo de actuación de las políticas sociales urbanas, puesto que desde las mismas se deben contrarrestar o disminuir algunos de los efectos más desfavorables de la pobreza y de la exclusión social (Ziccardi, 2001).

Ante esta compleja realidad, Brugué, Gomà y Subirats (2002) elaboran una matriz en la que se cruzan el peso de los factores mencionados, según el colectivo social en el que inciden, y las políticas sociales que intentan contrarrestar estas situaciones desfavorables en que se encuentran ciertos sectores de la ciudadanía.

Coincidentemente, y como consecuencia de que las formas de pobreza severa se hallaban en incremento en Estados Unidos, se abrió en la misma época un debate sobre las llamadas *urban underclass* a partir de investigaciones sobre los efectos que generaban los fenómenos de segregación urbana de las ciudades del mundo industrial, en los barrios o vecindades de las periferias pobladas con minorías de inmigrantes (cf. Mingione, 1999). Lo común en ambas perspectivas es que se trata de comprender y analizar los efectos generados por el cambio de un régimen social basado en el trabajo asalariado estable a un régimen mucho más homogéneo y precario, generador de deterioro de las condiciones de trabajo y del debilitamiento del apoyo estatal. Esto último se expresa en medidas de discriminación institucional hacia los sectores populares, lo cual refuerza la segregación espacial y el confinamiento de aquellos grupos que se encuentran particularmente en situaciones desventajosas (Castel, 1997).

Para Brugué, Gomà y Subirats (2002) el concepto de exclusión social alude en primer término a un fenómeno estructural que genera un nuevo sociograma de colectivos de excluidos; un fenómeno que puede ser caracterizado como dinámico en tanto afecta de forma cambiante a personas y colectivos en función de la vulnerabilidad de éstos a las dinámicas de marginación, y multidimensional porque no se explica con arreglo a una sola causa, ni sus desventajas son únicas. Pero la cuestión fundamental para estos autores es que se trata de un fenómeno que no es posible separarlo de la política, es decir, "la exclusión social no está inscrita de forma fatalista en el destino de ninguna sociedad sino que es susceptible de ser abordada desde los valores, desde la acción colectiva, desde la práctica institucional y desde las políticas públicas".

De esta forma se vinculan los factores de exclusión y los colectivos de excluidos a las nuevas políticas sociales y sostienen que, tanto en Europa como en América Latina, se asiste a una época de transformaciones de fondo y a gran velocidad, y que ante una creciente precarización social y laboral, se advierte un déficit en las administraciones públicas, las cuales no tienen agilidad para dar las respuestas adecuadas. Se trata de un escenario en el que las demandas son cada vez más heterogéneas y fragmentadas y, por lo tanto, sólo pueden ser abordadas desde formas de gestión que respondan flexiblemente a la problemática que enfrentan, y que se inscribe, de manera polémica, en el concepto o la noción de exclusión social.

En América Latina, en cambio, la noción de exclusión social es incorporada recientemente en la investigación social y han predominado los trabajos empíricos más que los conceptuales, una producción académica dispersa que pareciera que tiene varios puntos de encuentro con las teorías de la marginalidad, quizá con mayor proximidad a su versión funcionalista que estructural.

La desafiliación y el incremento de la pobreza

Robert Castel (1997), quien se ha encargado de analizar minuciosamente las causas del derrumbe de la condición salarial, sostiene que la "cuestión de la exclusión social" que ocupa el primer plano desde hace años es un efecto de ese derrumbe, es decir que más que hablar de "problemas sociales" particulares, de una pluralidad de dificultades que hay que enfrentar una a una, hay una cuestión social, y ésta es la cuestión de la pérdida de centralidad del estatuto de asalariado y del papel de gran integrador que ha desempeñado el trabajo. Así, se ha dado una auténtica metamorfosis de la cuestión social ya que la principal fuente de identidad del individuo ha sido cuestionada brutalmente en detrimento de otros sostenes, como la pertenencia familiar o la inscripción a una comunidad concreta (Castel, *op. cit.*: 389). Pero lo fundamental es que la gran preocupación de este autor es que "el trabajo es más que el trabajo y por tanto el no-trabajo es más que el desempleo, lo que no es poco decir". Es un llamado de atención respecto de las transformaciones profundas que presentan las economías en Francia y a observaciones de lo que acontece desde siempre en la realidad latinoamericana donde la oferta de trabajo excede a la demanda particularmente en determinados sectores y actividades productivas.

Sin duda este pensamiento tiene puntos de encuentro y preocupaciones conceptuales próximas a las que se dieron en el debate de la marginalidad desde una perspectiva marxista de los sesenta. Recientemente José Nun (2001) retoma el debate, lo recontextualiza e introduce en los nuevos planteamientos elaborados por autores advirtiendo que en este mundo globalizado los desocupados son el componente social más dramático y visible pero de ninguna manera el único. La crisis de la sociedad salarial en la que el trabajo asalariado era el pilar de la cuestión social ha transformado la misma sociedad. Desde esta perspectiva sociológica lo que está en juego es la idea del fin del trabajo asalariado, estable y bien remunerado como perspectiva real y alcanzable por una gran parte de la mano de obra disponible, predominando en cambio la precariedad laboral y los bajos ingresos; esto incide directamente en el ejercicio de los derechos ciudadanos y en las posibilidades de profundizar y consolidar los procesos democráticos que viven actualmente los países latinoamericanos.

Como señala Robert Castel (1997), éste es un periodo incierto de transición hacia una inevitable reestructuración de las relaciones de producción, se trata de una mutación compleja de nuestra relación con el trabajo. En esta caracterización señala dos rasgos que nos introducen en otras perspectivas de análisis sobre el futuro del desarrollo: 1] se han borrado una cierta representación de progreso y la creencia en que el mañana será mejor y que funcionan los mecanismos para controlar el devenir de una sociedad desarrollada, dominar sus turbulencias y conducirla hacia formas de equilibrio cada vez más armónicas, y 2] esta representación de la historia es indisociable de la valorización del papel del Estado. Se necesita de un actor central que conduzca estas estrategias, que obligue a los participantes a aceptar objetivos razonables, que vele por el respeto de los compromisos y que asegure un mínimo de cohesión entre los grupos sociales (Castel, *op. cit.*: 391).

Esto lleva a la necesidad de repensar el rumbo del modelo de Estado de bienestar el cual nunca estuvo plenamente desarrollado en los países de América Latina. Al respecto Rolando Franco (1997) advierte que el paradigma emergente en la década de los ochenta sustenta reformas en los sistemas de bienestar social basada en que el Estado es tan sólo uno de los agentes que aportan recursos para el financiamiento de los servicios sociales pero que sus funciones en materia de política social pueden ser llevadas a cabo también por agentes no estatales (informal, voluntario, filantrópico), lo cual supone introducir criterios de competencia entre diferentes prestadores de servicios. La idea es que los recursos públicos deben reservarse para atender las necesidades de los sectores que están fuera de esa seguridad social, lo cual requiere aplicar principios de focalización o de selectividad para identificar a los beneficiarios, otorgar subsidios y considerar estas políticas sociales como compensatorias para contrarrestar los efectos del ajuste. Es decir, se promueve un trato desigual a quienes son socialmente desiguales. Esto originó el fuerte debate que se dio en América Latina, sobre el cual ya se hizo referencia en este trabajo.[5] Un rasgo más es que se impulsan procesos de descentralización de funciones –no siempre de recursos– del gobierno central a los gobiernos locales, los cuales comienzan a asumir la provisión de las infraestructuras sociales, pero demuestran tener marcadas limitaciones para ampliar la acción social de este ámbito de gobierno.

Pero este debate empieza a darse en el contexto de procesos de democratización política, los cuales, para construir nuevas bases de gobernabilidad, deben incorporar en el debate el tema de los derechos ciudadanos, de la ampliación de la dimensión social de la ciudadanía y del papel que deben jugar.

La dimensión social de la ciudadanía

En el marco de los procesos de democratización de los sistemas políticos latinoamericanos y del ajuste económico se elaboran en los años ochenta políticas sociales focalizadas, las cuales son indicadores de la debilidad de nuestra democracia para garantizar calidad de vida al conjunto de la ciudadanía (Bodemer, Coraggio y Ziccardi, 1999). Sin embargo, en la década siguiente, advertidas las limitaciones de las mismas y en la medida en que los partidos de izquierda comienza a ganar posiciones en los gobiernos locales e incluso en el ámbito nacional, se retoma la concepción de ciudadanía, entendida como el ejercicio de un conjunto de derechos y obligaciones.

En particular, para los fines de este trabajo, interesa considerar la dimensión social de la ciudadanía (Marshall, 1998) la cual hace referencia al acceso de bienes y servicios básicos –alimentación, salud, educación– que el Estado debe garantizar al conjunto de la población, independientemente de su capacidad de apropiación de bienes y servicios en el mercado. En la región latinoamericana este ejercicio

[5] Véase entre otros Ruth Cardoso, Augusto de Franco y Miguel Darcy de Oliveira (2000).

dio origen a una ciudadanía segmentada (Draibe, 1993) ya que sólo se logró para un reducido conjunto de trabajadores asalariados mientras que grandes mayorías siempre debieron aceptar vivir en el medio urbano aceptando situaciones de gran precariedad y acceso limitado a bienes y servicios de baja calidad.

En este marco las principales interpretaciones e ideas que alimentan actualmente el debate europeo sobre el deterioro de la sociedad salarial y la exclusión social sin duda son útiles para comprender y confrontar nuestra realidad latinoamericana. Más aún porque en un mundo globalizado se advierte un generalizado incremento de la pobreza urbana y nuevas formas de exclusión social, las cuales comparten rasgos muy similares entre ambas realidades. No obstante, debe señalarse que la situación latinoamericana actual es muy grave y compleja. El número de pobres urbanos en América Latina es el mayor de toda su historia. Las explicaciones desde esta perspectiva estructural no sólo ponen el énfasis en las limitaciones que generan los procesos de precariedad laboral sino también en los procesos de construcción y ejercicio de la ciudadanía que permitan consolidar la democracia latinoamericana.

En este sentido, Nun (2001) sostiene que, a diferencia del pasado, cuando las ideologías dominantes incluían en sus grandes agendas de inspiración keynesiana el problema de la distribución de los ingresos y le adjudicaban un papel central a la acción del Estado, actualmente estas concepciones han sido sustituidas por las corrientes neoliberales, para las que el mercado proveerá y lo hará tanto mejor cuanto más mínimo sea el gobierno y menos interfieran los sindicatos y las organizaciones populares.

Sin embargo, en este contexto democrático puede observarse una revalorización de las aportaciones conceptuales y propositivas realizadas por los científicos sociales, y en varias ciudades de América Latina, algunas de las cuales son gobernadas por partidos políticos de izquierda, se han puesto en marcha programas sociales que no sólo pretenden combatir la pobreza urbana sino que también enfrentan la exclusión y la desigualdad social, como por ejemplo los programas de diferentes gobiernos locales a través de los cuales se otorga un apoyo económico a adultos mayores, los programas de mejoramiento de viviendas y de barrios o el otorgamiento de apoyos a madres jefas de hogar y a jóvenes que no logran ingresar o permanecer en el sistema de educación superior y no encuentran opciones laborales acordes a sus expectativas.

REFLEXIONES FINALES

Recuperar los principales desarrollos conceptuales que sobre la pobreza urbana y la exclusión social han producido las ciencias sociales en diferentes momentos históricos y buscar su distinción conceptual y metodológica puede ser útil por varias razones, pero en lo fundamental porque si bien la problemática de la marginalidad surgida en los años sesenta planteaba algunas de las cuestiones que hoy forman parte de los principales interrogantes que se responden desde la perspectiva de la "exclusión social", como se desprende del recorrido que hemos realizado, como afirma Carlota Solé (2002).

> la visión de la pobreza dominante en cada sociedad es el resultado de un conjunto de valores, normas e ideas dominantes que se adaptan a los requerimientos del sistema económico. Así, las medidas adoptadas en la lucha contra la pobreza son coherentes y no contradictorias con las propias necesidades que muestra el proceso de acumulación del capital.

Las condiciones de pobreza urbana, de una pobreza relativa (cf. Ziccardi, 2006) al compararla con la intensidad de la pobreza que prevalece en el medio rural, indican que para los sectores populares de las grandes ciudades latinoamericanas este proceso modernizador genera efectos perversos, en particular acrecienta las marcadas desigualdades sociales y espaciales. Así, es evidente que, junto a los espacios de la modernidad que lucen todas las ciudades latinoamericanas, los sectores populares continúan viviendo en la pobreza, en viviendas precarias y en espacios que presentan un grave déficit o deterioro en la dotación de bienes y servicios urbanos. Por ello las ciudades del siglo XXI han sido calificadas de ciudades fragmentadas, divididas o segmentadas (cf. Susan Fainstein *et al.*, 1992), rasgos que si bien las ciudades en América Latina siempre han tenido, actualmente se han amplificado. Las investigaciones realizadas en estos espacios han dado cuenta de que la pobreza urbana es consecuencia de la precariedad, la informalidad y sobre todo de las bajas remuneraciones que perciben millones de trabajadores en las grandes ciudades latinoamericanas (Ziccardi, 2001). Pero esta situación no sólo afecta a estos ciudadanos que tienen escasas posibilidades de ejercer sus derechos sociales, sino también al conjunto de la sociedad, fracturando el tejido social y generando las condiciones propicias para que proliferen la violencia y la inseguridad.

Existe un amplio abanico de temáticas que aún no han sido estudiadas en profundidad, las cuales están vinculadas, más que a la noción de pobreza urbana, a la de exclusión social, y hacen referencia a la discriminación de género, étnica, territorial y cultural de que son objeto las clases populares. De un mayor conocimiento de esta realidad podrán surgir nuevas ideas para las políticas sociales urbanas que asuman el carácter de políticas socioeconómicas (Bodemer, Coraggio y Ziccardi, 1997), es decir que no sólo garanticen el acceso a un empleo digno a los trabajadores sino también calidad de vida y condiciones para hacer efectiva la dimensión social de la ciudadanía. Se trata de políticas públicas formuladas a partir de una visión integral del universo económico, social y territorial en el que actúan. Su diseño e implementación implica la adopción de modelos transversales, de formas de coordinación interinstitucional flexibles, de la corresponsabilidad entre diferentes actores públicos y privados que actúan en red y de una actuación temporalmente coincidente en un territorio dado.

Lograrlo hoy no parece un imposible porque, entre otras cosas, a pesar de la fragilidad de nuestras democracias las ciencias sociales tienen un más amplio espacio institucional y su producción es mucho más valorada socialmente que en el pasado. En algunos países como México los intelectuales dedicados a estudiar la pobreza y las políticas sociales son consultados desde las instancias gubernamentales, y también suelen actuar en organizaciones civiles, asesorar a grupos populares e incluso desempeñar en alguna etapa de su vida profesional actividades en la burocracia gubernamental y en el ámbito de la representación política. Pero también debe decirse que nuestra producción no se ha propuesto incidir en el ámbito más amplio de las políticas públicas y, en particular, en las políticas económicas que, en su actual versión neoliberal, en mucho contribuyen a la generación de mayores índices de pobreza. Por ello, desde el objetivo de incidir más en las decisiones públicas podemos concluir colocando algunos interrogantes que puedan ser incluidos en nuestras agendas de investigación, por ejemplo: 1] ¿cómo se incorpora el tema de la pobreza en el conjunto de las políticas públicas, no sólo en las políticas sociales?; 2] ¿cuál es la particular relación entre política económica y política social?, y 3] ¿cómo perciben los diferentes actores sociales –funcionarios, empresarios, académicos– la cuestión social y cuál es la concepción dominante que legitima socialmente la existencia de estos graves niveles de pobreza urbana y de exclusión social?

BIBLIOGRAFÍA

Álvarez Laguizamón, Sonia (comp.), 2005, introducción a *Trabajo y producción de la pobreza en Latinoamérica y el Caribe. Estructuras, discursos y actores*, 1a. ed., Buenos Aires, CLACSO.

Atkinson, Tony, 2002, *Social inclusion and the European Union*, JCMS, vol. 40, núm. 4.

Belfiore Wanderley, Mariangela, 1997, "Reflexiones sobre la noción de exclusión", en *Servicio Social y Sociedad*, año XVIII (55), São Paulo, Cortez editora, noviembre.

Bodemer, K., J.L. Coraggio y A. Ziccardi, 1999, "Las políticas sociales urbanas en el inicio del nuevo siglo", Documento de Lanzamiento de la Red núm. 5 de URBAL Políticas Sociales Urbanas, Montevideo.

Borja, Jordi y Manuel Castells, 1997, *Local y global: La gestión de las ciudades en la era de la información*, Madrid, United Nations for Human Settlements, Taurus.

Brugué, Joaquim, Ricard Gomà y Joan Subirats, 2002, "De la pobreza a la exclusión social. Nuevos retos para las políticas públicas", en *Revista Internacional de Sociología*, tercera época, núm. 33, septiembre-diciembre.

Cardoso, Fernando H., 1971, "Comentarios sobre los conceptos de sobrepoblación relativa y marginalidad", en *Revista Latinoamericana de Ciencias Sociales*, núm. ½, ELAS-ICIS, Santiago. Reproducido en Nun, José, 2001, *Marginalidad y exclusión social*, México, Fondo de Cultura Económica.

Cardoso, Ruth, Augusto de Franco y Miguel Darcy de Oliveira, 2000, *Um novo referencial para a ação social do estado y da sociedade*, Brasilia, PNUD, Comunidade Solidária.

Castel, Robert, 1997, *La metamorfosis de la cuestión social. Una crónica del asalariado*, Buenos Aires, Paidós.

—, 2005, "Estado e inseguridad social", Subsecretaría de la Gestión Pública, Argentina (consulta por internet).

Castells, Manuel, 1974, *La cuestión urbana*, México, Siglo XXI.

Centro para el Desarrollo Económico y Social de América Latina (DESAL), 1970, *La marginalidad urbana: Origen, proceso y modo,* Buenos Aires, Ediciones Troquel.

Comisión Económica para América Latina (CEPAL), 2003, *Panorama económico de América Latina,* Santiago de Chile.

Cordera, Rolando y Javier Cabrera (coords.), 2005, *Superación de la pobreza y universalización de la política social,* México, UNAM.

Cordera, Rolando y Alicia Ziccardi (coords.), 2000, *Las políticas sociales en México al fin del milenio, descentralización, diseño y gestión,* México, IIS-Facultad de Economía, UNAM.

Cortés, Fernando, 2002, "Consideraciones sobre marginalidad, marginación, pobreza y desigualdad de ingreso", en *Papeles de Población,* núm. 031, enero-marzo, Toluca, Universidad Autónoma del Estado de México.

Draibe, Sonia, 1993, "Qualidade de vida e reformas de programas socias: o Brasil no cenario latinoamericano". *Lua Nova* (núm. 31), São Paulo.

Fainstein, Susan, Ian Gordon y Michel Harloe, 1992, "*Divided cities,* New York and London in the contemporary world", Oxford, Cambridge, Blackwell.

Franco, Rolando, 1997, "Paradigmas de la política social en América Latina", en Rafael Menívar, Drik Kruijt y Lieteke van Vucht Tijssen, *Pobreza, exclusión y política social,* Programa Most, Costa Rica, FLACSO-Costa Rica, Universidad Utrech.

Gallardo, L. y J. Osorio, "Los rostros de la pobreza. El debate", tomo III, México, U-Iberoamericana, SEUIA/ITESO, Limusa-Noriega Editores, pp. 17-116.

—, 2005, "Enfoque sobre la pobreza y el florecimiento humano", en *Papeles de Población,* nueva época, año 11, núm. 44, abril-junio, Toluca, Universidad Autónoma del Estado de México.

Germani, Gino, 1963, "Urbanización, secularización y desarrollo económico", en *Revista Mexicana de Sociología,* vol. 25, núm. 2, mayo-agosto, México.

—, 1967, "La ciudad como mecanismo integrador", en *Revista Mexicana de Sociología,* vol. 29, núm. 3, julio-septiembre, México.

—, 1971, *El concepto de marginalidad,* Buenos Aires, Nueva Visión.

Giusti, Jorge, 1968, "Rasgos organizativos en el poblador marginal urbano latinoamericano", en *Revista Mexicana de Sociología,* vol. 30, núm. 1, enero-marzo, México.

Horowitz, Irving Louis, 1966, "La política urbana en Latinoamérica", en *Revista Mexicana de Sociología,* vol. 28, núm. 1, enero-marzo, México.

Karsk, Saül (coord.), 2004, *La exclusión: bordeando fronteras. Definiciones y matices,* España, Gedisa.

Kowarick, Lucio, "Desarrollo capitalista y marginalidad: el caso brasileño", en *Revista Mexicana de Sociología,* vol. 40, núm. 1, enero-abril, México.

Lomnitz, Larissa, 1978, "Mecanismos de articulación entre el sector informal y el sector formal urbano", en *Revista Mexicana de Sociología,* vol. 40, núm. 1, enero-abril, México.

Marshall, T.H. and Bottomore, 1998, *Ciudadanía y clase social,* Madrid, Alianza.

Mingione, Enzo, 1999, "Urban poverty in the advance industrial: concepts, analysis and debates", en Enzo Mingione (ed.), *Urban poverty and the underclass,* Oxford, Blackwell Publishers.

Morell, Antonio, 2002, *La legitimación social de la pobreza,* Barcelona, Anthropos.

Murga Franssinetti, Antonio, "La marginalidad urbana en América Latina: una bibliografía comentada", en *Revista Mexicana de Sociología,* vol. 40, núm. 1, enero-abril, México.

Nun, José, 1969, "Superpoblación relativa, ejército industrial de reserva y masa marginal", en *Revista Latinoamericana de Sociología,* vol. V, núm. 2, Buenos Aires. Reproducido en Nun, José, 2001, *Marginalidad y exclusión social,* México, Fondo de Cultura Económica.

Nun, José, 2001, *Marginalidad y exclusión social,* México, Fondo de Cultura Económica.

Park, Robert E., 1928, "Human migration and marginal man", en *American Journal of Sociology,* vol. 33, núm. 6, The University of Chicago Press.

Rosanvallon, Pierre, 1995, *La nueva cuestión social,* Buenos Aires.

Saraví, Gonzalo A. (ed.), 2006, *De la pobreza a la exclusión. Continuidades y rupturas de la cuestión social en América Latina*, CIESAS, México, Prometeo.

Segal, Silvia, 1981, "Marginalidad especial, estado y ciudadanía", en *Revista Mexicana de Sociología*, vol. 43, núm. 4, octubre-diciembre, México.

Sen, Amartya, 1984, "Poor, relatively speaking", en A. Sen, *Resources, values and development*, Cambridge, Massachusetts, Harvard University Press.

—, 1995, *Examen de la desigualdad*, Madrid, Alianza.

—, 2000, *Desarrollo y libertad*, México, Planeta.

Solé, Carlota, 2002, prólogo al libro de A. Morell, *La legitimación social de la pobreza*, Barcelona, Anthropos.

Townsend, P., 1970, *The concept of poverty*, Londres, Heinemann.

Yanes, Pablo, 2005, "La centralidad de los derechos: eje de la política social del Gobierno del Distrito Federal", mimeografiado, México.

Ziccardi, Alicia, 1983, "Villas miseria y favelas: sobre las relaciones entre las instituciones del Estado y la organización social de la democracia de los años setenta", en *Revista Mexicana de Sociología*, vol. 45, núm. 1, enero-marzo, México.

—, 1984, "El tercer gobierno peronista y las villas miseria de la ciudad de Buenos Aires (1967-1976)", en *Revista Mexicana de Sociología*, vol. 46, núm. 4, octubre-diciembre, México.

—, 1989, "De la ecología urbana al poder local (cinco décadas de estudios urbanos)", en *Revista Mexicana de Sociología*, vol. 51, núm. 1, enero-abril, México.

—, 2001, "Las ciudades y la cuestión social", en A. Ziccardi (comp.), *Pobreza, desigualdad y ciudadanía. Los límites de las políticas sociales en América Latina*, Buenos Aires, CLACSO, FLACSO, IIS-UNAM, ASDI.

—, 2006, "Políticas de inclusión social en las sociedades complejas", en Santiago Hurtado Martín, *Justicia, políticas públicas y bienestar social*, México, UNAM, Escuela Nacional de Trabajo Social.

TRES MATRICES GENERADORAS DE DESIGUALDADES

LUIS REYGADAS*

La desigualdad es un fenómeno multidimensional, fruto de complejas relaciones de poder en las que diversos factores se combinan para producir una distribución asimétrica de ventajas y desventajas. Estas relaciones de poder construyen estructuras duraderas, pero no son estáticas. Por eso las desigualdades son persistentes, pero cambian con el tiempo, las viejas formas de inequidad se transforman y se entrelazan con nuevas disparidades. Este texto analiza la superposición de distintos dispositivos generadores de desigualdad. En cada época predominan diferentes procesos y mecanismos que producen y reproducen las desigualdades, que en conjunto forman matrices distintivas. Cada época genera también distintas utopías igualitarias y diferentes estrategias para enfrentar la falta de equidad. Pensando en el caso mexicano y latinoamericano, voy a distinguir tres matrices generadoras de desigualdad, que surgieron en distintos momentos históricos y corresponden a configuraciones sociales profundamente diferentes: la sociedad agraria, la sociedad industrial y la sociedad del conocimiento. Otra manera de decirlo sería que una matriz corresponde a las desigualdades premodernas y coloniales, otra a las desigualdades modernas en los estados nacionales y la última a las desigualdades posmodernas de la época de la globalización. De entrada, hay que decir que ninguna de las matrices desapareció para dar paso a la siguiente, sino que perduró y se combinó con otras, de modo que se acumularon ventajas y desventajas a lo largo del tiempo. En la actualidad pueden detectarse los efectos combinados de las tres matrices. Analizaré a continuación cada una de ellas.

LA MATRIZ COLONIAL: DESIGUALDADES DE CUÑO PREMODERNO

La matriz colonial se forjó a partir de la conquista de América y se consolidó durante tres siglos de dominación española y portuguesa. Esta matriz se distingue por cuatro rasgos fundamentales: 1] la construcción étnica y racial de las diferencias económicas; 2] la concentración de la propiedad agraria; 3] la exacción colonial, y 4] el carácter premoderno de los principales mecanismos generadores de desigualdad.

En el origen de las desigualdades latinoamericanas se encuentra la intersección entre las diferencias étnicas y la desigualdad económica, cuyos efectos se advierten

* Universidad Autónoma Metropolitana-Unidad Iztapalapa.

hasta nuestros días. A partir de la conquista los indígenas fueron integrados en la sociedad colonial de una manera harto desigual, lo que formó una estructura social con grandes diferencias en términos de estatus, poder y recursos económicos. En las colonias españolas y portuguesas muchas de las diferencias de clase se construyeron sobre la base de distinciones étnicas, raciales y de género, durante un periodo ininterrumpido de trescientos años o más. Hubo legislaciones específicas para los indígenas que dieron validez jurídica a las distinciones étnicas y las solidificaron en el imaginario social y en las prácticas cotidianas. La importación de esclavos africanos creó otro segmento social explotado y estigmatizado por el color de la piel.

Después de la independencia, en el siglo XIX se formó una élite de ascendencia europea. Los no-blancos quedaron integrados en las nuevas repúblicas independientes, pero mediante una inserción desventajosa y precaria (Sieder, 2002). Hasta la fecha, en muchos de los países de América Latina la clase dominante es predominantemente blanca, frente a la mayoría de la población que no lo es. Cuando los factores económicos y políticos que generan desigualdad se suman a distinciones étnicas, la inequidad se hace mayor. Sería un caso típico de lo que Charles Tilly llama desigualdad reforzada, que se produce cuando las categorías internas que dividen a un grupo (hacendados-campesinos, patrones-trabajadores, jefes-empleados, dirigentes-subordinados, etc.) se articulan con categorías externas (negro-blanco, indígena-europeo, indígena-mestizo, mestizo-blanco, etc.) (Tilly, 2000: 92). Esas categorías se construyeron en el periodo colonial, y aunque después desaparecieron las distinciones jurídicas entre los grupos étnicos, persistieron muchas diferencias económicas, políticas, sociales y culturales que marcan barreras entre ellos.

El segundo pilar de la matriz colonial de la desigualdad fue la concentración de la tierra y los recursos naturales, que en sociedades predominantemente agrarias eran elementos estratégicos para acceder a la riqueza. Los conquistadores rápidamente se apropiaron de las mejores tierras y formaron una próspera oligarquía terrateniente en contraste con la situación precaria del resto de la población. En muchos países las reformas agrarias nunca llegaron y en otros se produjeron muy tardíamente, en el siglo XX, cuando además de la tierra se necesitaban otros recursos como agua, crédito, maquinaria, tecnología y acceso a los mercados.

La tercera característica de esta matriz de desigualdades fue el saqueo colonial. La extracción de metales preciosos, mediante trabajo forzado o esclavo, es emblemática de una organización social en la que una porción importante de las riquezas, además de concentrarse en un pequeño sector privilegiado, salía de la región para irse hacia las metrópolis europeas. Pero no sólo fueron el oro y la plata, en muchas otras ramas se repitió ese modelo de exacción colonial y saqueo de riquezas, que dio lugar a sociedades altamente polarizadas: por un lado la gran mayoría de la población, que sobrevivía en pequeñas unidades agrícolas de subsistencia o estaba sometida al trabajo forzado en minas, haciendas o plantaciones, y por el otro, un pequeño sector que controlaba las mejores tierras o se beneficiaba de la economía colonial.

El último rasgo de la matriz colonial de la desigualdad fue el carácter premoderno de los mecanismos que la sustentaban: discriminación abierta, ausencia o limitación de derechos para los negros, los indígenas y las mujeres, trabajo forzado o esclavo, imposición de tributos, despojo de tierras, saqueo de los recursos naturales y otros dispositivos similares fueron decisivos en la construcción de las enormes disparidades de las sociedades coloniales. Estos métodos se sostenían en la creencia de que las personas no eran iguales, no podían tener los mismos derechos un indio y un peninsular, un blanco y un negro o un hombre y una mujer. Existían disposiciones jurídicas que consagraban esas desigualdades y, a la vez, se carecía de mecanismos legales e institucionales que limitaran y acotaran la apropiación violenta de las riquezas.

Para tratar de eliminar la matriz colonial de las desigualdades latinoamericanas se concibieron fórmulas que pusieron el acento en la igualdad jurídica de todos los hombres y en la conquista de la independencia respecto de España, Portugal y los otros países colonizadores. La utopía independentista y liberal apuntaba hacia sociedades más equitativas, en las que todos los ciudadanos de las nuevas repúblicas serían iguales ante la ley y tendrían los mismos derechos, sin distingos de raza, etnia u origen social. También aspiraba a suprimir el saqueo colonial y a eliminar los métodos atrabiliarios y premodernos de organización económica que habían dado lugar a enormes desigualdades. Sin duda fue un gran paso adelante, pero una cosa eran las utopías y otra muy distinta las medidas que realmente se tomaron. Subsistieron cortapisas jurídicas para los indígenas y los negros (basadas en desventajas educativas o económicas), además de que el proyecto liberal no incluyó la equidad de género. Además, la práctica de las nuevas repúblicas muchas veces no coincidía con los ideales constitucionales. La matriz colonial de la desigualdad no desapareció con la independencia, se transformó, adaptándose a los nuevos tiempos, y sus huellas y sus efectos pueden detectarse hasta la actualidad.

En el caso de Brasil, uno de los países con mayor desigualdad de ingresos en el mundo, estudios recientes muestran que, incluso después de controlar otras variables, los negros y los mulatos se encuentran en desventaja frente a la población blanca: en promedio tienen 2.3 años menos de escolaridad y su acceso a la enseñanza superior es diez veces menor que la de los blancos (Rosemberg, 2004: 3-6). Si se hiciera una gráfica con el porcentaje de negros y mulatos en cada uno de los deciles de ingresos, se obtendría una línea diagonal descendente casi perfecta: en el decil más pobre hay 75% de afrodescendientes, en los deciles quinto y sexto (intermedios) hay 45% y en el decil más rico hay menos de 15% (Jaccoud y Beghin, 2002: 28).

En otros países no son los negros, sino los indígenas, los que están en situación claramente adversa. En Ecuador, el analfabetismo afecta a 28% de la población indígena, frente a sólo 5% de los blancos. Si de estos últimos 45% vive en condiciones de pobreza, entre los indígenas la proporción de pobres es de casi 90% (Chiriboga, 2004: 3). Un estudio realizado en 1994 sobre la situación de la población indígena urbana en Bolivia, Guatemala, México y Perú encontró que los indígenas tenían mayores probabilidades de ser pobres que cualquier otro grupo social: en Perú

79.0% de los indígenas eran pobres, frente a 49.7% de la población no indígena, y en México 80.6% de la población indígena era pobre, frente a sólo 17.9% de la población no indígena (Psacharoupolos y Patrinos, citados en Davis, 2002: 230). Un análisis de los datos del censo de 2000 en México revela que los indígenas tienen el doble de probabilidades de ser pobres que los no indígenas, y, en contraste, los no indígenas tienen cinco veces más probabilidades de pertenecer a la clase alta que los indígenas (Boltvinik, 2003: 22).

Hoy en día los negros, los mulatos, los indígenas y los mestizos están en desventaja en América Latina no sólo por enfrentar un trato discriminatorio, que aún perdura, sino también porque, como resultado de un largo proceso histórico, han acumulado desventajas. Una desigualdad de origen premoderno, que se originó en la dominación étnico-racial de la colonia y la esclavitud, se transformó en una asimetría que yuxtapone las variables étnicas y raciales con diferencias en ingresos y ocupación, con desniveles educativos (en años de escolaridad y, sobre todo, en calidad de la educación recibida), con el lugar de residencia, con disparidades en capital cultural y en poder político.

En América Latina quedaron truncos los proyectos liberales e independentistas. Todavía operan, refuncionalizados, muchos mecanismos premodernos de producción de desigualdades: la corrupción y el saqueo de las riquezas públicas son frecuentes en muchos países, continúan los abusos hacia los sectores de bajos recursos o incluso hacia las clases medias. También persisten medidas discriminatorias y el uso de la violencia como medios para preservar privilegios. Pero también operan otros dispositivos generadores de desigualdad.

LA MATRIZ MODERNA: LAS DESIGUALDADES EN LOS ESTADOS-NACIÓN

Durante los siglos XIX y XX, al lado de las prácticas y dispositivos premodernos, y muchas veces a partir de ellos, se configuró en América Latina otra matriz productora de desigualdades, propia de sociedades modernas, urbanas e industriales. En esa nueva época la concentración de la tierra y de los recursos naturales siguió siendo muy relevante, pero cada vez adquirieron mayor importancia otros recursos estratégicos, sobre todo la organización empresarial para la producción, en el campo y en la ciudad. Persistieron los viejos terratenientes poseedores de grandes extensiones de tierra, que recurrían a métodos coactivos y premodernos de sujeción de la mano de obra, pero a su lado fueron surgiendo otro tipo de unidades productivas que descansaban más en la mano de obra libre y en técnicas intensivas de producción.

En las modernas sociedades urbano-industriales son dos los principales mecanismos generadores de desigualdades, descritos magistralmente por dos pensadores clásicos. Por un lado, está aquello que Marx llamó explotación, que consiste en la apropiación del valor excedente generado por otros. La explotación es posible en la medida en que un ser humano puede producir una riqueza mayor a la que necesita para sobrevivir y otro ser humano controla los medios para producir esa riqueza, y existen las relaciones de poder y las condiciones económicas y socioculturales que le permiten quedarse con una parte de ella (Marx, 1974 [1867]). Por otro lado, está lo que Weber llamó acaparamiento de oportunidades, que ocurre cuando una persona o un grupo controla el acceso a un recurso importante o monopoliza ciertas ventajas, y por lo tanto puede obtener beneficios, en la medida en que muchos otros tendrán que pagarle una retribución para poder hacer uso de dicho recurso o ventaja (Tilly, 2000: 23). Weber acuñó el concepto de cierres sociales para designar los mecanismos y procesos mediante los cuales un grupo mantiene el acceso privilegiado a un recurso y excluye a los que no pertenecen a ese grupo (Weber, 1996 [1922]; Murphy, 1988).

Un rasgo común entre estos dos mecanismos generadores de desigualdad es que ambos pueden existir en el marco jurídico de la democracia moderna. No requieren métodos coercitivos premodernos, aunque muchas veces se combinen con ellos. Marx demostró que la explotación capitalista podía operar sin infringir la ley del valor, con base en relaciones contractuales modernas entre sujetos libres, el capitalista y el trabajador asalariado. A su vez, Weber mostró que el acaparamiento de oportunidades puede ocurrir en el marco de la dominación racional burocrática. No estoy diciendo que en las sociedades industriales desaparezcan las desigualdades basadas en métodos premodernos (discriminación, uso de la violencia, corrupción, segregación étnica, inequidad de género, formas coercitivas de trabajo, saqueo de recursos naturales). No sólo el capitalismo nació utilizando ese tipo de métodos (la llamada "acumulación originaria"), sino que posteriormente recurrió a ellos y siguen siendo moneda corriente hasta nuestros días, en lo que se ha llamado "acumulación por desposesión" (Harvey, 2003). Pero es crucial entender que aun sin esos recursos premodernos pueden producirse enormes desigualdades en forma legal, pacífica y moderna. Las desigualdades entre países y entre regiones aumentaron mucho más a partir de la revolución industrial que en todo el resto de la historia humana. Las enormes desigualdades de los últimos siglos tienen que ver con la capacidad incrementada para generar riquezas, capacidad que surge de la organización industrial del trabajo y de los métodos burocráticos modernos.

En el caso de América Latina, además de la explotación y el acaparamiento de oportunidades, un tercer mecanismo moderno de producción de desigualdades ha sido el intercambio desigual entre el campo y la ciudad. Las enormes diferencias de productividad entre estos dos ámbitos hacen que en las interacciones entre ellas prevalezca una transferencia de valor desde el campo hacia la ciudad. Cuando los economistas utilizan modelos matemáticos para medir los diferentes factores que repercuten sobre la desigualdad de ingresos, encuentran que en América Latina el lugar de residencia es un componente central, en particular las diferencias entre la ciudad y el campo. Es muy distinto vivir en una gran ciudad de millones de habitantes que en un pequeño poblado con unas cuantas decenas de familias. En el caso de México, en el Distrito Federal el ingreso per cápita en el año 2000 fue de 22 816 dólares anuales, es decir, similar al que tienen muchos países desarrollados de Europa, mientras que un estado eminentemente rural como Chiapas tuvo un ingreso per cápita de sólo 3 549 dólares, similar al de muchos de los países de las regiones más pobres del mundo en África y Asia, ello sin considerar las diferencias internas que hay en estas dos entidades federativas (UNDP, 2005). De acuerdo con un estudio del Banco Interamericano de Desarrollo, en once países de América Latina, a finales de los noventa los salarios en las zonas rurales eran entre 13 y 44% más bajos que los salarios urbanos, presentándose las mayores diferencias en Brasil y México, los dos países que tienen las ciudades más grandes de la región (Eckstein y Wickam-Crowley, 2003: 14).

Vivir en el campo en América Latina es una gran desventaja, significa estar alejado de las principales oportunidades educativas y de empleo. Tiene que ver con las carencias en la infraestructura de comunicaciones (carreteras, energía eléctrica, teléfonos, otro tipo de telecomunicaciones) y con la concentración de las instalaciones productivas, educativas, gubernamentales, de salud, culturales, etcétera. A lo largo de siglos se han acumulado disparidades de recursos entre la capital y las provincias, la costa y el interior o el campo y la ciudad, configurado un estilo de desarrollo con un sesgo centralista y anticampesino. La distancia espacial entre los grupos sociales no es un mero accidente geográfico, tiene una historia política y cultural, que es la de los grupos indígenas que se refugiaron en las zonas más apartadas para evitar ser explotados en las reducciones, haciendas y encomiendas, o la historia de los negros que huyeron hacia los quilombos para evitar la esclavitud. Pero también es la historia de décadas y décadas de abandono en los presupuestos públicos: los pobres, en tanto que eran distintos culturalmente, podían ser olvidados con facilidad, podían recibir servicios de menor calidad o inversiones menores. En ocasiones la distancia fue mantenida a propósito, pero en muchos casos fue resultado de la acumulación paulatina de indiferencias, olvidos, pequeños descuidos y asignaciones cotidianas de recursos, que a la larga configuraron patrones de alto contraste entre el campo y la ciudad en la mayor parte de América Latina. Ahora, aunque desaparecieran los estigmas, los prejuicios y otras barreras simbólicas que afectan a la población rural, quedarían las disparidades en capital físico y las barreras materiales de la distancia y la falta de equipamiento, que sólo podrían disminuir mediante esfuerzos de descentralización de poderes y recursos, que tomarían décadas para revertir, aunque sea en parte, esta dimensión de la desigualdad fabricada en el transcurso de siglos.

Frente a las desigualdades modernas surgieron diferentes utopías y estrategias igualitarias. Buena parte de ellas se centraron en la redistribución de las riquezas mediante la intervención estatal. El siglo XX desarrolló una de las armas modernas más poderosas que se conocen para combatir la desigualdad: el Estado de bienestar, que puede promover la igualdad de muchas maneras, no sólo la más conocida que consiste en las transferencias fiscales de las clases medias y altas hacia los pobres, sino también mediante la creación de un entorno institucional con mayor equidad de sueldos y salarios, la transformación de una parte de la riqueza privada en bienes públicos (infraestructura, educación, salud), el estímulo al empleo, la regulación de las tasas de interés, etcétera. Basados en las ideas de los socialistas del siglo XIX, pero también en pensadores del siglo XX como John M. Keynes, muchos países desarrollaron este tipo de intervenciones estatales. Los estados de bienestar asumieron formas muy diversas, desde la variante más liberal (y menos igualitaria) de los Estados Unidos de América hasta las experiencias socialistas (y desmedidamente igualitaristas) de la Unión Soviética, China, Europa del Este y otros países, pasando por los estados de bienestar europeos y asiáticos, los estados populistas de algunos países de América Latina o los débiles y truncados intentos de Estado de bienestar en países pobres del tercer mundo. Pese a sus diferencias y sus enconadas rivalidades, tenían algunos rasgos en común, entre ellos la regulación de los procesos económicos para impulsar el crecimiento y crear un entorno más igualitario, la existencia de alianzas sociales duraderas en pos de la equidad y la transformación de una porción significativa de la riqueza privada en bienes públicos.

Entre los años treinta y setenta del siglo XX muchos países lograron reducir ciertas desigualdades de manera considerable, y en nuestra época algunos han podido mantener sociedades muy igualitarias. Un ejemplo de su eficacia se puede encontrar en los efectos redistributivos del sistema de impuestos y transferencias: mediante ese sistema, Suecia reduce a la mitad las desigualdades de ingresos generadas por el mercado, Dinamarca y Alemania las reducen en 40%, Finlandia en 30%, el Reino Unido y Australia en 25% y Estados Unidos en 20% (Giddens, 2001: 109).

En América Latina los estados de bienestar fueron mucho más débiles. Alcanzaron mayor cobertura en los países del Cono Sur (Argentina, Chile y Uruguay), pero incluso en ellos sus alcances fueron limitados. En México y Brasil sólo protegieron a una parte de la población. En los países más pobres y pequeños fueron casi inexistentes, con la excepción de Costa Rica. En la medida en que los gobiernos no pudieron ofrecer una cobertura universal de los servicios sociales, con frecuencia se establecieron relaciones clientelares con los grupos que conseguían los beneficios propios del Estado providencia. Así, a las desigualdades heredadas de la colonia se sumaron otras propias de las sociedades modernas, sin que se consolidaran mecanismos eficaces para revertirlos. El problema se hizo mayor cuando en las últimas décadas del siglo XX entraron en crisis los estados de bienestar débiles y clientelares que se habían creado en la región. En algunos casos se trató de una pérdida del margen de maniobra de los estados ante las recesiones, las presiones de la deuda externa, la mayor competencia internacional y la inestabilidad financiera. Pero esto casi siempre se combinó con problemas internos: escasa consolidación de las instituciones del Estado de bienestar, debilidad fiscal histórica, corrupción y resistencia de las élites frente a las políticas de redistribución, entre otros.

Las limitaciones de los estados de bienestar también se relacionan con sus omisiones y exclusiones. Muchos sectores de la población han quedado excluidos o sólo parcialmente incluidos en las políticas de bienestar: migrantes, minorías raciales y étnicas, trabajadores del sector informal, habitantes de los rincones más aislados. Durante mucho tiempo no existieron políticas específicas para sectores particularmente vulnerables, cuyas necesidades no podían ser satisfechas de la misma manera o con los mismos recursos que los demás: discapacitados, niños de la calle, refugiados, hogares monoparentales. El alcance de los programas también se ha visto reducido o distorsionado por no considerar estrategias para enfrentar la acumulación histórica de desigualdades que han padecido las mujeres y los grupos étnicos y raciales subalternos. Las políticas sociales se diseñaron para atender a familias dirigidas por varones, que trabajaban en el sector formal de la economía y que poseían la ciudadanía o la residencia legal. Además, eran estructuras pensadas para épocas de pleno empleo, sostenidas por sindicatos fuertes, pactos laborales institucionalizados y economías muy protegidas y reguladas, con menor inestabilidad de la que existe hoy en día. Eran estados de bienestar nacionales que no sabían cómo lidiar con la migración internacional, con sociedades multiculturales, con las corporaciones transnacionales ni con los flujos globales. Los recursos fiscales indispensables para su accionar se escapan, sin que haya fronteras que puedan detenerlos. Tampoco detienen a los nuevos solicitantes de servicios que las han cruzado. No es sólo que los estados de bienestar tuvieran limitaciones congénitas, también envejecieron pronto para un mundo que cambió muy rápidamente. Como dice Ulrich Beck, las respuestas institucionalizadas de la primera modernidad ya no convencen ni se tienen en pie (Beck, 2000: 29). Las viejas carencias no han cedido como se planeaba y los gobiernos todavía no saben cómo enfrentar las nuevas desigualdades. Estamos frente a una nueva matriz de desigualdades que reclama nuevas alternativas.

LA MATRIZ POSMODERNA: DESIGUALDADES EN LA ÉPOCA DE LA GLOBALIZACIÓN Y DE LA SOCIEDAD DEL CONOCIMIENTO

Las viejas causas de la desigualdad siguen operando. La democracia y el Estado de bienestar limitaron muchas de ellas, pero no lograron erradicarlas. Además, hoy enfrentamos nuevos tipos de desigualdades, propios de las sociedades del conocimiento y de la globalización. Siguen siendo importantes la tierra y los recursos naturales, sin duda la propiedad del capital industrial sigue siendo un factor decisivo, pero hoy en día otros factores adquieren mayor importancia estratégica: el conocimiento científico y tecnológico, el empleo, el capital financiero, la capacidad institucional y la inserción en las redes globales. Hoy la desigualdad ya no sólo pasa por los diferenciales en la propiedad de la tierra y otros medios de producción, sino por las asimetrías en el acceso al conocimiento, al empleo, a los mercados y a los servicios financieros, así como por las disparidades en la conexión con respecto a las nuevas tecnologías, los entramados institucionales y las redes globales.

¿Qué ha ocurrido con América Latina durante las últimas décadas, en las que ha operado esta nueva matriz de desigualdad? En el contexto de la globalización ¿la región se ha vuelto más equitativa o, por el contrario, se han agravado las asimetrías sociales? ¿Qué características tienen las nuevas desigualdades? Me interesa destacar los siguientes aspectos de las nuevas desigualdades en América Latina: las asimetrías en la inserción en los mercados globales, los efectos de la liberalización financiera y las privatizaciones, la exclusión laboral y la brecha digital.

Asimetrías en la inserción en los mercados globales

Durante los últimos veinte años América Latina se abrió a los mercados globales. Se promovieron políticas de apertura comercial que consistieron en la reducción o eliminación de aranceles a las importaciones, en la promoción de estrategias exportadoras y en la firma de diversos acuerdos de libre comercio (Mercosur, el Pacto Andino, los acuerdos centroamericanos, TLCAN, el acuerdo entre Mercosur y la Unión Europea, los de México con la Unión Europea y Japón). Países que habían sido fuertemente proteccionistas transitaron en un lapso muy breve hacia economías abiertas al comercio exterior. El sector exportador de muchos países latinoamericanos creció durante los últimos lustros: prendas de vestir en México, Centroamérica y el Caribe, productos agrícolas no tradicionales en Centroamérica y Brasil, productos eléctricos, electrónicos y automotrices en México, frutas y vinos en Chile, soya en Argentina, Brasil y Paraguay, etcétera. Esto ha tenido un impacto importante en términos de empleo y obtención de divisas para algunas regiones exportadoras, en particular en las zonas más dinámicas de Chile, el norte de México y las dedicadas a la agricultura no tradicional en Brasil y Centroamérica. En términos de desigualdad, varios estudios reportan que ha disminuido en zonas exportadoras. Por ejemplo, en algunas regiones de Guatemala se incorporaron pequeños y medianos campesinos a la producción de cultivos de exportación, lo que representó mayores empleos, menor concentración de las tierras y mayor participación de las mujeres (Hamilton y Fischer, 2003). En el caso de México se presentan algunos datos muy llamativos: a finales de los noventa disminuyó el coeficiente de Gini en algunas regiones (en el norte del país y en la península de Yucatán), mientras que ese mismo medidor de la desigualdad aumentó en otras regiones y en el país en su conjunto, como se muestra en el cuadro 1.

En las cinco primeras regiones (Golfo Norte, Peninsular, Norte, Centro Norte y Pacífico Norte), que comparten el hecho de ser aquellas en las que se crearon más empleos en las maquiladoras de exportación, la desigualdad de ingresos medida por el coeficiente de Gini disminuyó, mientras que en las otras regiones, menos vinculadas al auge exportador, la desigualdad se incrementó. Los datos no permiten llegar a conclusiones robustas, serían necesarios estudios más detallados para poder determinar las causas de la disminución o el aumento de la desigualdad de ingresos en cada región. Sin embargo, con base en esta información se puede plantear la siguiente hipótesis: la desigualdad disminuyó en las regiones en las que sectores significativos de la población lograron incorporarse a las actividades exportadoras, mientras que en las regiones que han quedado al margen de la reorientación exportadora la desigualdad se hizo mayor. De aquí no se deduce que los promotores del modelo exportador puedan echar las campanas a vuelo. La disminución del

CUADRO 1. EVOLUCIÓN DEL COEFICIENTE DE GINI Y DISTRIBUCIÓN DEL INGRESO EN MÉXICO POR REGIONES SOCIOECONÓMICAS, 1996-2000

	1996			*2000*		
Regiones	*Porcentaje del ingreso total*		*Coeficiente de Gini*	*Porcentaje del ingreso total*		*Coeficiente de Gini*
	40% *más pobre*	10% *más rico*		40% *más pobre*	10% *más rico*	
Golfo Norte (Nuevo León y Tamaulipas)	11.7	38.0	0.513	16.3	32.1	4.06
Península r (Campeche, Yucatán y Quintana Roo)	7.9	50.5	0.622	10.4	48.7	0.555
Norte (Chihuahua y Coahuila)	13.7	38.01	0.474	15.9	34.3	0.423
Centro Norte (Aguas Calientes, Durango, San Luis Potosí y Zacatecas)	12.4	38.0	0.506	12.6	36.8	0.472
Pacífico Norte (Baja California Norte, Baja California Sur, Sinaloa, Sonora y Nayarit)	12.4	42.4	0.518	12.7	41.8	0.488
Capital (Distrito Federal y Estado de México)	11.0	44.5	0.553	10.0	48.6	0.562
Golfo Centro (Veracruz y Tabasco)	12.5	40.9	0.515	10.0	41.6	0.531
Pacífico Centro (Colima, Jalisco y Michoacán)	12.0	41.3	0.520	11.1	44.9	0.538
Pacífico Sur (Chiapas, Guerrero y Oaxaca)	11.1	45.2	0.562	7.5	52.8	0.608
Centro (Morelos, Guanajuato, Querétaro, Tlaxcala e Hidalgo)	11.8	40.3	0.522	7.5	59.2	0.641
Total	10.8	45.7	0.534	9.4	48.3	0.564

FUENTE: Hernández Laos y Velázquez, 2003: 91.

coeficiente de Gini en las regiones exportadoras es muy pequeña y la desigualdad en todo el país aumentó, al pasar de .534 a .564. Se ha documentado ampliamente que la mayor parte de los empleos en el sector exportador son precarios en cuanto a salarios, condiciones de trabajo y estabilidad en el empleo. Pero el incremento de la desigualdad en las regiones al margen del auge exportador también cuestiona muchos de los argumentos de los opositores a la apertura económica.

En Chile la consolidación de una economía abierta ha generado altas tasas de crecimiento y una reducción considerable de la pobreza, pero no se ha revertido el aumento de la desigualdad que se produjo durante la dictadura de Pinochet. Durante los años noventa aumentaron los ingresos promedio de los chilenos, pero estos incrementos fueron disparejos: los ingresos de los empleadores pasaron de 25 a 34 veces el equivalente a la línea de la pobreza, mientras que los de los trabajadores sólo aumentaron de 3.5 a 4.3 veces la línea de pobreza, de modo que la brecha entre ambos grupos, que al principio de la década era de 7 a 1, pasó a ser de 8 a 1 al final de la misma (Portes y Hoffman, 2003: 55). En Brasil, la agricultura de exportación, en especial de soya, ha tenido un crecimiento significativo que ha impedido la debacle del sector agrícola, pero representa sólo 8% del sector y sus beneficios se concentran en un sector muy reducido de la población; Brasil sigue siendo uno de los países más desiguales del mundo. En Centroamérica, centenares de miles de personas han conseguido empleo en maquiladoras de confección de ropa y en la agricultura de exportación, pero son mucho más numerosos los contingentes que han tenido que incorporarse a la economía informal, a la migración transnacional o que subsisten precariamente en el subempleo y el desempleo.

El problema no está en que las economías latinoamericanas se hayan abierto al comercio mundial, sino en que esta apertura se hizo de una manera tal que se produjo una distribución muy asimétrica de sus ventajas y desventajas. En sociedades con fuertes desigualdades estructurales sólo las empresas más dinámicas y los sectores más calificados de la fuerza de trabajo pudieron enfrentar con éxito la apertura repentina de los mercados. Las disparidades previas condicionaron el curso que siguió la apertura comercial, que reprodujo o magnificó la polarización económica. A las viejas desigualdades se añadió una nueva, la que separa a quienes pudieron subirse al carro de la exportación en primera clase (compañías transnacionales, grandes empresarios, trabajadores altamente calificados), los que sólo consiguieron pasajes de segunda clase (pequeños y medianos empresarios que a duras penas sobrevivieron, trabajadores de maquiladoras y empresas exportadoras con empleos precarios) y el resto de los latinoamericanos que se quedaron en la acera, desconectados del auge exportador.

Liberalización financiera, privatizaciones y desigualdad

Durante la década de los años ochenta América Latina experimentó de manera traumática las consecuencias de su fragilidad financiera. Los altos niveles de endeudamiento externo, unidos a las crisis económicas, a la inflación y a la voracidad de los bancos acreedores, apoyados por el Fondo Monetario Internacional (FMI), llevaron a la crisis de la deuda, que colocó a varios países de la región al borde de la bancarrota. Para enfrentarla, los gobiernos destinaron cuantiosos recursos al pago del servicio de la deuda. En 1990 Brasil empleó 77% del presupuesto anual para este propósito y en México esa proporción llegó a 59% en 1998. Los intereses que ha pagado América Latina durante las últimas décadas superan por mucho el monto de los préstamos originales. Este esquema financiero ha significado un enorme drenaje de recursos de la región hacia los acreedores internacionales; economías completas de América Latina fueron saqueadas mediante estos dispositivos. La distribución interna de este sacrificio fue asimétrica. La hiperinflación, el estancamiento económico y las políticas de austeridad provocaron una enorme concentración del ingreso. La participación de los asalariados en el producto interno bruto disminuyó dramáticamente, en México pasó de 35.7% en 1970 a 29.1% en 1996, en Argentina de 40.9% en 1970 a 29.6% en 1987, en Chile de 42.7% en 1970 a 29.1% en 1983, en Perú de 35.6% en 1970 a 20.8% en 1996, y en Venezuela de 40.4% en 1970 a 21.3% en 1993 (González Casanova, 1999: 89-93). En un lapso muy corto se perdieron muchos de los logros en materia de reducción de la pobreza y la desigualdad.

Después, en los noventa, América Latina experimentó una moderada recuperación económica, se controló la inflación y se estabilizaron las finanzas públicas. Pese a ello, no se revirtió la concentración del ingreso. Los coeficientes de Gini crecieron un poco en la mayoría de los países, y en los que se produjo una disminución fue sólo marginal. Parece repetirse un viejo patrón latinoamericano: la desigualdad aumenta durante las épocas de crisis y se mantiene o crece ligeramente durante las fases de expansión.

Generalmente se piensa que los gobiernos de América Latina adoptaron políticas de flexibilización financiera y cambiaria. Pero una mirada más atenta muestra que muchos gobiernos intervinieron fuertemente en los mercados para proteger al capital bancario y financiero. Esto se advierte con claridad en lo que sucedió en Brasil, México y Argentina, las tres economías más grandes de la región.

En México, durante el gobierno de Carlos Salinas de Gortari (1988-1994) se otorgaron enormes facilidades para la entrada y salida de capitales. A ello se añadió una política de sobrevaluación del peso frente al dólar y la emisión de instrumentos de deuda pública con atractivos rendimientos. Esto, junto con las expectativas creadas por las negociaciones del TLCAN, propició la entrada de capitales especulativos que aprovecharon las oportunidades de inversión. No se trató de un simple juego de oferta y demanda, sino de una intervención sistemática del gobierno y el Banco de México sobre las tasas de interés y las tasas de cambio, con el fin de atraer inversiones. Esto provocó que los individuos y las empresas se endeudaran. Los bancos aceptaron altos niveles de riesgo en los créditos. Se creó una burbuja financiera en un ambiente de extrema liquidez y mucha volatilidad. Esta burbuja estalló en 1994: las tasas de interés se dispararon, los deudores tuvieron enormes dificultades para cumplir sus compromisos y apareció el fantasma de la suspensión de pagos y la debacle financiera. En diciembre de 1994 se produjo una devaluación del peso mexicano, cayó el índice de la bolsa y los efectos se resintieron en todo el sistema financiero internacional.

La respuesta del gobierno mexicano, apoyado por el de Estados Unidos y por el FMI, fue inyectar recursos para salvar las finanzas mexicanas. Lejos de operar el libre juego del mercado, que hubiera llevado a la quiebra a muchos bancos por los errores en su política crediticia, se trató de una intervención desde el poder, que distribuyó los costos y las ganancias de una manera muy asimétrica. Los especuladores aprovecharon el momento de auge y salieron a tiempo del mercado mexicano. Los bancos y las grandes empresas atravesaron por un periodo difícil, pero salieron adelante con el apoyo gubernamental. En cambio, numerosas empresas medianas y pequeñas quebraron y muchas personas perdieron sus ahorros o los bienes que habían adquirido a crédito. Además de las situaciones de corrupción, el proceso constituyó una inmensa expropiación mediante la cual los capitales financieros se quedaron con buena parte de las ganancias, mientras que las pérdidas se cargaron al conjunto de la población.

Algo similar ocurrió en Brasil, en donde por varios años se sostuvo artificialmente una moneda sobrevaluada. En 1998 el FMI y el gobierno brasileño gastaron 50 000 millones de dólares para mantener una tasa de cambio que no correspondía a la realidad económica. ¿A dónde fue el dinero? El premio Nobel de economía Joseph Stiglitz opina que no se desvaneció en el aire, mucho se fue a los bolsillos de los especuladores: algunos perdieron y otros ganaron, pero en su conjunto ganaron una cantidad similar a la que el gobierno perdió (Stiglitz, 2002: 198-199).

El caso más dramático se presentó en Argentina, en donde a la irresponsabilidad financiera se le unieron prácticas depredadoras. Tanto el gobierno de Carlos Menem como el de De la Rúa mantuvieron la paridad peso-dólar más allá de toda lógica, provocando un serio deterioro de la competitividad y un incremento acelerado del desempleo. Una vez más los especuladores pudieron sacar su dinero comprando dólares baratos, mientras que la clase media vio que su sueño consumista se convertía en pesadilla, cuando sus ahorros fueron virtualmente secuestrados mediante el dispositivo conocido como "corralito". La crisis estalló en diciembre de 2001, en medio de impresionantes movilizaciones populares que obligaron a renunciar a varios presidentes en unas cuantas semanas. El proceso de conversión a pesos de los ahorros en dólares fue claramente asimétrico, los pequeños y medianos ahorradores vieron disminuir el poder adquisitivo de su dinero a una velocidad vertiginosa.

El despojo financiero muestra la combinación de diferentes matrices de desigualdad: por un lado, se produjo en un escenario económico globalizado en el que intervinieron organismos financieros internacionales y en el que las nuevas tecnologías hacen posibles transacciones gigantescas a gran velocidad, pero, por otro lado, se recurrió a prácticas totalmente premodernas, como el fraude, la corrupción y la imposición. No es casual que muchas de las grandes fortunas latinoamericanas que crecieron durante los últimos años se encuentren vinculadas al sector financiero. Otras aumentaron de manera espectacular al amparo de la privatización de empresas públicas.

Desde los años ochenta muchas empresas paraestatales en América Latina tenían enormes problemas: falta de inversión, rezago tecnológico, estancamiento de la productividad, baja calidad, dificultades para innovar, falta de rentabilidad, etcétera. Algunos de esos problemas estaban ligados a la corrupción, al clientelismo o al anquilosamiento de las administraciones gubernamentales. Pero también influyó el hecho de que muchas de ellas se habían descapitalizado, porque durante años transfirieron recursos a las finanzas públicas, además de que tenían que cargar con cuantiosos subsidios hacia los consumidores. Su situación se hizo más grave con las profundas crisis financieras de los años ochenta. Era evidente que necesitaban una reestructuración profunda. El problema estuvo en que se impuso la interpretación que consideraba que todas las dificultades se debían a la corrupción y al rentismo generados por la propiedad estatal y que, para resolverlas, bastaba con privatizar. En teoría, desde el punto de vista de la desigualdad, las privatizaciones corrían el riesgo de tirar al niño junto con el agua sucia de la bañera: podrían eliminar la apropiación rentista y corrupta que se presentaba en muchas empresas públicas, pero también eliminarían muchos de los procesos de igualación que generaban esas empresas mediante el financiamiento al desarrollo y los subsidios a sectores de bajos ingresos. En la práctica, el resultado fue aún peor: muchas privatizaciones se hicieron de un modo tal que generaron nuevas desigualdades, ya que favorecieron de manera especial a grupos privilegiados que adquirieron las empresas públicas en condiciones poco transparentes.

En Chile las privatizaciones comenzaron durante el régimen militar de Pinochet. En los setenta se devolvieron empresas expropiadas por el gobierno de Allende, y en los ochenta se crearon empresas privadas para administrar los fondos de retiro, se desincorporaron las grandes empresas públicas y se introdujeron criterios de mercado en el financiamiento educativo. Estas medidas contribuyeron a hacer más dinámicos varios sectores de la economía chilena, pero provocaron una mayor concentración de la riqueza. Tan sólo ocho grupos económicos aportaron 65% del capital invertido en la adquisición de las empresas privatizadas entre 1974 y 1978. Después, unas cuantas empresas ligadas a los bancos concentraron la administración de los fondos de retiro. Los grandes conglomerados industriales y financieros se coaligaron con funcionarios del gobierno y controlaron los procesos de privatización. Así, en los principales bancos, en las empresas de electricidad y en la compañía telefónica de larga distancia las juntas directivas se llenaron de funcionarios que habían diseñado la política económica de la junta militar (Schamis, 2002: 35, 57 y 61-64). El otro gran problema fue que las empresas de energía y telecomunicaciones se privatizaron como monopolios, gozando de concesiones extraordinarias en derechos de propiedad sobre el agua y acceso exclusivo al satélite. Lejos de eliminarse el rentismo, se creó uno de nuevo cuño que provocó una enorme concentración de la riqueza. Si a esto se añade la drástica reducción de los ingresos de los asalariados durante los primeros años de la dictadura se entenderá por qué Chile, de ser antes uno de los países menos desiguales de América Latina, alcanzó altos niveles de desigualdad. Hoy en día, el 10% más rico concentra 47% de los ingresos (UNDP, 2005).

Otro país en el que la desigualdad se incrementó significativamente fue Argentina. Antes de los años setenta se encontraba junto con Costa Rica y Uruguay dentro de las excepciones a la desigualdad latinoamericana, pero ese pasado quedó atrás. La dictadura militar de 1976-1983 desempeñó un papel importante en la disminución de los ingresos de los trabajadores y las clases medias, lo mismo que la hiperinflación y las profundas crisis económicas de los ochenta. Durante los gobiernos de Carlos Menem, en los noventa, se realizó uno de los programas más agresivos de privatización, que incluyó gas, electricidad, agua y drenaje, acero, petróleo y seguridad social. Las privatizaciones argentinas no siguieron un esquema competitivo y transparente. La mayoría de ellas generaron monopolios o duopolios que obtuvieron ganancias inmediatas gracias al aumento de tarifas, la preservación de mercados protegidos y la ausencia de mecanismos de regulación adecuados. Se fortalecieron los grandes grupos privados que tradicionalmente habían controlado la economía argentina, en asociación con algunas transnacionales norteamericanas y europeas. La venta de las empresas se hizo mediante pactos corporativos con empresarios y dirigentes sindicales afines al gobierno, quienes también adquirieron posiciones directivas en algunos de las empresas privatizadas (Etchemendy, 2001). De manera irónica, el gobierno de Menem, que fue catalogado por amigos y enemigos como arquetipo de la liberalización económica, en realidad no siguió un programa verdaderamente neoliberal, sino uno que estuvo marcado por negociaciones y acuerdos rentistas y patrimonialistas.

En México, con el proceso de apertura económica y privatización se modificó la coalición hegemónica. Fueron desplazados los industriales orientados al mercado interno y se formó una coalición en pro de la liberalización de la economía, en la que participaron activamente grandes empresas industriales y comerciales, grupos financieros y una nueva generación de políticos partidarios de las políticas de mercado. Esta nueva élite condujo el proceso de privatizaciones, que entre 1983 y 1993 desincorporó unas mil empresas. La más importante de ellas fue la empresa Teléfonos de México (Telmex), que fue adquirida en 1990 por el Grupo Carso, de Carlos Slim, en asociación con France Telecom y Southwestern Bell. El concurso estuvo lleno de sombras, la nueva empresa gozó de una serie de prerrogativas e incluso de un trato preferencial dentro del TLCAN, lo que le permitió funcionar durante algunos años como monopolio y después cobrar a otras empresas altísimas cuotas de interconexión (Schamis, 2002: 120-121). Telmex tiene hasta la fecha la mayor parte del mercado de telefonía local, de larga distancia y celular en México, además de que ha adquirido acciones de empresas telefónicas en varios países de América Latina. La privatización de Telmex fue la plataforma para que Carlos Slim se convirtiera en pocos años en el hombre más rico de América Latina. En Perú, Venezuela y otros países de la región se presentó un patrón similar de privatizaciones comandadas por coaliciones distributivas entre funcionarios del gobierno y grandes empresarios. En los procesos de privatización también se advierten rasgos de cuño premoderno (corrupción, clientelismo, patrimonialismo), combinados con políticas liberalizadoras y con la intervención de organismos económicos globales como son las empresas transnacionales.

Precarización del trabajo y nuevas formas de exclusión

Mientras que el despojo financiero y las privatizaciones crearon enormes fortunas, las transformaciones recientes en los mercados de trabajo provocaron que muchos latinoamericanos se quedaran sumidos en la pobreza. En América Latina, de cada diez trabajadores uno está desempleado y cinco están subempleados (Tokman, 2004: 131). La mayoría de las personas que son clasificadas como subempleadas tienen trabajos muy precarios, vulnerables, con salarios bajos, malas condiciones de trabajo, muy poca seguridad laboral y ausencia casi total de prestaciones ligadas al empleo. Una de las nuevas desigualdades es, entonces, la que distingue a quienes tienen un trabajo seguro, con prestaciones, regulado de manera institucional y quienes trabajan en condiciones muy precarias o no tienen empleo.

Desde los años ochenta, el empleo público ha disminuido su peso en los mercados laborales de la región. Durante la década pasada la participación del sector público en el empleo urbano cayó de 15.5% en 1990 a 13% en 1999. El sector privado formal también disminuyó su participación en el empleo total, que retrocedió de 41.7% en 1990 a 40.6% en 1999 (Pérez Sáinz y Mora, 2004: 42; Tokman, 2004: 185). Las empresas están creando pocos empleos y muchos de los puestos de trabajo que crean son de tiempo parcial, temporales, subcontratados o bajo otras formas de flexibilización laboral que han repercutido en la precarización del trabajo. Las condiciones reinantes en la economía mundial obligan a las empresas y a los gobiernos a incrementar su eficacia y productividad, pero estas condiciones no determinan de manera automática que para lograr esa meta deban reducirse los salarios y los empleos de los trabajadores menos calificados. En América Latina la adopción de esa vía tuvo que ver con circunstancias históricas específicas: una adversa correlación de fuerzas para los sindicatos, el avance de una ideología anti-estatista en los años ochenta y noventa y la persistencia de una enorme polarización en el mercado de trabajo. Esto se confirma si se observa que, justo en esa misma época, en muchas ocasiones crecieron los ingresos de altos funcionarios públicos y gerentes y directivos de empresas, lo que indica que la presión por economizar pasó por el tamiz de las estructuras sociales y políticas, produciendo una distribución harto desigual de los costos del ajuste. En algunos casos, como México y algunos países de Centroamérica y el Caribe, se fomentó la industria maquiladora de exportación, que generó muchos empleos, pero casi todos ellos de baja calidad y salarios menores a la media industrial. En otros casos, como Uruguay y Argentina, no se adoptó la vía exportadora con salarios bajos, pero se sacrificó el empleo. El hecho es que en las últimas dos décadas el sector formal, público y privado, disminuyó su capacidad para generar nuevos empleos de buena calidad. Frente a este panorama, se explica el enorme crecimiento del sector informal.

El llamado sector informal ha venido acrecentando su participación en el empleo total en la región: 28.9% en 1980, 42.8% en 1990 y 46.4% al comenzar el siglo XXI. En menos de un cuarto de siglo pasó de menos de la tercera parte a casi la mitad del empleo urbano. Se calcula que de los 29 millones de nuevos empleos generados en América Latina entre 1990 y 1999, 20 millones correspondieron al sector informal (CEPAL, 2001).

En las últimas décadas el desempleo abierto ha alcanzado niveles preocupantes: los promedios de desocupación urbana fueron de 8.3% en 2000, cifra similar a la de 1985, cuando la región se encontraba sumida en la crisis de la deuda. Para finales de los noventa, ocho países tenían tasas de desempleo abierto de dos dígitos (Pérez Sáinz y Mora, 2004: 43-44). En México, la crisis de 1994-1995 provocó un aumento considerable de la desocupación. Argentina, Uruguay y Chile han tenido altas tasas de desempleo durante periodos prolongados. En Argentina ha tomado vuelo el concepto de "nueva pobreza", para designar la situación que experimentan quienes padecen situaciones de desempleo de larga duración, muchos de los cuales antes habían tenido trabajos dignos como obreros o empleados.

En el mercado de trabajo contemporáneo en América Latina se está abriendo la brecha entre las remuneraciones al trabajo calificado y no calificado. Un estudio realizado en cuatro países (Argentina, Chile, México y Uruguay) encontró que entre 1990 y 2000 se hicieron más grandes las disparidades entre trabajadores calificados y no calificados en distintos indicadores: ingresos, protección social y niveles de empleo (Kaztman y Wormald, 2002: 46-49). Esto es extraño, ya que ha venido aumentando la escolaridad de los latinoamericanos y en los últimos años ha crecido la demanda de trabajadores no calificados en las industrias de exportación, lo que en teoría podría haber cerrado esa brecha. Las empresas han utilizado los criterios de escolaridad y calificación para seleccionar a su personal, no sólo porque necesiten personal con mayores calificaciones, sino porque la sobreabundancia de mano de obra les permite ser más selectivos al momento de contratar a sus empleados. La precariedad laboral muestra una de las características centrales de la nueva matriz generadora de desigualdades. Ya no es sólo la diferencia entre explotadores y explotados, sino que ahora hay otras brechas: la que excluye a quienes no son explotables y la que separa a trabajadores calificados y no calificados. Esto tiene que ver con la desigualdad en la distribución del conocimiento y del capital educativo, que se expresa también en la brecha digital.

Brecha digital y desconexión

Hay un aspecto de las nuevas desigualdades que tiene que ver con las transformaciones sociotécnicas contemporáneas: la llamada brecha digital, entre quienes tienen acceso a nuevas tecnologías y quienes están desconectados de ellas. No se trata sólo de disparidades en cuanto al uso de computadoras y conexiones a Internet, sino a la cuestión más amplia de las desigualdades en el acceso al conocimiento y a la tecnología.

La brecha digital casi siempre se forma alrededor de antiguas fracturas sociales y económicas: son los países ricos y los grupos sociales privilegiados quienes se encuentran en mejores condiciones para apropiarse de los nuevos recursos, ya que cuentan con los capitales económico, social, político, educativo y cultural para hacerlo. ¿Cuál ha sido la situación de América Latina frente a los cambios científicos y tecnológicos de los últimos lustros?, ¿cómo ha modificado esto la desigualdad interna en los países de la región? La tendencia más prominente es que, en lo general, los desequilibrios estructurales que caracterizan a América Latina se han reproducido de manera digital. La región está rezagada respecto de los países ricos en el acceso a computadoras e Internet. Mientras que en las regiones ricas del planeta la penetración es alta (66.5% en América del Norte, 47.4% en Oceanía y 31.6% en Europa), en las regiones pobres es mucho más baja (10.1% en América Latina y el Caribe, 7.4% en Asia, 6.7% en Oriente Medio y 1.4% en África). El acceso a Internet está relacionado con la pobreza y la desigualdad: en la región el acceso es mayor en países que han reducido las tasas de pobreza, como Chile (23.1%), en países que históricamente han sido menos desiguales, como Costa Rica (18.7%) y Uruguay (11.7%), y en las economías más grandes, como las de Brasil (11.2%), Argentina (10.9%) y México (9.8%). En cambio, en los países más pobres y desiguales la penetración de Internet es mínima: 1.5% en Nicaragua, 2.6% en Honduras, 3% en Bolivia y 3.4% en Guatemala <www.exitoexportador.com>.

En América Latina los sectores de ingresos altos y mayor nivel educativo fueron los que tuvieron un acceso temprano a Internet, mientras que el resto de la población aún no lo tiene o se fue incorporando después, de manera lenta y con mayores dificultades. En el caso de México existen estadísticas que confirman esa suposición (véase el cuadro 2).

CUADRO 2. PORCENTAJE DE HOGARES QUE TIENEN COMPUTADORA POR ESTRATOS DE INGRESO EN MÉXICO, 1996-2000

Salarios mínimos mensuales	*Porcentaje de hogares que tenía computadora*			
	1996	*1998*	*2000*	*2002*
0 a 4	0.06	0.21	0.27	1.06
4.1 a 8	1.24	2.62	5.61	7.82
8.1 a 12	4.48	10.29	16.22	25.37
12.1 a 16	9.85	19.27	30.39	40.16
16.1 a 20	21.68	31.10	32.47	54.73
20.1 a 24	31.88	32.21	45.24	66.97
24.1 a 32	22.15	42.50	63.56	65.45
Más de 32	37.28	49.61	76.95	75.31
Total	3.14	5.70	10.45	13.58

FUENTE: Elaborado a partir de datos de la Encuesta Nacional de Ingresos y Gastos de los Hogares, varios años (INEGI).

Tener computadora en la casa está directamente ligado con el nivel socioeconómico de la familia. Los hogares de altos ingresos (los últimos cuatro grupos de la tabla, que percibían más de 16 salarios mínimos) en más de la mitad de los casos tenían computadoras (54.7, 67, 65.5 y 75.3%). En cambio, los dos grupos de menores ingresos (menos de 8 salarios mínimos), que incluían a casi tres cuartas partes de los hogares, prácticamente no tenían computadora en la casa (1.06 y 7.82%).

Junto con el nivel de ingreso, la escolaridad parece ser determinante en el hecho de tener computadora en la casa. En alrededor de la mitad de los hogares en los que el jefe de familia tiene estudios superiores hay computadora (42.8% cuando tiene licenciatura y 57.8% cuando tiene posgrado). En cambio, en los hogares en los que el jefe de familia no tiene instrucción o sólo tiene instrucción primaria las computadoras eran prácticamente inexistentes en el año 2000 (0.5 y 2.9% respectivamente) (véase el cuadro 3).

CUADRO 3. PORCENTAJE DE HOGARES EN MÉXICO QUE TIENEN COMPUTADORA, SEGÚN LA ESCOLARIDAD DEL JEFE DE FAMILIA, 2000

Escolaridad del jefe de familia	*Porcentaje de hogares con computadora*
Ninguna	0.5
Primaria	2.9
Secundaria	8.2
Preparatoria	16.9
Licenciatura	42.8
Posgrado	57.8

FUENTE: Elaborado a partir de la Encuesta Nacional de Ingresos y Gastos, INEGI, 2000.

Las brechas entre niveles educativos son impresionantes: los que estudiaron secundaria utilizan computadoras e Internet alrededor de cinco veces más que quienes sólo estudiaron primaria, pero a su vez, los que estudiaron preparatoria doblan en uso a los de secundaria, y los que tuvieron educación superior doblan a los de preparatoria. En los extremos, de quienes únicamente estudiaron primaria, sólo 1.3% utiliza Internet y 4.2% computadora, frente a 41.5 y 66.6% de los que llegaron a la educación superior (véase el cuadro 4).

Si el acceso al conocimiento es hoy uno de los factores determinantes para apropiarse de la riqueza, en América Latina las nuevas desigualdades parecen sobreponerse a las antiguas, porque tienden a coincidir las estadísticas de ingresos, educación y acceso a las nuevas tecnologías de información y comunicación: aproximadamente el 10% de la población tiene una situación privilegiada en todos los aspectos, muy lejos de un sector intermedio de aproximadamente 30 o 40% y más aún de la mitad inferior, que tiene ingresos de sobrevivencia, solamente llega a terminar la educación primaria o secundaria (y a veces ni eso) y está prácticamente excluida del uso de la tecnología informática de punta.

CUADRO 4. PORCENTAJE DE USO DE COMPUTADORAS E INTERNET POR NIVEL DE ESCOLARIDAD EN MÉXICO, 2001

Nivel de escolaridad	*Porcentaje que usa computadora*	*Porcentaje que usa Internet*
Primaria	4.2	1.3
Secundaria	19.2	7.5
Preparatoria	38.6	18.0
Superior (licenciatura o posgrado)	66.6	41.5

FUENTE: Elaborado a partir del Módulo Nacional de Computación, INEGI, 2000.

Articulación de nuevas y viejas desigualdades

¿Qué puede concluirse sobre las nuevas desigualdades en América Latina? Por un lado, hay evidencias de que las desigualdades previas han desempeñado un papel crucial: la fortaleza de estructuras, instituciones, relaciones, culturas y prácticas inequitativas es tal que condicionó el devenir y las características específicas que adquirieron la apertura comercial, las privatizaciones, la flexibilización de los mercados laborales y la introducción de computadoras e Internet. De entrada, los distintos grupos sociales tenían recursos muy disparejos para enfrentar las oportunidades y los riesgos creados por estas transformaciones, por lo que no es extraño que sectores dotados con mayores recursos económicos, mejores redes sociales y mejor capital educativo se apropiaran de una porción muy significativa de los beneficios creados por la globalización. De este modo se reproducen, bajo nuevas circunstancias, las desigualdades persistentes de América Latina. Por otro lado, las transformaciones de los últimos lustros generaron nuevas desigualdades. La apertura comercial por sí misma puede ser positiva, pero se realizó con poca preparación previa y sin regular el poderío de las grandes corporaciones, lo que ha hecho que sus beneficios se concentren en un sector muy reducido, al mismo tiempo que se observa una creciente brecha entre las regiones y personas que pudieron incorporarse a las actividades exportadoras y las que se han quedado atrás. La política cambiaria y financiera, lejos de seguir los patrones neoliberales que se proclamaron, se caracterizó en muchos casos por verdaderos despojos financieros en los que los gobiernos y organismos financieros internacionales dieron un apoyo extraordinario a los banqueros y a los especuladores, lo que provocó mayor concentración de la riqueza. Muchas de las privatizaciones se hicieron con poca transparencia y en ocasiones llevaron a la expropiación de la riqueza pública en beneficio de grupos privados coaligados con funcionarios del Estado. Por último, la flexibilización de los mercados laborales reflejó una correlación de fuerzas desfavorable para los trabajadores y los sindicatos, lo que propició el incremento del desempleo y la precarización del trabajo.

A las viejas desigualdades, producto de siglos de expropiaciones, explotación de los más pobres y discriminación de las mujeres, los negros y los indígenas –procesos que hoy todavía ocurren–, se suman nuevas desigualdades que se apoyan en procesos de exclusión y precarización, que dejan a la mayoría de la población fuera de las redes de educación de calidad, de producción y de apropiación de conocimientos valiosos, de empleos dignos y de ciudadanía económica. En el escenario latinoamericano actual hay un desplazamiento del eje central de la desigualdad: aunque siguen operando diversos dispositivos de explotación, despojo y discriminación, cada vez adquieren más fuerza otros mecanismos generadores de desigualdades, como el acaparamiento de oportunidades, la exclusión y las brechas entre distintos niveles de inserción en las redes globales, que indican una desigualdad por desconexión. Los dos tipos de procesos están vinculados, la exclusión actual de muchos es resultado de la acumulación histórica de exacciones, abusos y discriminaciones que configuraron estructuras sociales muy asimétricas. Para revertir esas desigualdades no sólo se necesita completar procesos que quedaron truncos en América Latina (la plena igualdad de todos los ciudadanos frente a la ley y la construcción de un Estado de bienestar sólido), es indispensable construir nuevas utopías y nuevos dispositivos capaces de enfrentar la inequidad en la época de la sociedad del conocimiento y de la globalización.

¿HACIA UNA NUEVA UTOPÍA IGUALITARIA?

América Latina ha entrado al siglo XXI sin poder resolver la asignatura pendiente de la enorme desigualdad. Muchas zonas y numerosos grupos sociales se han quedado atrás en las nuevas condiciones de economías volcadas hacia el exterior. Un factor clave en el surgimiento de nuevas formas de inequidad es el desajuste entre la renovación y la expansión de los principales mecanismos generadores de desigualdad –que se han modernizado, se han vuelto globales, cuentan con enorme respaldo institucional y muestran extraordinario vigor– y la debilidad y el deterioro de los mecanismos de compensación de la desigualdad –que se han rezagado, en general se mantienen en escala local o nacional y tienen menor soporte institucional. Ha surgido una nueva matriz generadora de desigualdades, pero aún son muy débiles las utopías, las estrategias y las instituciones para enfrentarlas. No existe nada que se parezca a un Estado de bienestar global. Tampoco existen instituciones que regulen, en un sentido equitativo, los flujos financieros globales, las migraciones internacionales, la actividad de las corporaciones transnacionales y el comercio mundial. La Organización Mundial del Comercio, el Banco Mundial y el FMI no se han propuesto esa misión o, cuando lo han intentado, se han topado con la férrea resistencia de los capitales financieros, de las grandes empresas y de los países industrializados. Tampoco hay reglas que regulen la propiedad intelectual en un sentido que favorezca a los países y regiones pobres, ni se han creado dispositivos adecuados para evitar las enormes asimetrías en el mercado de trabajo y en el acceso al conocimiento y a las nuevas tecnologías.

En América Latina existen poderosos movimientos sociales que bosquejan utopías igualitarias. Entre ellos destacan los de los grupos indígenas que cuestionan profundamente la discriminación y las inequidades que experimentan las minorías étnicas, así como numerosas fuerzas críticas del neoliberalismo y la globalización, que han realizado distintas acciones de protesta, y que incluso han provocado la caída de varios gobiernos. Paralelamente, se ha producido un ascenso electoral de la izquierda que ha colocado nuevamente en la agenda pública el tema de la desigualdad y que, en varios países, ha llevado al poder a gobiernos de izquierda y centro-izquierda que otorgan prioridad a temas de justicia e igualdad social. Sin embargo, en la mayoría de los casos estas fuerzas centran sus acciones en torno de lo que en este escrito he llamado las matrices premodernas y modernas de la desigualdad. Entre sus ejes centrales están la lucha por la tierra y los recursos naturales, la autonomía, la crítica a la discriminación, la denuncia de la corrupción y el despojo, la redistribución de recursos materiales y la defensa o ampliación del Estado de bienestar. Estos ejes son muy explicables, dado que en América Latina el reconocimiento pleno de la ciudadanía de los negros y los indígenas, la reforma agraria y la consolidación del Estado de bienestar y del Estado de derecho son tareas pendientes. Sin embargo, las fuerzas más comprometidas con los ideales igualitarios han puesto poca atención a la tercera matriz, a las desigualdades generadas en la sociedad global del conocimiento. Algunos movimientos sociales surgieron frente al problema del desempleo (los piqueteros argentinos) o como respuesta a las políticas de ajuste estructural (por ejemplo, diversas protestas en México, Argentina, Ecuador, Bolivia y otros países), pero casi siempre con proyectos antiglobalización e incluso proteccionistas, que difícilmente llevarán a resolver los problemas de desconexión, exclusión y acceso desigual al empleo, a los mercados, al conocimiento y a las nuevas tecnologías. Se requieren nuevas utopías igualitarias y, sobre todo, nuevos diseños institucionales que permitan enfrentar tanto las viejas desigualdades heredadas como las nuevas formas de inequidad que se producen en el mundo contemporáneo.

BIBLIOGRAFÍA

Beck, Ulrich, 2000, *Un nuevo mundo feliz. La precariedad del trabajo en la era de la globalización*, Barcelona, Paidós.

Boltvinik, Julio, 2003, "Pobreza indígena por tamaño de localidad", en *La Jornada*, 18 de abril, México.

Comisión Económica para América Latina (CEPAL), 2001, *Panorama social de América Latina 2000-2001*, Santiago de Chile.

Chiriboga, Manuel, 2004, "Desigualdad, exclusión étnica y participación política: el caso de CONAIE y Pachakutik en Ecuador", en *Alteridades*, año 14, núm. 28, México.

Davis, Shelton, 2002, "Indigenous peoples, poverty and participatory development: the experience of the World Bank in Latin America", en Rachel Sieder (comp.), *Multiculturalism in Latin America. Indigenous rights, diversity and democracy*, Houndmills y Nueva York, Palgrave Macmillan.

Eckstein, S. y T. Wickham-Crowley (eds.), 2003, *Struggles for social rights in Latin America*, Nueva York y Londres, Routledge.

Etchemendy, Sebastián, 2001, "Construir coaliciones reformistas: la política de las compensaciones en el camino argentino hacia la liberalización económica", en *Desarrollo Económico. Revista de Ciencias Sociales*, vol. 40, núm. 160, Buenos Aires.

Giddens, Anthony, 2001, *La tercera vía y sus críticos*, Madrid, Taurus.

González Casanova, Pablo, 1999, "La explotación global", en Ricardo Valero (comp.), *Globalidad: Una mirada alternativa*, México, Porrúa.

Hamilton, Sarah y Edward Fischer, 2003, "Non-traditional agricultural exports in highland Guatemala: understandings of risk and perceptions of change", en *Latin American Research Review*, vol. 38, núm. 2, Austin, TX.

Harvey, David, 2003, *The new imperialism*, Oxford, Oxford University Press.

Hernández Laos, José y Jorge Velásquez, 2003, *Globalización, desigualdad y pobreza. Lecciones de la experiencia mexicana*, México, UAM-Plaza y Valdés.

Jaccoud, Luciana y Nathalie Beghin, 2002, *Desigualdades raçiais no Brasil. Um balanço de intervenção governamental*, Brasilia, Instituto da Pesquisa Económica Aplicada.

Kaztman, Rubén y Guillermo Wormald (comps.), 2002, *Trabajo y ciudadanía. Los cambiantes rostros de la integración y la exclusión social en cuatro áreas metropolitanas de América Latina*, Montevideo, Errandonea.

Marx, Carlos, 1974 [1867], *El capital. Crítica de la economía política*, vol. 1, México, Fondo de Cultura Económica.

Murphy, Raymond, 1988, *Social closure. The theory of monopolization and exclusion*, Oxford, Clarendon Press.

Pérez Sáinz, Juan Pablo y Minor Mora, 2004, "De la oportunidad del empleo formal al riesgo de exclusión laboral. Desigualdades estructurales y dinámicas en los mercados latinoamericanos de trabajo", en *Alteridades*, año 14, núm. 28, México.

Portes, Alejandro y Kelly Hoffman, 2003, "Latin American class structures: their composition and change during the neoliberal era", en *Latin American Research Review*, vol. 38, núm. 1, Austin, TX.

Rosemberg, Fulvia, 2004, "Acción afirmativa para negros en la enseñanza superior en Brasil", en *Alteridades*, año 14, núm. 28, México.

Schamis, Héctor, 2002, *Reforming the State. The politics of privatization in Latin America and Europe*, The University of Michigan Press, Ann Arbor.

Sieder, Rachel (ed.), 2002, *Multiculturalism in Latin America. Indigenous rights, diversity and democracy*, Houndmills y Nueva York, Palgrave Macmillan.

Stiglitz, Joseph, 2002, *Globalization and its discontents*, Londres, Allen Lane-The Penguin Press.

Tilly, Charles, 2000, *La desigualdad persistente*, Buenos Aires, Manantial.

Tokman, Víctor, 2004, *Una voz en el camino. Empleo y equidad en América Latina: 40 años de búsqueda*, Santiago de Chile, Fondo de Cultura Económica.

United Nations Development Program (UNDP), 2005, *Human Development Report 2005*, United Nations Development Program-Oxford University Press.

Weber, Max, 1996 [1922], Economía y sociedad. Ensayo de sociología comprehensiva, México, Fondo de Cultura Económica.

II. LOS PROCESOS DE EXCLUSIÓN SOCIAL Y LAS TRANSFORMACIONES DEL TERRITORIO

LA FRAGILIDAD DEL ESPACIO PÚBLICO EN LA CIUDAD SEGREGADA

PATRICIA RAMÍREZ KURI*

INTRODUCCIÓN

Los procesos sociales y urbanos ocurridos en el último siglo en distintos países y regiones del mundo impulsan transformaciones en el espacio público y dan lugar a reflexiones críticas sobre las condiciones en que se desarrolla la vida pública y los problemas que plantea a la sociedad y a las instituciones. Desde distintas perspectivas disciplinarias –la filosofía, la sociología, la antropología y el urbanismo– estas reflexiones coinciden, entre otras cuestiones, en la importancia que otorgan a lo público en la vida social y en el énfasis en el reconocimiento de la pluralidad sociocultural y política, considerada elemento esencial en la construcción de una vida pública democrática. Buena parte de estas contribuciones surgen en la segunda mitad del siglo XX, pero adquieren mayor centralidad en el debate académico y político en los años que marcan el tránsito hacia el XXI. Se distinguen por recuperar significados clásicos acerca de lo público que aluden a lo común, a lo colectivo, a lo visible y accesible a todos, pero también por abordar en la realidad empírica las alteraciones de estos significados provocadas por los efectos de la modernidad, por los cambios en la relación Estado-sociedad y por el desarrollo de la sociedad informacional.

En el contexto del nuevo orden económico y de profundas transformaciones en la vida social, el proceso de construcción de lo público como espacio político y como espacio de lugares, muestra tendencias contrapuestas. Éstas tienen que ver tanto con el debilitamiento, la fragmentación y la exclusión, como con el resurgimiento y la revalorización de las formas de relación, de uso, de comunicación y de participación que surgen en calles y plazas públicas así como en diversos lugares de encuentro, donde se generan sinergias sociales y disputas por el acceso a bienes públicos. En estos lugares se expresan distintas condiciones de ciudadanía, las formas de inequidad en que se ejerce y los desafíos que enfrenta su construcción como práctica social, como vínculo de pertenencia y como conjunto de derechos y responsabilidades. Las grandes ciudades y metrópolis condensan, quizá como ningún otro lugar, las tensiones derivadas de estas tendencias que revelan a lo público como un concepto que adquiere significados múltiples. Estos significados se activan en

* Instituto de Investigaciones Sociales, Universidad Nacional Autónoma de México.

contextos urbanos específicos a través de discursos, de apropiaciones y de prácticas del espacio, los cuales generan formaciones físico-sociales que exhiben a la ciudad que las produce y la conflictividad sociocultural de la vida urbana.

En ciudades como la de México el espacio público reúne un amplio repertorio de imágenes y realidades urbanas de modernización, desigualdad, pobreza y segregación inscritas en el entorno construido. Estas realidades se localizan y objetivizan en un conjunto heterogéneo de lugares donde actores sociales diferentes se encuentran, usan y se apropian de la ciudad: plazas públicas, calles, parques, avenidas, cafés, centros históricos y centralidades modernas, entre otros espacios urbanos. En estos lugares se ponen en juego intereses, demandas y necesidades distintas, se expresan ciudadanías de distinto tipo y calidad y aparecen formas organizativas diversas. También se exhiben las marcadas desigualdades en el acceso a bienes públicos, prácticas excluyentes y condiciones extremas de miseria, carencia material, falta de seguridad y dignidad que afectan a numerosos individuos y grupos que toman parte en la experiencia urbana cotidiana de esta ciudad capital desde las periferias de lo social y expuestos al riesgo.

Esta situación plantea problemas en el uso del concepto de lo público no sólo para comprender las interacciones urbanas y los fenómenos sociales, culturales, políticos y económicos que revelan conflictos por el acceso a la ciudad y que trascienden las fronteras de los lugares donde se producen. También plantea problemas para intervenir en la revalorización de los espacios públicos de la ciudad a través del diseño e instrumentación de políticas urbanas orientadas a recuperar los atributos que le dan sentido. Esta reflexión destaca que lo público urbano es central en la reconstrucción de la ciudad como espacio de construcción de ciudadanía. Argumenta que la manera en que concebimos lo público orienta la manera en que se construye en la ciudad, las relaciones, apropiaciones y prácticas que definen su contenido. Por ello discute acerca del significado del concepto de espacio público y su redefinición en el contexto actual, en el que se debate su importancia como elemento integrador y referente de lo común a miembros diferentes de la sociedad urbana en ciudades como la nuestra en México y América Latina, y éste es el caso del Distrito Federal, capital del país.

SOBRE LAS CONCEPCIONES DE ESPACIO PÚBLICO

Entre los diversos enfoques que contribuyen a repensar lo público y su importancia se distingue, en la segunda mitad del siglo XX, la perspectiva filosófica de Hannah Arendt (1958), quien entiende a lo público como el mundo común y como espacio de aparición que surge "siempre que los hombres se agrupan por el discurso y la acción" (Arendt, 1993: 221). En este enfoque, el contenido de lo público –diferenciado del lugar privado–, se expresa en su carácter trascendente y potencial, en la pluralidad y en la diferencia de situaciones y posiciones frente a un mismo objeto, y en la búsqueda de propósitos e intereses comunes que puedan unir a quienes lo habitan. Sin embargo, ese mundo común puede llegar a su fin cuando se destruye la pluralidad humana en sus diversos aspectos, cuando "el objeto deja de discernirse", se imponen condiciones de aislamiento y la realidad se ve y se presenta "únicamente bajo una perspectiva", como ocurre en las tiranías, en los sistemas totalitarios y en las dictaduras (Arendt, *op. cit.*: 67). En el debate actual se reconoce la vigencia de la perspectiva arendtiana que contribuye a repensar el significado de lo público como proceso que une o separa a quienes intervienen en su construcción, y como espacio de relación en el que la pluralidad y la diferencia adquieren sentido pleno cuando aparecen articuladas a la búsqueda de lo común como elemento cohesionador.

Unos años más tarde, en la primera mitad de la década de los setenta, Richard Sennett (1974) plantea, desde una perspectiva sociológica, que la problemática de la vida pública en la sociedad moderna se condensa en la ciudad cosmopolita, donde ocurren encuentros e intercambios entre diferentes y extraños. Para Sennett, lo público alude a "vínculos de asociación y compromiso mutuo [...] se trata del vínculo de una multitud, de un pueblo, de una política, más que de aquellos vínculos referidos a una familia o a un grupo de amigos" (Sennett, 1978: 12). De acuerdo con este autor, el debilitamiento de los vínculos sociales de carácter impersonal es un fenómeno derivado de la transformación de la vida pública en una cuestión de obligación formal, asociado al decaimiento de la participación con fines sociales y a la falta de compromiso cívico. Esta tendencia a la descomposición y abandono de lo público, planteada hace tres décadas, está asociada al predominio del individualismo moderno, al repliegue al ámbito de lo privado y a lo íntimo personal. Las grandes ciudades son escenarios donde se condensa esta tendencia en la que "el medio impulsa a la gente a concebir el dominio público como carente de sentido". Esta situación que conjuga aislamiento y visibilidad se observa en el entorno construido y en la organización del espacio urbano, entre otras cuestiones, a través de la transformación del espacio público –la calle, la plaza, los lugares de reunión–, en "un derivado del movimiento". Para Sennett, la facilidad y la velocidad de movimiento producido por el automóvil particular se convierte en "el mayor portador de ansiedad en las actividades cotidianas", mientras el espacio público "pierde cualquier significado experimental independiente" (Sennett, *op. cit.*: 21 y 24). Una de las preocupaciones centrales en la obra de este autor es la tendencia a sentirse ajeno al destino de los demás, lo que limita la construcción del sentido cívico de lo público, que históricamente ha significado "un destino entrelazado con otros, un cruce de suertes" (Sennett, 1997: 393).

Entre los argumentos que cobran fuerza en el curso de estos años y que en la actualidad atraviesan la discusión, se distinguen dos. El primero plantea que el espacio público es un proceso que se construye a través de lo que puede ser visto y escuchado por todos, difundirse y publicitarse. Lo público emerge, así, como resultado de experiencias compartidas que permiten a distintos actores –individuales y colectivos– expresar su identidad, aparecer de manera explícita en el mundo común e intervenir en la vida pública (Arendt, *op. cit.*). En este proceso, lo público tratado como esfera, como espacio o como lugar, aparece como elemento constitutivo de los distintos aspectos de la realidad y adquiere significados múltiples asociados a los cambios en la vida pública y en las formas de interacción y de organización social. El segundo argumento afirma que en sociedades complejas lo público y lo privado son dimensiones fundamentales del orden social y urbano, que no son dicotómicas sino que coexisten de manera articulada. Esto no significa necesariamente que se interconecten en forma equilibrada. Por el contrario, desde entonces se aborda la tensión entre estas dimensiones, lo que se expresa en la tendencia a la subordinación de lo público a lo privado y al predominio de lo privado como interés común único (Arendt, *op. cit.*; Sennett, 1978). Esta tendencia cruza diversas interpretaciones y debates posteriores sobre el debilitamiento del espacio público, condición que se expresa en las grandes ciudades capitales, donde en la actualidad coexiste lo público real, definido por el movimiento continuo de vehículos, de personas y de interacciones que se producen en el espacio de lugares, con lo público virtual, que se produce de manera vertiginosa y simultánea en el ciberespacio de flujos de información y de comunicación.

El tránsito al siglo XXI

En las últimas dos décadas que marcan el tránsito al siglo XXI, el debate sobre el espacio de lo público resurge y se intensifica, buscando comprender las transformaciones en la vida pública y reencontrar los referentes sociales, políticos, culturales y urbanos que le dan sentido. Este debate se desarrolla en circunstancias de articulación local-global y de predominio del capitalismo flexible; de cambios estructurales en la relación Estado, sociedad y territorio, y de innovaciones tecnológicas y científicas sin precedentes (Castells, 1997). En este nuevo contexto, el Estado ya no es el referente único de lo común y lo general, la política contribuye de manera limitada a generar formas de integración social, la familia en su sentido tradicional se transforma e incluso se desintegra. En este tránsito surgen nuevas formas de convivencia, de relación, de comunicación, de información, de participación y de acción colectiva, vinculadas a distintas concepciones de política, de sociedad civil, de democracia, de ciudadanía y de derechos (Lechner, 2001; Beck, 1998; Borja, 2003; Rabotnikof, 2005).

En estas condiciones se incorpora al debate sobre lo público una doble tendencia, que se expresa en el decaimiento que enfrenta como espacio único, articulado en torno del Estado y de las instituciones, y de otra parte en la fragmentación que experimenta como espacio de relación, de comunicación y de acción, lo que se produce de manera particular en las grandes ciudades. Coincidimos con Keane (1997: 58) en que se trata de un proceso de refeudalización de lo público que se transforma en un conjunto diverso y complejo de espacios de comunicación interconectados que desbordan y fragmentan la dimensión nacional. Estos espacios representan "fases de poder y acciones ligadas a intereses" que se desarrollan en niveles distintos, tales como los ámbitos amplios de las estructuras sociopolíticas, donde este autor distingue las macro y las meso esferas públicas. Pero también se desarrollan en determinados medios y/o lugares donde se producen disputas localizadas, como ocurre en las microesferas públicas, definidas como ámbitos de pequeña escala y de estructura horizontal que pueden integrar a miles o millones de personas y debatir a los niveles macrosociales y políticos de poder. En estas esferas públicas locales pueden generarse vínculos sociales, formas organizativas y participativas que emergen en la vida cotidiana, por lo que se han considerado características de los movimientos sociales (Keane, *op. cit.*: 1997).

Podemos plantear que esta doble tendencia se produce en sociedades como las nuestras, donde existen marcadas diferencias históricas y socioculturales respecto de las sociedades occidentales. Estudios que tratan lo público en Iberoamérica, explican que el concepto alude tanto a lo que es del pueblo, de la comunidad, de la ciudadanía y de la sociedad, como a lo que corresponde a la autoridad y al poder del Estado, al gobierno y a las instituciones (Guerra y Lempériere, 1998). Como espacio de la ciudadanía, lo público adquiere sentido no sólo a partir de lo que se difunde y se da a conocer en la opinión, en publicaciones y en la publicidad. También a través de las prácticas sociales y de las acciones de individuos y grupos que toman parte en la vida pública situada en lugares y foros tales como la ciudad misma, la calle, la plaza, el café, el cabildo, el congreso, entre otros espacios de encuentro, de relación y de comunicación.

En el contexto latinoamericano, y éste es el caso de México y de la capital del país, las nociones de lo público y de la ciudadanía se incorporan al discurso político en el siglo XIX, inscritas en procesos conflictivos de independencia, de formación y de consolidación de los estados nacionales y de cambios en la estructura social. Destaca que estas nociones no se sustentan en tradiciones cívicas y democráticas preconstruidas en la historia social y urbana de la región. Más bien se recuperan y trasladan de tradiciones occidentales liberales y republicanas que influyen en el pensamiento político de la región, en la concepción de lo público y de la ciudadanía, así como en el contenido del marco legal para su desarrollo. En este sentido, se afirma que en América Latina la construcción de lo público no se ha desarrollado en forma autónoma ni se ha orientado a fortalecer los valores democráticos. Según Renato Ortiz, esto se debe a la tendencia al predominio "de intereses patrimonialistas, de una sociedad del favor, del clientelismo de las clases dominantes, que llevaron a los intereses privados a sobreponerse al orden público" (Ortiz, 2004: 25).

En el caso de México, estudios realizados muestran que lo fundamental del siglo XIX, tanto para liberales como para conservadores, no fue la formación de ciudadanía, sino la unidad nacional y la consolidación del Estado central frente a poderes externos y disputas internas, propósito que se logra en las últimas décadas del siglo con los gobiernos centralistas de Juárez y de Porfirio Díaz (Escalante, 1992). El predominio del liberalismo ilustrado en este periodo orienta el discurso político en favor de la igualdad de derechos individuales ante la ley y define la noción de ciudadanía, su forma jurídica y moral, con el propósito de otorgar al pueblo la condición de ciudadano a través de la educación y de la protección del Estado (Lomnitz, 2000). Sin embargo, es en el siglo XX, en el contexto de la Revolución mexicana, cuando el reclamo por los derechos civiles, políticos y sociales se institucionaliza en la Constitución de 1917, lo que representó en décadas posteriores formas de protección social del Estado frente a las condiciones desiguales impuestas por el desarrollo del capitalismo. En este proceso, la definición y la condición política de la ciudadanía ocurre en forma degradada hacia las grandes mayorías, expresando –como lo explica Lomnitz–, la prevalescencia de una lógica cultural que privilegia "las relaciones personales y el uso de reglas y procedimientos burocráticos como mecanismos de exclusión" (Lomnitz, *op. cit.*: 131).

En esta línea de discusión podemos plantear que las prácticas sociales que definen la trayectoria de la ciudadanía en México realmente no expresan el pacto social establecido en el marco legal, ni el predominio de formas de inclusión ni de relaciones democráticas e impersonales inscritas en tradiciones cívicas características de las sociedades occidentales. Sin embargo, la condición degradada de ciudadanía comienza a mostrar cambios político-culturales significativos que se manifiestan en experiencias de desarrollo autónomo de lo público, asociado a formas organizativas y participativas que promueven valores democráticos y demandas en favor de la reivindicación y ampliación de derechos. Estas experiencias en unos casos recuperan y actualizan tradiciones cívicas y democráticas que comienzan a gestarse en el siglo XIX y que se desarrollan en el XX. En otros, son producto de formas participativas impulsadas por organizaciones y por movimientos sociales independientes surgidos en la segunda mitad del último siglo, que hacen públicas problemáticas que no han sido solucionadas, o son aún incipientes los avances logrados. Éste es el caso de las condiciones de desigualdad y de pobreza, a las que se agregan en años recientes temas de interés general que abordan derechos de salud, de género, de grupos humanos específicos (pueblos, naciones, etnias, homosexuales, consumidores, mujeres, niños, jóvenes y ancianos), temas ambientales, patrimoniales, laborales, de información y de comunicación, y los que tienen que ver con la bioética, entre otros, inscritos en la dimensión sociocultural y política de la ciudadanía.

En el contexto de crisis y de transformación del Estado, una vertiente de este debate identifica a lo público con lo común y con lo colectivo, al definirlo como lo que es de todos y para todos, en oposición tanto a lo privado como a lo corporativo (Bresser y Cunill, 1998). Esta vertiente de análisis cuestiona la privatización y la burocratización de lo público y hace la distinción entre lo que es estatal, que siempre es público, y lo público no estatal, que no está incorporado al aparato del Estado y que en las últimas décadas se ha ampliado con la participación de diversas organizaciones de la sociedad civil. Lo público no estatal es el espacio de la democracia participativa, orientado a la protección de los derechos republicanos de los ciudadanos con el propósito de que "el patrimonio público sea de hecho público y no capturado por intereses particulares" (Bresser y Cunill, *op. cit.*: 31). De acuerdo con este enfoque, podemos argumentar que lo público no estatal contribuye a generar prácticas sociales basadas en la solidaridad, que estimulan "el sentido de compromiso cívico" y contribuyen a la construcción de ciudadanía, al asignar responsabilidades y derechos a la sociedad en lo que se refiere al poder político, a la reivindicación de "funciones de crítica y control sobre el Estado" y de atención a demandas colectivas (Bresser y Cunill, *op. cit.*: 47).

Pensar lo público como el espacio de todos remite tanto a los significados clásicos asignados al concepto como al desafío de reconstruir referentes comunes e incluyentes en el contexto de sociedades complejas como la nuestra. Al analizar el concepto de lo público en la teoría política, Rabotnikof (2005) nos introduce a tres sentidos clásicos diferentes que lo asocian con lo común y lo general, contrario a lo individual y particular; con lo visible, lo que se conoce y publicita, opuesto a lo oculto, secreto o privado, y por último, con lo abierto y lo accesible, en oposición a lo cerrado o clausurado. Estos tres sentidos, identificados con la política, tienen elementos convergentes y han cambiado históricamente. Uno de los problemas que discute esta autora es que la recuperación de estas nociones clásicas en el debate actual pareciera aludir a un espacio público que se perdió y que se invoca con nostalgia. Frente a ello, plantea que este debate podría abordar a lo público como el espacio que "hay que construir" en el contexto de una sociedad plural y diferenciada (Rabotnikof, *op. cit.*: 13). En esta línea de argumentación, afirma que ante la fragmentación identitaria emerge la discusión sobre la necesidad de lo público, que responde al problema no resuelto de la "búsqueda de un lugar de lo común y lo general", donde se identifique el espacio de la ciudadanía, del consenso, de lo colectivo, de la participación y de la reivindicación de la pluralidad (Rabotnikof, *op. cit.*: 14-15).

La ciudad expresa quizá como ningún otro lugar esta fragmentación identitaria, donde se redefine el sentido de lo público urbano y su contenido no sólo como espacio de relación, de encuentro y de comunicación. También como espacio de confrontación y de lucha por la reivindicación de derechos e incluso, de violencia y de ruptura de lazos sociales. En el debate sobre la ciudad como espacio público emerge el tema ineludible de la diferencia, pero aún son insuficientes las respuestas al problema de la desigualdad social que distingue la fragmentación de lo público como referente común, como propósito compartido, como espacio de la ciudadanía y como experiencia vivida por individuos y grupos diferentes y desiguales.

LO PÚBLICO URBANO EN LA CIUDAD SEGREGADA

En distintas ciudades capitales de Latinoamérica y del mundo, donde confluye de manera compleja la diferencia, la diversidad y la desigualdad, el espacio público representa menos un universo urbano articulado en torno de la búsqueda de lo común entre diferentes, y más un conjunto de realidades fragmentadas y segregadas que revelan, entre otras cuestiones, la manera como individuos y grupos se relacionan con la ciudad, se disputan los recursos de la sociedad y luchan por el acceso a bienes públicos. Ante esta situación ¿con qué concepto de lo público estudiamos la ciudad, los fenómenos urbanos y las prácticas sociales?, ¿qué concepción de lo público influye en las políticas urbanas? Distintos enfoques definen al espacio público en la ciudad como el lugar común de relación, de identificación, de encuentro y de actividad funcional y ritual entre diferentes miembros de la sociedad urbana. En teoría, lo público se concibe como el espacio de todos, donde converge la diferencia, donde unos y otros aprenden a vivir juntos y a compartir valores tales como el respeto, la solidaridad y la tolerancia. Por ello, se plantea como la esencia del pluralismo, donde se expresa la diversidad cultural de la sociedad a través de la vida pública. Y con esto se le asigna un significado potencialmente integrador y el papel de ámbito protector de derechos y libertades ciudadanas, generador de condiciones de bienestar que favorecen la interacción e integración social y urbana, la construcción de ciudadanía y de relaciones democráticas (Rivlin, Carr *et al.*, 1992; Borja, 2003; Ramírez Kuri, 2008).

Esta concepción de lo público urbano y su orientación normativa ha sido cuestionada por presentar una visión ideal que evoca un espacio público que existió en el pasado y que se transformó, perdiendo sus atributos esenciales. Uno de los problemas en el uso del concepto de lo público como lugar común y como espacio de todos es que los significados y atributos asignados no corresponden a las realidades segregadas que aparecen en las ciudades contemporáneas, particularmente en aquellas que se han transformado en megaciudades. En este sentido, el concepto es limitado para comprender y explicar los cambios en las formas de vida pública, las nuevas formaciones físico-sociales, los vínculos y redes que la ciudad genera, revela, oculta, disuelve o transforma. Esto ocurre en distintas ciudades de Latinoamérica y éste es el caso de la ciudad de México, donde algunos estudios empíricos muestran que en la actualidad el espacio público vivido por grupos diferentes no cumple el papel asignado teóricamente como lugar predominantemente integrador, protector de derechos ciudadanos, proveedor de bienestar, polivalente y generador de prácticas democráticas.

De otra parte, en el contexto de la urbanización a gran escala que experimentan nuestras ciudades capitales existen múltiples lugares públicos y semipúblicos dispersos y segmentados, de distinta calidad física y relacional. Podemos suponer que la existencia de interconexiones e intercambios entre unos y otros tiene que ver, entre otras cuestiones, con las escalas socioespaciales donde se desarrolla la experiencia cotidiana de la gente y con el lugar que ocupan los habitantes y usuarios en la estructura social urbana, asociado a condiciones y oportunidades de vivienda, educación, trabajo, empleo e ingreso, así como a intereses, hábitos, gustos, preferencias y prácticas de consumo. En unos casos estos lugares proveen a escala microlocal o translocal condiciones para la creación de sinergias sociales y de formas comunitarias que pueden coexistir en tensión o entrelazarse con el predominio de usos mercantiles y masificados o con formas de pobreza, de exclusión y de segregación social. En otros casos, se imponen problemas de inseguridad y de violencia, que provocan la disolución de estos vínculos, debilitando la confianza entre unos y otros, hacia las instituciones y hacia la ciudad misma como referente de identidad y como entorno proveedor de condiciones de bienestar para todos los habitantes. En este sentido, más que hablar de un espacio público único articulado en torno de un solo referente común podríamos hablar de espacios públicos de distinta calidad.

La tendencia a la revaloración de lo público urbano ha contribuido a la reapertura de la discusión sobre la condición actual de la ciudad y de la ciudadanía a la luz de los procesos urbanos que se producen en los lugares que habita y usa la gente. También ha estimulado la vinculación de esta discusión con el diseño urbano y de políticas, programas y acciones orientadas a generar espacios públicos de calidad en distintas ciudades del mundo, con experiencias afortunadas que podemos encontrar en diferentes contextos urbanos, tales como Barcelona, Quebec o Bogotá, donde se observan esfuerzos de recuperación de los atributos potenciales de lo público que destacan enfoques sociourbanísticos, como el de Jordi Borja (2003), quien afirma que la ciudad es el espacio público. En efecto, la ciudad pensada y vivida como espacio público, de una parte nos introduce a problemáticas urbanas complejas que se exhiben en los lugares abiertos a la mirada, y también en lugares que proveen condiciones diversas –favorables o adversas– para la creación de lazos sociales, de relaciones de pertenencia y de afectividad con el entorno, formas organizativas y modos de vida diferentes. De otra, lo público urbano nos acerca a representaciones, concepciones y acciones que expresan las diferencias y desigualdades que existen en las formas de producción y de apropiación de la ciudad, entre los actores que intervienen en este proceso y en las formaciones físico-sociales resultantes.

Si las prácticas sociales hacen espacio, en la ciudad estas prácticas construyen y reconstruyen social y simbólicamente el espacio de lo público. Como lo explica Borja (2003), lo público se define a partir de los diferentes usos asignados por la gente, lo que no sólo muestra que en muchos casos estos usos rebasan o transgreden los lineamientos jurídicos que regulan la relación entre lo público y lo privado trazando sus fronteras en términos legales, también alude a la importancia de la dimensión institucional y normativa de lo público urbano expresada en el marco legal, que requiere en muchos casos innovación, lo que se ve limitado en la práctica por las estructuras institucionales, asociado entre otras cuestiones al rigor normativo, a formas burocráticas y corporativas, a la desigual distribución de poder al interior de las instituciones del Estado y a la exclusión de amplios sectores de la sociedad (Borja, *op. cit.*). Esta situación se expresa en ciudades como la nuestra, asociada a limitaciones en los instrumentos de planeación que regulan el orden urbano y a transgresiones recurrentes en el cumplimiento de la norma, lo que afecta las relaciones entre distintos grupos de ciudadanos, pero también entre la ciudadanía y las instituciones, siendo aún incipientes los vínculos de confianza y las prácticas democráticas, que en muchos casos aún están por construirse. Éste es un importante aspecto en la construcción de una vida pública democrática, que en el caso de la ciudad de México requiere, como ha señalado Ziccardi (1998), cambios en las formas burocráticas y centralizadas de gobierno que coexisten con formas de corrupción aún no erradicadas, lo que limita el fortalecimiento de las instituciones para que respondan con eficacia y legitimidad a las demandas ciudadanas.

Abandono y reencuentro con el lugar común

En las últimas décadas los procesos urbanos que se producen en la ciudad transforman el espacio de lo público real como lugar de relación, de identificación y como espacio de la ciudadanía. Pareciera que lo público se configura de una parte como espacio de aparición tanto de demandas, necesidades, disputas y problemas por el acceso a la ciudad y a los recursos urbanos, como de formas de participación política y de reivindicación de derechos ciudadanos. De otra, lo público como escenario de confluencia de formas de vida pública vinculadas al consumo, al comercio, al espectáculo, a la promoción de la cultura. Pero los usos y prácticas sociales que se producen en calles, plazas, lugares abiertos y semiabiertos no sólo aluden al desgaste de la capacidad de la ciudad para generar formas reguladas, legítimas y democráticas de integración social y urbana, así como equilibrios entre actividades públicas, privadas y sociales, sino también nos acercan a la manera como se construye la ciudadanía con relación al tipo –pasiva o activa, política o instrumental–, a las diferencias sociales y de poder, a las formas participativas y de compromiso cívico entre unos y otros y con la ciudad.

En ciudades capitales como el Distrito Federal el espacio público urbano exhibe fenómenos discrepantes de sociabilidad y conflicto, de modernización y masificación, de mercantilización e informalidad, de innovación, de segregación, de desigualdad, de inseguridad, de violencia y de temor. Como lugar abierto a la mirada exhibe imágenes fragmentadas de la ciudad como patrimonio común e incluyente, que coexisten con representaciones de desorden, de degradación y de exclusión social. Revela problemas de calidad de vida y del ambiente, así como las limitaciones y omisiones en la planeación urbana y en las políticas de conservación del patrimonio urbano común. En el contexto actual, y siguiendo a García Canclini, pareciera que el sentido de ciudad se debilita ante la convergencia de cambios económicos, sociales, políticos, tecnológicos y en las formas de vida, que aluden a la pérdida de certezas, generan temor e incertidumbre y conducen a repensar el concepto de lo público como "el lugar imaginario donde quisiéramos conjurar o controlar el riesgo de que todo está permitido" (García Canclini, 2004: 210). Ante esta situación podríamos preguntarnos: ¿en qué sentido revaloramos lo público urbano?, ¿qué evoca del pasado y cómo se construye en la actualidad?, ¿qué revela y oculta de la vida urbana pública y privada? La necesidad de encontrar el lugar común, referente de identidad urbana, nos lleva a repensar lo público como espacio de la ciudadanía donde se fortalecen o se debilitan las relaciones de pertenencia hacia la ciudad.

Lo público importa por lo que nos permite comprender de las interacciones urbanas, porque condensa la crisis de la ciudad y de la ciudadanía, y quizá por ello las posibilidades de su reconstrucción. Interesa mencionar esquemáticamente dos tendencias que comparten distintas ciudades del mundo y que, al separar, influyen, debilitando el potencial integrador y la calidad de lo público urbano. La primera tendencia es la disociación entre lo global instrumental, de cultura cosmopolita de élites y poder, y lo local histórico, identitario, e incluso defensivo, que se expresa en los lugares que usa y habita la gente.

Siguiendo a Castells, la separación de referentes provocada por este proceso se expresa en el debilitamiento o en la ruptura de la comunicación entre distintas identidades, fragmentándolas (Castells, 1998). Pero frente a la decadencia de los espacios públicos urbanos se distingue el fortalecimiento y ampliación de las nuevas formas de comunicación y de información, inscritas en el desarrollo de la sociedad red e informacional organizada en el espacio de flujos (Castells, *op. cit.*). El surgimiento y desarrollo del ciberespacio ha propiciado la formación de comunidades diversas y del espacio público virtual que actúa como ámbito de encuentro, de relación y de comunicación, de transmisión de discursos y de información a través de interacciones desterritorializadas. En la actualidad este espacio "destinado al encuentro de una nueva élite transnacional" que se retira del espacio público real o transita entre uno y otro, tiende a la gratuidad, al acceso popular y a la masificación (Linz Ribeiro, 2003: 209).

En este contexto, el predominio del capitalismo flexible ha alterado las identidades basadas en el lugar como referente de pertenencia, pero también el significado del espacio público y de las dimensiones urbanas, sociales y político-culturales en torno de las cuales se estructura. En estas condiciones, el espacio público urbano se reconfigura como el lugar donde aparecen las disputas y las competencias que promueve la ciudad, donde se producen "conflictos y discrepancias entre extraños", exhibiendo los "contornos sociales que poseen un carácter de clase concreto". Este lugar de lo público se distingue por haber quedado "abandonado a las clases medias y bajas", mientras las élites se retiran al ámbito privado (Sennett, 2001: 255).

La segunda tendencia es la privatización de usos públicos, que expresa los marcados desequilibrios existentes entre las acciones públicas y privadas, enfatizando los efectos segregadores y excluyentes de los procesos urbanos (Borja, *op. cit.*). Esta situación, en la actualidad, no sólo se observa en la organización y diseño funcionalista de la ciudad, que resuelve con pragmatismo algunas necesidades prioritarias, por ejemplo la sustitución de lugares públicos por vialidades para el uso del automóvil privado, limitando el uso peatonal o colectivo a través del transporte público (Sennett, 1997). También se observa a través del cierre de calles y distintas formas de autosegregación que emergen como respuestas privadas a problemas públicos que tienen que ver con la provisión de vivienda y con fenómenos de inseguridad, de masificación y de deterioro de la calidad de vida. Pero el efecto de las estrategias de seguridad representadas en fraccionamientos y colonias cerradas y en barreras físicas que tienden a cerrar tanto espacios públicos como privados, va más allá de la autoprotección influyendo en la manera como la gente se relaciona con la ciudad. Según Caldeira, con base en el estudio que realiza en São Paulo, estas estrategias introducen transformaciones en el paisaje urbano que afectan patrones de circulación, hábitos y rutinas relacionadas con el uso de las calles, del transporte público, de los parques y de los espacios públicos en general (Caldeira, 2000: 297).

El paisaje urbano de la ciudad de México muestra en la actualidad diversas formas de separación espacial sobre las que requerimos ampliar el conocimiento acerca de los factores que las producen. Podemos, sin embargo, destacar dos que no son nuevas en nuestras ciudades. De una parte, la autosegregación residencial de sectores medios-altos y altos, en lugares cerrados o semicerrados, habitados por grupos en condiciones de afluencia económica, que eligen esta forma de habitar y de protección ante los riesgos de la ciudad. De otra parte, y en contraste con estas formas de aislamiento, se encuentra la segregación de grupos en condiciones sociales y económicas desventajosas, de exclusión y de pobreza urbana, que habitan localidades que condensan múltiples carencias en el acceso y provisión de bienes, servicios e infraestructura urbana (Schteingart, 2001; Sabatini, 2003).

Pareciera que los nuevos procesos urbanos no sólo tienden a enfatizar estas formas de segregación sino también a diversificar las separaciones socioespaciales entre unos grupos y otros, generando geografías específicas que se inscriben en los entornos locales de la ciudad y adquieren visibilidad en los espacios públicos. Esta tendencia encarece el acceso a la ciudad, contribuyendo a desplazar hacia localidades periféricas a grupos de bajos ingresos, en condiciones socioeconómicas desventajosas o de pobreza, mientras atrae hacia lugares centrales de la ciudad a sectores medios, medios-altos y altos, con mayor capacidad económica y de consumo para acceder a los recursos urbanos. Éste es el caso de localidades ubicadas en las delegaciones centrales del Distrito Federal, y de las centralidades históricas como Coyoacán y el Centro Histórico de la capital.

UNA MIRADA A LO PÚBLICO URBANO EN LA CIUDAD DE MÉXICO

Algunos de los efectos de los procesos considerados se expresan y se producen en los espacios públicos abiertos de la ciudad de México, como es el caso de plazas, parques y calles. En estos lugares la intensificación y expansión de los usos mercantiles es uno de los fenómenos más visibles que, además de estar asociados a formas de subempleo y de irregularidad, coexisten con formas de inseguridad, de violencia y con prácticas impulsadas por la delincuencia organizada. Pero las tendencias segregadoras y excluyentes se observan no sólo al contrastar las centralidades modernas con las centralidades antiguas, y éstas con las múltiples periferias degradadas y depauperadas que las rodean, sino también al introducirse a los centros históricos, donde distintos actores hegemónicos y subalternos se disputan el patrimonio público y privado, permeado de historia y de memorias.

El Centro Histórico de la ciudad de México es el lugar más representativo –pero no el único– de estos usos sociales cotidianos, que se superponen a proyectos y acciones de renovación urbana y de conservación patrimonial, que han atraído al capital financiero e inmobiliario. Los marcados contrastes se escenifican de La Alameda al barrio de La Merced, a través de prácticas del espacio donde coexisten acciones inmobiliarias, con prácticas comerciales formales e informales, con otras de carácter político –concentraciones y marchas de protesta–, con espectáculos socioculturales gratuitos en la Plaza Mayor, el Zócalo que convoca a públicos masivos provenientes en buena medida de sectores populares y de grupos medios de la capital. Estos lugares revelan a la ciudad no sólo como el espacio de la diferencia sino también de la desigualdad, materializada en la pobreza exhibida en plazas públicas donde habitan personas distintas en edad y género: jóvenes, adultos y familias que tienen en común las condiciones de carencia, vulnerabilidad y miseria en las que sobreviven. En torno de estas plazas se extienden calles transitadas por vendedores ambulantes, apropiadas por el comercio formal e informal, y donde numerosos grupos organizados viven del trabajo, del autoempleo y del subempleo en actividades mercantiles de servicios no regulados.

En estos lugares se hacen visibles distintas experiencias de exclusión social vividas por mujeres y hombres en condiciones marginales, de pobreza estructural, o por quienes han sufrido cambios que los colocan en condiciones vulnerables, depauperadas o degradantes, frente a otras que les antecedieron en sus trayectorias de vida social, familiar, educativa o laboral. Conviene aclarar aquí que la noción de exclusión, como lo explica Robert Castel, es imprecisa, ambigua, alude a problemáticas sociales heterogéneas y tiende a usarse en forma independiente de los procesos que la producen. Por ello este autor, partiendo del contexto sociopolítico francés, particularmente en el último cuarto de siglo, afirma que "no es una noción analítica", ya que nos sitúa en las consecuencias de trayectorias sociales desvinculadas de los factores que las generan (Castel, 2004: 22). En este sentido, la adopción del término ha impulsado políticas de inclusión sin duda necesarias ante la situación de indefensión de grupos desvinculados socialmente, pero estas políticas no implican acciones preventivas que impidan la reproducción de las condiciones de vulnerabilidad y que generen integración social. La condición de exclusión alude así a formas distintas de desigualdad inscritas en los nuevos procesos que imponen limitaciones y privaciones al ejercicio de la ciudadanía (Subirats, 2005).

En la capital del país, donde –de acuerdo con un estudio reciente (Damián y Boltvinik, 2006)– en el 2004 habitaban 5.4 millones de personas en condiciones diversas de pobreza urbana, no es sorprendente que distintos grupos experimenten condiciones de exclusión social que expresan formas deficitarias, diferentes y desiguales de ciudadanía:[1] pobres urbanos indigentes, minorías étnicas, migrantes, desempleados, subempleados, grupos de género, niños, jóvenes y adultos mayores, habitantes de localidades y pueblos urbanos que reclaman mejores condiciones de acceso a la ciudad y a los servicios públicos. Estos grupos exhiben e inscriben en el espacio público imágenes y prácticas sociales representativas de la prevalescencia de condiciones de desigualdad que, entre otros aspectos, se expresan en disparidades entre los grupos de mayores ingresos, que en el Distrito Federal ascienden al 6% de la población económicamente activa con ingresos superiores a diez salarios mínimos; mientras los ingresos del 26% oscilan entre tres y diez salarios mínimos, y el 60% representa a los grupos en los niveles más bajos, con ingresos menores a tres salarios mínimos.[2]

[1] La población total del Distrito Federal en el 2005 ascendía a 8 669 594 (INEGI), 2005.

[2] Con base en cifras oficiales de niveles de ingreso, INEGI, 2000.

Algunos de los efectos de los procesos considerados se producen en la ciudad de México, expresando al menos tres cuestiones que influyen en la manera como se construye lo público urbano. La primera es la disputa por el espacio, que cruza las relaciones de sociabilidad y de conflicto entre los actores que usan y se apropian de los lugares, mostrando formas distintas e incluso opuestas de comunicación y de acción para dirimir las diferencias de unos con otros y para luchar por el acceso a recursos urbanos y por el control de bienes públicos. La segunda es la condición de segregación urbana y de desigualdad social que aparece en los lugares públicos, a través de imágenes y realidades de abundancia, de pobreza y de inseguridad pública. La tercera cuestión alude a las limitaciones en las formas de gestión y a las omisiones en los instrumentos de planeación y en las políticas urbanas que revelan la persistente separación entre propósitos y acciones. Entre estas omisiones podemos destacar la ausencia de una política del espacio público, lo que ha contribuido a enfatizar la masificación, el sesgo comercial y la saturación tanto vial como de usos mercantiles formales e informales no regulados, debilitando la calidad física y relacional de lo público.

En la capital del país estas cuestiones se condensan de manera particular –pero no exclusiva– en los lugares histórico-patrimoniales donde se articulan visibilidad y apertura, pero también inclusión y exclusión. En estos lugares –centralidades y barrios antiguos de valor arquitectónico– pareciera que el espacio público se aleja cada vez más de los atributos democráticos que lo definen en el discurso, pero que no predominan en las prácticas, usos y apropiaciones locales y de la ciudad. Sin embargo, esto no significa el agotamiento del espacio público, sino su transformación en el lugar donde aparece la conflictividad social, política y cultural que cruza a la vida urbana no sólo de la ciudad sino del país.

En la reconfiguración de lo público se observan tendencias contrapuestas que expresan formas distintas de expansión o de debilitamiento de la ciudadanía. Por una parte, se manifiesta la tendencia a la fractura de las relaciones entre ciudadanos y entre éstos y las instituciones, lo que debilita al ámbito público como lugar de relación y de comunicación entre diferentes, frente a problemas comunes y compartidos que requieren soluciones integrales e integradoras en lo social, lo urbano, lo político y lo cultural. Por otra, se distingue el desarrollo de formas de expresión, de organización y de participación que tienden a generar sinergias sociales asociadas a la reivindicación de demandas y que en algunos casos han logrado transformar el marco legal y ampliar los derechos ciudadanos. Estas formas en unos casos son independientes, impulsan la expansión de "lo público no estatal", mientras en otros están ancladas ya sea a corporaciones o a formas institucionalizadas de tomar parte en la vida pública, como son los partidos políticos o las instancias de gobierno promotoras de políticas o programas sociales.

Destacan aquí dos fenómenos problemáticos que se producen en el espacio público de la ciudad de México y que nos aproximan a la manera como éste se construye atravesado por la disputa y por el conflicto. El primero se manifiesta en el uso del espacio público como espacio de protesta, de denuncia y de expresión de demandas en favor de la reivindicación de derechos políticos, sociales, culturales y urbanos. El segundo fenómeno se expresa en la expansión de la informalidad como alternativa de trabajo, de empleo y de ingreso adicional generada en el espacio público. Los dos fenómenos disímiles hacen visibles realidades sociales, políticas y urbanas inscritas en procesos locales, regionales, nacionales y mundiales. Pero lo que interesa destacar es que frente a cada uno emergen posiciones no sólo diferentes sino polarizadas, tanto al caracterizar su contenido como las posibles soluciones políticas y sociales a los problemas que revelan. Pareciera así que la construcción de lo público –urbano, político y mediático– enfrenta en la actualidad, de una parte, la ausencia de propósitos comunes entre los diferentes actores que intervienen en la vida pública; y de otra, la existencia de ciudadanías divididas, con nociones e interpretaciones contrapuestas de lo que significan la solidaridad, la confianza, la cooperación y el compromiso cívico, pero también con expectativas de reconocimiento y de inclusión, de redistribución de recursos y de ampliación de derechos sociales, políticos y culturales que no se logran satisfacer plenamente. Esta situación, marcada por la desconfianza entre unos y otros y hacia las instituciones, expresa las condiciones de fragilidad en que se construye lo público como espacio de la ciudadanía.

En la ciudad de México, hablar del espacio público como el referente del mundo urbano común a todos los habitantes, en la actualidad es más una idea necesaria que una realidad explícita. Sin embargo, adquiere sentido porque conduce a reivindicar el derecho a la ciudad, como contexto para la acción social y política que define las especificidades de la vida urbana (Lefebvre, 1994). En el contexto actual, inherentemente conflictivo, el espacio público se ha considerado una condición fundamental para la existencia de la ciudadanía y con esta idea resurge el debate sobre el derecho a la ciudad y su significado en ciudades como la nuestra. Podemos argumentar que este significado se expresa en el derecho de todos al lugar, a un espacio público de calidad, a la movilidad, a la belleza del entorno, a la centralidad, a la calidad de vida, a la inserción en la ciudad formal, a la autonomía en el gobierno, al conocimiento histórico, arquitectónico, sociocultural y patrimonial (Borja, *op. cit.*). Con estas expectativas potenciales, el proceso de revaloración y reconstrucción de lo público urbano enfrenta, entre otros desafíos, el fortalecimiento de las instituciones, la creación de una política del espacio público ciudadano que incluya una cultura cívica común entre diferentes y la generación de condiciones de equidad y de calidad en el acceso a la ciudad y en el sistema de recursos urbanos.

REFLEXIÓN FINAL

Las ciudades son espacios estratégicos de innovación, de inversión y de actividad. Pero como lugares donde habita y se relaciona la gente, las ciudades condensan fenómenos y problemáticas complejas que en la dimensión local y megalopolitana, muestran las transformaciones de vida pública, el debilitamiento de los referentes comunes y la prevalescencia de profundas desigualdades sociales. En estas condiciones lo público urbano en las calles y plazas, como posibilidad de recuperar el sentido de la ciudad como espacio de la ciudadanía. Esto a través de formas de solidaridad, de participación y de compromiso cívico que puedan generar experiencias, acciones y políticas urbanas sociales, culturales –visibles y accesibles–, capaces de contrarrestar las formas de segregación y de exclusión y, transformar los códigos y las prácticas predominantes en la vida social e institucional.

En este sentido, lo público urbano es un elemento activo en la experiencia cotidiana de la gente, que se reconfigura continuamente como el escenario que se extiende entre la ciudadanía y las instituciones, condensando las problemáticas de la ciudad. Por ello, el espacio público es quizás el lugar donde mejor se puede comprender la relación entre la gente y la ciudad, así como las formas de organización o de desintegración de la vida en común. En el contexto de la urbanización a gran escala que ha producido megaciudades como la ciudad de México necesitamos ampliar el conocimiento acerca de la manera como se construye lo público y profundizar la investigación sobre la trama de relaciones, de prácticas, de actores y de formas organizativas que surgen en el espacio público, configurando diferentes tipos de ciudadanía y formaciones físico-sociales que se interconectan con otras formas de vida y de actividad en la ciudad y más allá de sus fronteras.

Las tendencias a separar, a segregar, a discriminar que se observan en el entorno construido de las ciudades contemporáneas debilitan el sentido de lo público, afectando la calidad física y relacional como lugar de encuentro entre diferentes, pero también como lugar de encuentro con la ciudad –referente de identidad y lugar de aprendizaje de valores compartidos–, experiencia que se inicia en el contacto con la calle, en las relaciones con los otros, en el caminar sin temor entre extraños, en el reconocimiento de la diversidad. Los procesos de segregación urbana y de desigualdad social que distinguen en la actualidad a distintas ciudades, y la ciudad de México es un ejemplo, enfatizan la tendencia al decaimiento, a la degradación y al abandono de lo público urbano como patrimonio urbano común, abierto y accesible a todos. Estos procesos también contribuyen a reproducir los conflictos socioculturales y políticos que surgen y adquieren visibilidad en los lugares públicos de la ciudad, rebasan las fronteras de las microgeografías urbanas donde se producen y, expresan disputas diferentes que se dirimen a través de formas no violentas y violentas para resolver necesidades, plantear demandas y reivindicar derechos. Por ello podemos argumentar que lo público urbano es el escenario donde confluyen demandas en torno de distintas dimensiones de pertenencia que definen el ser ciudadano, y donde aparecen estrategias y prácticas de individuos y grupos con intereses y necesidades distintas y antagónicas.

BIBLIOGRAFÍA

Arendt, Hannah, 1993, *La condición humana*, Barcelona, Paidós.

Bresser Pereira, Luis Carlos y Nuria Cunill Grau (eds.), 1998, *Lo público no estatal en la reforma del Estado*, Buenos Aires, CLAD y Paidós.

Beck, Ulrich, 1998, *Qué es la globalización, falacias del globalismo, respuestas a la globalización*, Buenos Aires, Paidós.

Borja, Jordi, 2003, *La ciudad conquistada*, Madrid, Alianza Editorial.

Caldeira, Teresa P.R., 2000, *City of walls. Crime, segregation, and citizenship in São Paulo*, Berkeley y Los Angeles, University of California Press.

Castells, Manuel, 1998, "Espacios públicos en la sociedad informacional", en Pep Subirós (ed.), *Ciutat Real, Ciutat Ideal. Significado y función en el espacio urbano moderno*, Barcelona, Centro de Cultura Contemporánea de Barcelona.

Damián, Araceli y Julio Boltvinik, 2006, "La pobreza en el Distrito Federal en 2004", estudio realizado para el Gobierno del Distrito Federal, noviembre, México.

Escalante Gonzalbo, Fernando (1992), "Ciudadanos imaginarios. Memorias de los afanes y desventuras de la virtud y apología del vicio triunfante en la República mexicana –Tratado de la moral pública", México, El Colegio de México.

García Canclini, Néstor, 1998, *Consumidores y ciudadanos. Conflictos multiculturales de la globalización*, México, Grijalbo.

—, 2004, "La reinvención de lo público en la videocultura urbana", en Néstor García Canclini (coord.), *Reabrir espacios públicos*, México, UAM-I/Plaza y Valdés.

Guerra François-Xavier, Annick Lempériére *et al.*, 1998, *Los espacios públicos en Iberoamérica. Ambigüedades y problemas. Siglos XVIII-XIX*, México, Fondo de Cultura Económica y Centro Francés de Estudios Mexicanos y Centroamericanos.

Keane, John, 1997, "Transformaciones estructurales de la esfera pública", en *Estudios Sociológicos de El Colegio de México*, vol. XV, núm. 43, enero-abril, México.

Lechner, Norbert, 2000, *Nuevas ciudadanías*, revista de estudios sociales, Facultad de Ciencias Sociales, Unidades/Fundación Social, enero.

Lefebvre, Henri, 1994, *The production of space*, Reino Unido, Blackwell Publishers.

Linz Ribeiro, Gustavo, 2003, *Postimperialismo. Cultura política en el mundo contemporáneo*, Barcelona, Gedisa.

Lofland, Lyn H., 1998, *The public realm. Exploring the city's quintaessential social territory*, Nueva York, Aldine de Gruyter.

Lomnitz, Claudio, 2000, "La construcción de la ciudadanía en México", revista *Metapolítica*, vol. 4, núm. 129, México.

Ortiz, Renato, 2004, "La redefinición de lo público en la globalización", en Néstor García Canclini (coord.), *Reabrir espacios públicos*, México, UAM-I/Plaza y Valdés.

Rabotnikof, Nora, 2005, *En busca de un lugar común. El espacio público en la teoría política contemporánea*, México, UNAM.

Ramírez Kuri, Patricia, 2008, *Espacio público y ciudadanía en la ciudad de México. Percepciones, apropiaciones y prácticas sociales en Coyoacán y su Centro Histórico*, en proceso editorial, México, IIS-UNAM.

Rivlin, Leanne, Stephen Carr *et al.*, 1992, *Public space, environment and behavior series*, Cambridge, U.P.

Sabatini, Francisco, 2003, *La segregación social del espacio en las ciudades de América Latina*, Banco Interamericano de Desarrollo, Departamento de Desarrollo Sostenible, División de Programas Sociales. BID "Desarrollo Social. Documento de Estrategia", Washington D.C., Instituto de Estudios Urbanos de la Pontificia Universidad Católica de Chile.

Schteingart, Martha, 2001, "La división social del espacio en las ciudades", en *Perfiles Latinoamericanos*, revista semestral de la sede Académica de México/FLACSO, núm. 19, año 10, diciembre, México.

Sennett, Richard, 1978, El declive del hombre público, 1a. ed. en español, Barcelona, Península.

—, 1997, *Carne y Piedra. El cuerpo y la ciudad en la civilización occidental*, Madrid, Alianza Editorial.

Sennett, Richard, 2001, "La calle y la oficina: dos fuentes de identidad", en Anthony Giddens y Will Hutton (eds.), *En el límite. La vida en el capitalismo global*, Barcelona, Tusquets Editores.

Subirats, Joan *et al.*, 2005, *Pobreza y exclusion social. Un análisis de la realidad española y europea*, Fundación "La Caixa", edición electrónica disponible en internet: <www.estudios.lacaixa.es>

Turner, Bryan S., 2001, "The erosion of citizenship", en *The British Journal of Sociology*, vol. 52, núm. 2, junio, Londres, London School of Economics, Routledge Journals.

Ziccardi, Alicia, 1998, *Gobernabilidad y participación ciudadana en la ciudad capital*, México, IIS-UNAM, Porrúa.

LA CENTRALIDAD DE LOS EXCLUIDOS

SERGIO ZERMEÑO*

En reconocimiento al sociólogo peruano Matos Mar

Los latinoamericanos hemos sucumbido, debido a la influencia evolucionista venida principalmente de las universidades y los centros de política estratégica de Estados Unidos, a la idea de que, a pesar de todos los males, a pesar del aumento de la pobreza y la anomia, nuestras sociedades avanzan hacia formas más modernas y racionales de organización. Se instauró de esta manera la corriente dominante en ciencias sociales y en políticas públicas asentada en la idea de que nos encontrábamos transitando hacia algo mejor, nos encontramos en un "tránsito hacia la democracia".

Para ir directamente al grano, digamos que la teoría y la práctica de la transición a la democracia, una vez que impuso sus argumentos frente a la vía violenta de las guerrillas y el asalto revolucionario al poder que imperaron en los años sesenta y setenta, se ha dividido en tres momentos:

1. El momento del optimismo: "las escaleras se barren de arriba para abajo", es decir, fortalezcamos las instituciones de la democracia porque, a partir de ahí, irán bajando los elementos de la cultura cívica y, con ellos, las posibilidades de un fortalecimiento de la sociedad civil, del capital social, de la confianza y del asociativismo ciudadano.

La primera constatación, cuando no habían pasado ni diez años de iniciado el experimento, fue que la anunciada redistribución de los beneficios no sólo no resultó cierta, sino que se alejaba de manera contrastante de la propuesta original, arrojando datos alarmantes: crecientes y mayoritarios agregados de nuestras sociedades, en particular en países de apertura salvaje como México, habían sido desarticulados, afectados violentamente en sus ritmos de cohesión y de cultura, desordenados, atomizados y llevados a escenarios extremos de la anomia, la violencia y la degradación.

A veinte años de la apertura y a diez del TLC, al discurso neoliberal no parecen quedarle más que desnudas amenazas: aunque las cosas vayan tan mal, se repite en cada foro, nadie presenta alternativas viables, y cualquier intento por alterar los postulados básicos del modelo, o el incumplimiento del pago de la deuda, terminará en tragedias como la de Argentina o Venezuela en el arranque de este siglo.

* Instituto de Investigaciones Sociales de la Universidad Nacional Autónoma de México.

2. El momento del cinismo: al no resultar cierta entonces la teoría del "goteo" y su correlato (el que el fortalecimiento institucional iría reordenando, "de arriba hacia abajo", al mundo social, a los espacios de la sociedad civil), la arquitectura institucional debió conformarse con el modelo cínico de los dos pisos: aunque abajo la masa se hundiera en la precariedad, la anomia y la incultura, lo que por ahora importaba era que el mundo de la exclusión y del desorden no contaminaran el espacio de acuerdos de los integrados, revelándose los pactos de gobernabilidad (las concertaciones y alianzas estratégicas), como el instrumento clave de la nueva situación.

3. Sin embargo, el correr de los años noventa ya había mostrado la erosión, desde abajo, de las instituciones y de los espacios de los integrados (los espacios de la modernidad). Se impuso entonces un tercer escenario: nos encontramos con que los de abajo y afuera no permanecieron dispersos e inofensivos y se fueron adentrando en el sistema institucional y en los lugares de la sociedad integrada, la que cuenta con carta de ciudadanía, podríamos decir. Los partidos, los parlamentos y los espacios urbanos han sido entonces "invadidos" por un multitribalismo familista de barrio conducido y animado por líderes locales (o estudiantes universitarios de ideología comprensiblemente antiglobal), que movilizan e intentan posicionar a sus desheredadas y vociferantes clientelas en los espacios urbanos en donde existen o afluyen los recursos.

Para ello no dudan en apostarse frente a todos los edificios públicos y privados, en tomarlos si es necesario, y en cerrar vialidades primarias o secundarias (de otra manera no lograrán atraer ninguna mirada o medio de comunicación). Muestran avidez, en su pragmatismo, por pactar con quien sea (con qué legitimidad les podríamos exigir otra cosa), por formar las confederaciones tribales más disímbolas con tal de resolver en algún nivel los problemas de sus seguidores e incrementar por esa vía su poder político y su capacidad de gestión (difícil argumentar que su estrategia es errónea o reprobable en un entorno como el que hemos descrito).

Los sectores mejor integrados, que se encuentran por lo regular más cerca del comportamiento individual ciudadano, lo mismo en las instituciones (partidos, parlamento, sistema educativo, medios de la cultura, etc.) que en los espacios territoriales, intentan poner candados políticos (o rejas electrificadas según el caso), pero se ven obligados a abandonar poco a poco el piso alto y su control sobre los espacios públicos ante la oleada desde abajo (en el extremo, un antiintelectualismo se afianza orgulloso en este tercer escenario).

LOS DE AFUERA

De manera mucho más evidente de lo que acontece en el piso alto institucional (es decir en lo vertical), esta ocupación de los excluidos puede constatarse, en México y en América Latina, en la arena social (en el plano horizontal). Ahí, la correlación de fuerzas entre los excluidos y el mundo de los integrados va registrando un proceso similar pero más irrefrenable de ocupación e invasión, en forma tal que los espacios públicos de las clases con mejores recursos (y en realidad todos los espacios públicos) van siendo apropiados por los sectores menesterosos, por los excluidos, en cruceros y vialidades, en plazas y parques, en colonias, barrios y banquetas, en unidades habitacionales, circundando y arrinconando a los exangües actores de la modernidad.

Comienza a diseñarse así una sociedad en donde prolifera también lo que podríamos llamar "los corredores": se crean corredores turísticos, espacios vigilados por donde los extranjeros pueden transitar con cierta seguridad y con cierto confort para visitar los tesoros culturales de un país como el nuestro (la Ruta Maya, el Corredor Turístico de la Ciudad de México...), se crean igualmente corredores que permiten a los turistas desplazarse de los espacios para tomar el sol dentro de los terrenos de los hoteles de lujo a las playas frente a esos mismos hoteles, burlando así, o intentando burlar, a los ejércitos de vendedores ambulantes que "peinan" esas playas.[1] Regimientos enteros de guardias blancas o de policías federales y estatales han pasado a vigilar las playas y las rivieras más cotizadas desde el punto de vista de las ganancias de los grandes consorcios turísticos, tratando de mantener a raya a sus actuales o anteriores propietarios, que en la mayoría de los casos resultan ser ejidatarios y comuneros expropiados, saqueados, o que han vendido a precios ridículos en la víspera del arranque de los grandes proyectos.

Es igualmente una sociedad de corredores *vigilados* para asegurar el acceso, a través de las carreteras, de los productos consumidos en las grandes ciudades y cuyo desvío y secuestro es cada vez más alarmante; en poco tiempo el Istmo de Tehuantepec se convertirá en un corredor de alta seguridad para el transporte mundial y la maquila con estrecha vigilancia de fuerzas nacionales y hasta internacionales; se anuncian, en fin, unos corredores hipervigilados a lo largo de ciertas arterias urbanas y carreteras, permitiendo mayor seguridad de tránsito para los mexicanos y extranjeros adinerados, "sujetos de alto riesgo" en lo que hace a los secuestros; es el equivalente, con otra presentación, del encierro de las clases medias en sus colonias y condominios de alta seguridad.

Así, México se segrega entre integrados y excluidos, entre ricos y pobres, y lo que alguna vez fue una política y un espacio social para todos, hoy se separa con una especie de muralla, como la de los feudos y las ciudades-Estado de la edad media, sólo que aquí los muros no son de piedra ni son "los muros de agua"; nuestra muralla es virtual, pero no por eso menos efectiva.

[1] Pero no es un dato al margen, nuestro primer renglón de ingreso en divisas, alternativamente con el petróleo y con las remesas de trabajadores mexicanos en Estados Unidos, lo constituye ni más ni menos que el turismo, el triste destino de vender el sol, la arena y el mar, lo que no producimos y que no sabemos siquiera explotar empresarialmente (a diferencia de los españoles y de tantas otras naciones que supieron retener el dinero de esos visitantes y no fue monopolizado por las cadenas hoteleras transnacionales).

Sin duda el más espectacular de estos corredores es el que arrancó en el año 2001 con el rescate del Centro Histórico de la Ciudad de México, y su correlato, los corredores de segundo piso para facilitar el tránsito en el oriente rico de la ciudad (lo que en buena medida significó una opción por el transporte individual automotriz, segregado, por sobre el transporte colectivo, compartido). El centro de la ciudad tiene edificios y espacios de gran belleza que por razones presupuestales no pueden ser adquiridos y restaurados por el gobierno. La Fundación Telmex y los consorcios Carso e Inbursa invirtieron entre el 2002 y el 2003, 700 millones de pesos, y prometen invertir mil más para la compraventa y remodelación de edificios destinados a vivienda y comercio debidamente saneados de inquilinos morosos y puestos al día en sus papeles (lo que no cuesta). Una vez hecho eso viene el verdadero intercambio (también de bajo costo para las autoridades): tú, nuevo propietario, adoquinas y embelleces 44 manzanas del Centro Histórico (elevando hasta el cielo el valor de tus recientemente adquiridos bienes raíces), y yo te las desalojo de ambulantes.

Pero, claro está, ni los acuerdos ni los gobiernos son eternos, y para asegurar las inversiones y asegurarse de que las huestes no invadan nuevamente, el paquete incluye una policía pública pagada con recursos privados, y es aquí donde aparecen Giuliani y sus muchachos vendiendo el programa "Cero Tolerancia" aplicado unos años atrás en Nueva York: "El Centro será laboratorio del programa anticrimen de Giuliani", rezaba el titular del periódico *La Jornada* del 28 de noviembre de 2002. No se malentienda, el programa que estos especialistas van a sugerir también incluye acciones en otras partes de la ciudad, en los puntos más conflictivos, aunque está por verse con qué intensidad y con qué recursos se llevarán a cabo en cada zona.

La nueva muralla virtual no termina ahí, se extiende hacia el poniente de la gran ciudad de México, abarcando la zona de la Alameda con la reconstrucción de todos los espacios destruidos por el terremoto de 1985, y sigue su camino por el Paseo de la Reforma y colonias que lo bordean, hasta internarse en Las Lomas, Polanco y Santa Fe, es decir, en la delegación Miguel Hidalgo, en donde en el 2003 pudimos observar el nuevo *look* de una policía que terminó siendo apodada los *Robocops*, derrotados por el ambulantaje y suspendidos después de su primera aparición, y en donde pudimos advertir, también, el dispositivo de seguridad en los llamados "Hidalgos", como se ha bautizado a los 14 módulos inteligentes que permitirán a sus usuarios retirar dinero sin riesgos y contarán con monitores que reciben las imágenes de decenas de cámaras que hacen posible la acción contra robos y secuestros en cuestión de minutos (también gran parte de esto pagada por empresarios y vecinos).[2] Dependiendo de su in-

[2] "La Secretaría de Seguridad Pública invierte al menos 10 millones de pesos al mes en el salario de los policías que vigilan el perímetro A del Centro Histórico (44 manzanas) y Polanco, considerados corredores financieros y turísticos", se nos dejaba saber en el reportaje "Sellan Centro y Polanco" aparecido en la primera plana del periódico *Reforma* (3 de febrero de 2004). Así, "en Polanco se ha logrado reducir en un 27% la incidencia delictiva [...] Se ha logrado aplicar la Cero Tolerancia, de manera que los franeleros, los limpiaparabrisas y los vendedores ambulantes son presentados diariamente al juez cívico para evitar que se cometan faltas menores y que después se conviertan en delitos mayores [...] En el 2002, en esta zona de la delegación Miguel Hidalgo se contabilizaron 406 denuncias por robo a transeúnte y 649 por robo de auto, mientras que en el 2003 fueron sólo 270 y 470 respectivamente. Además, el robo a

terés y de los recursos que puedan aportar vecinos y negociantes, el operativo podría ampliarse hacia las zonas de la Condesa, Del Valle, Coyoacán, San Ángel y unas pocas zonas más con recursos para pagar su seguridad.

Tendríamos así la media luna de los integrados, con su muralla virtual, desde el centro hacia el poniente y hacia el sur (conectada incluso con su segundo piso), cada vez más segregada de la media luna de la exclusión, en donde se cometen por cierto el 60% de los delitos del D.F., y que se extiende por las colonias Guerrero, Morelos, Tepito, Merced, Circunvalación, Santa Julia, Doctores, Buenos Aires, aquí sí con un buen etcétera que hace eco hasta Iztapalapa, Chalco, Ecatepec... (en donde asaltan hasta a los que monitorean la inseguridad).

Sin embargo, este escenario de invasión-segregación no es producto de un plan premeditado sino que es una realidad que se impone, y ante eso es mejor recuperar zonas deterioradas de la ciudad que aceptar una inercia en donde la degradación se generaliza. Lo cierto es que los grupos adinerados también sufren el desorden, sus recursos son valiosos en las políticas de rescate y seguridad, y no cabe duda de que los ciudadanos pagan con votos las obras que los benefician.

En esta dirección hay que subrayar que la política del gobierno de la ciudad durante el sexenio 2000-2006 no se centró en la especulación inmobiliaria sino que se alternó con programas efectivos de pensiones para los adultos en plenitud, de mejoramiento de centros de salud, de apoyos para mejorar la vivienda, de becas e instalaciones educativas para los jóvenes de bajos recursos, de ayuda para micronegocios, etcétera. Por su parte, el empresario Carlos Slim creó la Fundación Centro Histórico, canalizando recursos para programas de educación, salud, capacitación y creación de 3 000 empleos exclusivamente para los habitantes del primer cuadro. Sin duda inscrita esta experiencia en la dinámica invasión-segregación, no hay que perder de vista, sea como sea, su parte positiva, que no se limita a transferir el patrimonio de México a los especuladores de la estratosfera financiera globalizada, como ha ocurrido en la casi totalidad de las transacciones federales en los últimos veinte años. La pregunta, sin embargo, es perfectamente válida: las empresas de Slim pagan salarios por encima de los devengados por la media del resto de las empresas trasnacionales o mantienen también un salario bajísimo que permite las más altas ganancias con el pretexto de que si no fuera así perderían competitividad. Si esto último fuera el caso, de poco sirve que se trate de capitales detentados por un mexicano-libanés o por cualquier otro propietario (porque becas y programas de fomento social son lo propio de todas las transnacionales en la medida en que muchos de esos gastos son deducibles de impuestos).

En correlato directo con lo anterior reseñemos el siguiente fenómeno: las políti-

casas habitación bajó en un 50%: en esta zona, expresó el jefe de seguridad de la ciudad Marcelo Ebrard, 'hay una policía con alto grado de supervisión, [y para el 2004] queremos reducir en un 30% los robos [...] se están aplicando muchas de las cosas que se hacen en Nueva York'." El hecho es que mientras cada policía cuida en la popular y populosa delegación Iztapalapa a 1 080 habitantes, en la delegación Cuauhtémoc, a la que pertenece el Centro Histórico, cuida sólo a 132 personas, siendo estas dos las delegaciones en donde se registran las más altas tasas de delincuencia en el D.F. (*idem*).

cas neoliberales se proponen sanear las finanzas de los subsidiados servicios públicos incorporándolos a la lógica de la ganancia (de preferencia privada), aumentando las tarifas de electricidad, agua, etcétera, pero lo único que logran es la informalización generalizada de los contratos: los usuarios, al ver el monto de sus boletas de luz y otros servicios, se "cuelgan" de los alambres de la electricidad (o, en otro rubro, dilatan a su pesar el pago de prediales o el pago del agua); la administración los desconecta y ellos se brincan el marcador, se "cuelgan" de nuevo, aumentando el déficit público y empujando a esas autoridades a elevar aún más las tarifas, con lo que terminan dando al traste con los causantes cautivos de la clase media, con la industria y con el comercio formal, que todavía pagan impuestos y respetan las tarifas, pero que dejarían de pagarlos con su eventual quiebra, reforzando el círculo vicioso de la desmodernización.[3]

LOS OLVIDADOS DEL CAMPUS

En el terreno de las instituciones educativas y culturales los recursos públicos se ven severamente recortados, pues una economía improductiva y evasora potencia el déficit fiscal, lo que afecta la capacitación del magisterio (pero lo mismo vale para los sistemas de salud), haciendo caer los salarios y las condiciones generales en que se desenvuelve la enseñanza, particularmente en los niveles de primaria y secundaria. Los indicadores de eficiencia terminal y de calidad de la educación se desploman y se da la orden de poner seis de calificación en lugar de la nota reprobatoria, intentando maquillar así nuestra regresión.[4] A inicios del año 2003 se nos hacía saber (OCDE, 2002, citado en *La Jornada*, 9 de febrero de 2003) que México ocupó el último sitio de treinta naciones integrantes de esa organización que habían sido evaluadas en lo referente a lectura, conocimientos de matemáticas y ciencias.[5]

La estructura educativa, en consecuencia, se polariza entre un circuito privado de mucha mejor calidad y uno público que hace esfuerzos desmedidos, pero en muchos renglones insuficientes, por mantener su excelencia histórica. Sin embargo, contingentes de ambos medios coinciden en el espacio de la educación pública superior. Hasta hace tres lustros esto funcionó perfectamente como un mecanismo

[3] "Se desplomó en 16% el consumo de energía en todo el país, informó a inicios del 2004 el Sindicato Mexicano de Electricistas (*La Jornada*, 15 de enero), a causa del cierre de cientos de pequeñas y medianas industrias y a que miles de hogares decidieron darse de baja de este servicio, porque 'o pagaban la luz o comían', y debido, en fin, a que se incrementó el número de personas que optaron por 'colgarse' y no tener un servicio regular."

[4] A mediados del 2004 el Instituto Nacional de la Evaluación de la Educación se disculpó porque, debido a "problemas técnicos", no pudo entregar los resultados comparativos del desempeño educativo del año 2003 con respecto al del 2000, e informó que esto será posible entre los años 2005 y 2006. Un estudio del periódico *Reforma* a partir de los datos existentes concluía que "el nivel de aprovechamiento de los alumnos de primaria y secundaria refleja una caída considerable" (*Reforma*, 20 de mayo de 2004).

[5] Véase también Pablo González Casanova, *La universidad necesaria en el siglo XXI*, México, Era, 2001.

igualador, cohesionador, como un *melting pot* que abría oportunidades para todos. Sin embargo, aunque las universidades privadas crecieron, el recorte de los ingresos de los sectores medios y medios altos mantuvo una demanda muy fuerte hacia el sistema público. Los reiterados intentos, a partir de mediados de los años ochenta, por imponer cuotas de recuperación en el sistema subsidiado por el Estado generaron una desconfianza creciente de los grupos con menores recursos económicos y abrieron una batalla por la apropiación de la universidad pública que comenzó apelando a argumentos políticos e ideológicos, pero que terminó siendo territorial, y ello se evidenció durante la huelga de la UNAM que duró casi un año hacia 1999.

Una vez que las autoridades de la institución recuperaron las instalaciones con el apoyo de la policía federal, se desató una reacción en cada uno de los círculos académicos, particularmente en los institutos de investigación, o espacios de excelencia como se les denomina, aborreciendo sin distinción a todas las posiciones que de alguna manera se mostraron conciliadores con unos grupos huelguistas que a lo largo del movimiento se fueron decantando hasta evidenciar una clara extracción popular, grupos radicalizados que no dudaron en hacer un llamado a los movimientos urbano populares, sindicales, zapatistas, antiglobales, etcétera, para reforzar su control territorial sobre el campus universitario. A partir de entonces la UNAM ha demostrado su vulnerabilidad ante la proliferación del comercio ambulante, no pudiendo tampoco recuperar auditorios y aulas que quedaron en manos de los grupos populares resentidos por la forma autoritaria como se concluyó el movimiento huelguístico.

¿POLARIZACIÓN CRECIENTE?

Ahora bien, a juzgar por lo hasta aquí expresado, las tendencias no están yendo en el sentido de una reconstrucción y un fortalecimiento de lo social, ni de un tránsito a la democracia. De no tomarse entonces medidas con base en convergencias y consensos más decididos se acentuará la tendencia que vamos a reseñar en el párrafo que sigue, a manera de conclusión provisoria.

En el marco de la mundialización, desde la perspectiva de los países dependientes, en donde se ubica el 80% de los seres humanos, el tema central de nuestra época lo define el hecho de que el espacio de lo social está siendo ocupado mayoritariamente y en forma progresiva por agentes (uso deliberadamente esta palabra en lugar de actores), individuales y colectivos, que no están recreando una superación racional y afectiva que realice las potencialidades humanas del sujeto (Touraine y Farhad, 2000); una comprensión y un cuidado de su entorno social y natural (Leff, 1986); un fortalecimiento del espacio público, del uso de la razón en él, de unos principios básicos de convivencia logrados a través del diálogo y la interacción comunicativa (Habermas, 1999; Sauri 2002); un orden social tendiente a fortalecer la confianza, la honestidad, la reciprocidad, la cooperación (Fukuyama, 1999). Ese espacio social, concebido en términos extensos (sociedad, política, cultura), está siendo ocupado por agentes que se alejan de la estrategia de buscar para su quehacer un sentido en un nivel elevado (una historicidad, una orientación futura mejor); estamos viviendo, crecientemente, en escenarios en donde han sido completamente debilitadas las fuerzas, clases y actores de la modernidad (empresarios, obreros, campesinos, pequeña burguesía propietaria, clases medias asalariadas). El espacio social está siendo ocupado, entonces, por agentes que parecen más bien alejarse de un tipo de orden en el que la "sociedad se produciría a sí misma", dinamizada por movimientos, actores e identidades colectivas (Touraine, 1973), incrementándose en cambio la incidencia de los "garantes metasociales del orden social": las fuerzas incontestadas de la economía-mundo, los poderes del Estado y de la política, los liderazgos personalizados, la conformación de condensaciones grupales (tribus), necesariamente verticales, para articular las demandas del entorno popular, su agresividad y su violencia... En consecuencia, es el eje exclusión-violencia-verticalismo-pragmatismo-estancamiento-regresión el que se vuelve a todas luces dominante (la primacía de los sistemas del poder y el dinero), en detrimento del eje desarrollo del sujeto-racionalidad comunicativa-organización horizontal-producción de la sociedad por ella misma-comprensión del sentido de la acción-tránsito a la democracia; en detrimento, pues, del "espacio público en donde se desarrolla la vida de los hombres en sociedad" (Habermas, *op. cit.*).

BIBLIOGRAFÍA

Fukuyama, Francis, 1999, *La gran ruptura, la naturaleza humana y la reconstrucción del orden social*, Buenos Aires, México, Atlántida.

González Casanova, Pablo, 2001, *La universidad necesaria en el siglo XXI*, México, Era.

González G., Susana, 2002, "El Centro será laboratorio del programa anticrimen de Giuliani", en *La Jornada*, 28 de noviembre, México.

Habermas, Jürgen, 1999, *Teoría de la acción comunicativa; racionalidad de la acción y racionalidad social*, Madrid, Taurus.

Leff, Enrique, 1986, *Ecología y capital*, México, Siglo XXI Editores.

Muñoz Ríos, Patricia, 2004, "Cayó 16% el consumo de electricidad a causa de la crisis económica: SME", en *La Jornada*, 15 de enero, México.

Periódico *Reforma*, 3 de febrero de 2004 y 20 de mayo de 2004.

Sauri, Alejandro, 2002, "Arendt, Habermas y Rawls, razón y espacio público", en *Filosofía y Cultura Contemporánea*, México, Universidad de Campeche y Ediciones Coyoacán.

Touraine, Alain, 1973, *Production de la Société*, París, Éditions du Seuil.

—, y Farhad Khosrokhavar, 2000, *La recherche de soi. Dialogue sur le sujet*, París, Fayard.

LOS EMIGRANTES Y LA IMPOSIBLE INTEGRACIÓN

CARLOS MARTÍNEZ ASSAD*

UN FANTASMA RECORRE EL MUNDO: LA EMIGRACIÓN

El fenómeno migratorio de nuestra época contiene una gran variedad de elementos. La numeralia, las explicaciones y las descripciones no son ya suficientes para entender su complejidad. Cuando hablamos de los emigrantes ya no se trata de una categoría clara porque hay que hacer patentes las diferencias y particularidades entre los expulsados y los que salen de su país por decisión propia. También es determinante un territorio de otro aun cuando ambos pueden ser expulsores. Su componente mundial permite ubicar el fenómeno quizá como el problema más grave después de las guerras, porque mientras éstas acontecen en los momentos de mayor tensión social y de agudización de las cuestiones económicas, la migración se mantiene y se desarrolla en la cotidianidad sin interrumpirse.

La sociedad mundializada parece más propensa a ese intercambio humano entre los más remotos países, si bien puede incrementarse entre los que comparten fronteras, además del conocidísimo caso de Estados Unidos y México, Marruecos y España. En la actualidad 200 millones de personas viven en países diferentes a los de su nacimiento. Se trata de una aseveración rápida pero es una cifra que se ha duplicado en apenas quince años. "Si entre 1750 y 1940 en todo el mundo emigraron 127 millones de personas, sólo en el periodo entre 1945 y 1990 abandonaron sus países cerca de 220 millones de personas, de las cuales el 30% era europeo."[1] Por supuesto, se incluye a los millones de refugiados y desplazados que no se mueven por su propia voluntad y más bien encaran conflictos seculares entre pueblos vecinos o naciones con disputas históricas. Entre 1990 y 1995 Canadá recibió a 250 000 inmigrantes por motivos políticos.

> Son muy pocos, en nuestras sociedades occidentales, los que viven y mueren en el mismo lugar de su nacimiento. Muy pocos ejercen la misma profesión de sus padres y mantienen el mismo círculo de amistades que tenían en la niñez. La emigración de domicilios, de profesiones y de grupos de inmigrantes abarca a sectores cada vez más amplios de la población porque las escenas del adiós se repiten con más frecuencia en la vida de todos nosotros.[2]

El cambio que ha experimentado la migración en el mundo alarma en Estados

* Instituto de Investigaciones Sociales de la Universidad Nacional Autónoma de México.

[1] Stephen Castres y Mark Miller (2002).

[2] *Ibidem.*

Unidos, porque mientras en 1960 la población que había nacido fuera del país sumaba 953 000 polacos, 833 000 ingleses, 953 000 canadienses, 990 000 alemanes y 1.25 milllones de italianos, cuarenta años después cambió completamente su composición. En el 2000 los nacidos en otras partes y que viven en Estados Unidos son 952 000 cubanos, 1 millón de hindúes, 1.22 millones de filipinos, 1.39 millones de chinos y 7.84 millones de mexicanos,[3] aunque las cifras varían según las fuentes; sin embargo, ya éstas muestran la terrible desproporción.

La emigración encierra graves y diversos problemas, porque al desplazamiento de un país a otro se ha acortado por la rapidez de las comunicaciones en los últimos cincuenta años, lo cual no sólo expresa los fuertes intercambios culturales sino que igualmente los oculta. Para entrar en materia y hacer referencia a un hecho reciente, los bombardeos de Israel sobre Líbano en julio y agosto de 2006 develaron no sólo las dificultades políticas entre esos dos países, sino también una verdad insólita. Según la Organización Internacional de Migrantes, las hostilidades lanzaron a las calles de las ciudades importantes de Líbano a un millar de trabajadores procedentes de Sri-Lanka, a 800 etíopes, a miles de vietnamitas y a 200 iraquíes. Lo insólito es que se pudiera dar a conocer que para un país de apenas 4 millones de habitantes trabajaba medio millón de extranjeros. La población femenina representaba el 70% debido a que se trataba fundamentalmente de mano de obra para el trabajo doméstico. Del total, apenas 80 000 contaban con registro, es decir, que se trataba mayoritariamente de ilegales.[4]

Entre los efectos de esos intercambios en el marco de la mundialización de la economía, está la redistribución de 232 000 millones de dólares en remesas, enviadas desde países desarrollados como Estados Unidos y Alemania a sus países de origen por emigrantes que trabajan en la búsqueda de mejores condiciones de vida, como es el caso de los mexicanos y de los turcos. Aproximadamente 3 millones de personas emigran anualmente hacia los países industrializados. De donde salen más son China, India y México, según el Population Referente Bureau de Washington. La mitad va a Europa, donde, por otro lado, se experimenta una pérdida de población sin precedentes por la caída de los índices de natalidad. Los que más reciben son Canadá, Australia y los Emiratos Árabes,[5] la más pujante economía de Medio Oriente.

Entre los emigrantes hay 17 millones de refugiados que fueron obligados a salir, y la cifra va en aumento si se sabe que la tendencia continúa. El movimiento masivo del siglo XX se debió a las persecuciones, a la opresión y a los brutales enfrentamientos armados: primera y segunda guerras mundiales, el proceso de instauración del fascismo, el comunismo, la descolonización y reaparición de nacionalismos, ahora

[3] El último informe de la Oficina del Censo de Washington menciona 41.3 millones de hispanos en el país, cifra que puede incluir a los residentes ilegales. "La mayor minoría del país", los mexicanos –como les gusta decir a nuestros paisanos–, es responsable de la mitad del crecimiento de la población de Estados Unidos: 2.9 millones de habitantes entre julio de 2003 y agosto de 2004.

[4] *Le Nouvel Observateur*, 30 de julio de 2006.

[5] *Reforma Internacional*, 15 de septiembre de 2006, México.

con las profundas diferencias entre pobres y ricos. Una de cada 129 personas fue obligada a dejar su hogar.

En Chechenia el costo social del fin de siglo fue alto, además de los miles que murieron por la represión, medio millón fue obligado a abandonar sus hogares. En 1989 de Liberia salieron 60 000 personas hacia Costa de Marfil, y 84 000 a Guinea. Luego regresaron 70 000 y se adentraron en Liberia, 120 000 procedentes de Sierra Leona. Para 1995 el 8% de la población había sido desplazada a los países vecinos. La guerra en la antigua Yugoslavia produjo entre el verano de 1991 y el otoño de 1995 más de un millón de refugiados y 1.6 millones de desplazados. Un alto número de bajas arrojó la guerra de exterminio contra los musulmanes, y el tráfico de personas de los países del Este hacia Europa central miles de víctimas. En Afganistán, hacia 1992, más de 6 millones de personas dejaron sus hogares.[6] En 1994 cerca de 30 000 personas salieron de Cuba.

En la segunda mitad de 2006 más de 250 000 libaneses abandonaron su país. El alto comisionado de la ONU para los refugiados informó el 9 de enero de 2006 que en las tres semanas previas 20 000 personas fueron desplazadas en Chad, y en el este del país se encuentran 220 000 refugiados sudaneses de Darfour. Proceso semejante a los ocurridos en años recientes en Ruanda, Chechenia, Liberia, Cuba, Yugoslavia, Afganistán y Polonia. Sólo la región de Medio Oriente cuenta en la actualidad con casi 5 millones de refugiados distribuidos en sus mismos países; por ejemplo, palestinos en Jordania y Siria, somalíes en Yemen e iraquíes en Irán.

Las razones económicas no explican *per se* esos movimientos, porque aunque son las más importantes, quienes se mueven buscan también vivir en libertad y poder ejercer la democracia, gozar de ciertos derechos aun por encima de los más elementales. Esa dualidad permite entender por qué 150 000 iraníes abandonan su país anualmente, y los intentos no siempre exitosos de muchos por salir de Cuba. Apenas en junio de 2006 se dijo que 176 cubanos fueron retenidos por el Instituto Nacional de Migración en México. Dos de ellos repetían la experiencia porque ya habían estado en una balsa durante 32 días y fueron regresados a su país, por una segunda ocasión la armada mexicana los rescató, sólo para hacerlos volver a su país.[7]

Un calvario con más obstáculos es el de los pobladores de países africanos, como Mali, Gambia, Senegal y Mauritania, quienes van a buscar su futuro en España, y antes de concluir el 2006 más de 21 000 habían llegado por oleadas a las costas Canarias, con días en que han superado los 500 emigrantes; arriban en barcazas o pateras de diferente tamaño, construidas, al igual que las cubanas, con desperdicios de cualquier cosa, por lo cual su resistencia es nula. Así lo demuestran los más de 1 500 ahogados en los primeros meses de ese año. Hay quien afirma que es frecuente encontrarse diariamente con un cadáver que flota en el mar.

[6] *Exodus. 50 million people on the move,* German, photographs by Signum Edition Stemmle. Caritas Germany, German Red Cross, German Foundation for UN Refugee Aid, German Agro Action, Pro Asyl, UNHCR and World Vision, 1995.

[7] *El Universal,* 16 de julio de 2005, México.

¿CUÁNTO CUESTA SER INMIGRANTE?

Pese a las terribles condiciones a que son sometidos los emigrantes, y a sabiendas de que pueden pagar su traslado con la vida, lo cual acontece a menudo, prefieren asumir el riesgo e incluso terminar con los ahorros reunidos por toda la familia. Entre los costos de los movimientos migratorios hay que considerar lo que erogan los interesados; se calcula que un senegalés paga 600 euros para ser llevado a Canarias; entre 2 000 y 6 000 dólares un mexicano para cruzar a Estados Unidos. Hay una ironía en las coincidencias de las cotizaciones de un mercado internacional y una irracionalidad, porque con lo que paga un emigrante mexicano por ser llevado a Estados Unidos podría llegar hasta España; así, la potencia hegemónica en el plano internacional representa el destino más caro. Aún más irracional resulta el pagar en diferentes intentos por llegar al destino propuesto.

Por otra parte, es una paradoja que los países receptores deban costear la repatriación. Estados Unidos gastaba 300 dólares por el arresto de un ilegal en la frontera con México, y en unos años su costo llegó a 1 700 dólares, un incremento de 467%.[8] Sólo el Control Fronterizo de Arizona en Estados Unidos devolvió en 2005 a casi 600 000 mexicanos indocumentados, de los cuales más de 44 500 eran menores.

México devuelve anualmente a sus países a alrededor de 215 000 emigrantes del sur del continente, el 1% con destino a Cuba. España cuenta con un complejo sistema de acopio que ya ha sido rebasado por los flujos recientes, muy costoso porque tiene que dar atención a personas que llegan desfallecientes después de días a la deriva en el mar, sin alimentos y con enfermedades. Sólo entre enero y septiembre de 2006 unos 15 000 emigrantes encontrados en el mar o en las costas africanas han debido trasladarse a la península, desde donde vuelos *charter* a cargo del gobierno los regresan a sus países. Por ejemplo, en junio se acordó la repatriación de 623 senegaleses detenidos y la ayuda a Senegal por 750 000 euros.[9]

Para España el problema es difícil porque cuenta con una población de 43 millones de habitantes, de los cuales el 7% lo representan extranjeros.[10] Eso ha llevado a un proceso de regularización para poner fin a la inmigración ilegal, con la posibilidad de legalizar hasta 300 000 expedientes. No obstante, se ve imposible frenar el flujo migratorio que parece la tendencia del mundo actual. Así, el gobierno español devolvió el 6 de octubre de 2005 a 70 subsaharianos procedentes de Mali que cruzaron Melilla durante una semana de gran violencia. Sólo en unos cuatro meses murieron cuando menos 14 personas en la frontera con Marruecos. Para frenar ese enorme flujo, el gobierno español se ha propuesto construir una nueva barda en Melilla para evitar este tipo de asaltos;[11] ahora la tendencia es resolver el grave problema migratorio construyendo bardas.

[8] Douglas S. Massey, 2005, "Backfire at the Border, Cato Institute Report", en R. Fernández de Castro y A.P. Ordorica (2006).

[9] *El País,* 1 de junio de 2006.

[10] *El País,* 6 de octubre de 2005.

[11] *El País,* 7 de octubre de 2005.

El ministro del Interior español, José Antonio Alonso, ha defendido la actuación de la guardia civil por sus reacciones frente a la avalancha de inmigrantes en las oleadas que se dieron en Ceuta y Melilla, donde tuvieron lugar varios hechos violentos. Dijo también que en los eventos del 29 de septiembre, los fallecidos no fueron liquidados por la guardia nacional sino que, luego de ser encontrados con heridas, murieron al ser trasladados a los hospitales; algo que nunca se aclaró en forma definitiva.

Los estados receptores deben cubrir también el costo de una propaganda permanente en su contra en los medios internacionales, algo en lo que además de los diarios y la televisión se ha venido a sumar el cine, con numerosas producciones alusivas en las que se vicitimiza a los emigrantes, como el tema de moda. En muchos sentidos tienen razón, pero habría que complementar la crítica con los problemas de los países expulsores, cuyos gobiernos no se empeñan en detener los flujos, como es el caso de México, donde el desempleo ha sido uno de los factores decisivos que invocan los emigrantes y la propaganda de todo tipo sobre las satisfacciones del *american way of life*. Algo semejante podría decirse de las percepciones que se tienen de México en Guatemala, o respecto de España en Ecuador.

LA POROSA FRONTERA MÉXICO-ESTADOS UNIDOS

La desigualdad entre un lado y otro de la frontera Estados Unidos-México es de 4 a 1, mientras que en España-Marruecos es de 11 a 1. Médicos Sin Fronteras denunció que casi 700 emigrantes fueron lanzados al desierto a 500 kilómetros de Marruecos, en la frontera con Argelia, con la que, por cierto, ni siquiera hay convenios. Esta política coincide con la que ha impulsado Francia en un plan que regula la inmigración para quienes tengan cinco años de haber ingresado y alguno de sus hijos esté inscrito en el sistema escolarizado;[12] no obstante, es crítica la situación y la resistencia con que los europeos visualizan a los que llegan de fuera: los sudacas en España, los *pied noir* en Francia o los turcos en Alemania.

Frente a la mundialización en lo que concierne a los intensos intercambios poblacionales, como principal elemento ordenador se erige el establecimiento de mecanismos reguladores para tratar el fenómeno migratorio con orden y legalidad. Coinciden España y Francia, que en diferentes momentos de su historia han debido hacer frente a intensos flujos migratorios; en ellos las políticas públicas han intentado sistemas de regulación. Algo semejante sucede con las propuestas del gobierno de Estados Unidos respecto de todos los extranjeros que ingresan a su país, con énfasis en la población de origen mexicano con características singulares.

Sólo entre enero y septiembre de 2006 se han presentado en el Congreso de Estados Unidos 463 iniciativas sobre inmigración, según la Conferencia Nacional

[12] "¿Quiénes son los franceses de la inmigración?", *Le Monde*, 19 de enero de 2006.

de Legislaturas Estatales,[13] que van desde militarizar la frontera y la construcción de diferentes tipos de bardas hasta permitir a los hijos de indocumentados estudiar en la universidad pagando colegiaturas más baratas. El hecho es que, como nunca, el debate migratorio está instalado en Estados Unidos. Sorprende que no se dé con igual intensidad su contraparte en México, y más que un manejo adecuado tenga fundamentalmente dos variables: el flujo de remesas recibido y cómo hacer para mantenerlo por los evidentes beneficios que representan para la economía nacional. Por supuesto, hay una agenda extensa, pero velada por el nacionalismo vernáculo que supone natural que Estados Unidos reciba a toda la población expulsada por la cerrazón del mercado de trabajo interno.

A diferencia de otras realidades, la emigración mexicana hacia Estados Unidos no encierra el grave problema de una crisis humanitaria, aun cuando hay relaciones con predominio de un trato racista que llega a ser vergonzoso, e incluso a tener como resultado los asesinatos en la zona fronteriza cuando los miembros de la guardia nacional nerviosos responden con violencia a las reacciones de los emigrantes.

Gran expectativa ha generado entre los inmigrantes indocumentados procedentes principalmente de México y de otros países latinoamericanos la propuesta de una reforma a las leyes migratorias que se ha discutido en el Senado de Estados Unidos desde marzo de 2006. Es difícil esperar un resultado satisfactorio para el grueso de los inmigrantes, en particular entre los hispanos cuya conciencia de sus derechos ha crecido de manera notable. Ahora en su discurso hablan de que son necesarios y que son trabajadores honestos que están influyendo en el desarrollo de Estados Unidos.

Como paradoja, entre el 29 y 31 de marzo de ese año tuvo lugar en Cancún, México, una reunión cumbre entre Estados Unidos, México y Canadá. Aunque el tema que estaba en el aire era precisamente el de la migración, el presidente George W. Bush no dio su brazo a torcer y habló de los necesarios convenios de seguridad en la frontera. Como un juego de solitario, Vicente Fox, el presidente de México, insistió en que la reunión beneficiaba un tratado favorable para los emigrantes mexicanos, lo cual no tenía ningún asidero en la argumentación escuchada a lo largo de la reunión.

Mientras tanto, las ONG realizaron manifestaciones que rebasaron todos los cálculos, reuniendo a millares de personas en Los Ángeles, Phoenix, Nueva York, Houston y otras ciudades. Los estudiantes descendientes de emigrantes decidieron tomar la calle prácticamente todos los días. Se trataba de un movimiento del despertar respecto de las situaciones vividas y ahora han decidido hablar. La novedad es que se han expresado con banderas. Por las calles de las ciudades de Estados Unidos aparecieron, junto a las barras rojas y las estrellas, los fuertes y contrastantes colores de las banderas de México, Guatemala, Honduras, Nicaragua, Brasil, El Salvador y algunas de países africanos. Es un lenguaje de banderas que se entrecruzan y generan controversia.

"Si este país significa libertad, por qué no podemos ondear nuestra propia ban-

[13] R. Fernández de Castro y A.P. Ondorica, *op. cit.*

dera", afirmaba un estudiante estadounidense suspendido dos días por el director del liceo Skyline, en una ciudad de Colorado, porque se manifestó apoyando a los estudiantes vinculados con la migración ondeando el pendón de las barras y las estrellas. Se alega que no puede permitirse su mal uso.[14] Robert Pambello, el rector de la secundaria *Reagan*, fue castigado por ondear la bandera mexicana en la parte frontal de su escuela junto con las de Estados Unidos y de Texas. "Sólo está permitido colocar estas dos banderas", señaló Ferry Abbot, el portavoz del distrito escolar de Houston.

Mostrar los pendones de los países de procedencia de los inmigrantes ha generado una fuerte controversia porque algunos estadounidenses opinan que no saben si les permitirían en otro país exhibir así su bandera. Pero el argumento más contundente es que se trata de la evidencia más fuerte de su referente patriótico, el de su país de origen; lo cual también demuestra lo que Huntington afirma respecto de la imposible integración. Los indocumentados están aquí en busca de la supervivencia, no para contribuir con su esfuerzo a un proyecto común del país receptor. Se trata de una de las más fuertes diferencias entre los inmigrantes de otro tiempo, cuando irlandeses, polacos y tantos otros fueron a Estados Unidos para quedarse, mientras que ahora los hispanos mantienen una doble identidad en la que predomina su referente nacional de procedencia. Envían lo que ganan a sus casas y mantienen los vínculos afectivos, en particular los mexicanos, porque alguna ventaja permite contar con la porosa frontera extendida a lo largo de 3 000 kilómetros.

EXCLUIDOS E INTEGRADOS

Ahora el tema que más preocupa en cuanto a los desplazamientos de un país a otro es el de la integración, como valor al que los conservadores, a quienes Samuel P. Huntington representa muy bien, le dan la mayor de las importancias. Ya no se trata solamente de un asunto de quiénes llegan, sino también de los nativos que lo esgrimen como evidencia de la falta de compromiso de los inmigrantes. Argumentos como éste pusieron de manifiesto una extendida ideología de rechazo como reacción a las movilizaciones de mexicanos y de otros hispanos en Estados Unidos en la primavera de 2006.

El 37% de los nuevos franceses considera que hay demasiados inmigrantes en Francia, lo cual representa el 47% respecto del resto de la población que opina así. El 15% piensa que hay razas menos dotadas que otras, porcentaje que no coincide con el hecho de que el partido derechista de Jean-Marie Le Pen apenas es apoyado por el 2 por ciento.

Por lo que toca a la endogamia y a la exogamia religiosa, a los nuevos franceses musulmanes se les preguntó si aceptarían que sus hijos se casaran con no musulma-

[14] *La Jornada*, 1 de de abril de 2006.

nes. El 15% rechazó esa posibilidad en el caso de los varones y el 32% asumió la misma postura tratándose de las hijas. Entre la población francesa la tasa de desaprobación de un matrimonio con un musulmán es de alrededor del 20 por ciento.

La capacidad de integración está presente en la sociedad desde hace un siglo, aunque se dice que ni los polacos ni los italianos, debido a sus propios valores, pueden integrarse, lo mismo que los españoles y los portugueses. Hay que recordar que la mayoría de los polacos fueron católicos, pero realizaban el culto en forma separada y con su propio clero,[15] contrariamente a la argumentación oficial que considera que, por ejemplo, españoles y portugueses se han integrado con facilidad a Francia.

Los excluidos en las sociedades de adopción son aquellos a los que la mundialización les ha ayudado a sobrellevar sus precarias condiciones de existencia, en ocasiones –no siempre– contando con los organismos que pululan alrededor de la ONU, Greene Peace, Amnistía Internacional, Médicos sin Fronteras, etcétera. En el bando opuesto se encuentran quienes consideran que la mundialización económica ha contribuido a las pérdidas que han desplazado a los ciudadanos del mundo por otros países diferentes a los de procedencia para escapar de la precariedad. Son ellos los mismos que se convierten en los incluidos en sus sociedades de origen y muchos son mostrados como ejemplo del éxito logrado cuando regresan a sus hogares, así sea por apenas una breve temporada, como los mexicanos que viven en Estados Unidos.

En julio de 2002, George W. Bush decretó que los miembros del ejército nacidos en el extranjero cumplían con los requisitos para otorgarles la ciudadanía. Desde esa fecha, 20 000 hombres y mujeres con uniforme se han convertido en ciudadanos de Estados Unidos.[16] No ha sido igual de fácil para los mexicanos que no están en sus filas, y, por el contrario, dos de las personas indemnizadas por el atentado terrorista al World Trade Center el 11 de septiembre de 2001, con más de un millón de dólares, continúan como indocumentados, pese a los apoyos de abogados comunitarios.

La gran falla social sigue estando en México, porque de los 11 millones de connacionales a los que afectarán las medidas que tome el Congreso de Estados Unidos, el 6.5% no tiene escolaridad, el 23% cuenta con primaria incompleta, el 29% tiene primaria terminada, y la secundaria apenas fue cubierta por el 40.4%. No obstante, para el país vecino la presencia de trabajadores mexicanos inyecta dinamismo a su economía, como sucedió desde el programa bracero iniciado en 1942.

Así, es pura ideología el debate que compara a los emigrantes mexicanos con los bárbaros de la época romana o que alega su imposible integración, como lo hace Huntington, para quien "En la nueva era, el desafío inmediato y más serio para la identidad tradicional de Estados Unidos es el que viene de la enorme y continua inmigración desde América Latina, especialmente de México, y de las altas tasas de

[15] Debate con Sylvain Brouard y Viniste Tiberj (2005).

[16] The White House, Oficina del Secretario de Prensa, 27 de marzo de 2006.

fertilidad de los inmigrantes comparados con los estadounidenses blancos y nativos."[17]

Su afirmación contradice hasta el principio formativo de Estados Unidos, una nación que se nutrió siempre de los flujos de población principalmente europea, pero no se puede negar también la africana. Sin embargo, el fenómeno nuevo es el de la gran inmigración de mexicanos, por supuesto con raíces históricas en el programa bracero de la época de la segunda guerra mundial (1942-1948), aunque hubo un programa semejante desde la primera guerra. Lo novedoso radica, además, en el enorme flujo diario de mexicanos que, una vez en la fuerza de trabajo, envían a México las remesas más extraordinarias que se hayan conocido hasta ahora, de 20 000 millones de dólares para el 2005 y de 25 000 millones de dólares para 2006. Se trata de una población joven, por lo que no todos pueden ser trabajadores, el 22% tiene entre 12 y 24 años, el 37% entre 24 y 34 años, el 27% entre 35 y 44 años, y el 14% tiene 45 años o más. El promedio de edad de los hombres es de 31 años, y de 25 el de las mujeres. Quienes han trabajado ya en ocasiones anteriores en Estados Unidos constituyen el 47 por ciento.

El hecho de que casi la mitad de los mexicanos que viven en Estados Unidos hayan ingresado a trabajar en más de una ocasión revela otro sentido de la emigración, en la cual es de suponerse que el interesado controla el asunto. En ese sentido, los procesos de aculturación e integración han tenido lugar sin responder de manera exacta a las definiciones previas porque, a diferencia del emigrante del pasado, el de ahora acepta una suerte de binacionalismo. Se vive y trabaja en Estados Unidos llevando los referentes culturales, fundiendo pasado y futuro en un presente en el que confían. Los emigrantes mexicanos no cortan definitivamente con sus raíces, al contrario, se enorgullecen de ellas y vuelven a las festividades familiares o patrióticas. Incluso, quienes mantienen vínculos con las comunidades indígenas continúan participando de las tradiciones. Se ha dado el caso de quienes siendo nombrados mayordomos de las fiestas, las sufragan como es la costumbre, pero son representados por algún pariente o amigo, siempre y cuando cumplan con la obligación de financiar lo que corresponda.

Puede hablarse entonces de emigraciones exitosas que, a semejanza de las del pasado, se insertan en las venas de la nación acogedora. La diferencia, y lo que provoca el coraje de los neoconservadores, es que no se asimilan. Los emigrantes ahora no parecen dispuestos a asumir el país de su destino, Estados Unidos para los mexicanos, sino tomar solamente una parte de sus beneficios, aquellos que pueden manejar a su antojo sin desligarse de sus lazos familiares y de su lengua.

El éxito tiene dos formas de expresarse; la más difícil es dentro de Estados Unidos y la otra en México. Las revistas y programas de televisión ponen de relieve casos que les importa dar a conocer porque resultan ejemplares, ya que caracterizan a los inmigrantes que quieren tener, en términos más rebuscados de las leyes, son a los que hay que escoger. Algo semejante a la propuesta de Nicolás Sarkozy, ministro

[17] Samuel P. Huntington (2004: 32).

del Interior en Francia y él mismo primera generación nacida en un país diferente al de su origen. Para él, lo importante es dejar entrar sólo a los inmigrantes rentables, es decir que tengan "motivos profesionales".[18]

Es irónico que la otra cara del éxito es la del regreso a México, cuando el emigrante llega a la casa familiar con un gran carro y regalos, y logra mostrar que puede hablarles a los hijos intercalando en el español algunas palabras en inglés. Por supuesto, es recibido como héroe porque el resto de la familia vive en parte con las remesas que él ha logrado reunir. Y, en ese sentido, la pobreza es de los vecinos que han permanecido en el poblado cultivando la tierra o dedicados a otras actividades primarias porque los demás que han salido en el país lo han hecho a la capital o a las ciudades medias donde pueden emplearse en alguna industria o en el comercio.

El emigrante mexicano vive la dualidad de la exclusión/inclusión que vincula a su país de origen con el de su trabajo, su vida está dividida y aún sin éxito en el país al que ha emigrado, en el propio se le considera respetable. Tal es el caso de un grupo de michoacanos empleados como jardineros, ganan 15 dólares por hora en un barrio residencial, la mayoría ya logró la nacionalidad estadounidense y alguno es ya poseedor de una gran casa. Él, como líder, fue quien a lo largo de treinta años comenzó a llevar a los varones de la familia en edad adulta, ahora todos tienen cómodas casas en su estado de origen y sus madres viven con orgullo la situación en que las han colocado los hijos. Han logrado escamotear la pobreza a un alto costo, como los demás, pero han visto los resultados. Sin embargo se quejan: "En Estados Unidos son demasiado mexicanos" y "En México son demasiado americanos". Sus amigos los saludan con el típico "Qué pasa, gringo".[19] Sólo el futuro podrá determinar a dónde lo inclinará esa polarización, con sus familias divididas entre un país y otro; a lo mejor se trata de nuevos ciudadanos del mundo, con características que no son ya las que daban identidad porque ahora comparten identidades múltiples.

BIBLIOGRAFÍA

Brouard, Sylvain y Viniste Tiberi, 2005, *¿Francés como los otros? Encuesta sobre ciudadanos de origen magrebino, africano y turco*, París, Presse de Sciences Po.

Castres, Stephen y Mark Miller, 2002, *The age of migration*, Mac Millan Press.

Douglas S. Massey, 2005, "Backfire at the Border, Cato Institute Report", en Rafael Fernández de Castro y Ana Paula Ordorica, "Adiós al laissez-faire migratorio", *Nexos*, julio de 2006, México.

Exodus. 50 million people on the move, German, photographs by Signum Edition Stemmle. Caritas Germany, German Red Cross, German Foundation for UN Refugee Aid, German Agro Action, Pro Asyl, UNHCR and World Vision, 1995.

de Castro, Rafael y Ana Paula Ordorica, 2006, "Adiós al laissez-faire migratorio", *Nexos*, julio, México,

Huntington, Samuel P., *The Hispanic challenge*, Foreing Policy, marzo-abril de 2004.

[18] *Le Monde*, 2 de abril de 2006.

[19] Nathan Thornburgh, "Inside the life of the migrants next door", en *Time*, 6 de febrero de 2006.

JUVENTUD, ESPACIO URBANO Y EXCLUSIÓN SOCIAL*

MARCELA MENESES REYES**

INTRODUCCIÓN

En principio nos parece importante señalar la limitada pertinencia de hablar de "la juventud" como si se tratara de una categoría numérica y homologable, ya que el aspecto etario no implica un único criterio para hablar de una común forma de vida y de intereses. Tampoco es posible hablar de una misma juventud a lo largo de la historia, o entre países y realidades distintas, o incluso dentro de un mismo país o de una misma ciudad.

La familia, el barrio, la escuela, el nivel académico, el ámbito laboral, la clase social y, por supuesto, el contexto político, social, económico y cultural, crean múltiples abismos que, en consecuencia, hacen totalmente distinto a un joven de otro, además de que cada sociedad conforma sus propios criterios de transición hacia la vida adulta. Por lo tanto, es importante tener en cuenta que al hablar de jóvenes debemos hacer referencia a la construcción sociocultural que realiza cada sociedad en su tiempo y espacio de los mismos, y en este sentido, tener presente –como lo plantea Pierre Bourdieu (1984)– a *las juventudes,* en plural.

En este prisma de realidades, el presente documento trata de hacer un ejercicio de reflexión que ponga en cuestionamiento los criterios de lectura para comprender lo que parece ser una de las cualidades que han caracterizado a la juventud de, por lo menos, los últimos siglos, con esto nos referimos al *riesgo.* Y, como contraparte de lo anterior, se intenta poner en la mesa del debate las prácticas y políticas que traducen esta tendencia juvenil de asumir riesgos, en mecanismos específicos para evitar sus posibles consecuencias no deseadas, o para controlar su intensidad y alcance cuando ya se han producido.

Si bien el riesgo y los mecanismos de control social van tomados de la mano, en cada generación y momento histórico de una sociedad donde se coloca este ejercicio es en aquellos sectores de la juventud que, por efecto de la desigualdad económica y la estratificación social, son prácticamente excluidos de los supuestos derechos que se han legitimado para su integración y desarrollo, orillándolos a una mayor marginalidad y pobreza.

* El presente texto es un extracto de la tesis de la misma autora, titulada *Reflexiones en torno a los mecanismos de control social en materia de juventud en el Distrito Federal.* Tesis para obtener el grado de Maestría en Estudios Políticos y Sociales, Facultad de Ciencias Políticas y Sociales-Universidad Nacional Autónoma de México, septiembre de 2006.

** Profesora de la Facultad de Ciencias Políticas y Sociales de la Universidad Nacional Autónoma de México.

No hay duda de que es en estos sectores donde riesgo y control adoptan tintes dramáticos, ya que su doble subalternidad (etaria y socioeconómica) se ha convertido en el mejor caldo de cultivo para la producción y reproducción de prejuicios y estereotipos negativos; sobre todo, para localizar a un sujeto que pueda servir de depositario de los malestares y problemas que llegan a aquejar a la sociedad general en que viven, cuando esta última se encuentra en crisis, o buscando una salida para ello.

En el México de los años recientes y en su ciudad capital, la cara de la perturbación social que se ha privilegiado es la de la inseguridad; el sujeto protagonista de la misma es el joven pobre y marginado, y los contenidos de riesgo que se le imputan son, sobre todo, la criminalidad y el delito.

A este respecto, cabe señalar que nuestra reflexión no abarca ni intenta abarcar a todo el sector juvenil pobre. Los problemas y las expresiones juveniles dentro de esta franja de realidad son diversos y sus fenómenos de riesgo también ofrecen material para estudios y enfoques distintos. En nuestro caso hemos dejado a un lado, por ejemplo, la temática de las culturas juveniles para concentrarnos en el nivel individual de jóvenes no organizados, aunque puedan pertenecer a dichas culturas. También quedan fuera las diferentes expresiones culturales y de resistencia colectiva, para dar paso sólo a algunas experiencias de sobrevivencia que se desarrollan dentro de ciertas condiciones de vida.

Aunque dentro de estas experiencias podemos ubicar a la delincuencia juvenil, nuestra reflexión no apunta a un estudio de este tipo en sí mismo. Sin embargo, su inclusión es necesaria dado que la criminalidad y el delito son las perspectivas privilegiadas para relacionar a estos jóvenes con el riesgo. Por lo mismo, con respecto a los mecanismos de control le damos un peso especial a una modalidad formal todavía vigente en la ciudad de México. Al mismo tiempo, al hablar de "sociedades de riesgo" hemos optado por hacer más explícita su contraparte: "las sociedades y culturas del miedo".

Una de las razones para abordar los aspectos anteriores es que el estudio de las culturas juveniles nos permite hacer una primera decantación sobre problemáticas tales como la conformación de la identidad y la apropiación y resignificación de espacios citadinos. Esto es pertinente en cuanto la situación, las experiencias y las condiciones de vida de los jóvenes urbanos pobres han dejado de pertenecer –como lo aseguraban los primeros estudios de juventud– al mundo de la territorialización. Se observa que ahora es la juventud itinerante la que marca el ritmo de tales procesos y experiencias.

Con esta especie de inversión conceptual intentamos colocar el problema del riesgo en el marco de un miedo social generalizado que, como en el caso de la ciudad de México, vuelve a refrendar las acusaciones históricas sobre aquellos grupos y personas que han tenido la desgracia de estar en cualquier situación (étnica, racial, religiosa, económica, entre otras) de desventaja dentro de la sociedad que los señala. Para nosotros éste es otro punto clave, ya que un elemento que define a los jóvenes como sujetos en riesgo es que su desviación muchas veces no se debe a conductas ilícitas ya cometidas, sino a jóvenes cuya situación de pobreza y marginación los vuelve –para el ojo vigilante y temeroso– potenciales quebrantadores del orden social y, por lo tanto, sujetos a los que hay que temer.

APROPIACIÓN Y RESIGNIFICACIÓN DEL ESPACIO URBANO EN MANOS DE LOS JÓVENES

Para abordar la vida de los jóvenes en el contexto urbano debemos tomar en cuenta algunos de los criterios asociados a este tipo de investigaciones, los cuales han sido aportados por un investigador reconocido en nuestro país por sus estudios en cuanto a la sociología de la cultura: Gilberto Giménez, quien retoma diversos estudios sobre identidades urbanas y concluye con una distinción de tres niveles de análisis relacionados.

a) El nivel de la ciudad *morfológica*, constituida por todo lo que es directamente observable (edificios, espacios públicos, entorno, etcétera).
b) El nivel de la ciudad *sociopolítica*, que abarca las prácticas urbanas. Es el conjunto de comportamientos sociales (públicos y privados) que los citadinos realizan en el marco de la morfología urbana y que son observables.
c) Y el nivel de la ciudad *de la gente*, la ciudad representada, percibida y vivida por sus habitantes. Es el nivel de las imágenes, proyectos, motivaciones, de los imaginarios y de la identidad, y no son observables.

Con este tipo de criterios pretendemos ubicar nuestro estudio para hablar de los espacios de reunión juvenil, los cuales son sumamente escasos. Pero a pesar de su escasez existen, ya que los jóvenes –al igual que toda persona que vive en una urbe– se los apropian y resignifican, al tiempo que quienes se congregan ahí van conformando una identidad que dota de sentido al mismo.

En este sentido, hay que tener siempre presente que no todos los jóvenes luchan por una apropiación territorial morfológica, pero existen movimientos, como los *okupas,* que invaden ilegalmente algunos terrenos o construcciones abandonadas y se resisten a desalojarlas (aunque en México este movimiento no ha tenido tanta fuerza como en otros países de América Latina –por ejemplo Argentina– y de Europa).

En México, particularmente en el Distrito Federal, existen infinidad de jóvenes urbanos que son "estáticos", es decir, a quienes la propia dinámica de la ciudad orilla a la marginalidad, ya sea por la falta de infraestructura que facilite su movilidad (transporte, vías de tránsito), porque carecen de recursos que les permitan desplazarse (especialmente económicos), o porque no existe una intención ni interés por conocer otros rincones de la gran ciudad.

Pero también existen jóvenes "itinerantes", en constante movimiento, que se desplazan por la ciudad y descubren y se apropian de infinidad de espacios, pero sólo instantáneamente. Es decir, no se reconocen ni se arraigan en un centro que dote de sentido a su existencia. No hay ejemplo más claro de este constante movimiento que el de los jóvenes "grafiteros".

Con respecto a estas formas de apropiación debemos resaltar el papel central que tiene para todo sector juvenil la cultura parental de pertenencia, que define de inicio el lugar de residencia y de circulación de cada uno de los jóvenes, y a partir de la cual se distinguen diversas prácticas y maneras de percibir el mundo, que son imposibles de cortar de raíz o de dejar de lado al momento de crear nuevas prácticas o universos simbólicos.

La ciudad morfológica, la ciudad sociopolítica y la ciudad de la gente van de la mano al momento de definir un espacio y sus características. En este sentido, toma una importancia central el problema de las clases sociales y su capacidad adquisitiva, pero además del capital económico no debemos perder de vista el capital social, cultural y simbólico. El interjuego de estos capitales jerarquiza los espacios a los que se permitirá el acceso de las clases altas, así como de la clase media que aspira a ubicarse en un lugar (generalmente ascendente) y de los marginados.

Los espacios juveniles se organizan alrededor de esta jerarquización de una manera flexible y cambiante. Sin embargo, su denominador común está basado en los límites impuestos por las normas e instituciones sociales en cuanto al orden que debe tener la dinámica de la vida social. Por lo tanto, es necesario actuar no sólo por el rito sino identificar igualmente los lugares y los personajes que acarrean el riesgo, cuando se llega al punto en que todas las preocupaciones tomadas no bastan para dominar completamente a las fuerzas contrarias y los generadores del desorden, para contener los ataques de lo desconocido y de las potencias ocultas.

Esta caracterización del espacio juvenil como espacio de riesgo se puede ver más claramente en algunas zonas urbanas como Tepito, la Guerrero, La Merced y el mismo Centro Histórico. Aquí el sentido de su marginación no está delimitado sólo por el aspecto geográfico, ya que estas colonias están ubicadas en el corazón mismo de la gran urbe. La marginación tampoco puede definirse únicamente por el aspecto económico, ya que estos lugares tienen un fuerte movimiento económico, financiero y comercial altamente regulado. La pregunta sería entonces si la marginación y la concepción de riesgo y desorden se definen a partir de la gente que habita determinados barrios, así como de sus prácticas y de sus universos simbólicos.

Con el fin de dar respuesta a estas cuestiones, podemos tomar en consideración el "modelo blanco" planteado por Michel Korinman y Maurice Ronai (1980), quienes analizan varios mecanismos de discriminación social basados en el criterio racial.

El análisis de estos criterios es muy pertinente para nuestro presente trabajo en el siguiente sentido. Aunque los jóvenes urbanos y sus espacios de reunión no son clasificados como realidades marginales a partir (al menos abiertamente) de un criterio de exclusión racial, lo cierto es que son víctimas de los mismos mecanismos de identificación, valoración social y tratamiento. En consecuencia, están sometidos a prácticas y políticas de control parecidas.

Existe una semiótica de los modelos blancos, los cuales ejercen un poder de discriminación sin designarlo por lo que es. Es decir, operan a través de jerarquizaciones económicas, políticas, sociales y culturales que parecen organizarse por medio de sus propias dinámicas endógenas y no a través de un criterio de exclusión y marginación previamente establecido, el cual se oculta y camuflajea dentro de esas dinámicas. Con ello, la dominación de entrada y de salida se vuelve *superioridad* necesaria, natural, intangible, como inscrita en el orden de las cosas.

Los autores dicen que el modo de leer en blanco, aunque se inscriba en un lenguaje, no implica que se quede solamente en el plano del discurso: éste excede ampliamente el campo del lenguaje, así como el de las estrategias y el de las ideologías, para devenir en prácticas concretas que se aplican a las personas (a los que caben en el parámetro establecido) y sus contextos.

En el caso de los jóvenes marginales y sus lugares de habitación o de operación, los estudios, diagnósticos, materiales de difusión, etcétera, generalmente estarán dirigidos a ver en ellos el nudo más fuerte de problemas de anomia social. Sin que sea intencional, las informaciones, por más benevolentes y comprensivas que sean, tipificarán a los jóvenes y sus espacios en términos de problemas que hay que resolver de acuerdo con los cánones y normas establecidas, de acuerdo con lo que debe ser su forma de integración social, aunque no existan condiciones para ello, o al mismo tiempo que se siguen reproduciendo las condiciones que lo impiden.

En este punto nos detenemos para abordar la diferencia entre la autopercepción de los jóvenes y la desarrollada por los sectores que les son ajenos. En el caso de los jóvenes pobres urbanos se observa la siguiente contradicción: por un lado, las familias y las comunidades están atrapadas en las mismas circunstancias sociales, económicas y culturales que hacen marginales a sus jóvenes; pero, por otro lado, estos criterios comulgan y reproducen los valores y juicios de lo que debe ser la integración social de los jóvenes. Queda claro que aquí también hay diferencias marcadas por la jerarquización y la estratificación social. Es decir, no será igual la opinión y el sentido común sobre la forma en que un joven pobre debe ser y hacer, en comparación con una persona de otro estrato social. El buen trabajo como ejemplo de esta diferencia de opiniones, puede ir desde vender periódicos y lavar autos hasta ser empleado de una oficina, un establecimiento grande, una empresa.

Pero no sólo se trata de meras diferencias. La lógica del "tribunal" que juzga es más dura en el caso de los jóvenes pobres que viven en barrios también pobres o marginados. Si el joven proviene de un espacio peligroso se considerará que él es el lógico resultado virtual o potencial (por el solo hecho de provenir de ahí, aunque no haya transgredido ninguna norma o cometido ningún delito), o la constatación viva del estigma espacial.

Doble discriminación: de ser joven y ser pobre

Estos elementos nos permiten observar la importancia de esta doble discriminación dada por el criterio de juventud y marginalidad, la cual va más allá del capital económico, político y social, para conjugarse con lo imaginario, lo simbólico y el rito. La articulación de ambos planos impone su marca a los lugares, rigen una topología en la cual se oponen lo ordinario y lo extraordinario, lo normal y lo anormal o lo monstruoso, el espacio humanizado y las otras partes donde las personas se encuentran en peligro, librados a lo desconocido.

Esto nos recuerda que los espacios habitados o apropiados por los jóvenes marginados o pobres son denominados como peligrosos de la misma manera que en la metáfora de Georges Balandier (1989) se describe, con respecto al bosque, un lugar de desorden y caos:

> Allá se encuentran las hadas malas que frecuentan las hondonadas, los senderos estrechos, los alrededores de las ciudades; la noche es su reino, las favorece para robar a los niños pequeños, agredir a los viajeros retrasados, hostigar a los durmientes. Ahí aparecen también, cuando se producen ataques nocturnos, las criaturas más temidas, porque son mitad hombre, mitad bestias.

Si el desorden no es reductible entonces es necesario hacerle lugar, tenerlo bajo vigilancia, utilizarlo, como señalan Korinman y Ronai con su modelo de sistemas y modalidades de inscripción de un poder dirigido a establecer clasificaciones y jerarquizaciones de poder. Por otra parte, el caos puede invadir el campo de la vida social y trastornar su orden. Dice Balandier que los peligros del bosque pueden atravesar las fronteras e invadir aquellos lugares seguros y normales. El espacio imaginario es isomorfo del de la sociedad, campo de las relaciones donde orden y desorden coexisten en un constante enfrentamiento.

Pero además del espacio, también existe una dimensión temporal ubicada en el peligro de *la noche*, que se asocia con seres amenazantes, peligros, muerte, extravíos. Para Jean Delameau (2005) la cuestión radica en la manera como los peligros objetivos que se pueden desencadenar en las sombras –dado que es en la oscuridad donde el comportamiento es sustraído–, devienen en "peligros subjetivos", es decir, cómo los miedos en la noche se transforman a miedos a la noche.

Son razones convergentes las que explican el malestar que engendra en el hombre la llegada de la noche y los esfuerzos de nuestra civilización urbana por dominarla y prolongar la luz mediante una iluminación artificial, debido a los vínculos entre las tinieblas y la criminalidad. Léanse de esta forma las prácticas de vigilancia nocturna, la preocupación por la iluminación, uno de tantos mecanismos en los que ponen demasiado énfasis las actuales políticas de control del crimen.

Estos mismos espacios, tiempos y lugares del caos están habitados por personas ubicadas como figuras monstruosas y liminares, a quienes se les debe vigilar y prohibir su expansión y movimiento pues podrían contaminar tan sólo con su presencia los espacios ordenados. Georges Balandier (*op. cit.*) plantea que

> El desorden, el caos, no están solamente situados, están representados: con la topología imaginaria, simbólica, se asocia un conjunto de figuras que manifiesta su acción en el inte-

rior mismo del espacio civilizado. Son figuras ordinarias, en el sentido de que se encuentran trivialmente presentes *en* la sociedad, pero están en situación de ambivalencia por lo que se dice de ellas y lo que ellas designan. Ellas son lo otro, complementario y subordinado, objeto de desconfianza y temor a causa de su diferencia y su condición inferior, motivo de sospecha y generalmente víctima de la acusación. Ocupan la periferia del campo social en el sistema de las representaciones colectivas predominantes, a menudo en contradicción con su condición real y el reconocimiento de hecho de su función. Son los medios del orden al mismo tiempo que los agentes potenciales del desorden. La mujer, el menor, el esclavo o el dominado, el extranjero –utilizados como significantes– se cuentan entre las figuras más frecuentemente aprovechadas por las culturas de las sociedades tradicionales.

Es decir que una de las peores situaciones que un sujeto puede atravesar está relacionada con la doble marginación: ser joven y ser pobre, pues esto lo convierte en un sujeto de riesgo, en un monstruo.

A lo largo de la historia de las culturas podemos ubicar la construcción de ciertas figuras liminares que han sido objeto de exclusión, control y sometimiento inserto en las relaciones de poder. El monstruo, el loco, el leproso, el criminal, el joven, y cualquier otro sujeto "peligroso", han desempeñado una función de depositario y de configuración de criterios sobre lo normal y lo anormal, sobre el bien y el mal, y han dado origen a infinidad de prácticas, discursos, instituciones, disciplinas y formas de poder, ya sea insertos en el aparato estatal o en la cotidianidad misma. Recordemos las palabras de Michel Foucault (2003) al respecto:

Así, la gran noción de la criminología y la penalidad de finales del siglo XIX fue el escandaloso concepto, en términos de teoría penal, de peligrosidad. La noción de peligrosidad significa que el individuo debe ser considerado por la sociedad según sus virtualidades y no sus actos; no por las infracciones efectivas de una ley también efectiva, sino por las virtualidades de comportamiento que ellas representan.

Con lo dicho anteriormente puede quedar claro que la juventud, sobre todo cuando es pobre y marginada, es percibida como amenazante y estigmatizada dentro de categorías de una monstruosidad social que debe ser puesta bajo control.

Este tipo de situaciones –al igual que en la época reseñada por Jean Delameau cuando analiza el papel del miedo en las sociedades– da lugar a una mayor presencia de "agentes del orden" y al aumento de una sensibilidad intolerante ante grupos marginados, desprotegidos, pobres, que no sólo perturban por demandar ayuda con su sola presencia, sino también por lo que dicha presencia contiene de desagradable para los límites de una sensibilidad que los rechaza de entrada.

Entonces la vinculación problemática de estos supuestos soterrados con las condiciones objetivas de exclusión social y económica con respuesta individual y colectiva de los jóvenes a las mismas, es ejemplificada por un estudio elaborado por la ONU-CEPAL (2001) de la siguiente manera:

La vulnerabilidad [remite] a la existencia de una estructura de oportunidades que, por el grado y tipo de capacidades adquiridas, no permite la apropiación y utilización efectiva de unas y otras. En este sentido, la vulnerabilidad nos enfrenta a una situación estructural que atenta contra las condiciones de reproducción, socialización y ejercicio de los más elementales derechos humanos y cívicos, en este caso de los jóvenes y, entre éstos, de los más pobres. La insuficiencia de recursos propios y la carencia de capacidades adecuadas provocan la reproducción y el agravamiento persistentes de la situación de pobreza [...] En el caso particular de los jóvenes marginados, esta vulnerabilidad económica y social se manifiesta en un incremento de la tendencia a la exclusión y la privación de oportunidades, lo que favorece la propensión a involucrarse en redes de informalidad e ilegalidad, como expresión de las limitaciones estructurales para integrarse. De estas estrategias marginales de subsistencia resultan también nuevas situaciones de riesgo extremo, vinculadas a la violencia, la promiscuidad sexual y la degradación personal, las que tienden a incrementarse en todos los países y reflejan el fracaso de la política social global.

Sin negar la responsabilidad individual, dicha situación orilla a muchos jóvenes a insertarse en dinámicas de violencia extremas, en redes de delincuencia organizada en donde los más perjudicados son paradójicamente ellos. Por ejemplo, en el caso del narcotráfico, en el que son utilizados como "burros" para transportar droga, por lo que son los más atrapados por las autoridades justamente por su exposición, y perjudicados también por su consumo.

Tal desigualdad se agrava en un mundo neoliberal y globalizado que incita cada segundo al consumo. Sólo para ejemplificar los efectos de este tipo de lógicas y sin entrar a su análisis, mencionamos la situación de aquellos jóvenes bombardeados por toda clase de patrones de consumo pero que no tienen acceso a las vías legítimas de adquisición de bienes y servicios. No se trata sólo de cubrir las necesidades básicas, sino las falsas también, y ante lo cual se ven obligados a adoptar estilos de vida como aquellos basados en el empleo informal (vendedor ambulante, por ejemplo), por no contar con la oportunidad de tener ingresos que le beneficiarán no sólo en términos individuales sino que muchas veces es un ingreso fuerte o la misma base de la economía de una familia completa. Además, este tipo de prácticas y estilos de vida están basadas en la experiencia de que la calificación académica y laboral no garantiza de todos modos el acceso a esta nueva estructura productiva y de mercado. Otra "opción" es, efectivamente, insertarse en actividades ilícitas, riesgosas y violentas.

A pesar de que las causantes de gran parte de la violencia generalizada sean cuestiones estructurales como la pobreza, el agravio, el despojo, la marginación y la discriminación, generalmente éstas son ignoradas por las políticas penales, o retomadas de forma que se enfatice más la responsabilidad individual y no la social e institucional. Incluso más, se asume que el joven peligroso lo es por gusto y que su pobreza y peligrosidad son responsabilidad de él mismo.

Precisamente es la desocupación por falta de actividades educativas y laborales lo que los vuelve visibles ante los ojos de la comunidad, pues su presencia en las esquinas del mismo barrio o en espacios públicos de los que hacen su lugar de vida, hace que adquieran una visibilidad asociada con el aumento de la inseguridad ciudadana y de los altos niveles de criminalidad; por lo tanto, la atención se ha centrado en controlar esta presencia incómoda en las calles.

¿No se trata entonces de una relación de violencia de ida y vuelta? Es decir, se crea y reproduce constantemente un *círculo vicioso de violencia* en el cual la sociedad formal excluye y margina a estos jóvenes; por lo tanto, ellos responden de manera violenta a la violencia de la que fueron víctimas, convirtiéndose en victimarios de algunos otros.

En este tipo de círculos viciosos y ciclos infernales se encuentran los jóvenes pobres y marginados y la misma sociedad que los produce. De hecho, este sector de jóvenes, agrupados no sólo en pandillas sino en colectivos con organización aun política, han sido considerados a lo largo de la historia como contranormativos y por lo tanto peligrosos. El lugar común de respuesta de amplios sectores de la población es de intolerancia y rechazo, autorizando y legitimando la acción de los agentes sociales encargados del orden y el control –como la policía y demás autoridades encargadas de la creación de políticas penales y programas sociales– a actuar en su contra, con tal de que no quebranten la supuesta estabilidad en la que viven los sectores que ven amenazados sus propios intereses.

Pero ¿qué pasa con los jóvenes inmovilizados y no organizados en pandillas o en grupos de pares que de igual forma atraviesan por las mismas condiciones de exclusión? Al igual que los primeros, que pertenecen a la misma población empobrecida y vulnerable, estos últimos cuentan también con un entorno familiar y social adverso. También se les responsabiliza de forma individual por su situación, son culpabilizados como responsables de la inestabilidad de su entorno y jamás se considera que dicho entorno es el que puede estar quebrantado, desviado, anómico y, por lo tanto, enfermizo.

Ante la crisis que sufren las instituciones, con la legitimación de la "mano dura" se busca desesperadamente ganar consenso entre la población, de tal forma que impulsan proyectos como el de Ventanas Rotas y Cero Tolerancia.

CAMBIO DE CONTEXTO: LA REALIDAD NO ES LA MISMA

Para responder a esta pregunta hace falta mucha investigación, sin embargo queremos echar luz en ciertas aristas que creemos fundamentales para comprender la situación y el contexto actual en el que viven los jóvenes. Para ello nos referimos a los propios estudios sobre el tema de la juventud. Al respecto, no cabe duda de que la literatura es extensa y que su importancia dentro del mundo contemporáneo lleva a una creciente investigación sobre aspectos tales como la sexualidad, las modalidades y estrategias familiares, los fenómenos estéticos y artísticos, entre otros. Sin embargo, puede llevarnos al hartazgo el observar que gran parte de estos estudios relacionados con jóvenes tienden a mirar desde la perspectiva de lo desviante y lo catastrófico. Así, se privilegian los efectos disruptivos de las modas, la drogadicción, las formas de expresión o de violencia; pasando por las culturas juveniles de los chavos banda, los *graffiti* o el *boom* de la actualidad: las maras.

Todo ello aporta una visión no sólo parcial de la multiplicidad de fenómenos sociales ligados con la juventud, también los aspectos problemáticos y negativos se asumen en tales estudios como si su existencia se explicara por sí misma. Esto sin tomar en cuenta elementos fundamentales, como son, por ejemplo, su relación con las instituciones, las historias de su vida pasada y posibilidades de la futura, que no se agotan sólo en un presente fijo e inamovible. La variedad de realidades que experimenta la juventud en general, y sobre todo la referida en esta reflexión, así como las formas en que ellas se afrontan, tienen y tendrán repercusiones para cada una de las sociedades que las contienen. Las predicciones pueden ser también muy diversas pero en nuestro caso no dudamos en pensar que, con todo y sus contradicciones, tales realidades son el semillero de formas siempre novedosas de relación y de reproducción del mundo de vida.

Cuando hablamos de reproducción del mundo de vida no dejamos a un lado que dicho mundo está permeado por una gran dosis de violencia no sólo juvenil, sino en forma amplia de todos y cada uno de los sectores que conforman nuestra sociedad. Dicha violencia sólo puede ser comprensible, sin duda, por la presencia simultánea de la pobreza y la marginación, por un lado, y el enriquecimiento y despojo en el otro extremo, todo lo cual colorea la vida social con elementos de goce y perversión de todo tipo.

Es decir, el cuestionar la visión del mundo que proclaman los estudios sobre la juventud no quiere decir que estemos a favor de blanquear el drama de su vida para generar un discurso rosa e idealizado. Nadie puede aceptar el daño físico y de otra clase que cualquier persona sufre a manos de terceros, independientemente de la clase social de la que provengan. Lo lamentable en el caso de los jóvenes objeto de nuestra reflexión es que la hostilidad, la capacidad de agresión y las expresiones de violencia pueden ser la única forma conocida que tienen para seguir viviendo y ganarse un lugar en su mundo, ya sea a nivel personal, familiar, comunitario y más macro, más social.

Porque debe quedarnos claro que si el reconocimiento de los otros hacia su persona no se hace a partir de actitudes y prácticas positivas, comenzando por su apariencia física, si no se generan condiciones para que puedan desarrollar un poder adquisitivo basado en el reconocimiento de sus capacidades para ejercer una tarea lícita y necesaria socialmente, o en este caso productiva y enriquecedora, entonces el joven ganará su lugar en el mundo a través de comportamientos disruptivos que generan miedo. Esto no significa que efectivamente todos los jóvenes a quienes nos hemos referido sean delincuentes o proclives a serlo, pero lo que sí es seguro es que sólo son pobres y marginados.

CONSIDERACIONES FINALES

Es justamente esta consideración de su marginalidad y desamparo la que hemos querido relevar a primer orden como las circunstancias básicas en la que nacen y crecen, y las que internalizan y reproducen como el primer mundo conocido. Y no a la inversa: hacer de tales jóvenes el motor que genera situaciones adversas y dañinas, corrupción o contaminación social.

Por otro lado, el papel de la pobreza en los fenómenos de riesgo social es problemático. Estamos claros de que parece una contradicción afirmar que una de las causas principales para que los jóvenes caigan dentro de las llamadas situaciones de riesgo es esta determinante estructural y, al mismo tiempo, cuestionar la discriminación de esa juventud por ser pobres. Pero tal contradicción puede entenderse si reconocemos que, en primer lugar, no se trata sólo de una marginación dada de por sí, como inherente a la naturaleza de las cosas y, por lo tanto, a la que hay que aceptar o acostumbrarse fatalmente. Tampoco se pretende exonerar todo comportamiento dañino, y en su extremo criminal, por el hecho de que el joven es víctima de sus circunstancias.

La pobreza es un cáncer social y humano que es producido, reproducido y remarcado por la misma dinámica social, cultural, económica y política; puede hacer metástasis en la subjetividad y en los más pequeños espacios de la convivencia humana; despojar a las personas de su humanidad y de la conciencia de las causas que provocan su situación subalterna y marginada, y convertirlos en monstruos capaces de las más terribles atrocidades. De esto ya se ha hablado siempre y los ejemplos han legión; sin embargo, nuestro interés ha estado en señalar que tal determinación estructural es traducida en muchas de las políticas públicas y proyectos institucionales que no sólo enmascaran sino que hacen operativa esa condición de marginación y desigualdad que, se supone, pretenden combatir o prevenir.

En segundo lugar, el papel de la pobreza con todo y su existencia objetiva puede devenir en un mito fácil de seguir en lugar de explorar otras posibilidades de comprensión más amplias y productivas. Por ejemplo, si nos preguntamos sobre la extracción social y económica del resto de los jóvenes no pobres que caen presos por cometer algún delito, queremos asentar la inquietud por investigar la relación entre juventud, riesgo y comportamientos delictivos sin quedar atrapados en la premisa *a priori* de que las explicaciones están contenidas solamente en el campo de las condiciones materiales o, al menos, no solamente bajo la modalidad de lo marginal.

El conocimiento de muchos de los comportamientos delictivos y de agresión que sufren hombres y mujeres de todas las edades a manos de jóvenes pertenecientes a sectores más favorecidos económicamente tiene que colocar los factores de riesgo en campos más amplios de análisis. Basta con recordar –sólo para ejemplificar– aquel caso ocurrido en Fresnillo, Zacatecas,[1] donde un grupo de *juniors* de

[1] "Indigentes, blanco de juniors en Zacatecas", en *La Jornada*, 23 de mayo de 2005.

entre 18 y 20 años, hijos de acaudalados empresarios y comerciantes de la localida prendieron fuego y asesinaron a un vagabundo pues, según sus palabras, quería "limpiar la ciudad de basura humana". Al respecto, las primeras versiones se dirigi ron a inculpar a las pandillas de cholos, sin embargo los responsables platicaron l "hazaña" dentro de su círculo de amigos. La última información conocida fue qu el principal sospechoso utilizó el dinero de su padre para sobornar a miembros d la Procuraduría General de la República y huir.

Asimismo, dentro de estos factores se encuentran los de la deslegitimación de la mismas instituciones sociales (familia, escuela y otros espacios orientados a la fo mación de la responsabilidad social y los valores colectivos); y la pérdida de sentid respecto de los criterios, espacios y actores acordados para propiciar la particip ción ciudadana y política.

Ninguna política del actual gobierno local o federal ha creado nuevos espacio de expresión artística, deportiva o cultural más allá de los contados conciertos m sivos en el zócalo capitalino. Éstos en verdad refieren a esa mínima dosis de desvi ción institucionalmente permitida que tolera por tres horas que los jóvenes baile beban y fumen marihuana en un espacio público.

Pero si tales actos ritualizados los comparamos con otro tipo de expresione como la infinidad de marchas de protesta y movilizaciones con un tinte más polít co, por ejemplo, descubrimos que de nuevo son los jóvenes de apariencia física má sospechosa (por pobreza o por mera elección estética y cultural) los primeros e ser detenidos, golpeados, vejados y hasta abusados sexualmente, aunque ni siquier hayan asistido a la marcha correspondiente. No podemos dejar de mencionar l terrible represión por parte del Estado en contra de los habitantes y simpatizante de San Salvador Atenco, que tuvo lugar en mayo de 2006 y cuyas consecuencia fueron la indiscriminada detención, golpizas brutales y violaciones y abuso sexu indiscriminado contra hombres y mujeres de cualquier edad.

La mera presencia de estos jóvenes en el metro, en la calle, junto a cualquie transeúnte, sirve a las autoridades como carne de cañón para legitimarse ante l opinión pública y que parezca que hacen su trabajo de cuidar y proteger a la ciu dadanía.

De esta manera, no sólo se trata de colocar los mecanismos de control social e un continuo de expresiones que van de la permisividad al castigo con la cárcel, sin que también están presentes en fenómenos y formas de expresión social donde e poder, como dicen Korinman y Ronai, tiene la cualidad de hacerse transparente no por ello dejar de operar con sus efectos insidiosos. Un ejemplo, sin comentario porque habla por sí mismo, son esos grandes anuncios espectaculares que durant los años pasados se pusieron en calles de la ciudad de México y carreteras colinda tes, en los que el consejo de ser precavidos ante posibles agresiones estaba enmarc do con la foto del "delincuente": la cara de un hombre de extracción popular, co facciones que delatan la herencia indígena y una gestualidad dura.

En los términos de nuestra reflexión, no cabe duda de que las políticas públic de muchas instituciones y dependencias sociales manejan una cantidad de mec ismos de control que esconden el ejercicio de relaciones de poder discriminativo entro de sus iniciativas asistenciales.

Bajo tales lógicas las políticas de juventud no pueden frenar, sino que al contraio refrendan, la reiterada reproducción de estigmas: de la misma manera que quea como marca imborrable para una persona designada como alcohólica el asentar u identidad y su vida bajo esta condición, al joven que se pretende asuma su vida n situación de riesgo lo que se le está haciendo es inscribir una huella indeleble de ue eso es, y no otra cosa.

La estigmatización, por lo mismo, también tiene la función de mecanismo de ontrol que no sólo designa e identifica al sujeto riesgoso, sino que lo somete a un égimen de excepción en términos judiciales y en términos asistenciales. Con tales egímenes de excepción se despiertan y renuevan constantemente los estereotipos las imputaciones esencialistas de una identidad ante la cual no caben más que a desconfianza, el miedo y, en consecuencia, la evitación, la previsión o el ataque preventivo.

Por ello hemos pensado que la verdadera cara de tales dinámicas y lógicas soiales, económicas, políticas y de sensibilidad son una forma de ejercer controles ociales por parte del resto de la población contra los jóvenes provenientes de las olonias marginadas de esta ciudad. Es decir, se trata de localizar, segregar y manteer, aunque sea con migajas, día con día, no sólo a estos jóvenes sino a poblaciones nteras que sirven como chivos expiatorios de la gran preocupación ciudadana acual: la inseguridad.

Sin embargo, esta cultura del riesgo y de mecanismos de control explícitos y olapados, no lleva más que al acrecentamiento de un círculo vicioso que atrapa a odos por igual. La inseguridad que tanto preocupa a la ciudadanía ha generado un niedo incontrolable que se materializa en la construcción de sospechosos en cualquier rincón de la ciudad, del hogar, dentro de la familia, los amigos, la escuela, el rabajo, es decir, un miedo que a cada paso y con su sola presencia genera el temor le encontrarse con el asesino, el ladrón, el drogadicto. Por lo tanto, nos atrevemos a afirmar que sin un cambio profundo de esta cultura del miedo y, por supuesto, le las condiciones estructurales que gobiernan la vida social, la cero tolerancia y a demanda ciudadana de mano dura puede encontrar el clímax en una dictadura policial y en un nivel de autoritarismo insospechado, sobre todo por quienes hoy en día lo demandan.

No existe en la actualidad ninguna iniciativa que pretenda dotar de las herramientas e incentivos necesarios para que muchos jóvenes desarrollen sus capacidades creativas y artísticas. Al contrario, se crean más trabas y obstáculos que afectan a distintos sectores de la juventud.

De todas maneras, siempre se encuentran formas inesperadas e ingeniosas para hacerle frente a las circunstancias y a la reducción de los espacios sociales, como es el caso de los jóvenes que han optado por ocupar "casas sin gente, para dárselas a gente sin casa", según el lema de los habitantes de *Chanti Ollin*: una casa ocupada por decenas de artistas no reconocidos pero sí innovadores, quienes al no contar con los espacios sofisticados para mostrar su trabajo, deciden ocupar un edificio sobre el Circuito Interior y hacer de ese espacio una cuna de creación, a pesar de los problemas legales que enfrentan por afectar una propiedad privada de alguien que no la ocupa.

Sin embargo, tales lógicas de sobrevivencia y desarrollo son más fáciles de encontrar en el terreno de jóvenes que logran organizarse con un espíritu colectivo y voluntad de cambio (el propio). Pero si nos concentramos en aquellos que enfrentan solos sus circunstancias para conseguir una mejor forma de vida basada en su necesidad de continuar estudiando; en conseguir un trabajo estable y cuya remuneración sirva para cubrir, por lo menos, sus necesidades básicas, encontramos que la situación es muy desoladora. No se hable ya de contar con una casa-habitación que les permita independizarse de sus padres, sino de la mínima oportunidad para tener algo de ropa, poder transportarse, tener algo de comer para pasar el día.

De tal suerte que si no cuentan con las mínimas herramientas para tener una vida independiente, será más difícil que muchos de estos jóvenes puedan romper con la familia, la comunidad y el entorno, adversos ellos en su mayoría y justamente proclives a ser los espacios en donde el joven aprende la violencia que llega a reproducir, cuando es el caso.

Por ello la visión de la juventud, especialmente la marginada y pobre, puede estar embriagada de desilusión y de una visión de futuro muy reducida, ante la cual no tiene caso pensar y planear el siguiente paso cuando el presente es tan endeble y la amenaza de derrumbarse es latente. No se puede pedir que carguen con la miseria del mundo si ya con su propia miseria es más que suficiente.

No obstante esta situación, también creemos que no todo está perdido. Siempre surgen movimientos, coyunturas y explosiones de resistencia y organización que demandan la restitución del desagravio y despojo del que son víctimas los más desfavorecidos. Arriba hemos mencionado una de tantas expresiones que hacen del joven un sujeto activo y propositivo, pero no se trata sólo con respecto a su propia situación, también se manifiestan con perspectivas de participación en problemas sociales más generales.

A diario, en cualquier parte del mundo, surgen estos respiros, estos gritos de voces acalladas durante largos años. Por lo tanto, si lo que podemos vislumbrar es un estado de intolerancia absoluto y de autoritarismo que sin duda se avecina, no dudemos que también se encontrarán con una respuesta contundente de parte de sus víctimas.

Se trata de procesos mucho más profundos que están enmarcados en toda clase de fenómenos y proyectos sociales donde parece ser que la violencia tiene diferentes caras, grados y realidades. La resistencia no es romántica, es una respuesta ante formas de vida totalmente desfavorecidas y cuyos responsables son los hegemones, a quienes la historia una y otra vez entrega factura.

BIBLIOGRAFÍA

Balandier, Georges, 1989, *El desorden. La teoría del caos y las ciencias sociales. Elogio de la fecundidad del movimiento*, España, Gedisa Editorial.

Bourdieu, Pierre, 2000, "La 'juventud' sólo es una palabra", en *Cuestiones de Sociología* (1984), España, Ediciones Istmo.

Delumeau, Jean, 2005, *El miedo en Occidente*, México, Taurus.

Foucault, Michel, 2003, *La verdad y las formas jurídicas*, España, Gedisa Editorial.

Korinman, Michel y Maurice Ronai, 1980, "El modelo blanco", en François Chátelet y Gerard Mairet (comps.), *Historia de las ideologías*, tomo III: *Saber y poder (del siglo XVIII al XX)*, México, Premià.

ONU-CEPAL, 2001, *Marginados en México, El Salvador, Nicaragua y Panamá*, México.

EN LA FRONTERA DE LO SOCIAL: JÓVENES Y EXCLUSIÓN SOCIAL

SARA MAKOWSKI*

LO SOCIAL A LA DERIVA

La aparición de nuevas formas de vulnerabilidad social, su creciente expansión e intensidad en el seno de las denominadas sociedades desarrolladas ha llevado, en la última década, a una observación más pormenorizada y crítica de las nuevas transformaciones sociales.

Las sociedades salariales, del pleno empleo, que habían instrumentado fuertes políticas de contención e integración social a través del *welfare state* o del Estado providencia llegaron a la década de los noventa con sus engranajes socioeconómicos desgastados y con visibles fisuras sociales. Los márgenes comenzaron a escurrirse cada vez más por los intersticios que se abrían en las esferas de la producción y el consumo, y se ampliaban crecientemente las franjas de personas cuyos lazos sociales, institucionales y laborales se fragilizaban.

Del otro lado del espejo, las imágenes no son ni mejores ni más alentadoras. Las sociedades latinoamericanas ingresaron a la década de los noventa, después de la llamada "década perdida", con fuertes inequidades en la distribución del ingreso y la riqueza, con políticas sociales y económicas que aumentaron la vulnerabilidad y la exclusión, y con un mercado laboral que tiende a incluir a una población cada vez menor (Minujin, 1998: 191). En América Latina, el crecimiento sustantivo del empleo informal pasó del 40.2% en 1980 al 47% en 1985, y al 52.1% en 1990 (Bustelo y Minujin, 1998: 99).

Estos datos reconstruyen un mundo laboral precario, en decrecimiento, con una amplia población privada de mecanismos de seguridad social ligados a la asalarización.

En contextos de tan alta precariedad económica y fragilización social los jóvenes constituyen uno de los sectores sociales mayormente expuestos a la exclusión social y a la pobreza. Una encuesta reciente realizada en México sobre la juventud[1] indica ya la fractura del circuito tradicional de integración social de los jóvenes mexicanos; la cadena de transición familia-escuela-empleo-participación se ha quebrado y ya no constituye un destino dominante de inserción en la vida adulta.

La educación ha perdido su potencial integrador para los jóvenes y se ha deva-

* Profesora-investigadora del Departamento de Educación y Comunicación. Universidad Autónoma Metropolitana, Unidad Xochimilco.

[1] Cf. *Jóvenes mexicanos del siglo XXI*. Encuesta Nacional de Juventud, 2000, SEP-Instituto Mexicano de la Juventud.

luado su capacidad de garantizar la movilidad social. El 50% de los jóvenes mexicanos actualmente se encuentra fuera del ámbito escolar; dato preocupante en la medida en que pone de manifiesto una situación de vulnerabilidad a largo plazo (Miranda López, 2002: 140).

El trabajo, otro de los mecanismos de la integración social, tampoco asegura la permanencia en las esferas de la reproducción y el consumo, y se ha ido degradando como valor social (Valenzuela, 2002: 35).

Las perforaciones en el tejido conectivo de lo social, el desencuentro entre las instituciones y las expectativas de los jóvenes, y la devaluación del entramado institucional de la política desgarran las narrativas de futuro y tornan difíciles las posibilidades de inclusión social.

Más allá de las matrices socioeconómicas innegablemente diferenciales, desde las sociedades posindustriales (específicamente Estados Unidos y la Unión Europea) y las latinoamericanas nos llegan postales parecidas: desempleados, *handicapés sociaux*, pobres, nuevos pobres, pobres estructurales, *chômeur de longue durée*, *homeless*, *underclass*, *uprooted*, vulnerables, asistidos. Grupos variados y heterogéneos pero todos desenganchados del Estado, del mercado, de las sociedades nacionales o de los futuros posibles. Metáforas de los nuevos síntomas de la fragilidad de los lazos sociales en las sociedades contemporáneas. ¿Lo social a la deriva? Al menos, fuertes mutaciones en las maneras de pertenecer, de ser parte de una comunidad, y de tener o no un lugar socialmente reconocido como útil y valorado.

ROSTROS DE LA EXCLUSIÓN

Las calles y los espacios públicos de las ciudades contemporáneas son los escenarios por donde transitan los cuerpos de la exclusión.

La exhibición de la exclusión actúa de manera ambivalente. Por una parte, produce opacidad, indiferencia, rutinización (Sibley, 1995) y anestesia social: cuerpos que la mirada no los puede tocar. Los excluidos se han vuelto parte del paisaje urbano, se tornan fantasmas que deambulan sin ser vistos. Por otra parte, en esos cuerpos adquieren visibilidad muchas de las construcciones espectrales de la alteridad.

En oposición a lo socialmente establecido como normal y moral, los excluidos son síntomas del descontrol, de la sexualidad, de los olores, de la indecencia, de la repulsión, de la suciedad y del exceso; droga, prostitución y criminalidad se adosan a estos cuerpos que degradan lo público. Son cuerpos que rompen los límites y que por ello están "fuera de lugar" (Wright, 1997).

Las calles de muchas de las ciudades de América Latina no son únicamente lugares de tránsito, recreación, consumo y trabajo, son también las pasarelas de la miseria, de la degradación social y de la marginación. El fracaso de las políticas de ajuste, el retiro del Estado, la deuda externa y las resonancias de crisis económicas foráneas lanzaron a las calles a las franjas más vulnerables de la población: niños y adolescentes, *meninos de rua*, chavos de la calle, chicos de la calle, chupapegas, malandros y gamines. Hacia finales de la década de 1980, en un encuentro internacional de infancia callejera se institucionaliza la distinción entre *niños en la calle*, término que se refiere a aquellos que aun permaneciendo buena parte del tiempo en la calle mantienen lazos familiares, y *niños de la calle*, aquellos que viven y pernoctan en la calle, y que han cortado los lazos con sus familias.

A partir de 1980 la presencia de la infancia y la adolescencia en las calles latinoamericanas se extendió y se acrecentó. La necesidad del trabajo infantil como medio de reproducción y sobrevivencia de las familias pobres potenció que los menores utilicen las calles para el trabajo informal: venta de dulces, flores y artesanías, limpieza de parabrisas, cuidado de autos y espectáculos callejeros (tragafuegos, malabaristas, "payasitos").

La mayor visibilidad de menores y adolescentes socialmente desfavorecidos en los espacios públicos agitó las conciencias y exaltó compasiones y misericordias. También creó cifras y estadísticas fantasmáticas sobre la situación realmente existente en los países latinoamericanos.

En Brasil hay, además, otras estadísticas que refieren a un fenómeno fuertemente asociado a la infancia callejera: los asesinatos de menores y jóvenes. La violencia judicial y paraestatal ha vuelto a los menores y jóvenes blanco de políticas de exterminio. Entre 1990 y 1994, 3 735 menores fueron violentamente asesinados en Río de Janeiro (Costa Leite, 1995: 138) por los escuadrones de la muerte. Muchos estudios apuntan que el racismo es uno de los componentes presentes en los asesinatos de esta población en Brasil.

Colombia es otro de los países latinoamericanos en los que la infancia callejera se encuentra fuertemente expuesta a la violencia. Según datos del Instituto Colombiano de Bienestar Familiar, en el país hay cerca de 30 000 niños que pasan la mayor parte del día en la calle. La ciudad de Bogotá concentra el 37% de esa población; estos niños son denominados "gamines".

La ciudad de Guatemala, por su parte, registra una presencia de niños de la calle con una fuerte proporción de menores de origen indígena. La infancia callejera de esta ciudad ha sido víctima de ataques, torturas y asesinatos brutales por parte de la policía. Guatemala fue un país, además, receptor de menores que huían de las situaciones de violencia y guerra de países vecinos como El Salvador, Honduras y Nicaragua.

En Argentina la situación de la infancia se vio fuertemente trastocada por una década de políticas económicas que deterioraron las condiciones laborales, de ingresos y de subsistencia de las familias. La crisis desatada en diciembre de 2001 disparó de manera alarmante los índices de pobreza y vulnerabilidad, siendo la infancia y la adolescencia el grupo más afectado. El aumento del trabajo infantil repercute en un incremento de la presencia de los menores en las calles dedicados a la venta de mercancía, recolección de basura y mendicidad, con fuertes impactos en el abandono de los hogares familiares, en la deserción escolar, en el consumo de drogas y en la explotación sexual de menores.

A partir de la década de 1980, la ciudad de México incorpora con mayor visibilidad a su paisaje urbano contingentes de menores callejeros que comienzan a ocupar calles, plazas y terrenos baldíos de algunas zonas de la ciudad. Niños que venden dulces, que limpian parabrisas, que lavan y cuidan autos, tragafuegos, malabaristas y limosneros son algunas de las formas que adquiere el trabajo infantil informal en las calles de esta ciudad.

En el año 2000[2] se publica un estudio que registra un incremento en la población callejera, y señala que 14 322 niños, niñas y adolescentes usan las calles y otros espacios públicos de la ciudad de México como lugares de trabajo y de vivienda. De este universo total, sólo el 7% declara vivir en la calle.

En años recientes se ha detectado una extensión del tiempo de permanencia en la calle, lo que lleva a que los niños que abandonan su hogar continúen en la calle hasta la edad adulta. De este modo, desde finales de los años noventa se empezaron a hacer más visibles familias enteras que viven en la calle, y en algunos puntos de encuentro las parejas con hijos nacidos en la calle supera el 30% del grupo.

Los ejemplos y las cifras pueden continuar. Pero dentro de este maremagno de estadísticas y datos no hay que perder de vista que los países de América Latina son productores de una gran diversidad de figuras de la exclusión, y sus ciudades constituyen vitrinas de la polaridad social, del aumento de la pobreza y del fracaso de las políticas de contención e integración social.

La salida a la calle y el consecuente rompimiento con el entorno familiar obedece a un conjunto de factores: violencia, maltrato y abuso sexual, pobreza e insuficiencia de recursos materiales, abandono, aburrimiento, sobrecarga de tareas en el hogar, atractivo de la calle y deseo de aventura. Lejos de las explicaciones absolutistas que enfatizan un solo factor (económico, psicológico, etc.), la salida a la calle es un fenómeno multicausal.

Pero aun en una situación tan límite como la vida en la calle, no existe exclusión total. Son niños y jóvenes excluidos de las familias, de las escuelas, de los afectos, de las pertenencias; pero al mismo tiempo están esporádicamente incluidos en otras dimensiones e instancias. Como la total y más radical exclusión no es pensable, se trata más bien de una suerte de articulación compleja y dinámica entre lógicas de exclusión e inclusión que delinean configuraciones variables e inestables de integración y desintegración social.

Desde la exclusión social se generan, por ejemplo, formas de integración al margen de los propios itinerantes, basadas en solidaridades grupales, en el establecimiento de un sistema de normas y contra-valores, e integraciones internas.

Las dependencias gubernamentales que tienen a su cargo la atención e instrumentación de políticas públicas para la población de calle (DIF, DDF, Sedesol, delegaciones, entre otras) generan también etiquetamientos, clasificaciones, programas de asistencia, habilitación de albergues o espacios destinados a la "domicialización" de esta población, que aunque esporádicos, intermitentes e inconsistentes pueden

[2] "Estudio de niñas, niños y jóvenes trabajadores en el D.F.", México, DIF-DF-UNICEF, 2000.

ser vistos como lógicas orientadas a la integración e inclusión al menos en algunas dimensiones.

Las instituciones no gubernamentales y de asistencia privada, por su parte, que trabajan con la población callejera, diseñan también metodologías y prácticas de intervención destinadas a producir inclusión: convencer a los chavos a que abandonen la calle e ingresen a los albergues o centros de atención que éstas tienen, reinsertar a esta población en alguna modalidad de escolarización, estimular el aprendizaje de algún oficio o trabajo para una futura integración laboral, organización de programas de recreación variados, ayuda para la regularización de situaciones judiciales o burocráticas (trámites en juzgados y en delegaciones, actas de nacimiento, credenciales de identificación, registro de hijos nacidos en la calle), y vinculación con instituciones de atención sanitaria (hospitales, médicos y centros de desintoxicación).

En todos los casos mencionados, no se trata de lógicas de inclusión duraderas, que dejen huella en los procesos de reinserción social y que potencien capacidades individuales y grupales para alcanzar y mantener un lugar socialmente valorado. Se trata, más bien, de integraciones precarias e inestables que coexisten con lógicas de exclusión y desanclaje en otras dimensiones de la experiencia.

Los jóvenes de la calle son extraordinariamente hábiles para manejar estratégicamente los discursos y las prácticas que subyacen a estas modalidades complejas de inclusión/exclusión. A veces, portar la etiqueta victimizante y excluyente que para ellos construyeron las instancias gubernamentales y las instituciones no gubernamentales y privadas es altamente funcional para conseguir recursos y favores que de otra manera no los obtendrían. Además, después de tantos años de exposición a la sobrevivencia en la calle y en las instituciones, han aprendido las fallas y los aciertos de cada una de ellas, lo que los vuelve expertos en el *management* de la exclusión.

Otras veces es mucho más redituable individual y grupalmente distanciarse del etiquetamiento asignado y reivindicar derechos y reconocimientos que trascienden el ámbito de los excluidos, marginados u olvidados. Por ejemplo, frente a los operativos policiales y el despliegue de la violencia de los judiciales, los jóvenes de la calle reivindican tener derechos humanos, respeto y necesidades igual que cualquier otra persona. Hay momentos en que las clasificaciones socialmente asignadas traslucen el borramiento de las cualidades de persona, ciudadano, individuo con reconocimiento social y capacidad de *agency*. Las lógicas dinámicas de inclusión/exclusión son social e institucionalmente asignadas, pero diferencialmente asumidas y apropiadas por los sujetos excluidos.

PARIAS URBANOS

La vida en la calle transforma a los niños y jóvenes en itinerantes urbanos, sujetos que se desplazan y son desplazados del espacio público, que deambulan por calles y plazas, salidas del metro, mercados, cruceros y avenidas.

La figura paradigmática de la exclusión en las ciudades es la itinerancia. Para algunos autores (Roy, Laberge, Aranguiz y Fecteau) la itinerancia representa la forma extrema de la crisis del lazo social, la última estación de la exclusión social, "el país de todas las rupturas" (Aranguiz y Fecteau, 2000: 11).

Contingentes de nómadas que comparten todos por igual, más allá de sus especificidades biográficas y colectivas, el desarraigo; los itinerantes son personas que agotaron todas sus redes y recursos (Fontan, 2000: 77), que no tienen lugar; son sujetos sin inscripción social. Son los "inútiles para el mundo".

La itinerancia, como forma límite de la exclusión social, expresa que estos niños y jóvenes han sido expulsados de los pocos y débiles circuitos contenedores: la familia, la escuela, el barrio o la comunidad de pertenencia. La calle los dota de una identidad, "ser de la calle", y como tales son interpelados y etiquetados, pero al mismo tiempo vivir en la calle significa no tener domicilio fijo, no tener lugar, ser un paria urbano.

Las formas que adquiere la itinerancia en el caso de los jóvenes de la calle están moduladas por los espacios que se recorren y por las temporalidades propias y ajenas que las atraviesan.

Un primer sentido asociado a la itinerancia es el de ruptura: la salida a la calle refiere al quiebre de la permanencia en el hogar familiar, idea con la que naturalmente se asocia a la infancia. Esta ruptura con lo familiar es el primer rito de pasaje hacia la calle, al mismo tiempo que constituye una reedición de otras rupturas más prematuras que dificultaron el establecimiento de lazos fuertes –y elásticos– con lo afectivo, lo familiar y lo espacial.

La ruptura es quizás un corolario necesario, la única opción posible frente a una situación individual y familiar insostenible (Lussier y Poirier, 2000: 172). En algunas situaciones se trata de una ruptura casi impuesta al sujeto, básicamente cuando se suscita un abandono explícito o la muerte de la persona (o personas) que tiene a su cargo el cuidado del menor.

En otros casos la ruptura es una decisión que el niño o el joven busca de manera más deliberada, y es una fuga que obedece al maltrato o abuso, a la aventura, a un escape por la adicción a la droga, o a la continuidad de alguna forma de socialidad. Aunque esta ruptura parece estar más próxima a una elección, no por ello está desprovista de sufrimiento y de fatalismo.

Este sentido de ruptura permeará la itinerancia urbana y la volverá prolongación de un rechazo y de una herida arcaica nunca subsanados ni subsanables. De ahí que la itinerancia quedará marcada por la idea de lo compensatorio y, al mismo tiempo, con la imposibilidad de llenar un vacío.

Un segundo sentido atraviesa la itinerancia, vinculado a esta última idea: la repetición. La itinerancia se vuelve una forma de repetición incesante de la búsqueda de un lugar, de ese lugar que nunca existió (¿mítico?), que nunca se tuvo.

La itinerancia urbana de los jóvenes de la calle parece ser una repetición compulsiva del no lugar, la espacialización del vacío original. Hijos abandonados, no deseados, fruto de violaciones, no encuentran un lugar donde fijarse. La itinerancia es la búsqueda permanente de un anclaje biográfico y social, un intento por tener una pausa en la deriva.

Y hay un tercer sentido que la estrecha a la idea de trayectoria, en el sentido de que la itinerancia urbana representa la fase final de la carrera de la calle. Las sucesivas entradas y salidas del núcleo familiar, la mayor permanencia en la calle como espacio de trabajo y de socialidad, la estancia en la calle como único lugar de interlocución y reconocimiento (por los pares), y el consumo e intercambio de droga que en ella ocurre, terminan por cristalizar en la itinerancia como la figura extrema de la exclusión social.

En general, los jóvenes de la calle buscan en la itinerancia lugares que potencian el encuentro con los pares, en los que se condensan una fuerte socialidad, interacciones e intercambios que reflejan que se es alguien para otros. La itinerancia urbana organiza de tal forma el tiempo y el espacio para los jóvenes de la calle que otorga, a pesar de la discontinuidad, sentidos y significaciones que les permiten sentirse parte de un devenir grupal.

Los desplazamientos continuos a través de los espacios públicos adquieren, en el caso de los jóvenes de la calle, formas más o menos definidas que se alejan de algunas ideas postuladas por ciertos estudios sobre poblaciones callejeras que sostienen una suerte de nomadismo del vacío o *no man's land*.[3] En realidad, la errancia urbana de estos jóvenes revela la existencia de lógicas de desplazamiento que cristalizan en recorridos y circuitos de la movilidad espacial.

En general, se observa que los recorridos por los espacios públicos espacializan formas de rutinización cotidiana: traslados espaciales para buscar comida, para allegarse recursos, para encontrar lugares donde dormir y cobijarse de las inclemencias del tiempo, etc. Los lugares y espacios por los que transitan los jóvenes de la calle son, por lo general, conocidos y forman parte del largo historial de ocupación y apropiación de espacios públicos del grupo.

Los recorridos revelan, además, reiteraciones y repeticiones: los jóvenes de la calle regresan una y otra vez a los mismos lugares. Los operativos policiales logran desalojarlos por un tiempo de un determinado lugar, pero después de un periodo los chavos retornan al mismo lugar e intentan volver a ocuparlo. Es interesante ver cómo frente a estrategias políticas y policiales deliberadas de desalojo y expulsión, los jóvenes de la calle despliegan tácticas, opacas y más inestables, de permanencia y ocupación.

La ocupación de los espacios públicos sigue, en algún sentido, esa lógica fenomenológica de la seguridad del mundo cotidiano. No se ocupa de cualquier modo el espacio, ni todo el espacio. Los recorridos recortan los espacios, los achican, los comprimen, y producen cierta "lateralidad", en el sentido de que nunca se ocupa la totalidad de un espacio público sino ciertos márgenes, costados, lados.

Por eso la insistencia por retornar y ocupar siempre los mismos lugares no es únicamente una cuestión funcional, sino que está vinculada a la recuperación de las marcas simbólicas territorializadas, la ritualización de las experiencias colectivas

[3] Cf., Côté, M.-M., 1988, *Les jeunes de la rue á Montréal. Une étude d'ethnologie urbaine*, citado en Parazelli (2002).

ahí plasmadas y una memoria individual y colectiva que se nutre del espacio. En esta reiteración por ocupar siempre los mismos lugares resuena la idea de la itinerancia como una repetición de la búsqueda de un lugar biográfico y social.

El retorno cíclico a los lugares cuaja, muchas veces, en una *gestalt* socioespacial de gran significatividad para los jóvenes de la calle: los exilios urbanos. Por encima, por debajo o por detrás de la trama urbana se van consolidando esos exilios urbanos; territorios refugio donde los desamparados reescriben otra historia y otra memoria. Sus fronteras se expanden o se contraen en concordancia con los embates de la violencia real y simbólica. Lugares a los que siempre se vuelve, pequeñas patrias y matrias de los sin lugar. A los exilios urbanos se ingresa con una mirada adiestrada capaz de reconocer las marcas y de encontrar las huellas de los otros, y con la certeza de sentirse siempre exiliado de algún lugar, de todos los lugares.

Los recorridos siguen su camino, y mientras avanzan van conformando también zonas de contacto en las que la exclusión social se topa con los otros: paseantes, transeúntes, comerciantes, vecinos, asistentes a los museos, autoridades, instituciones, entre muchos más.

Las zonas de contacto vuelven visibles las tensiones que genera la itinerancia urbana; los encuentros con la otredad están permeados por las discriminaciones, las resistencias y las negociaciones. Los jóvenes de la calle deben aprender a manejar códigos distintos según las zonas de contacto que atraviesen en sus recorridos.

Las distancias sociales se hacen presentes en las zonas de contacto, y en algunas ocasiones los jóvenes de la calle logran desplegar tácticas de permanencia como ciertas formas de camuflaje (bañarse, ponerse ropa limpia, tener dinero para pagar los accesos), pero en otras situaciones los camuflajes funcionan muy poco.

El argumento higienista que sostiene que la presencia de los jóvenes de la calle afea y ensucia las zonas que toca, se vuelve una de las formas de bloqueo más recurridas a la itinerancia urbana. Las áreas próximas a los restaurantes o los hoteles son las zonas de contacto paradigmáticas del rechazo y de la descalificación. Algunas negociaciones se ensayan, como por ejemplo localizarse o pasar unos metros más lejos de estas áreas, pero la mayoría de las veces este recurso falla por la presencia intensiva y agresiva de la policía o del personal de vigilancia privada.

La itinerancia urbana recorta, a través de sus recorridos, la aparente homogeneidad espacial en segmentos polimorfos que articulan de manera variable e inestable los distintos lugares que conforman la espacialidad de los jóvenes de la calle.

La pluralidad de los recorridos contenidos en las formas de la itinerancia urbana está fuertemente atravesada por el tiempo. Así como la itinerancia puede ser más o menos permisible o visible en ciertos espacios, la temporalidad también le marca su carácter. La itinerancia se vuelve más sospechosa y peligrosa en la noche que durante el día, por ejemplo.

Durante el día, la errancia urbana se mimetiza más con el entorno urbano, y los jóvenes de la calle que están en tránsito son asumidos como parte del paisaje urbano. A veces parecen sumarse a la multitud de los que se desplazan y transitan por las calles, aquellos que han adiestrado su mirada para no ver a los callejeros. La itinerancia puede pasar inadvertida.

Pero con las sombras de la noche, los desplazamientos de los jóvenes de la calle se vuelven persecutorios y disonantes. Ya no hay multitudes que caminan, sólo rostros amenazantes, voces que increpan y cuerpos que van y vienen. La itinerancia encuentra difícil disfrazarse con otros movimientos.

Un conjunto de estrategias y tácticas se abren cuando la itinerancia encandila con espectros alterados el espacio público: la policía y los agentes de seguridad movilizan patrullas, amenazas y violencia; los caminantes cruzan de acera, aceleran el paso, se detienen en algún lugar iluminado y con gente a esperar que el peligro pase; los jóvenes de la calle aprovechan el encuentro: se acercan, persiguen, jalonean, insisten.

Los desplazamientos de los jóvenes de la calle construyen toda una retórica urbana poblada de figuras que densifican la experiencia del espacio y de la alteridad: rodeos, evitamientos, encuentros buscados u obligados, rechazos, disputas, negociaciones e indiferencia.

Esos pasos que parecen vacíos, el nomadismo errático a primera vista, son portadores de algo que parece inmutable a pesar del movimiento, de los traslados y del desplazamiento. El intranquilo espíritu de la itinerancia no logra sacudir un componente que parece fuertemente enraizado. Más allá de las fronteras, entre las zonas de contacto y los cruces, la itinerancia traslada el *habitus* de la exclusión: un sistema de disposiciones durables del despojo social incrustado en el cuerpo, en las representaciones y en la memoria. No hay esquina, ni acera, ni coladera donde se pueda depositar el *habitus* de la exclusión; siempre se lo lleva puesto, y la itinerancia es la forma paradigmática de su portación.

Otra de las formas en que cristaliza la itinerancia son los circuitos. La salida a la calle y la consolidación de la errancia urbana transitan siempre por un mismo circuito: casa/calle/institución/hotel/consejo tutelar/delegación/anexo/reclusorio. Un circuito que tiene un ingreso y muy pocas veces una salida definitiva. Los jóvenes de la calle están atrapados en este circuito, que las instituciones de asistencia y los intentos de políticas públicas se encargan de reforzar.

Cada punto del circuito se constituye en un retorno potencial. De este modo, la salida de la casa familiar no implica un abandono definitivo de la misma; la itinerancia podrá transportar en algún momento al joven de la calle nuevamente (y de forma temporal) a su casa de origen. Algo similar ocurre con las instituciones de asistencia privada o pública, se vuelven un punto más en el circuito de la itinerancia urbana. Los jóvenes de la calle entran y salen de las instituciones, de las muchas instituciones, sin lograr fijarse finalmente a ellas.

Otro tramo del circuito, el representado por la calle/institución, es interesante explorarlo, ya que trasluce no sólo aspectos relevantes de la itinerancia urbana sino también las fallas de los programas de intervención y gestión de la exclusión social.

Los jóvenes de la calle han pasado durante su larga historia de itinerancia por muchas instituciones de asistencia privada o pública. En algunos periodos la vida en la calle se alterna con la permanencia en las instituciones, a la que después se retorna como una necesidad de restituir todo aquello que la institución despoja: la libertad, las drogas, la socialidad.

A pesar de que las instituciones deberían estar situadas en el polo opuesto de la itinerancia, como un intento de producir una (re)integración de los jóvenes al tejido social, lo cierto es que éstas se encuentran totalmente incorporadas al circuito y son parte de él.

Al menos habría dos posibles explicaciones a este hecho: la primera surge explícitamente de la narrativa de las experiencias institucionales de los chavos, y se vincula con la dificultad de mantener lo institucional como una opción real frente al gran atractivo de la calle. De este modo, los distintos espacios institucionales terminan siendo un catálogo de calamidades diversas.

Las narrativas de los propios jóvenes de la calle explican una parte de la incorporación de las instituciones en el circuito de la itinerancia. Pero creo que estas razones pueden complementarse con otra explicación posible: el fracaso de la gran mayoría de las instituciones de asistencia para anclar a los jóvenes fuera del espacio de la calle (y conducirlos hacia la tan mentada integración social) proviene, a mi entender, de la propia lógica institucional.

En primer lugar, las instituciones de asistencia a la población callejera son las grandes fábricas de los etiquetamientos sociales; las nomenclaturas "menor", "menor en situación irregular", "de la calle", "en la calle" y otras más partieron del análisis sobre la problemática de la infancia callejera elaborados por las propias instituciones. La década de los ochenta refleja de manera ejemplar la productiva discusión –por la gran invención de categorías clasificatorias– sobre esta situación de la infancia en condiciones socialmente desfavorable (otra taxonomía más).

En la década de los noventa las instituciones descubren que la realidad de la infancia callejera se ha complejizado y diversificado: no sólo se trata de niños que viven en la calle, sino también de una creciente población femenina, de jóvenes que van por el camino de convertirse en adultos indigentes, de familias enteras que viven en la calle, con la presencia de niños "*made in street*" segunda generación, de niños y jóvenes portadores o infectados de VIH sida, de madres adolescentes, de niños y jóvenes drogadictos que consumen no sólo "activo" sino también las denominadas "drogas duras", de niños y jóvenes que se prostituyen y que están entrando a las redes de la pornografía y el comercio sexual.

Esta gran complejización en la población de la calle propició una suerte de especialización institucional que llevó a algunas instituciones a establecer como población-meta a niños, o sólo a niñas y madres adolescentes, o sólo a jóvenes, reproduciendo lógicas segregativas del conjunto de la dinámica social. Quizá lo más grave del caso sea que la parcelización de la población-objetivo responde no sólo a una complejización de la realidad callejera, sino a una reorientación de los financiamientos, lo que hace que algunas subpoblaciones sean más financiables que otras, como es el caso de los niños y de las niñas y adolescentes madres. La lógica económica contribuye también al reforzamiento de los funcionamientos segregativos; es lo que ocurre actualmente con el segmento de jóvenes callejeros, que una vez que traspasa el umbral de los 16 años pocas instituciones se hacen cargo de ellos y quedan flotando en un vacío en el que ni las instituciones ni las políticas públicas llegan.

Los jóvenes de la calle se vuelven prisioneros de los dispositivos institucionales, y cuando el cumplimiento de las expectativas se transforma en algo insatisfactorio para ambas partes comienzan las complicidades funcionales que no siempre son asumidas hasta sus últimas consecuencias ni por los encargados de las instituciones ni por los jóvenes de la calle. Para unos, se tratará de sacar el mayor rédito posible al exceso de la oferta institucional, asumiendo compromisos inestables; para otros, cuando buena parte del éxito y del impacto del modelo de intervención debe quedar expresado en números (cantidad de niños atendidos, número de desayunos y comidas repartidas, niños que permanecen en la institución, total de población atendida, casos de reintegración familiar, etc.) tienden a negociar y a ser permisibles con los jóvenes para garantizar su permanencia y afluencia en sus espacios institucionales. Los juegos perversos requieren al menos de dos jugadores.

Más allá de la mayor o menor sofisticación y variedad en los modelos de intervención, la oferta institucional hacia los jóvenes de la calle es de una vastedad increíble, y termina por crear una indigestión que conduce a un vacío.

La multiplicidad de talleres, actividades recreativas, olimpiadas deportivas, excursiones, visitas y viajes, entre muchas otras, no generan, a final de cuentas, mucho eco en los jóvenes de la calle. Tantos y aparentemente tan atractivos menús para la integración social no logran anclarlos. Las instituciones no son más que tiempos de espera, una forma de *stand by*, hasta que la itinerancia los vuelve a tocar en algún punto del circuito.

¿Por qué fallan las instituciones? El exceso de oferta se corresponde con un fuerte déficit de las instituciones para producir sentido e instituir lazos sociales. Como bien señalan De Gaulejac y Taboada Léonetti (1994: 93), las iniciativas privadas son raramente portadoras de un proyecto global social a través del cual las personas asistidas tengan un lugar útil, una función productiva de lazos sociales, de símbolos y de sentidos. Las instituciones de asistencia y atención a la población de calle no generan una inscripción simbólica, no son productoras de un lugar socialmente reconocido y valorado para los chavos de la calle. Su falla radica, precisamente, en la reproducción del no lugar.

Las políticas públicas, por sus falencias y discontinuidades, constituyen otro afluente de la itinerancia urbana; completan el circuito albergues-anexos-consejos tutelares-delegación-reclusorio/calle. En el accionar errático y heterogéneo del gobierno de la ciudad y del gobierno federal, los programas y las acciones para la gestión pública de la exclusión social cristalizan en tres formas complementarias: las medidas preventivas, las de control y las represivas.

Políticas públicas que se hacen y deshacen, que abren y cierran espacios; programas y acciones gubernamentales erráticos, discontinuos y contradictorios; organismos públicos que transfieren las responsabilidades en lugar de asumirlas; gobiernos que dan respuestas procedimentales en lugar de políticas; tampoco producen sentido, ni lazo social. Al igual que la lógica institucional, las políticas públicas refuerzan el aislamiento social y la exclusión. Se transforman también en proveedoras de contingentes para la itinerancia urbana.

De las delegaciones y de los consejos tutelares también se entra y se sale, aunque en estos casos las entradas y salidas no son decisión de estos jóvenes, sino una determinación de una autoridad calificada. En algunas situaciones, de los reclusorios también se sale, y en muchos casos de jóvenes callejeros ya transformados en adultos de la calle las entradas pueden ser reiteradas. Algo similar ocurre con los "anexos", que son establecimientos para la desintoxicación de la droga-dependencia. Personal de las instituciones o algún familiar puede trasladar a los jóvenes de la calle a estos establecimientos, que por lo general tienen un régimen de encierro con escasas visitas permitidas. Según los casos, los jóvenes que son internados en los anexos pueden pasar varios meses cumpliendo un tratamiento. Muchos vuelven a la calle el mismo día en que lo finalizan o cuando logran escaparse.

Los hoteles, lugares donde los jóvenes callejeros pueden llegar a pasar la noche si el "charoleo"[4] ha sido sobradamente exitoso, también forman parte del circuito de la itinerancia. Los hoteles que frecuentan los jóvenes callejeros no tienen requisitos especiales de entrada, salvo la cancelación del pago previa ocupación de la habitación. Al ser más o menos *habitués* de los mismos sitios, son conocidos por los dueños o por los responsables de los hoteles.

Finalmente, se encuentra la calle: donde todo inicia otra vez. De la casa a la calle; de la institución a la calle; de la delegación a la calle; del anexo a la calle. La calle es el punto del circuito donde la itinerancia urbana se rearticula después de alguna pausa voluntaria o impuesta.

Al recorrer la totalidad del circuito se puede entender que cada una de las partes del mismo se sobrepone y se retroalimenta de las demás: en la calle, la casa está muy presente; en la casa, se añora la calle; en las instituciones se quiere salir a la calle; y a veces tanta droga de la calle hace desear internarse en un anexo. No sólo se trata de una circularidad sino también de un entrecruzamiento de espacios-tiempos de la itinerancia.

Al explorar el tramo casa/calle del circuito se observa que la experiencia de la exclusión no logra borrar la presencia familiar: ésta se reconstruye permanentemente de forma real o imaginaria. El retorno a la casa se vincula con un intento de recobrar lo perdido, o con la realización de una especie de *break* con la calle que puede ser utilizado como un tiempo de aprovisionamiento (de fuerzas, recursos, servicios), o con la visita a un hijo que se encuentra en custodia de un familiar. En el caso de las mujeres, los regresos a la casa familiar son más frecuentes. Y en las situaciones en las que nunca se produjo un retorno real al hogar, los jóvenes de la calle manifiestan como deseo poder retornar algún día, con dinero y con trabajo, para ayudar a su madre y hermanos.

La casa representa, para los jóvenes de la calle, un *topos* imborrable en la experiencia de la exclusión, aun cuando la conflictividad y la violencia que en ella se

[4] "Charolear", "charoleo": pedir dinero a los transeúntes.

depositan hayan sido la causa de todos los males. Más que opuesta a la calle, la casa está en una relación de contigüidad con ésta.

La exclusión es un campo de posibilidades que deviene portadora de sentido para los jóvenes que viven en la calle, en la medida en que éstos queden envueltos por una mirada y un accionar institucional que los reconoce como tal. El reconocimiento de las instituciones encargadas de la atención a este grupo de excluidos teje un campo de sentidos y de interpelación que genera formas de integración de la exclusión social: al ser nombrados, son incluidos. Y la única forma de reconocimiento y de interpelación lo constituye un etiquetamiento negativo: ser de la calle.

La lógica compleja de inclusión/exclusión, fincadas en el reconocimiento que las instituciones refractan a los jóvenes que viven en la calle, calma las angustias de vacío producidas por una falta originaria de nominación, posteriormente reforzada por la experiencia social del no lugar. Pero, al mismo tiempo, la contundencia con la que operan esos apelativos inhibe fuertemente otros funcionamientos individuales y grupales. "Ser de la calle" contiene al sujeto y permite ser nombrado, interpelado, reconocido socialmente; simultáneamente produce una operación de borramiento de filiaciones más arcaicas: se diluye la pertenencia a un núcleo familiar, se produce una disolución en la línea de parentesco al dejar de ser "hijo de" para pasar a ser "de la calle". El desdibujamiento de la filiación dificulta la introyección de la idea de orden respecto de los géneros y de las generaciones, y de reglas que instauren la paternidad y la filiación.

Frente a la pérdida de filiación, los jóvenes callejeros dependen fuertemente de la interpelación de las instituciones y de las imágenes negativas que los otros les remiten. A veces resulta incluso contraproducente intentar salirse de esos etiquetamientos negativos porque se pierde visibilidad como sujeto.

La itinerancia urbana en el caso de los jóvenes que viven en la calle no tiene un único sentido, es más bien un fenómeno polivalente. Frente a las lógicas institucionales y gubernamentales que intentan llevar a cabo una política de "fijación" de estos jóvenes a la calle o a las instituciones, los jóvenes parias urbanos oponen una política de tránsito y de desplazamiento. Ante los intentos de fijación en lugares anónimos, los jóvenes callejeros despliegan una suerte de residencia en movimiento.

La itinerancia no es únicamente la desarticulación permanente de las redes y de los capitales acumulados en un lugar fijado, es también una forma de rearticulación de los lugares, de las pérdidas violentas y de las memorias individuales y colectivas. La itinerancia urbana conecta y desconecta la experiencia de la exclusión social.

BIBLIOGRAFÍA

Aranguiz, Marcela y Jean-Marie Fecteau, 2000, "L'école de la précarité: vagabonds et errants à Montréal au tournant du siècle", en Danielle Laberge (dir.), Quebec, *L'errance urbaine*, Éditions Multimondes.

Bustelo, Eduardo y Alberto Minujin (eds.), 1998, *Todos entran. Propuesta para sociedades incluyentes*, Colombia, UNICEF, Santillana.

Bustelo, Eduardo y Alberto Minujin, 1998, "Política social e igualdad", en Eduardo Bustelo y Alberto Minujin (eds.), *Todos entran. Propuesta para sociedades incluyentes*, Colombia, UNICEF, Santillana.

Castel, Robert, 1995, "Les pièges de l'exclusion", en *Lien Social et Politiques-RIAC*, 34, otoño, Quebec.

—, 1998, "La lógica de la exclusión", en Eduardo Bustelo y Alberto Minujin (eds.), *Todos entran. Propuesta para sociedades incluyentes*, Colombia, UNICEF, Santillana.

Costa Leite, Ligia, 1995, "Brésil: un pays d'invincibles", en *Sud/Nord. Folies & cultures*, núm. 4, Ramonville Saint-Agne, Éditions Érès.

De Gaulejac, Vincent e Isabel Taboada Léonetti, 1994, *La lutte des places*, París, Desclée de Brower.

Fontaine, Michel, 2000, "Les besoins et les services: paradoxes", en Danielle Laberge (dir.), *L'errance urbaine*, Quebec, Éditions Multimondes.

Fontan, Jean-Marc, 2000, "Entre la gestion socialisée et l'autogestion d'une pratique, quel devenir citoyen pour l'itinérant?", en Danielle Laberge (dir.), *L'errance urbaine*, Quebec, Éditions Multimondes.

Jóvenes mexicanos del siglo XXI. Encuesta Nacional de Juventud, 2000, México, SEP-Instituto Mexicano de la Juventud.

Laberge, Danielle (dir.), 2000, *L'errance urbaine*, Quebec, Éditions Multimondes.

Lussier, Véronique y Mario Poirier, 2000, "Parcours de rupture ou quête de reconnaissance et d'identité? L'impact des représentations parentales sur l'itinéraire de jeunes itinérants et itinérantes de Montréal", en Danielle Laberge (dir.), *L'errance urbaine*, Quebec, Éditions Multimondes.

Minujin, Alberto, 1998, "Vulnerabilidad y exclusión en América Latina", en Eduardo Bustelo y Alberto Minujin (eds.), *Todos entran. Propuesta para sociedades incluyentes*, Colombia, UNICEF, Santillana.

Miranda López, Francisco, 2002, "Transición educación-mercado de trabajo en jóvenes", en *Jóvenes mexicanos del siglo XXI. Encuesta Nacional de Juventud, 2000*, México, SEP-Instituto Mexicano de la Juventud.

Parazelli, Michel, 2002, *La rue attractive. Parcours et pratiques identitaires des jeunes de la rue*, Presses de l'Université du Québec.

Roy, Shirley, 1995, "L'itinérance: forme exemplaire d'exclusion sociale?", en *Lien Social et Politiques-RIAC*, 34, otoño, Quebec.

— y Lorraine Duchesne, 2000, "Solitude et isolement: image forte de l'itinérance ?", en Danielle Laberge (dir.), *L'errance urbaine*, Quebec, Éditions Multimondes.

—, Jacques Rhéaume, Marielle Rozier y Pierre Hétu, 2000, "L'hébergement des jeunes mineurs en difficulté: une solution?", en Danielle Laberge (dir.), *L'errance urbaine*, Quebec, Éditions Multimondes.

Sibley, David, 1995, *Geographies of exclusion*, Londres, Routledge.

UNICEF, 1989, *Nuevas alternativas de atención para el niño de y en la calle de México*, 2a. ed., Colombia, UNICEF, DIF-Veracruz.

—, 1990, *Niños de la calle*, edición del Seminario "Niños de y en la Calle-Alternativas de Atención", enero de 1990, Chile.

—, 1996, *II Street Children Study. Executive Summary. Mexico City*, México.

—, 1997, *Capítulo de uso indebido de sustancias*, México, DIF-PNUFID-UNICEF.

UNESCO, 1999, *Inocência em Perigo. Abuso Sexual de Crianças Pornografia Infantil e Pedofilia na Internet*, Río de Janeiro, Garamond, UNESCO.

Wright, Talmadge, 1997, *Out of place. Homeless mobilizations, subcities, and contested landscapes*, State University of New York Press.

Xiberras, Martine, 1994, *Les théories de l'exclusion*, París, Méridiens Klincksieck.

Valenzuela Arce, José Manuel, 2002, "El tropel de las pasiones. Jóvenes y juventudes en México", en *Jóvenes mexicanos del siglo XXI. Encuesta Nacional de Juventud, 2000*, México, SEP-Instituto Mexicano de la Juventud.

COMPLEJIDAD Y EXCLUSIÓN SOCIAL

MARIO LUIS FUENTES*

INTRODUCCIÓN

Pensar la exclusión social implica, de inicio, asumir una postura ética y en consecuencia una postura política. Tratar de comprender esta dimensión de lo social requiere asimismo de una declaración previa en el sentido de que es imposible reducir a conceptos a la totalidad del mundo y de lo humano. La realidad puede ser aprendida y aprehendida sólo en fragmentos que, a través del pensamiento, pueden "ordenarse" y "mostrarse" en encadenamientos de causalidad, por una parte, y en esfuerzos de comprensión por la otra.

En este reconocimiento, el presente artículo no pretende construir un edificio categorial, ni siquiera un concepto de lo que es la exclusión social. Sí pretende mostrar múltiples dimensiones del mundo de la vida colectiva en las que el fenómeno de la exclusión social se manifiesta, las cuales, a su vez, abren la posibilidad de establecer las bases para una definición posterior.

Debe mencionarse que la reflexión que intenta abrirse a través de este documento se basa en la hipótesis de que a finales del siglo XX y principios del XXI las sociedades occidentales, la nuestra incluida, se enfrentan a un conjunto de nuevos riesgos sociales, muchos de ellos inéditos, que colocan a las personas en nuevas circunstancias de vulnerabilidad social.

Se asume también que la exclusión social es un fenómeno. Pero el concepto de fenómeno que se retoma no es el de las ciencias físicas, en el que se consideran estrictamente aquellas variables que, además de ser demostrables, pueden sostenerse a través de nexos de causalidad, del tipo, valga la reiteración, de causa-efecto.

Se retoma, por el contrario, la definición de fenómeno que se ha construido desde distintas tradiciones filosóficas, en las que se asume que el fenómeno es aquello que "aparece", que "se muestra" y que nos da los elementos para el "desocultamiento" de aquello que nos puede abrir el camino hacia el conocimiento de lo que algo es.[1]

Un fenómeno no es "monoconstitutivo"; es decir, no se constituye de una sola pieza, a la manera de un monolito. Antes bien, el fenómeno es síntesis de un conjunto de procesos, que en lo social determinan la complejidad que caracteriza a todo aquello relacionado con lo humano. Entendido de esta manera, el análisis del

* Centro de Estudios e Investigación en Desarrollo y Asistencia Social (CEIDAS).

[1] Cf. M. Heidegger (2000a y 2000b). Una explicación de esta postura se encuentra en Mardones y Ursúa (2000).

fenómeno de la exclusión social que se pretende llevar a cabo en este artículo busca encontrar todas aquellas manifestaciones en las que se expresa y se hace patente.

Con base en estas anotaciones preliminares, se presenta en seguida una primera interpretación de lo que implica la complejidad social contemporánea y cómo esta complejidad es mayor debido a la aparición de nuevos riesgos sociales para las poblaciones; en un segundo momento se exponen las distintas manifestaciones que, en el marco de la señalada complejidad, muestra el fenómeno de la exclusión social, y en una tercera parte se señalarán algunas rutas para construir instituciones y políticas capaces de enfrentar al fenómeno de la exclusión social, y de generar, como contraparte, instituciones y políticas para la inclusión.

COMPLEJIDAD Y RIESGOS SOCIALES EN MÉXICO

Afirmar que en las últimas dos décadas del siglo XX y la primera del XXI hay una creciente complejización social en México no implica afirmar que en las décadas anteriores la sociedad mexicana no fuese compleja. Lo que se quiere señalar es que la aparición de un conjunto de nuevas circunstancias sociales ha hecho que tal complejidad sea creciente, y sobre todo acelerada.

Estas circunstancias están determinadas en primer término por una agenda global basada en el consenso de la comunidad internacional sobre la necesidad de realizar acciones de alcance planetario para reducir la pobreza, frenar el calentamiento global y el deterioro ecológico, y construir equilibrios regionales que permitan una paz duradera, así como garantías de seguridad global frente al terrorismo y otras formas del crimen organizado.[2]

En segundo término, hay una nueva agenda político-social en México caracterizada por la alternancia política en todos los órdenes de gobierno, por la pluralidad representativa del Congreso de la Unión y por una nueva agenda de riesgos sociales que se suman a los viejos riesgos y rezagos acumulados en los últimos años y que afectan a la población en mayores condiciones de vulnerabilidad social.

Debe señalarse que a partir de 1945, con la construcción de todo un sistema de seguridad social basado en la noción del Estado de Bienestar, en México se asumió desde la administración del Estado que había un conjunto de riesgos sociales que constituían la principal amenaza a la seguridad de las personas, riesgos asociados fundamentalmente al mundo del trabajo. A partir de esta noción se construyó el Instituto Mexicano del Seguro Social como una entidad que, de acuerdo con su ley de creación, sería una instancia prestadora de servicios sociales y el principal "instrumento del Estado para la redistribución de la riqueza" en México.[3]

Esta noción de que los riesgos podían ser prevenidos y atendidos desde el Estado

[2] Sobre estos temas de alcance planetario hay dos textos sumamente sugerentes: B. Lomgor (2004) y K. Anan *et al.* (2001).

[3] Así se establece en los artículos iniciales de la Ley del IMSS de 1943.

llevó a la construcción de un sistema institucional de coberturas adicionales a las personas que no estaban incorporadas a la seguridad social asociada con el trabajo formal. Así, a finales del siglo XX surgieron dependencias federales como el Sistema Nacional para el Desarrollo Integral de la Familia, ampliaciones de servicios desde el propio IMSS a través del IMSS-Coplamar, y otras dependencias que intentaron dar respuesta al acelerado empobrecimiento de la población en la década de los noventa, como la Secretaría de Desarrollo Social.

En evidencia, las dependencias e instituciones diseñadas para tratar de atender los riesgos sociales no sólo fueron desbordadas en sus capacidades, sino que sus propias estructuras mostraron la insuficiencia de su diseño para atender las nuevas formas de riesgo, adicionales a las que ya enfrentaba la población y que incrementaban los niveles de inseguridad y de vulnerabilidad de las personas.

Frente a esta realidad, a principios del siglo XXI se ha pretendido rediseñar algunas de las instituciones responsables del cumplimiento de las garantías sociales, y se han creado otras que buscan prever y atender nuevas formas de riesgo social. Sin embargo, debe señalarse que los programas públicos que se han derivado de este marco institucional se enfrentan al problema de que, de entrada, asumieron la preexistencia de una ciudadanía responsable, consciente de sus derechos y de sus responsabilidades, y lo que es peor aún, se ha asumido que la ciudadanía se construye mediante mecanismos de incorporación a los distintos "mercados" de la vida pública, fundamentalmente el mercado económico y el mercado político.

Así, para comprender la dimensión y las razones por lo que ni las viejas ni las nuevas instituciones han logrado responder a la nueva realidad social del país, debe explorarse cuáles son las nuevas formas de riesgos sociales que sitúan a las personas en circunstancias de vulnerabilidad social; estos nuevos riesgos sociales son fundamentalmente:

a] *La pobreza masiva y la vulnerabilidad de las personas* de caer en la pobreza debido a gastos catastróficos en salud, o por la pérdida del jefe o jefa de familia. En efecto, el Banco Mundial, en su informe sobre la situación de la pobreza en México (2004), advertía que dadas las condiciones estructurales de desigualdad en México, era mucho más probable que una persona de bajos ingresos económicos cayera en la pobreza, a que los pobres pudieran salir de esa condición.[4]

b] *La ausencia de políticas de cuidado de la salud mental y las enfermedades mentales.* La población en México, tanto en los sectores urbanos como en los rurales, atraviesa por una nueva lógica de riesgos que no están vinculados necesariamente a los niveles de ingreso. Estos riesgos tienen que ver con la salud mental y con la enorme presión social que existe sobre los individuos, que está

[4] Además del informe citado, el documento publicado por el Banco Mundial, La trampa de la desigualdad en México, ofrece evidencia estadística sobre los insostenibles grados de desigualdad que persisten en los niveles de ingreso y de distribución de la riqueza en el país, así como el daño y el estancamiento que esto significa para el desarrollo institucional y el impulso del crecimiento en México.

generando un incremento acelerado en el número de personas que viven con una o más adicciones y de otras más que optan por el suicidio. El suicidio, sin duda resultado de múltiples factores, está relacionado con la desesperanza, con la renuncia y con el desistimiento de la vida, y es una muestra de la fractura de la voluntad, del no querer estar más en la sociedad y de no encontrar ni rumbo ni sentido para la existencia. Asimismo, el incremento en los niveles de consumo de sustancias adictivas, así como la cada vez más temprana edad de inicio en el uso y abuso de las drogas, son fenómenos asociados a la falta de una adecuada política de prevención y cuidado de la salud mental. En términos estadísticos, y de acuerdo con información oficial y de distintas ONG, la edad de inicio en el consumo de sustancias adictivas está creciendo anualmente a ritmos nunca antes vistos en nuestro país, y las tasas de suicidio se han incrementado en porcentajes preocupantes en los últimos veinte años.[5] A estos fenómenos debe agregarse el aumento de otras enfermedades mentales, como la anorexia y las adicciones a los juegos y al uso de aparatos electrónicos, así como de enfermedades asociadas a la transición epidemiológica y el envejecimiento de la población.

c] *La violencia.* La Organización Panamericana de la Salud, a través de distintos informes, considera que la violencia es ya una pandemia en América Latina. En nuestro país, esto se confirma a través del Informe Nacional sobre Violencia y Salud, 2006, publicado por la Secretaría de Salud. Hay sin duda una violencia generalizada que ha llevado a que las principales causas de muerte en mujeres y hombres de entre 14 y 29 años sean los accidentes de tránsito, los homicidios y los suicidios.

d] *La desprotección jurídica e institucional,* que sitúa a las personas y a miles de familias en situaciones límite. Este fenómeno está asociado al desempleo y a la informalidad laboral, a veces a la ilegalidad, lo cual nuevamente se entrecruza con el tema de la estructura institucional vigente, diseñada básicamente para proteger y prestar servicios a aquellas personas que están ocupadas en ámbitos formales de empleo. Aunado a la insuficiencia e incapacidad real de las instituciones para garantizar los derechos sociales de todas y todos, se encuentra un marco jurídico para las garantías sociales desarticulado y sin las consideraciones necesarias para dotar a las instituciones de las capacidades para cumplir con lo que las propias leyes les mandan. Por otro lado, es importante considerar que hay riesgos frente a los cuales no hay legislación y que sitúan a las personas en mayores circunstancias de vulnerabilidad.

[5] El documento "Guía para el comunicador" elaborado por Centros de Integración Juvenil, A.C. en coordinación con la Comisión Nacional contra las Adicciones y la Comisión Federal para la Protección contra Riesgos Sanitarios, ofrece datos reveladores sobre niveles de consumo y edad de inicio en el consumo de sustancias adictivas, así como datos sobre la transición epidemiológica de las adicciones en los últimos quince años. Asimismo, el documento "Suicidios e intentos de suicidio, 2004", elaborado por el INEGI, muestra que en México, entre 2003 y 2004, la tasa anual de crecimiento en el número de suicidios es de 3.6. Los datos actualizados en los registros de la Secretaría de Salud en 2005 no hacen sino corroborar la tendencia creciente de este fenómeno.

e] *La discriminación*, la cual genera procesos de rechazo y de violación constante de los derechos humanos de las personas. La discriminación cierra espacios para el desempeño laboral, profesional y personal de los individuos en sociedad, al tiempo que promueve y permite la reproducción de la desigualdad, la generación de estereotipos y la reproducción de prácticas de violencia y negación de las diferencias, de la pluralidad y de la diversidad. En ese sentido, vale la pena destacar la Encuesta Nacional sobre Discriminación, 2004, en la que se evidencia la magnitud del fenómeno de la discriminación en nuestro país.[6]

f] *Las enfermedades globales*. Hoy las personas enfrentan riesgos de enfermedades que se han diseminado a lo largo de todo el planeta, y frente a las cuales los esfuerzos aislados de los países resultan insuficientes. El descontrol o la diseminación acelerada del VIH-sida o de la influenza aviar son sólo dos de las principales amenazas a la seguridad global y a la seguridad de las personas. Contar con los medicamentos y las vacunas suficientes requiere del replanteamiento del mercado global de los productos farmacéuticos, a la par de un esfuerzo compartido por la comunidad global para asegurar a sus poblaciones la disminución y la protección frente a riesgos que tarde o temprano habrá necesidad de enfrentar. Existen además otras amenazas a la salud de las personas relacionadas con hábitos y estilos de vida, fomentados y a veces hasta auspiciados por la lógica de la depredación del capitalismo global: la obesidad, las neuropatologías y las cardiopatías asociadas a ella, la diabetes y las isquemias, son sólo algunos de los padecimientos que resultan de rutinas de vida sedentarias y monótonas, que no son sino muestra de una sociedad basada en el consumo y en el abandono y olvido de los hábitos saludables y la noción del bienestar integral de las personas, así como de lógicas de responsabilidad personal y una cultura del autocuidado y el autorrespeto del cuerpo como parte integral de la identidad personal.

g) *El cambio climático*. A partir del siglo XX las personas están cada vez más expuestas al riesgo de enfrentar desastres naturales, incluso antropogénicos, que no sólo pueden atentar contra sus posesiones sino también contra su vida y contra la posibilidad de realizar vida en comunidad. Carl Sagan advertía hace casi veinte años, desde la visión de un astrofísico, que las ciencias sociales estaban frente al reto de procesar la complejidad de una nueva categoría de ciudadanos del mundo, originada en las crisis ambientales que se preveía se avecinaban como resultado del cambio climático (Sagan, 1999). En esa visión preclara, Sagan llamaba a pensar en la aparición de lo que denominó como los "refugiados ambientales", personas que se verían expulsadas de regiones enteras del planeta debido a catástrofes climáticas y ambientales que harían imposible la vida en lo que hoy conocemos como playas, bosques, selvas e incluso regiones

[6] En esta encuesta se muestra que son las mujeres, los indígenas, las personas con discapacidad y los homosexuales, quienes viven en mayor medida la discriminación; esto permite aducir que en nuestro país los espacios más representativos de la diversidad y la diferencia son los que viven en mayor medida violencia y rechazo, debido a atavismos culturales, prejuicios y patologías sociales, como el racismo.

semidesérticas. La humanidad no está preparada para enfrentar este fenómeno, incluso puede afirmarse que no ha sido comprendido ni percibido por muchos de los líderes mundiales y es urgente poner énfasis en la necesidad de considerarlo como uno de los mayores retos para la humanidad en los próximos cien años.

Estos nuevos riesgos sociales configuran lo que pueden llamarse "contextos propicios" para la manifestación y reproducción de la exclusión social. Estos contextos no sólo son campo propicio para la manifestación de una sociedad esencialmente excluyente, sino que además generan y pueden propiciar mayores condiciones y círculos de reproducción de factores que derivan en formas de exclusión.

Es pertinente adelantar que la exclusión social, en tanto fenómeno que "sintetiza" distintas formas de actuación y comportamiento social, tiene distintas manifestaciones que bien pueden constituirse en los correlatos de los contextos señalados en los incisos anteriores.

LAS IMPLICACIONES ÉTICAS DE LA EXCLUSIÓN SOCIAL

La exclusión social, ya se dijo, implica rechazo, violencia y negación de derechos, a veces de la propia existencia de personas, familias o comunidades enteras. Es un fenómeno resultado de la vivencia de los riesgos sociales mencionados en el apartado anterior, y que en muchos casos se viven de manera simultánea por una sola persona, por familias enteras, o por pueblos y comunidades, en los casos de los ámbitos rurales e indígenas.

Por tal razón este artículo sostiene que pensar la exclusión social implica una toma de postura. Y para ello es preciso, además de lo ya señalado, reconocer que la exclusión social es un fenómeno histórico; es decir, se vive en un tiempo y un espacio, en nuestro tiempo en el aquí y el ahora, y que es necesario denunciarlo si se le percibe desde el reconocimiento de que todas las personas, independientemente de su origen, condición, sexo, preferencia sexual, pertenencia étnica, creencia, ideología o posturas políticas, deben tener garantizado, por el Estado, un piso mínimo de derechos humanos, sociales, culturales, económicos y ambientales que, de acuerdo con el desarrollo y crecimiento económico de una sociedad, deben ir ampliándose en procesos de distribución justa de los beneficios sociales, así como en una constante ampliación del conjunto de las garantías sociales.

En esa lógica, pensar la exclusión social consistiría básicamente en pensar en los espacios y, sobre todo, en los procesos a través de los cuales las personas se ven impedidas de alcanzar o de ver realizados sus derechos; de expresar sus formas de percibir y vivir en el mundo, y de expresar y realizar sus proyectos de vida.

El concepto de la exclusión social es, de inicio, un concepto contradictorio. La noción de sociedad implica necesariamente la idea de un todo coherente, organizado, si se piensa desde una visión empírico-analítica del mundo; o bien, implica asumir que existe un conjunto de códigos de significación y representación comunes, que hacen a un grupo social asumir la noción de identidad y el sentido de pertenencia a través de la idea compartida de un "nosotros" y de una visión compartida de presente y futuro, si se piensa desde una postura de conocimiento que apele a la comprensión y a la interpretación.

Los conceptos de sociedad y de exclusión social son entonces, por necesidad, antagónicos y quizá irreconciliables. ¿Cómo hablar entonces de exclusión social? ¿Cómo asumir una legalidad interna que le dé validez y fuerza explicativa en un contexto de reflexión y pensamiento crítico?

Para lograr esto es importante apelar a lo que Jürgen Habermas expone en el texto *La inclusión del otro* (1999), en el sentido de sostener que hay categorías morales que pueden tener validez objetiva, si se apela a una racionalidad no instrumental. Pensando en estos temas, Habermas se pregunta: "¿Cuáles son los efectos que se derivan para las sociedades pluralistas en las que se intensifican las divergencias multiculturales, para los estados nacionales que se unen en unidades supranacionales y para los ciudadanos de una sociedad mundial que han sido congregados sin su conocimiento en una comunidad de riesgo?" Responde de inmediato Habermas: "defiendo el contenido racional de una moral de igual respeto para cada cual y de la responsabilidad solidaria universal de uno para con el otro" (Habermas, 1999: 23).

Esta idea de Habermas a lo que invita es a pensar en cómo se puede construir una posición ética, y en cuáles son las consecuencias de esta posición, en sociedades cada vez más diversas, complejas y amenazadas mayoritariamente por los riesgos que se señalaron con anterioridad. Esto es, cómo generar una moral compartida por todos, en medio de ideas, creencias, religiosidades, sexualidades y tradiciones distintas y a veces hasta contrapuestas.

La invitación a fundamentar racionalmente una postura moral frente a una nueva noción de riesgos en el ámbito internacional, que se traducen en riesgos específicos para países enteros, tiene como objetivo final que todos podamos reconocer que la única manera de lograr la permanencia y pervivencia de la especie humana depende de que podamos, independientemente de nuestras creencias, valores, tradiciones y culturas, asumir principios que puedan ser aceptados por todos, con base en la aceptación de la diferencia y fortaleciendo y reforzando la noción de la tolerancia y la convivencia con los otros.

Una moral de este tipo es una moral con amplias capacidades para ser instrumentada a través de las instituciones democráticas de los estados contemporáneos. Se trataría, en todo caso, de la urgencia de construir instituciones con la capacidad de actuar en lo local y de generar alianzas globales para la solución de los problemas comunes y para la reducción de las comunidades de riesgo, a que los ciudadanos y la población en general se ven hoy sometidos, en un contexto de globalidad y de integración de bloques y regiones políticas y económicas.

Los problemas ambientales, la pobreza global, el hambre, la brecha digital, los resabios de los nacionalismos, la xenofobia y formas contemporáneas de genocidio son temas que requieren de respuestas y acciones de alcance global, que para construir relaciones solidarias globales, sin pretensiones de una imposición universalista, requieren de la construcción de una moral pública mundial basada en posiciones éticas.

En ese sentido, enfrentar la exclusión social requeriría, retomando a Levinas, de una ética sin fundamentos, pues aun cuando este argumento se aleja de la propuesta de Habermas y para muchos imposibilita su operacionalidad, permite plantear transformaciones culturales y civilizatorias de alcances mayores (Levinas, 2003).

La ética sin fundamentos que plantea Levinas podría constituirse, paradójicamente, en el fundamento y el elemento de validez que busca Habermas para la construcción de una moral global. Esto es, reconocer sin apelar al derecho positivo, que el otro es, no mi igual, sino mi semejante, abre la posibilidad a la construcción de una nueva forma de relaciones sociales que bien pueden apuntalar una política dialogante mundial, si se piensa en los contextos globales, y al interior de los países, si se piensa en el contexto del Estado nacional.

Asumir desde ya que no se requiere de un aparato jurídico-burocrático para exigirme un trato igual y solidario, como quiere Habermas, precisa de una transformación que no puede darse si no se plantea como un asunto de civilización. Una civilización, explica Octavio Paz, se sintetiza en las formas de vivir y convivir, de relacionarse y de morir de las personas dentro de una sociedad (Paz, 2000). Si esto es así, se trata de modificar y de promover, desde todos los ámbitos de lo público en las sociedades contemporáneas, la formación de una nueva forma de concebir a los demás y de concebirse a sí mismo.

En ese sentido, Habermas habla de un "universalismo altamente sensible a la diferencia". Esto es, una posición, racionalmente aceptada por todos, a través de la cual se reconoce que la unidad de una sociedad y su participación solidaria en la generación del bienestar de todos, descansa precisamente en la posibilidad de la convivencia respetuosa de distintas formas de percibir y asumir el mundo de la vida.

Estos planteamientos, originados en el seno de la reflexión teórica, exigen por otra parte la abolición de formas institucionalizadas de ejercicio del poder y de negación de la posibilidad de generar relaciones cordiales y solidarias entre los diferentes.

Por otra parte, debe reconocerse que para que la propuesta de este "universalismo altamente sensible a la diferencia" sea realizable, es imperioso encontrar, en el corto plazo, traducciones institucionales en el plano de las organizaciones estatales que, desde las posiciones de países en lo particular, contribuyan a la generación de nuevas relaciones dialogantes en lo internacional, basadas en las nociones básicas de los derechos humanos.

Esta traducción requiere, desde las estructuras "realmente existentes de las democracias contemporáneas", la adecuación de los elementos de obligación, no contra la población, sino de carácter limitante y vinculante de la acción de las instituciones del Estado, para garantizar a todos los habitantes de los países el acceso a la garantía plena de un conjunto de derechos aceptados mediante el consenso como mínimos por una sociedad.

Nuevamente, en este punto, debe insistirse en la necesidad de fomentar sociedades poseedoras de mentalidades éticas, capaces de formular un nuevo ideal civilizatorio basado en las nociones de equidad, de responsabilidad y de la acción solidaria al interior de las sociedades.

Esta noción ética debe ser al mismo tiempo una noción histórica, en el sentido de que una sociedad global como en la que hoy vivimos tiene acceso compartido a las lecciones aprendidas por la humanidad en las últimas décadas.

La enorme capacidad de interconexión, simultaneidad y vinculación que se tiene hoy a través de los medios electrónicos de comunicación, abre la posibilidad de generar rápidos aprendizajes comunes sobre lo que la civilización occidental ha sido capaz de construir, y de los errores que se han cometido en los últimos cien años, por mencionar sólo nuestro tiempo más reciente.

Movilizar a lo que podría llamarse "una conciencia global" hacia el aprendizaje de nuestras posibilidades como "especie y género humano", requeriría de un esfuerzo planetario que bien podría servir como base a la formación de esa nueva y necesaria visión ética de solidaridad con los demás a fin de erradicar, o al menos de disminuir, las comunidades o contextos de riesgo a los que están sometidos más de 3 000 millones de personas que viven en algún grado de pobreza, y en miles de millones de casos, a la miseria, el hambre y la enfermedad.

Levinas sostiene que es el hambre uno de los pocos fenómenos (quizá también de los más radicales) que nos hace dignos de la ética. Esto, porque es a través del hambre como las personas pueden darse cuenta en mayor medida de la vulnerabilidad de la vida, de la fragilidad de la existencia y de la finitud necesaria que implica el ser humano. "Mi vulnerabilidad" frente al hambre es esencialmente la misma que histórica y fácticamente viven al menos 800 millones de personas alrededor de todo el mundo, si se hace caso a la FAO.[7] Esta vulnerabilidad compartida, en el contexto de la comunidad de riesgos que vivimos, obligaría, no en una actitud utilitarista (del tipo "te ayudo porque un día necesitaré de tu ayuda") sino en una renovada vocación ética, a la solidaridad, porque el hambre que se vive cerca y lejos es la misma hambre a la que como "ser-igual-al-otro" estoy expuesto y frente a la cual soy vulnerable.

"Nada humano me es ajeno", han expresado varios pensadores a lo largo de la historia. A esta idea habría que añadirle que nada de lo que le ocurre al otro me es ajeno, porque en tanto que soy, en la diferencia y en la radical individualidad que me caracteriza, esencialmente igual al otro, entonces lo que le sucede al otro esencialmente me ocurre también a mí.

Con base en estos apuntes debería reconocerse que permitir la exclusión social implica permitir la posibilidad de la fragmentación social; la exclusión, debe de-

[7] En su documento "El estado de la inseguridad alimentaria, 2005", la FAO hizo un análisis sobre el grado de cumplimiento de los Objetivos del Desarrollo del Milenio, que plantean la reducción a la mitad del número de personas hambrientas en el mundo. Los resultados son desalentadores, pues al paso que marcha la humanidad, la meta no podrá cumplirse en el 2015.

cirse, representa uno de los fenómenos que en mayor medida atentan en contra de la posibilidad de lo social, y constituye, en ese sentido, un elemento radical que fomenta la fractura y la disolución social.

Excluir implica rechazar, negar de facto la posibilidad de la diferencia, de la realización en colectividad de proyectos personales que, en un sentido estricto, enriquecen la pluralidad de sentido que se le puede dar a la existencia y a la convivencia en un mundo cada vez más interconectado e interdependiente.

LAS POSIBILIDADES DE LA INCLUSIÓN EN LOS MARCOS INSTITUCIONALES CONTEMPORÁNEOS

Se dijo al principio de este documento que la exclusión social no es una tendencia ni una dinámica ni una circunstancia; se sostiene que es un fenómeno que sintetiza distintas formas de mostrarse y manifestarse en lo social. Se dijo también que estas formas de manifestación de la exclusión social tienen como correlato distintos riesgos sociales que se enumeraron en distintos incisos de la primera parte del texto.

Pues bien, las formas que adopta el fenómeno de la exclusión social, y que son las más evidentes en la sociedad mexicana, pueden enumerarse en los siguientes términos:

a] A la pobreza masiva se le presenta como correlato de la exclusión, de la falta de expectativas y de posibilidades de realización de proyectos de vida. El excluido es el que "está deliberadamente fuera de algún lugar"; en esa lógica, la pobreza masiva se convierte en un "apartamiento" estructural de miles, de millones de personas de la vida social. La dinámica del capital global, que es de suyo depredatoria y que fomenta básicamente relaciones individuales mediadas por el dinero y el consumo, es una dinámica excluyente que expulsa a los individuos que no cuentan con capacidades de participar en los mercados, locales o globales, da lo mismo. La pobreza, entonces, no es la forma de la exclusión, sino su dato más manifiesto; la exclusión radica, antes bien, en la imposibilidad de las personas de participar en lo colectivo en la construcción de un futuro común posible, por no contar con las capacidades de mercado que exige una lógica global mercantilizada y basada en las relaciones del comercio. La exclusión derivada de la pobreza consiste en saberse "fuera de" y en saber canceladas sus posibilidades de sociabilización con todos los integrantes de la sociedad; la pobreza, producto de condiciones estructurales de desigualdad, genera estratos, puede decirse verdaderos guetos basados en una organización social fundada ya no en la noción de "clase", en el sentido clásico del término utilizado por la sociología de los siglos XIX y XX, sino en una estratificación condicionada a los niveles de consumo (que no de ingreso) y a la capacidad de permanencia en tales niveles por periodos prolongados. La exclusión resultante consiste en que al pertenecer a uno de estos estratos, la interacción con los demás se ve clausurada, prácticamente proscrita, generando rechazo y, puede decirse, un racismo económico inédito en la historia moderna.

b] Con respecto a las adicciones y a las enfermedades mentales, se encuentran como correlato de la exclusión la represión y el rechazo social. El adicto es un "proscrito tolerado"; a ese nivel de cinismo hipócrita se ha llegado en nuestras sociedades. Lo mismo lo es el enfermo mental. Ante las adicciones, los mecanismos de exclusión se disfrazan de mecanismos de "reinmersión social", de "rehabilitación", no física ni de la salud, sino moral y de aceptación. Al adicto se le ofrece no la transformación de las condiciones estructurales que lo llevaron a la adicción, sino clínicas de desintoxicación, que más que avalar su "cura física" garantizan la "cura moral". Las actuales clínicas de reclusión para "rehabilitar" adictos son verdaderos centros de purificación moral a través de los cuales el adicto expresa su voluntad de no "ofender" o atentar más en contra de la unidad social. El fenómeno de las adicciones representa la inversión de la apariencia del fenómeno. El adicto no es en sentido estricto el excluido, es antes bien el dato de la decisión de la sociedad de no ver que la exclusión social es el momento previo de la adicción. El adicto construye una salida a la condición de excluido que vive, y en función de ello establece un reclamo personal (de autodestrucción si se quiere) a lo que es ya un "malestar social generalizado". De ahí que no es extraño que el adicto se convierta en suicida o en asesino. El adicto entonces no expresa el fenómeno de la exclusión, sino que es el dato resultante de condiciones de rechazo, de no pertenencia y de violencia padecida o ejercida. Para el enfermo mental se aplica la misma cura: "centros de rehabilitación y terapia psicológica", y en los casos extremos, la reclusión, que no es de extrañar que Michel Foucault la haya caracterizado como uno de los principales mecanismos de represión de las instituciones en contra de los individuos (Foucault, 2006).

c] La violencia tiene su espejo de exclusión en el daño, a veces irreparable, a la dignidad y a la condición humana. Nuevamente, la violencia no es la forma de la exclusión, es causa y resultado de la misma. Más allá del debate biologicista sobre una pretendida condición natural violenta de los individuos, debe poder verse que la violencia, en algunas de sus manifestaciones y formas, puede encontrar explicaciones en las raíces de lo social. El hambre, la falta de expectativas y la frustración social son campo fértil para el desarrollo de actitudes y acciones violentas, más aún en condiciones culturales de atavismos, machismos y sexismos de todo tipo y forma. La violencia no es estrictamente una forma de la exclusión social, es una de sus causas y motivantes. El ejercicio de la violencia aparta del deseo de realizar un proyecto personal y compartido de vida; el ejercicio de la violencia impide el ejercicio libre del pensamiento; la violencia radical, expresada en el homicidio, atenta de una vez y para siempre contra lo que una persona es, fue y quiso ser. La violencia fractura capacidades, pero también voluntades; la voluntad de ser puede estar impedida desde la infancia, por ejemplo, cuando una niña o un niño son víctimas de la violencia doméstica, del abuso sexual o del maltrato psicológico.

d] La desprotección jurídica es resultado de una forma institucional de exclusión que consiste no en la falta de acceso a mecanismos de justicia, sino a la deliberada ausencia del tutelaje de los derechos a través de las instituciones del Estado. No hay mayor exclusión que el verse desamparado por los instrumentos positivos del derecho, en términos de una sociedad políticamente organizada, así como de los mecanismos de exigibilidad, frente a las instituciones, de aquello que está plasmado en las leyes. La desprotección jurídica, que es un riesgo y una vulnerabilidad social, implica una de las formas de la exclusión más graves, porque requiere de la omisión de la ciudadanía representada en los congresos (pensando en las sociedades democráticas), del reconocimiento de los derechos a ser como se quiere ser. La no consideración y la no protección de derechos específicos implica la negación *de facto* de lo que se asentó al principio de este texto: una convicción ética de ser solidario y responsable con los Otros.

e] La discriminación es a la vez un riesgo, y ahí sí, de manera simultánea, una forma de expresión de la exclusión social. La Real Academia de la Lengua Española define a la voz "discriminar" como el "proceso de seleccionar excluyendo", o bien como el acto de "dar trato de inferioridad a una persona o colectividad por motivos raciales, religiosos, políticos...". La discriminación puede ser calificada como una de las formas más absurdas de la exclusión social. Quien es discriminado es de hecho excluido (aunque no necesariamente al revés). Pero el motivo de la discriminación es, en todos los casos, contrario a toda forma de pensamiento dialogante, ya no se diga ético. Discriminar es una forma de negación de las capacidades de entendimiento de las personas; es la negación *a priori* del "otro", y sin duda, la negación *a priori* de la diferencia, de la diversidad, de la pluralidad; desde luego, la discriminación apela y encarna formas de intolerancia y de represión que históricamente han llegado al horror.

f] Las enfermedades globales, así como el cambio climático, si bien no constituyen precisamente formas que expresen de algún modo un fenómeno de exclusión social, sí colocan a las personas en la posibilidad de ser excluidos. Los enfermos de VIH-sida, por ejemplo, viven no sólo formas de discriminación-exclusión cultural, sino también formas de exclusión social al no tener garantizado el acceso a los medicamentos necesarios para su tratamiento, y con ello a su garantía del derecho a la salud; los horrores aún no vistos que puede generar el cambio climático pueden colocar a millones de personas en la situación de ser los nuevos "extranjeros de todas partes". Al perder sus tierras, sus comunidades, habría que retomar la reflexión apuntada de Sagan: ¿adónde van a ir? ¿Quién o quiénes los va a "refugiar" y a ayudarles a construir o reconstruir nuevas posibilidades y aperturas de futuro? Lamentablemente, todavía no hay vislumbre de respuestas.

Como puede verse, la exclusión social, entendida como fenómeno en los términos aquí planteados, constituye uno de los principales retos a enfrentar en las sociedades contemporáneas. Plantea el reto de la imaginación política y de la capacidad humana para el entendimiento.

El reto, además de ético es entonces político. Y en este reconocimiento es válido preguntar: ¿cómo iniciar la transformación de las instituciones del Estado, que promuevan y fomenten una nueva civilización que busque en todo momento la inclusión del Otro, con base en el reconocimiento de la diversidad y la diferencia?

Esta pregunta plantea un reto frente a las teorías clásicas sobre el Estado que van del utilitarismo al llamado realismo político de herencia hobbesiana. Y por esta razón se sostenía al principio del texto que era necesaria una toma de postura previa a la discusión, en el sentido de exigir una posición ética que abra el paso a la discusión de cómo construir una política distinta.

En función de lo anterior, debe reconocerse que diseñar políticas para la inclusión requiere, de manera previa, la preexistencia de instituciones para la inclusión, y a su vez, éstas requieren de la existencia de un Estado al que se le ordena, a través de la Constitución y sus leyes (en un marco de democracia), garantizar los derechos humanos, sociales, culturales, económicos y ambientales de la población.

Construir un Estado así requiere del consenso de las élites políticas y económicas para plasmar en la Constitución que el Estado tiene como finalidad, no sólo preservar la permanencia de la sociedad política, sino sobre todo ofrecer la ya mencionada garantía plena del conjunto de derechos de la población. Este consenso, plasmado en la Constitución, debe reconocer que es tarea de las instituciones del Estado generar las condiciones y los mecanismos para que todas y todos tengan acceso a los mismos derechos y a los mismos servicios.

Las instituciones para la inclusión requieren de un diseño inteligente que permita la realización plena de la decisión de vivir en la diferencia; estas instituciones precisan para ello que las leyes las doten de capacidades y de recursos para la garantía de un piso básico de derechos sociales, y más aún, para promover la solidaridad entre los ciudadanos. Las instituciones, en un marco de transformación de las condiciones de inequidad y de prevalencia de riesgos y condiciones de vulnerabilidad y manifestaciones de la exclusión, deben contar con estructuras programáticas y de acción para avanzar gradualmente en la transformación y el posicionamiento de valores socialmente compartidos orientados hacia la solidaridad, la comprensión y la aceptación de la diversidad.

Las instituciones para la inclusión también necesitan construir capacidades de decisión alejadas de prejuicios y presuposiciones que no conducen sino al diseño de estructuras programáticas que no se adaptan a las realidades objetivas de las poblaciones. No puede asumirse, por ejemplo en los países latinoamericanos, que las políticas para la equidad y la superación de la pobreza cuentan con el respaldo de la ciudadanía, cuando en realidad lo que se tiene son ciudadanías frágiles, ciudadanías "blandas" dentro de las cuales no se ha logrado afianzar las nociones de la responsabilidad, de la necesidad de la cooperación para el desarrollo, de la acción olidaria con los más débiles, y de la defensa en todo momento de los derechos umanos y las garantías sociales.[8]

Esta ciudadanía blanda es una ciudadanía que desconfía profundamente de las stituciones del Estado, y que simultáneamente muestra un profundo desprecio or el cumplimiento de la ley y el estado de derecho. Esta realidad obliga a países omo México a diseñar una política social en la que uno de sus principales objetivos ebe ser la construcción de ciudadanía y no dar por sentado que los individuos se sumen así, desde ya, que son parte de un Estado social de derecho y que por lo tan- o están obligados a asumir responsabilidades y acciones solidarias con los demás.

A pesar de lo anterior, debe sostenerse que sí es posible construir instituciones ara la inclusión. Sin embargo, ello requiere de la generosidad y de la capacidad tica de las élites y de los grupos de poder que tienen en sus manos la construcción e las decisiones a nivel nacional y a escala planetaria. Requiere asimismo de la apacidad de las élites políticas y económicas nacionales para procesar, desde una nteligencia dialogante, la necesidad de hacer frente de manera colectiva a los ries- os y formas de manifestación del fenómeno de la exclusión social que se apuntan n este trabajo.

Los sistemas institucionales, en esa lógica, requieren colocarse por fuera de las ógicas de los incentivos y estímulos para provocar cambios que beneficien a una nayoría. No puede asumirse como mayor incentivo la realización de los derechos umanos y sociales y, de hecho, las instituciones no pueden tener como objetivo tra cosa sino la realización de las condiciones que hacen posible la construcción e los proyectos de vida de las poblaciones.

Michel Foucault nos enseñó que las instituciones y los sistemas institucionales o son autogenerados ni autorreferentes, en contraposición a lo que pretende la eoría de sistemas y otras derivaciones de las propuestas y teorías de Parsons; lo que curre, de acuerdo con el filósofo francés, es que hay grupos de poder que diseñan ecnologías para la represión y el dominio. Hoy podría afirmarse que una de esas ecnologías asume el rostro de la exclusión social. Esto implica, hay que decirlo, una cusación a los grupos de poder económico y político establecidos en los ámbitos acionales y globales: la exclusión no es en ningún caso producto de un desafor- unado resultado de las "fuerzas del mercado" o de las lógicas sistémicas globales; n esta visión, la exclusión social y sus manifestaciones tienen responsables, y éstos on los poseedores del dinero y los detentadores del poder político que han logra- o construir e imponer en los países y a escala global diseños institucionales que ermiten la permanencia y reproducción de las lógicas de exclusión prevalentes en l siglo XXI.

Desde luego que hay salidas, y una de ellas puede fundarse en la construcción de na ciudadanía capaz de obligar y acompañar los procesos de cambio institucional equeridos para la construcción de políticas de inclusión. La sociedad requerirá,

[8] El estudio sobre "La democracia en América Latina", elaborado por el PNUD, muestra cómo en mérica Latina hay un déficit de ciudadanía y poblaciones que no han asumido de manera plena que la emocracia es la mejor vía para lograr el desarrollo social y humano de las poblaciones.

por ejemplo en nuestro país, de un largo proceso de aprendizaje de convivencia transformación de sus clases dirigentes, así como del marco jurídico e institucional con que contamos.

La exclusión social, se ha dicho ya, genera fracturas sociales. Si esto se sabe, n es necesario esperar a la revuelta social (la forma contemporánea de expresión del descontento, como explicaba Paz) para asumir la toma de conciencia y la con vicción de una transformación hacia sociedades más incluyentes y equitativas. L revuelta social puede tener aristas y desenlaces trágicos que ya hemos visto en e pasado, o quizá otros inéditos, pero aun peores. Otro futuro es posible, y éste pue de construirse, desde ya, desde una profunda transformación de nuestras leyes nuestras instituciones; la posibilidad existe, y la responsabilidad de asumir la tare es hoy, para México, impostergable.

BIBLIOGRAFÍA

Anan, Kofi *et al.*, 2001, *The planetary interest*, Estados Unidos, ONU, Stanford University.
Guerrero *et al.*, 2004, "La trampa de la desigualdad en México", México, Banco Mundial.
Centros de Integración Juvenil A.C., "Guía para el comunicador", México.
Foucault, Michel, 2006, *Seguridad, territorio y población*, México, FCE.
Habermas, Jürgen, 1999, *La inclusión del otro*, España, Paidós.
Heidegger, Martin, 2000a, *Conceptos fundamentales*, Madrid, Alianza.
—, 2000b, *Ser y tiempo*, México, FCE.
INEGI, 2004, "Suicidios e intentos de suicidio", México, 2005.
Levinas, Emmanuel, 2003, *Totalidad e infinito*, Herder, España.
Ley del IMSS, 1943.
Lomgor, Bjorn, 2004, *Global crises, global solutions*, Reino Unido, Cambridge University Press
Mardones y Ursúa, 2000, *Filosofía de las ciencias humanas y sociales*, México, Fontamara.
Organización de las Naciones Unidas para la Agricultura y la Alimentación (FAO), 2005, "E estado de la inseguridad alimentaria en América Latina", Santiago de Chile, 2006.
Paz, Octavio, 2000, "Tiempo nublado", en *Obras completas*, México, FCE.
PNUD, 2004, "La democracia en América Latina", México, 2005.
Sagan, Carl, 1999, *Miles de millones*, México, Teorema.
Secretaría de Desarrollo Social, "Encuesta Nacional sobre Discriminación", 2004.

II. LAS CARAS DE LA DESIGUALDAD SOCIAL Y ESPACIAL

DIVISIÓN SOCIAL DEL ESPACIO Y EXCLUSIÓN SOCIAL

EMILIO DUHAU*

Es posible establecer una analogía entre la ciudad moderna, entendida como una ciudad organizada a partir de un espacio público accesible a todos, donde todos pueden circular libremente y compartir en condiciones de igualdad, y un conjunto de dispositivos de incorporación ciudadana propios de la democracia en las sociedades capitalistas industriales, como el acceso universal a la educación pública y a los servicios de salud. Es decir, podemos pensar en la ciudad moderna como la dimensión urbana de las diversas formas de socialización del acceso y del consumo, vía bienes y servicios públicos, propia del Estado Benefactor (cf. Gough, 2002).

En lo que respecta a las metrópolis latinoamericanas, cuando se observan los cambios vinculados con la reestructuración económica y la aplicación de políticas neoliberales durante los años ochenta y noventa, se suele contrastar su realidad actual con la versión desarrollista de la integración ciudadana vía la ciudad moderna y el Estado Benefactor. Así, los rasgos que se evocan tienen que ver por lo general con el papel integrador que han desempeñado estas metrópolis en el marco del modelo de industrialización por sustitución de importaciones: un proceso de salarización creciente y de movilidad social apoyado en el empleo industrial; políticas sociales orientadas a incorporar progresivamente al conjunto de la población (una suerte de universalismo programático), y acceso a la vivienda propia a través de la urbanización periférica (De Queiroz y Dos Santos, 2003; Da Silva, 2003), aun cuando esto último se diera en gran medida en condiciones de irregularidad y de diferentes grados de precariedad urbana. Es decir, una versión *sui generis* de la modernidad industrial.

Está claro que este paradigma, tanto en su dimensión urbana como en su dimensión económico-social, ha sido desplazado crecientemente en el curso de las dos últimas décadas del siglo XX y lo que va del actual.

En la literatura sobre las metrópolis latinoamericanas los procesos de transformación urbana asociados a la globalización son habitualmente presentados como generadores de impactos que van en una misma dirección, invocados por lo general de modo más metafórico que analítico por medio de los términos *polarización*, *dualización* y *fragmentación*. Se habla entonces de la polarización del ingreso, la dualización del mercado de trabajo y la fragmentación creciente del espacio y la sociedad urbanos, la que implicaría, entre otras cosas, el confinamiento de los pobres

* Universidad Autónoma Metropolitana-Azcapotzalco.

en periferias cada vez más lejanas, la auto-segregación de las clases media y alta, y la estigmatización de los espacios de la pobreza (Hiernaux, 1999; Prévot-Schapira, 2001; Torres, 2001; Rodríguez y Winchester, 2002).

En lo que respecta específicamente a la dimensión urbana, existen al menos tres procesos que deben ser tomados en cuenta. Primero, las nuevas formas adoptadas por la división social residencial del espacio urbano o segregación residencial. Segundo, la transformación de las modalidades adoptadas por el consumo, así como de los artefactos urbanos relacionados con éste. Tercero, el aumento acelerado de las tasas de automovilización, y asociado a dicho aumento, en el caso de las metrópolis latinoamericanas y particularmente de la ciudad de México, la veloz adaptación y subordinación de una serie de dispositivos y artefactos urbanos a las prácticas socio-espaciales vinculadas al uso del automóvil particular, aun cuando el acceso al mismo continúa siendo una condición minoritaria.[1]

En suma, estaríamos frente a un conjunto de procesos socio-espacialmente desintegradores y que conllevarían poderosos efectos de exclusión social. Pero, como veremos a continuación, la evolución de la realidad metropolitana en términos de lo que llamaríamos los efectos de desintegración/integración, exclusión/inclusión, presenta múltiples dimensiones que no necesariamente han venido evolucionando en el mismo sentido ni de forma unívoca.

La polarización del ingreso, los recursos de la pobreza y la reproducción de las clases populares

Respecto del fenómeno de la polarización social, a nivel de grandes tendencias en cuanto a la distribución de clases sociales de acuerdo con grandes categorías ocupacionales y de distribución del ingreso, en el ámbito urbano de América Latina resulta plausible sostener para las dos últimas décadas del siglo XX la existencia de un proceso de polarización ocupacional –aumento paralelo de la clase de ejecutivos y profesionales y del proletariado informal, pero también de la pequeña burguesía– (Portes y Hoffman, 2003) y de polarización del ingreso, que podemos definir como el incremento en la desigualdad de su distribución debido a su mayor concentración en los grupos de más altos ingresos, y a la reducción de los ingresos de la mayor parte del resto de la población ocupada, con el consecuente aumento de la proporción de pobres; esto último, al parecer, puede aplicarse al conjunto de las metrópolis latinoamericanas, con excepción de Santiago de Chile (De Mattos, 1999).

Siendo éstas las tendencias generales, ¿cómo han sido enfrentadas por los hogares pobres y en general por las clases trabajadoras?

Una destacada especialista en el estudio de la pobreza en México, Mercedes Gon-

[1] En la Zona Metropolitana de la Ciudad de México (ZMCM), para el año 2000 sólo alrededor del 20% de los viajes intrametropolitanos eran realizados en automóvil (Salazar e Ibarra, 2006).

zález de la Rocha, señalaba recientemente algunos rasgos fundamentales respecto de los mecanismos a través de los cuales las familias pobres urbanas en México hicieron frente a la crisis de los años ochenta y a las condiciones imperantes en los últimos años (González de la Rocha, 2004). Desde la perspectiva de esta investigadora, el grupo doméstico es el ámbito primario de sobrevivencia en contextos caracterizados por bajos salarios y escasa presencia de un Estado Benefactor. Así, durante y después de la crisis de 1982 las respuestas familiares y domésticas de los hogares pobres y de aquellos que resultaron empobrecidos por la crisis, implicaron la privatización de la misma y no la generalización de respuestas colectivas de protesta. Estos mecanismos de privatización incluyeron la intensificación del trabajo vía la incorporación de más trabajadores al mercado de trabajo, en particular de mujeres adultas, y el aumento en las horas de trabajo por trabajador, la reducción y modificación del consumo y la intensificación del uso de las redes sociales. Estas estrategias *privadas* amortiguaron los efectos de la crisis económica, que de otro modo pudieron haber sido aún más devastadores (De la Rocha, *op. cit.*: 193).[2]

Sin embargo, la continuidad de las condiciones desfavorables, la crisis de 1994 y la consistente implantación del modelo neoliberal habrían implicado, desde esta misma perspectiva, que los llamados *recursos de la pobreza*, derivados de respuestas domésticas colectivas y de la movilización de redes de intercambio y solidaridad, deban ser vistos ahora también como *pobreza de recursos*, en el sentido de que la persistencia de condiciones adversas y la exclusión laboral están poniendo límites cada vez más difíciles de superar a estas estrategias adaptativas (De la Rocha, *op. cit.*: 194).

Partiendo de esto, cabe preguntarse en qué medida tal evolución está implicando cambios en las estrategias y prácticas de sobrevivencia y reproducción social de las familias pobres, y en general de las pertenecientes genéricamente, a falta de una denominación más precisa, a los *sectores populares*. Y, también en términos de las cuestiones aquí abordadas, en qué medida están teniendo implicaciones respecto de la *dualización* de la estructura socioespacial urbana y en particular metropolitana.

Una cuestión a considerar a este respecto es el hecho de que, en principio, las estrategias invocadas muestran que la reducida penetración de los mecanismos públicos de protección social y la amplia difusión de formas precarias e informales de inserción en el mercado de trabajo –esta última una realidad ya ampliamente presente en el mundo urbano latinoamericano antes de la crisis de los ochenta (Portes y Hoffman, *op. cit.*)–, así como los procesos de reestructuración económica neoliberal en curso durante las dos últimas décadas, tienen como contrapartida respuestas, al menos en el caso de México, que han limitado (no sabemos a ciencia cierta en qué medida continúan lográndolo en la actualidad) los fenómenos de *desafiliación* y *exclusión* urbana que los estudios dedicados al tema en las ciudades del mundo

[2] Cabe señalar que la autora de referencia menciona que también familias de clase media sufrieron impactos severos y se vieron forzadas a ajustar sus patrones de consumo. Estudios realizados por la autora en las ciudades de Guadalajara y Monterrey mostraron que las familias de clase media procuraban defender la escolaridad de los hijos y por ello evitaban enviarlos a trabajar, como lo hacían las familias pobres (De la Rocha, *op. cit.*).

industrializado han venido describiendo e interpretando (Castel, 1995; Wacquant, 1999; Donzelot, 2001).

En las metrópolis de América Latina, y en particular en las metrópolis mexicanas, se puede afirmar que los niveles de individuación societal,[3] sobre todo entre las capas populares urbanas de México y del mundo urbano de otros países de América Latina –pero no sólo entre ellas–, y de *individualización* de las relaciones con el mundo social, presentan perfiles diferentes a los propios de las llamadas sociedades avanzadas. Entre otras cosas porque en estas últimas los niveles de individualización alcanzados en esas relaciones se apoyaron, paradójicamente, en el desarrollo y la vigencia de mecanismos *colectivos* que, vía la expansión de la ciudadanía y los derechos a ésta asociados, promovieron y posibilitaron el ejercicio de elevados niveles de autonomía individual y, en definitiva, el predominio de la idea de que cada quien es el artífice de su propio destino, y que el poder público está ahí para garantizar la autonomía individual y el ejercicio de la voluntad de cada quien, con base en el ejercicio de los derechos políticos, civiles-sociales y humanos que dicho poder está encargado de garantizar (Castel, *op. cit.*).

Esto sin duda no es así en general en América Latina, más allá de la implantación generalizada, más o menos reciente, de la democracia política, sobre todo en su dimensión procedimental. Y menos lo es para los pobres y en general para las clases populares (véase Méndez, O'Donnell y Pinheiro, 1999). Y precisamente porque no es así, el posicionamiento y los mecanismos a través de los cuales en particular las clases trabajadoras enfrentan los avatares propios de la sobrevivencia y la reproducción social en contextos que *institucionalmente* –sobre todo en lo que respecta al mercado de trabajo, a la aplicación de las leyes y a los mecanismos de protección y asistencia social–, implican altos grados de vulnerabilidad social. Resulta esperable por ello que las respuestas y estrategias, en particular de los grupos sociales más desprotegidos, presenten en estos contextos, por una parte, grados mucho mayores de formas de solidaridad adscriptivas y particularistas, es decir basadas en el grupo doméstico, en el parentesco y en las relaciones personales, incluidas muchas que implican formas de intercambio y solidaridad interclasistas; y, por otra, que recurran a formas de organización y de representación, que como vías para el acceso a diversos recursos adquieren características patrimonialistas, clientelares y corpo-

[3] Entendidos en el sentido de la sociedad de los individuos sobre la que teorizó Norbert Elias (1991), y de la metrópoli de los individuos, en torno de la cual, siguiendo el camino abierto por Simmel a principios del siglo XX, A. Bourdin publicó recientemente un libro que lleva precisamente ese título (Bourdin, 2005). De acuerdo con Elias: "El mismo término 'individuo' posee actualmente por función, esencialmente, expresar que toda persona humana, que en todas los lugares del mundo vive, es o debe ser un ser autónomo que dirige su propia vida, y al mismo tiempo que toda persona humana es en ciertos sentidos diferente de todas las demás, o puede serlo, aún más, que debe serlo. Realidad factual y postulado se confunden profundamente en esta palabra. La estructura de las sociedades evolucionadas de nuestra época tiene como característica acordar un valor mayor a aquello por lo que los hombres se diferencian unos de los otros, que a aquello que tienen en común, su 'identidad de nosotros'. La primera, la identidad de 'yo', predomina sobre la 'identidad de nosotros' [...], este tipo de equilibrio entre el nosotros y el yo, esta muy marcada inflexión en provecho de la identidad de yo es todo menos evidente" (Elias, *op. cit.*: 208, traducción propia).

rativas, estas últimas referidas precisamente al acceso y control de recursos a veces muy específicos, por ejemplo, un lugar en la calle para ejercer el comercio informal (Duhau y Girola, 1990: 19-22; Bayat, 1997).

Es esta segunda dimensión, que es *política* en el sentido de que requiere de la confrontación y la negociación más o menos permanentes con representantes del poder público (Bayat, *op. cit.*), la de la organización de las clases vulnerables más de allá del grupo doméstico y de las redes personales, la que muchas veces no es incorporada en las perspectivas que estudian las estrategias domésticas de sobrevivencia y de reproducción social entre los pobres. Pero, en todo caso, lo relevante es que las formas en que las clases populares enfrentan su relación con los avatares propios de un mundo urbano con características específicas, tanto en su dimensión doméstica, de parentesco y redes personales, como en su dimensión *política* en el sentido indicado, poseen dos tipos de efectos fundamentales. Por una parte, limitan la autonomía individual e implican en buena medida relaciones asimétricas y de sujeción a las decisiones discrecionales de múltiples agentes en condiciones de controlar y posibilitar o no el acceso a diversos recursos valiosos. Pero por otra, *limitan* también el grado en el que individuos y hogares resultan confrontados *individualmente* a los avatares mencionados y a procesos de *desafiliación* en el sentido que da a este término el sociólogo francés Robert Castel (*op. cit.*). Es que en gran medida *nunca*, o en todo caso sólo parcialmente, para los integrantes de estas clases sus vías de afiliación social llegaron a depender exclusivamente ni de modo generalizado del trabajo estable bajo las prestaciones definidas por la ley y de las formas de protección social y de solidaridad de clase derivadas del mismo (los sindicatos en particular). Por consiguiente, tampoco su afiliación social resulta súbitamente desmantelada por la reducción de las posibilidades y de los niveles de ingreso proporcionados por el trabajo formal, ni por la imposibilidad de acceso a una vivienda por la vía del mercado inmobiliario formal, ni por la eventual pérdida de las prestaciones derivadas de los mecanismos de seguridad social.

Lo anterior no debe ser interpretado como que la inserción de las clases vulnerables urbanas en América Latina es, valga la aparente contradicción, *invulnerable* a los efectos de los cambios en el contexto macrosocial de las últimas décadas. Precisamente de lo que se trata es que con pocas, y en todo caso parciales excepciones, estas clases nunca llegaron a liberarse de grados significativos de *vulnerabilidad* social y que, por lo mismo, fueron desarrollando prácticas y estrategias de adaptación que seguramente siguen vigentes, al menos parcialmente, hasta la actualidad. Es en esto en lo que seguramente reside la clave de que ciertos fenómenos que se han hecho ostensibles en las ciudades de las sociedades avanzadas desde aproximadamente la segunda mitad de los años setenta, como el de los indigentes sin domicilio, muestren en general en las ciudades latinoamericanas una presencia menos significativa. En éstas, la pobreza extrema, sin duda existente y numerosa, rara vez se presenta, por las razones apuntadas, como desafiliación total, como es el caso de los indigentes sin domicilio del primer mundo.

Sin embargo, es necesario introducir algunos matices. El primero es que existen buenas razones para considerar que la evolución del contexto macrosocial desde los años ochenta, y más agudamente desde los años noventa, está induciendo la proliferación de lo que podríamos denominar formas de adaptación perversas, así como otras que sin serlo no habían alcanzado el mismo grado de difusión en décadas previas. Entre las primeras está, como vía alternativa a las dificultades, en particular para los jóvenes, de insertarse en el mundo del trabajo de un modo que ofrezca alguna perspectiva de futuro, y en contextos de desintegración familiar, la inserción en actividades ilícitas, organizadas o no, entre ellas la participación en el narcotráfico y, con una importancia numérica mayor, en el llamado "narcomenudeo". Así como la articulación de diversas modalidades del trabajo informal con actividades ilícitas, como la producción y distribución de mercancías pirata y la distribución de mercancías robadas o contrabandeadas.

De acuerdo con Portes y Hoffman (*op. cit.*), tomando como referencia a diversos autores (Londoño, 1996; Bourguignon, 1999; Arriagada y Godoy, 2000), no existe una relación proporcional entre los niveles de desigualdad en el ingreso y las tasas de delitos violentos, pero existe un patrón discernible de acuerdo con el cual una menor desigualdad económica está asociada generalmente a menores niveles de violencia delictiva. Y, por otro lado, países con grandes incrementos de la desigualdad económica han estado generalmente afectados por incrementos significativos de las actividades delictivas, siendo Brasil, México y Venezuela los casos más destacados al respecto. Y si bien no puede demostrarse empíricamente que la aplicación del modelo neoliberal sea la causa directa del aumento de los delitos urbanos, existe sin embargo una coincidencia temporal entre ambos procesos, y una obvia afinidad entre el carácter y el espíritu de las políticas neoliberales y la decisión de una fracción de quienes han sido víctimas de sus efectos, de enfrentar el problema por vías ilegales (Portes y Hoffman, *op. cit.*: 68, 69).

Desde luego, junto a la vía de las actividades ilegales, la otra opción crecientemente seguida por la población latinoamericana en edad productiva es la de la migración internacional.

Modalidades del consumo y división social del espacio

Si las alternativas laborales manifiestan síntomas bastante evidentes de dualización, ¿qué sucede con el consumo? Como sabemos, el modelo socioeconómico actualmente dominante postula como vía privilegiada de integración social el consumo privado, lo que se traduce, entre otras cosas, en que en la esfera de las políticas sociales se tienda a privilegiar mecanismos asistenciales focalizados, destinados a convertirse, aunque sea en niveles ínfimos, en poder de compra.

En este contexto, por una parte, las modalidades globalizadas del comercio y los servicios procuran incorporar a las capas populares a través de la difusión en el territorio metropolitano de los artefactos y las modalidades difundidas globalmente: supermercados, plazas comerciales, multicinemas, franquicias, a través de su adaptación a diferentes *habitus* sociales y niveles de ingreso. En cierto sentido se podría decir que la apertura de los mercados tuvo el efecto de democratizar, en el sentido de que implicó su difusión espacial, el acceso a las formas contemporáneas del consumo masivo.[4]

Al mismo tiempo, es indudable que las prácticas de consumo presentan actualmente una distribución que tiende a dividirlas en dos grandes grupos, sin que esto signifique que se trate de modalidades excluyentes. Por una parte, el recurso a establecimientos formales y el consumo de mercancías formalmente producidas y distribuidas, complementado con el uso de servicios personales individualizados en una escala inimaginable en contextos con una distribución del ingreso más igualitaria; y por otra, el recurso al comercio informal y a las mercancías informalmente distribuidas, y en buena medida informalmente producidas; una tendencia que hemos podido constatar puntualmente para la ciudad de México por medio de la metodología de "áreas testigo" correspondientes a diferentes tipos de contextos socio-espaciales.[5] Cuestión que presenta diferentes caras. Por un lado, es la expresión de la creciente conformación de dos circuitos de reproducción social que se expresan tanto en términos de mercado de trabajo como de consumo. Pero por otro, probablemente está en el origen de una estructura de precios sumamente distorsionada que tiende a retroalimentar tanto la exclusión de una parte mayoritaria de la población del consumo de ciertos bienes y servicios, como a concentrarlo, por las mismas razones, en una fracción reducida de las poblaciones metropolitanas.

Esta pauta se reproduce en lo relativo al consumo de los servicios de uso colectivo. Por una parte, la sustitución por parte de las clases medias del aprovisionamiento público por el aprovisionamiento privado, retroalimenta la creciente conversión de los primeros en servicios de mayor cobertura pero de menor calidad. Por otra, la informalización y precarización del mercado de trabajo tiende a excluir de los servicios sociales a los que se accede vía las relaciones laborales contractuales y formales a una parte muy importante y en aumento de la población. Por ejemplo, en el año 2000, para el caso de la Zona Metropolitana de la Ciudad de México (ZMCM), casi la mitad (49.1%) de la población no era derechohabiente de servicios de salud.

De forma en cierto modo paradójica, en lo que respecta al acceso a la infraestructura urbana básica y a los servicios públicos urbanos, lo que se observa durante

[4] Desde la segunda mitad de los años ochenta, pero sobre todo a partir de los años noventa, en la ZMCM estas modalidades se han difundido rápidamente en las áreas periféricas al oriente y al norte de la conurbación, habitadas en forma mayoritaria por una población de bajos ingresos. Por otro lado, de acuerdo con las evidencias proporcionadas por una encuesta que aplicamos en diversas colonias populares de la periferia metropolitana en noviembre de 2003, pudimos constatar que es a través de las mismas como en la actualidad se realiza una parte significativa de las actividades de consumo y recreación de los sectores populares.

[5] Esta metodología que aplicamos en el proyecto de investigación apoyado por el Conacyt, "Espacio público y orden urbano", consiste básicamente en la producción de evidencias tanto cuantitativas como cualitativas en un conjunto de colonias, fraccionamientos, unidades habitacionales, conjuntos residenciales y pueblos conurbados, que desde la perspectiva adoptada en dicho proyecto representan los diferentes tipos de hábitat o contextos socio espaciales que coexisten en la metrópoli.

el periodo de referencia es un proceso sostenido de consolidación urbana, es decir una tendencia a la integración urbana de las periferias populares (Gilbert, 1996), e incluso de aquellas modalidades del hábitat popular que, como la favela en las ciudades brasileñas, presentan las formas ecológicamente más notorias de segregación y estigmatización de dicho hábitat. Desde luego, esto no implica en absoluto la homogeneización de las condiciones urbanas en el conjunto de los territorios metropolitanos.

Sin embargo, el acceso a ciertos bienes fundamentales aparece claramente estructurado de acuerdo con la división social residencial del espacio. La manera como ha evolucionado el acceso a un servicio tan básico como el agua potable muestra en la ZMCM que la evolución positiva de la inversión pública en infraestructura básica no se corresponde con la de las viviendas. Para el año 2000, mientras que 97% de las viviendas contaban con acceso al agua potable en el predio, menos de 70% contaba con ella dentro de la vivienda, lo que equivale a afirmar que, a escala metropolitana, al menos 30% de las viviendas presentan grados significativos de precariedad. Es decir, mientras que la economía del sector público permitió incluso en los años ochenta, década de la crisis y, en los noventa, década de la reestructuración neoliberal, continuidad en el incremento de la cobertura de la infraestructura y los servicios básicos, no ha ocurrido lo mismo con la economía de los hogares.

En el caso de la ciudad de México, lo que expresa la evolución reciente de la división social del espacio a gran escala es el crecimiento notable de la población residente en áreas con grandes carencias, lo que implica al mismo tiempo que la forma dominante de integración a la ciudad de las clases populares, las colonias de autoconstrucción, podrían estar perdiendo o al menos reduciendo, precisamente, su capacidad integradora. Por otro lado, esta evolución parece exhibir también la tendencia a la concentración de los hogares más pobres en grandes aglomeraciones de pobreza.

Es el rasgo que presentan particularmente algunos municipios situados al oriente de la ZMCM. Así, en Valle de Chalco, para el año 2000, 90% de la población, y en Chimalhuacán 80%, residía en áreas geoestadísticas clasificadas en el nivel socioespacial muy bajo.[6] Se trata, de acuerdo con los estudiosos del tema, de la forma más perniciosa de la división social del espacio habitacional (Sabatini, Cáseres y Cerda, 2001). Sin embargo resultaría apresurado afirmar que se trata de una tendencia reciente, o si más bien estamos frente a la repetición de un ciclo que no es posible constatar debido a la imposibilidad de observar con base en indicadores comparables lo sucedido en décadas previas.

Estas tendencias en la evolución de la división social del espacio en gran escala, al menos para ciertas áreas de la metrópoli, parece presentarse como soporte de la re-

[6] Para clasificar de modo exhaustivo el área urbana de la metrópoli en seis estratos socio espaciales (véase la nota 3) nos basamos en cinco indicadores disponibles para el año 2000 a nivel de áreas geoestadísticas básicas: porcentaje de viviendas con agua entubada en la vivienda; porcentaje de viviendas que disponen de computadora, porcentaje de viviendas que disponen de calentador de agua; porcentaje de la población de 18 años y más con educación superior; y porcentaje de la población ocupada que obtiene más de cinco salarios mínimos.

producción, bajo modalidades informales y precarias, de una amplia porción de las clases trabajadoras. Para el año 2000, según la muestra censal disponible para ese año, 13.8% de la población de la ZMCM se encontraba ocupada como comerciante, o empleado de comercio en establecimientos, y otro 3.3% desarrollaba algún tipo de comercio o servicio en la vía pública. Pero en el municipio de Valle de Chalco estas cifras ascendían a 25.9 y 10.6%, respectivamente; es decir, prácticamente el doble del promedio metropolitano en lo que respecta a trabajadores en comercios establecidos y casi el triple en lo concerniente al trabajo informal en la vía pública. En contraste, en una delegación como Cuajimalpa, 20.5% de los trabajadores ahí ocupados, trabajaba en servicios domésticos, contra un promedio metropolitano de 5%. Al mismo tiempo, en esa delegación sólo 10% de la población que ahí trabajaba lo hacía en establecimientos comerciales, y sólo 1.1% desempeñaba alguna actividad en la vía pública.

Distribución del ingreso, movilidad y espacio público

El problema de la distribución del ingreso, más allá del hecho obvio de que cuanto más desigual implica mayor desigualdad en el acceso a bienes y servicios, posee una serie de efectos urbanos que deben ser tomados en cuenta. Podemos dividirlos en dos grandes tipos: los que corresponden a la orientación de las políticas y los programas públicos y los que corresponden a la organización del consumo y a los precios de los bienes y servicios privados.

En relación con los primeros, dos temas urbanos de principal relevancia deben ser destacados: la gestión del transporte y la gestión de los espacios públicos. En cuanto al transporte, en contextos de gran desigualdad en la distribución del ingreso, el automóvil privado, más allá de las invocaciones muchas veces meramente rituales a la prioridad que debe otorgarse al transporte público, se convierte en la verdadera prioridad, y ello por una razón bastante simple: la población automovilizada constituye la demanda fundamental de un conjunto de actividades que a su vez tienen actualmente una enorme capacidad de condicionamiento de las decisiones públicas, desde la propia industria automotriz hasta los establecimientos (centros comerciales, franquicias, complejos recreativos, etc.) que implican grandes inversiones y son actualmente privilegiados por la acción gubernamental, sea porque se les supone generadores de empleo, sea porque son muestra del *éxito visible* de una ciudad, en particular de una gran metrópoli.

Por otro lado, esto implica condiciones poco propicias para la democratización, y por consiguiente para la calidad del transporte público.[7] Ahí donde la población de ingresos medios, con acceso a las modalidades contemporáneas del consumo privado y a servicios públicos de calidad, es numéricamente dominante y, aun pose-

[7] La única iniciativa gubernamental reciente que apunta al mejoramiento de la calidad del transporte público es la introducción en el Distrito Federal de una línea del llamado metrobús a lo largo de la avenida Insurgentes.

yendo automóvil, utiliza el transporte público, éste se presenta como una alternativa válida y adecuada para el conjunto de la población. Cuando, como es el caso de las metrópolis latinoamericanas en general, y de la ciudad de México en particular, las clases medias con acceso efectivo al automóvil privado constituyen una franja minoritaria, el transporte público, al mismo tiempo que es utilizado por la mayoría, se convierte en una alternativa desvalorizada y en expresión de una marcada división social del consumo y del espacio público.

En la ciudad de México es un hecho ostensible que en general la población que dispone de automóvil propio procura evitar al máximo todo desplazamiento a pie, incluso si ello implica estorbar la circulación o invadir los espacios destinados a los peatones.[8] Se trata de algo que ha sido observado también en el caso de São Paulo (Caldeira, 2000). Esto tiene, entre otros, el efecto de que el espacio de proximidad, en áreas donde los residentes cuentan de modo generalizado con automóvil, aun en los casos en que existe una oferta significativa de comercio y servicios cercanos, no es utilizado como tal, es decir como un espacio accesible a pie. De este modo se genera un gran número de desplazamientos vehiculares que corresponden a viajes de corto o muy corto alcance.

No es posible postular una relación directa entre el ingreso per cápita y la dependencia del automóvil. La dispersión urbana, la separación de usos y las bajas densidades están asociadas a la generalización del uso de automóviles particulares. Pero ciudades con niveles semejantes de prosperidad manifiestan grados muy diversos de dependencia del automóvil. Así, en contraste con las ciudades estadounidenses, muchas ciudades europeas y grandes ciudades asiáticas, como Tokio, presentan una proporción elevada de viajes que se realizan a pie, en bicicleta y en transporte público. Esto está ligado a la presencia de mezcla de usos, altas densidades de ocupación y sistemas eficientes de transporte público. No existe ninguna obvia relación entre prosperidad y uso del automóvil (Newman, 1996: 78). Quienes no tienen acceso al automóvil resultan significativamente en desventaja en la medida en que la dependencia respecto de éste aumenta, dado que ello conduce a un deterioro del tránsito público y a una ciudad donde el acceso a los lugares de trabajo, las escuelas, los comercios y los servicios se hace cada vez más difícil sin automóvil (Newman, *op.cit.*: 79). En general, en las metrópolis latinoamericanas la difusión del automóvil y sus formas de uso, más que ser un síntoma de prosperidad, son un indicador de la ausencia de

[8] La invasión de los espacios públicos por el automóvil y la adaptación de los mismos a la comodidad de los automovilistas muestran en la ciudad de México características y extremos que no se observan en ninguna de las otras metrópolis latinoamericanas, ni siquiera en São Paulo, que en muchos otros aspectos presenta grandes similitudes con la ciudad de México. Así, por ejemplo, en ciudades como Buenos Aires, São Paulo, Río de Janeiro y Bogotá no existe ninguna avenida importante en la que, como ha ocurrido con Insurgentes Sur, las fachadas de los locales comerciales hayan retrocedido para permitir el estacionamiento de automóviles, subordinando de ese modo el uso peatonal de las aceras al ingreso y salida de autómoviles. Tampoco áreas céntricas equivalentes a Polanco, donde se puedan observar automóviles estacionados sobre la acera, ni la proliferación de "valets parking" que se dedican a distribuir los automóviles de los clientes de restaurantes, bares, etcétera en las calles circundantes, ni tampoco agentes de tránsito que "cuidan" automóviles estacionados en lugares en los que está prohibido estacionarse.

bienestar colectivo, pues al igual que otros muchos dispositivos y prácticas urbanas ampliamente difundidos, compensa de modo perverso la falta de seguridad, la precariedad del transporte y de los espacios públicos, la generalización de la escasa vigencia y la aplicación incierta y discrecional del orden reglamentario urbano.

En lo que hace a las formas de producción, organización y gestión del espacio urbano, las metrópolis latinoamericanas no constituyen una ni dos, sino múltiples ciudades. Esto no sólo porque el gobierno y la gestión metropolitanas están jurisdiccionalmente fragmentadas (Pírez: 2002), sino porque el espacio urbano metropolitano está segmentado de acuerdo con distintos fragmentos que responden a diferentes modelos de ciudad y urbanísticos. Para el caso de la ciudad de México: la ciudad central y multifuncional, a la que podemos denominar como ciudad del espacio disputado; la ciudad de los fraccionamientos habitacionales, o ciudad homogénea; la ciudad de los grandes conjuntos de vivienda de interés social, o ciudad del espacio colectivizado; la ciudad de las colonias populares, y la que corresponde a una modalidad cuyo auge es creciente, la ciudad de los conjuntos y fraccionamientos residenciales cerrados, o ciudad de los islotes urbanos.[9] Y, a menos que contrapusiéramos las colonias populares al resto de los contextos urbanos, la metáfora de la ciudad dual no es aplicable en términos socioespaciales, e incluso las propias colonias populares constituyen un tipo de contexto significativamente heterogéneo.

Sin embargo, si pensamos la gestión urbana en relación con las características asumidas contemporáneamente por la división social del espacio, a la que ha sido durante décadas una gestión basada en el tipo de división social del espacio de la metrópoli industrial, que implicaba ya formas fuertemente institucionalizadas de fragmentación, debemos agregar, por un lado, las fuertes tendencias a la privatización por arriba (es decir en función de la población de mayores ingresos), que incluye la privatización del hábitat y la cesión a los desarrolladores inmobiliarios y a otros actores económicos, de la iniciativa de cómo organizar y aprovechar el espacio público o simplemente de uso colectivo, privatizándolo implícita o explícitamente en función de los usuarios automovilizados. Por otro, la privatización desde abajo, resultante de la explosión de la informalidad urbana, que se afianza cada vez más como componente central de la reproducción de las clases trabajadoras y, desde luego, como componente central de la gobernabilidad y la gestión urbanas.

Comentarios finales

Mientras que, por ejemplo, Molenkopf y Castells (1991) podían afirmar hace ya un buen número de años a propósito de la discusión del modelo de la ciudad dual, que la práctica espacial en Nueva York está caracterizada por el esfuerzo persistente, pero sólo exitoso de modo intermitente, de imponer la lógica de una sociedad dual sobre una ciudad plural con una intensa y socialmente mixta vida callejera. Lo que

[9] Para una exposición de esta tipología véase Duhau y Giglia, 2004.

podemos observar en la ciudad de México y en otras metrópolis latinoamericanas es un espacio público y una vida en la calle de la cual la población automovilizada se encuentra por regla general ausente, y una gestión del espacio público, y con ello de la ciudad misma, cuyos dispositivos de inclusión responden simultáneamente a las lógicas de la privatización y la fragmentación; de la inclusión vía el consumo privado y la privatización de los bienes de uso colectivo; y de inclusión para la sobrevivencia por medio de servicios y espacios públicos que, con algunas excepciones, sólo son accesibles para la mayoría bajo formas degradadas.

La pregunta que necesariamente surge es: ¿qué significa esto en términos de la evolución de las metrópolis en tanto que esfera pública? Tal como se ha señalado en relación con São Paulo, se podría hablar de una disyunción entre la expansión de la ciudadanía política y la deslegitimación de la ciudadanía civil (Caldeira, *op. cit.*: 52) (y social, agregaríamos nosotros). Entre la democracia *en* la ciudad, es decir la democracia política entendida como participación en la elección del gobierno, y la democracia *de* la ciudad, entendida como acceso en condiciones de igualdad a un conjunto de bienes públicos (Pírez, 2006), la primera se estabiliza, en tanto que la segunda retrocede. Si por una parte las metrópolis latinoamericanas constituyen en la actualidad un escenario favorable para la expresión pública de todo tipo de demandas y de intereses, y en coyunturas específicas llegan a convertirse en el escenario de grandes movilizaciones políticamente articuladas, por otra parte parecen funcionar como un escenario en el cual se expresan una enorme multiplicidad de agravios, demandas e intereses que, en el mejor de los casos, sólo interpelan a las autoridades respectivas, y que o bien son ignorados o bien son aplacados o negociados por éstas de modo casuístico.

BIBLIOGRAFÍA

Arriagada, Irma y Lorena Godoy, 2000, "Prevention or Repression? The False Dilemma of Citizen Security", CEPAL *Review*, núm. 70, abril.

Bayat, Asef, 1997, "Un-civil society: the politics of the 'informal people'", *Third World Quarterly*, vol. 18, núm. 1.

Bourdin, Alain, 2005, *La métropole des individus*, Le Moulin du Château, La Tour d'Aigues, Éditions de l'Aube.

Bourguignon, François, 1999, "Crime, violence, and inequitable development", ponencia preparada para la Conferencia Anual del Banco Mundial sobre Economía del Desarrollo.

Caldeira, Teresa, 2000, *City of Walls. Crime, segregation and Citizenship in Sao Paulo*, Berkeley-Los Ángeles-Londres, California University Press.

Castel, Robert, 1995, *Les métamorphoses de la question sociale*, París, Fayard.

Da Silva Leme, María Cristina, 2003, "O impacto da globalização em São Paulo e a precarização das condiçoes de vida", *EURE*, vol. 29, núm. 87, septiembre.

De Mattos, Carlos A., 1999, "Mercado metropolitano de trabajo y desigualdades sociales en el Gran Santiago: ¿una ciudad dual?", *EURE* (Santiago), vol. 25, núm. 76, diciembre.

De Queiroz Ribeiro, L.C. y O.A. Dos Santos Junior, 2003, "Democracia e segregação urbana: reflexoes sobre a relação entre cidade e cidadania na sociedade brasileira", *EURE*, vol. XXIX, núm. 88, diciembre.

)onzelot, Jacques, 2001, "La ville a trois vitesses: relégation, périurbanisation, gentrification", *Esprit*, 3-4, marzo-abril.

)uhau, Emilio y Angela Giglia, 2004, "Conflictos por el espacio y orden urbano", en *Estudios demográficos y urbanos*, vol. 19, núm. 2 (56).

)uhau, Emilio y Lidia Girola, 1990, "La ciudad y la modernidad inconclusa", *Sociológica*, año 5, núm. 12.

:lias, Norbert, 1991, *La société des individus*, París, Fayard.

;ilbert, Alan, 1996, *The Mega-City in Latin America*, Tokio, United Nations University Press.

;onzález de la Rocha, Mercedes, 2004, "De 'los recursos de la pobreza' a 'la pobreza de recursos' y a las 'desventajas acumuladas'", en *From the Marginality of the 1960s to the New Poverty of Today: a LARR Research Forum, Latin American Research Review*, vol. 39, núm. 1, febrero.

;ough, Jamie, 2002, "Neoliberalism and socialization in the Contemporary City: Opposites, complements and instabilities", *Antipode*, vol. 34, núm. 3, julio.

Iiernaux, Daniel, 1999, "Los frutos amargos de la globalización: expansión y reestructuración metropolitana de la ciudad de México", *EURE*, vol. 25, núm. 76, diciembre.

Ioffman, Nelly y Raúl Centeno, 2003, "The Loopsided Continent: Inequality in Latin America", *Annual Review of Sociology*, 29.

Londoño, Juan Luis, 1996, "Violence, psyche, and social capital", ponencia preparada para la Segunda Conferencia Anual del Banco Mundial sobre Desarrollo en América Latina y el Caribe, Bogotá, julio.

Méndez, J.E., G. O'Donnell, P.S. Pinheiro (eds.), 1999, *The (Un) Rule of Law & the Underprivileged in Latin America*, Notre Dame, Indiana, University of Notre Dame Press.

Mollenkopf, J.H. y M. Castells (eds.), 1991, *Dual City. Reestructuring New York*, Nueva York, Russel Sage Foundation.

Newman, Peter, 1996, "Reducing automobile dependence", *Environment and Urbanization*, vol. 8, núm. 1, abril.

Pírez, Pedro, 2002, "Buenos Aires: Fragmentation and Privatization of the Metropolitan City", *Environment and Urbanization*, vol. 14, núm. 1, abril.

—, 2006, "Ciudad democrática. Una mirada desde la gestión urbana", en L. Álvarez *et al.* (coords.), *Democracia y exclusión. Caminos encontrados en la ciudad de México*, México, UNAM-CIICH/UAM/UACM/INAH/Plaza y Valdés.

Portes, Alejandro y Nelly Hoffman, 2003, "Latin American Class Structures: Their composition and Change during the Neoliberal Era", *Latin American Research Review*, vol. 38, núm. 1, febrero.

Prévot Schapira, Marie-France, 2001, "Fragmentación espacial y social: conceptos y realidades", *Perfiles Latinoamericanos*, año 10, núm. 19.

Rodríguez, Alfredo y Lucy Winchester, 2002, "Santiago de Chile. Metropolización, globalización, desigualdad", *EURE*, vol. 27, núm. 80, mayo.

Sabatini, F., G. Cáceres y J. Cerda, 2001, "Segregación residencial en las principales ciudades chilenas: tendencias de las tres últimas décadas y posibles cursos de acción", *EURE*, vol. 27, núm. 82, diciembre.

Salazar, Clara y Valentín Ibarra, 2006, "Acceso desigual a la ciudad y movilidad", en L. Álvarez, C. San Juan y C. Sánchez Mejorada (coords.), *Democracia y exclusión. Caminos encontrados en la ciudad de México*, México, UNAM-CIICH/UAM-A/UACM/INAH/Plaza y Valdés, pp. 293-323.

Torres, Horacio, 2001, "Cambios socioterritoriales en Buenos Aires durante la década de 1990", *EURE*, vol. 27, núm. 80, mayo.

Wacquant, L., 1999, "Urban Marginality in the Coming Millennium", *Urban Studies*, vol. 36, núm. 10.

LA PRIVACIÓN SOCIAL EN EL ACTUAL ESCENARIO: DIMENSIONES, PROCESOS Y TENDENCIAS

MARÍA CRISTINA BAYÓN *

INTRODUCCIÓN

El debate teórico acerca de la marginalidad y la pobreza iniciado en los sesenta en América Latina se dio en un contexto particular: el modelo de industrialización por sustitución de importaciones, donde la función del Estado y del mercado interno y los procesos de industrialización y de urbanización, junto a un mercado de trabajo más dinámico, contribuyeron al desarrollo de estrategias de supervivencia entre los pobres urbanos y –en algunos contextos más que en otros– alimentaron las expectativas de mejoramiento futuro y de movilidad social de importantes sectores de la población. El empleo constituía la base sobre la cual construir un proyecto de vida: t*rabajando largo y duro* se podría mejorar la propia condición, tener una casa propia, acceder a mayores oportunidades educativas para los hijos y, en síntesis, aspirar a un "futuro mejor". Aunque para muchos trabajadores de los sectores más desfavorecidos la "aspiración" de movilidad social ascendente nunca llegó a materializarse, lo cierto es que la relativa estabilidad y continuidad de ingresos permitió acceder a mejoras en los niveles de vida, básicamente en términos de vivienda y consumo.[1]

Los profundos cambios socioeconómicos experimentados en las últimas décadas marcaron el agotamiento del modelo de desarrollo hasta entonces vigente. Los procesos de globalización y de reestructuración económica modificaron de raíz la naturaleza misma del empleo.[2] Esto trajo consigo la erosión de los pilares que ali-

* Instituto de Investigaciones Sociales, Universidad Nacional Autónoma de México.

[1] Es oportuno reiterar aquí lo señalado en artículos anteriores (Bayón y Saraví, 2006): lejos de "romantizar" o "idealizar" el pasado, debe reconocerse que así como la privación ha sido un rasgo esencial de la pobreza estructural, también lo han sido los empleos precarios y de mala calidad. En este contexto, sin embargo, el valor atribuido al trabajo para los sectores más desfavorecidos residía centralmente en la estabilidad y continuidad de los ingresos más que en el desarrollo (e incluso las expectativas) de una carrera laboral ascendente. En efecto, muchos trabajadores nunca disfrutaron –al menos de manera continuada– de los beneficios de la "sociedad salarial" (Castel, 1997), la cual presentó características sumamente heterogéneas en cuanto a su calidad y extensión en los países de América Latina, e incluso entre regiones a nivel nacional.

[2] Ante los profundos cambios experimentados en el heterogéneo mundo del trabajo, es preciso ser cautos sobre sus "efectos integradores". La proliferación de las llamadas formas "atípicas" de empleo (que tienden a ser la norma) nos obliga a reconocer que el trabajo no necesariamente representa una actividad universalmente enriquecedora, capaz de brindar una estructura a la vida cotidiana y de garantizar lazos sociales como la definida por Jahoda (1982). La calidad del empleo está cada vez más estratificada, no sólo en América Latina. Así, por ejemplo, a mediados de los noventa la Encuesta de Empleo en Europa (Employment in Europe Survey) (donde la sociedad salarial fue una realidad para la mayor

mentaban las expectativas de mejoramiento futuro para amplios sectores sociales e impactó con particular crudeza a los trabajadores menos calificados. El incremento de los niveles de desempleo, junto a la extensión de la inseguridad laboral y de la desprotección social no sólo han mostrado el progresivo debilitamiento de la relación entre crecimiento económico y empleo, sino que cuestionan seriamente las "potencialidades" del nuevo modelo tanto para absorber fuerza de trabajo como para reducir la pobreza y las desigualdades persistentes y crecientes. Las pretensiones integradoras no parecen formar parte de los supuestos de la actual estrategia de desarrollo, y la posibilidad de "ganarse la vida" trabajando, al menos de manera continuada, es cada vez más incierta.[3]

Junto a las transformaciones en los patrones de inserción en la economía global, las relaciones de los hogares con el mercado de trabajo, el Estado y el espacio urbano experimentaron profundos cambios. La pobreza y la desigualdad comenzaron a adquirir un perfil más excluyente en el contexto de una estructura social menos permeable, promoviendo de manera simultánea la reproducción intergeneracional de la pobreza y la riqueza y del bloqueo de las oportunidades de movilidad ascendente para los sectores más desfavorecidos. El margen de maniobra para superar situaciones de desventaja social entre quienes provienen de estos sectores es cada vez más reducido en un contexto crecientemente hostil para quienes no están dotados *desde el inicio* de fuertes habilidades cognitivas y destrezas sociales.

Paralelo al deterioro laboral, el abandono de los objetivos de universalidad en la provisión de servicios sociales exacerbó las desigualdades resultantes del funcionamiento del mercado. La profundización de la inequidad en el acceso y la creciente diferenciación de la calidad de los servicios de salud y educación contribuyeron a ahondar de manera dramática las distancias sociales entre los sectores más y menos favorecidos. Simultáneamente, el aumento de la polarización social fue adquiriendo su expresión espacial en la profundización o emergencia de procesos de segregación residencial que han rediseñado la geografía social de las ciudades latinoamericanas. Las menores –y peores– oportunidades de empleo fueron acompañadas de un proceso de crecimiento y agudización de la concentración espacial de pobreza. Si bien los procesos relacionados con la "globalización" han complejizado la estructura socioespacial de las ciudades, ésta, como señala Prévôt-Schapira (2001) no explica todo: no borra las "viejas historias", y se incorpora a procesos endógenos, agudizando o activando viejas divisiones.

El abordaje de esta problemática plantea la necesidad de ensayar nuevas perspec-

parte de los trabajadores) revela que una proporción creciente de empleos no presentan las características usualmente descritas por quienes enfatizan sus efectos integradores –tales como oportunidades de aprendizaje, aporte de iniciativas, involucramiento en procesos decisorios, variedad y complejidad de las tareas realizadas, etcétera (Gallie, 2002).

[3] La incertidumbre emergente de la inseguridad laboral "impregna" múltiples dimensiones de la vida individual, familiar y colectiva: afecta el bienestar material y psicológico del individuo y del hogar, debilita las fuentes identitarias y de pertenencia social previas, produce un progresivo encogimiento de las redes sociales, erosiona las perspectivas de mejoramiento futuro, redefine la dinámica familiar e introduce nuevas fuentes de tensión en el hogar (Bayón, 2005).

tivas analíticas que permitan analizar las situaciones de privación en sus múltiples dimensiones. La ampliación de los enfoques más tradicionales y estáticos sobre la pobreza –definida en términos de ingreso y consumo– a través de las nociones de privación relativa, capacidades, vulnerabilidad, activos y estructura de oportunidades, y finalmente el de exclusión, han conducido a un creciente reconocimiento del carácter complejo y dinámico de la privación, y de sus relaciones con la polarización, la diferenciación y la desigualdad social. Se plantea, pues, la necesidad de incorporar a la estructura social como elemento explícito en el análisis de los procesos de exclusión social.

El análisis que aquí se presenta aborda las relaciones entre tres dimensiones y procesos que se consideran clave para entender las formas que asume la privación social en el actual escenario: la desigualdad en la distribución de oportunidades, la acumulación de desventajas, y el endurecimiento de la estructura social. En primer lugar se destaca el carácter relativo, multidimensional y dinámico de la privación. Luego se exploran las relaciones entre desigualdad, exclusión social y ciudadanía, y cómo éstas se expresan en el contexto latinoamericano. A continuación se analiza el proceso de endurecimiento de la estructura social, destacando cómo la desigual distribución de oportunidades ocupacionales y educativas en México opera como mecanismo que obstaculiza las posibilidades de movilidad social para los sectores más desfavorecidos. Finalmente se examinan las dimensiones espaciales de estos procesos, explorando la concentración de desventajas en uno de los municipios más pobres de la Zona Metropolitana de la Ciudad de México (ZMCM): Chimalhuacán. Las conclusiones presentan algunos desafíos y dilemas, que tanto en términos de investigación como de políticas públicas plantean el tránsito a sociedades más equitativas e incluyentes.

CONTEXTOS, PROCESOS Y DIMENSIONES DE LA PRIVACIÓN

Tres elementos fundamentales emergen de las nuevas (o renovadas) perspectivas para analizar la privación social: su relativismo o dependencia contextual, su multidimensionalidad y su carácter dinámico.

El relativismo o dependencia contextual resulta particularmente relevante cuando se utilizan conceptos como el de "exclusión", que remiten a las actividades y estándares considerados "normales" en cada sociedad. Los procesos antes mencionados están incrustados o *embedded* en los modos de funcionamiento de sociedades particulares. Sus impactos disruptivos sobre el tejido social en los países de América Latina pueden adquirir perfiles diferenciados de acuerdo con las trayectorias nacionales de integración social –tradiciones laborales, desigualdad, provisión de bienestar, extensión y calidad de los derechos de ciudadanía, etcétera (Bayón, 2006)–. Es decir, los puntos de partida no fueron los mismos en los diversos contextos nacionales, por lo que procesos y fenómenos similares pueden expresar rupturas en algunos casos y continuidades y profundización de tendencias previas en otros.

Las manifestaciones de la exclusión tienen que ver con la idea de proceso, de un itinerario, de trayectorias en las que se pasa por fases distintas, marcadas por rupturas, desfases e interrupciones. Como señalan Fitoussi y Rosanvallon (1997), ya no se trata sólo de describir identidades colectivas relativamente estables, sino también trayectorias individuales y sus variaciones en el tiempo; no sólo cuentan las posiciones presentes, sino sus perspectivas de evolución. La historia a la cual se adosa el individuo cristaliza más que antes la diferenciación social. Los accidentes en el trayecto crean situaciones irreversibles; las condiciones iniciales desempeñan un papel determinante en el destino de los individuos (Fitoussi y Rosanvallon, *op. cit.*).

Así, la exclusión no hace referencia a una dinámica lineal, por lo que es necesario remontarse a las causas y raíces del fenómeno, a la articulación entre macroprocesos y microtransformaciones. Como señala Yépez (1994), el concepto de exclusión social constituye un "concepto pivote" cuya riqueza radica fundamentalmente en el énfasis de las relaciones entre procesos, entre mecanismos micro y macro, y entre dimensiones individuales y colectivas, más que en la identificación de contornos de realidad empíricamente observable.

Junto a la diferenciación social, la exclusión tiene una base material ligada a la falta de medios de subsistencia. Es precisamente el *carácter acumulativo de situaciones de desventaja* (Paugam, 1995), *los circuitos de privación o empobrecedores* (Estivill, 2003) relacionados con la precariedad ocupacional y con otras dimensiones de la vida económica y social (orígenes familiares, baja o deficiente escolarización y formación profesional, ausencia de empleo, trabajo precario o estacional, alimentación deficiente, bajos ingresos, vivienda insalubre o en mal estado, mala salud y enfermedades crónicas o repetitivas, falta de prestaciones sociales, dificultades de acceso a los servicios públicos, etc.) lo que hace a ciertos grupos más vulnerables a experimentar procesos de exclusión social. En este sentido, Estivill (2003) concibe la exclusión social como una acumulación de procesos confluyentes con rupturas sucesivas, que, arrancando del corazón de la economía, la política y la sociedad, van alejando e "inferiorizando" a personas, grupos, comunidades y territorios respecto de los centros de poder, los recursos y los valores dominantes.

La dimensión espacial, referida fundamentalmente a la concentración geográfica de la pobreza, donde se acumulan distintos tipos de privación, desempeña un papel clave en estos procesos. Esta dimensión evidencia los obstáculos crecientes y acumulativos que enfrentan los residentes de áreas de pobreza homogénea para superar situaciones de desventaja. A su vez, llama la atención acerca de los diversos procesos que contribuyen a alimentar y retroalimentar el entrampamiento en situaciones de privación social. La distribución de la población en el espacio, el nivel de concentración de determinados grupos en ciertas áreas de la ciudad, o el grado de homogeneidad social de éstas nos remiten no sólo a procesos de diferenciación, sino también a las expresiones que asume la desigualdad, y tal vez a procesos de exclusión (Saraví, 2006). Nos obliga a dirigir la mirada hacia la constitución y cristalización de ámbitos diferenciados y homogéneos de sociabilidad, donde los puntos de "encuentro" entre diversos sectores sociales son cada vez más escasos.

En su análisis sobre las formas que adquiere la marginalidad urbana en el nuevo milenio, Wacquant (1999) destaca que la pobreza deja de constituirse en un problema residual o cíclico, remediable mediante la expansión del mercado; en contraste, se transforma, de manera creciente, en un problema persistente y de largo plazo, desconectado de las tendencias macroeconómicas y concentrado en ciertas áreas de relegación donde el aislamiento social y la alienación se retroalimentan mutuamente a medida que se profundiza el abismo entre sus habitantes y el resto de la sociedad (Wacquant, *op. cit.*). De manera creciente, en diversas áreas urbanas los pobres tienden a vivir y a interactuar con otros pobres en áreas "pobremente" equipadas, donde y para quienes las posibilidades de acceder a "oportunidades" que permitan superar –no simplemente mitigar– situaciones de desventaja son escasas, remotas o inexistentes. En estos espacios urbanos las desventajas asociadas a situaciones de privación –bajos niveles educativos, precariedad laboral, desempleo, deficientes condiciones de vivienda y de infraestructura, etc.– son más concentradas y extensivas, por lo que las oportunidades de escapar de ellas ciertamente disminuyen (Power, 2000). En otros términos, la concentración en un mismo lugar de una población homogénea en la desposesión tiene el efecto de redoblar esta última (Bourdieu, 1999).

DESIGUALDAD, CIUDADANÍA Y EXCLUSIÓN SOCIAL

La asociación entre desigualdad en la distribución del ingreso y exclusión social está mediada por el funcionamiento de las instituciones sociales, económicas y políticas que contribuyen o coartan las oportunidades de una experiencia social compartida, clave en toda práctica de ciudadanía.[4] Las oportunidades y perspectivas futuras –tanto en términos objetivos como de su percepción subjetiva– dependen de manera crucial de las instituciones existentes, de cómo éstas funcionan y de qué tan inclusivas son (Sen, 2000). En una sociedad en la que la mayor parte de los bienes y servicios son distribuidos a través del mercado y donde aun aquellos provistos públicamente pueden ser comprados privadamente, existe una fuerte conexión entre desigualdad y exclusión social (Barry, 1998: 24).

En la región se evidencia, con más fuerza que nunca, la constitución y cristalización de ámbitos diferenciados y homogéneos de sociabilidad, donde los puntos de "encuentro" entre diversos sectores sociales son cada vez más escasos. El progresivo

[4] Niveles similares de desigualdad pueden tener diferentes implicaciones en términos de exclusión social, dependiendo del grado en que las oportunidades de hacer y obtener cosas reflejen los niveles de ingreso (Barry, 1998). Así, cuando la provisión pública de servicios de salud y educación es de calidad uniforme y lo suficientemente alta para que los mismos sean utilizados por la amplia mayoría de la población, el ingreso individual resulta menos relevante. En términos de Marshall (1992), la extensión de los derechos sociales constituye un medio para eliminar las desigualdades ilegítimas –ligadas al origen social– que afectan la distribución de oportunidades.

debilitamiento de espacios pluriclasistas (particularmente donde éstos tuvieron una presencia importante), tales como la escuela pública y los servicios de salud –en tanto que fuentes de altruismo, solidaridad y actitudes de aversión a la desigualdad–, tienen importantes consecuencias sobre la integración social (Kaztman, 2001). La "experiencia social compartida" está cada vez más ausente en la cotidianidad de los habitantes de gran parte de las ciudades latinoamericanas.

Los procesos de exclusión social en América Latina se expresan precisamente en los *términos de la incorporación* de vastos sectores sociales, en sus patrones de integración (Faria, 1995), que dan lugar a una *inclusión desfavorable* (Sen, *op. cit.*), a una ciudadanía de *segunda clase* (Roberts, 2004). Las desventajas no derivan de "estar afuera", sino precisamente de la segmentación producida por las instituciones del Estado, de una inclusión diferenciada en el sistema social. Dicha segmentación, característica histórica de los "regímenes de bienestar" latinoamericanos, emerge con mayor crudeza ante el progresivo desmantelamiento y mercantilización de los servicios sociales, dando lugar a una dramática profundización de las distancias sociales no sólo respecto del acceso a las oportunidades –de empleo, educación, salud, vivienda, etc.– sino de la calidad de las oportunidades a las que se accede.

El problema evidencia dos cuestiones clave: el de la desigualdad y el de la pertenencia social. ¿Cuál es el significado que asume la pertenencia social en contextos de alta desigualdad y segmentación? ¿Cuál es el "cemento" de sociedades caracterizadas por múltiples pertenencias parciales, segmentadas y muchas veces desconectadas entre sí? ¿Cuál es el nivel de tolerancia de nuestras sociedades al quiebre social?

El abordaje es aún más complejo en contextos donde la "desigualdad" constituye un elemento "natural" de la cotidianidad social, y la tolerancia a la segmentación adquiere niveles alarmantes. En este sentido, la problemática no se limita a la distribución de oportunidades y al debate acerca de las fuentes generadoras de desigualdad, sino que involucra la calidad de dichas oportunidades, las formas que adquieren las relaciones entre los individuos, y a la relación de estos con las instituciones. No es sólo una cuestión de oportunidades y resultados, sino de los procesos que conducen a éstos (Burchardt, 2006).

La desigual distribución de oportunidades laborales y educativas: algunas evidencias empíricas

El profundo debilitamiento del trabajo y de la educación como canales de movilidad social –o al menos como fuentes que alimentaban expectativas de mejoramiento futuro–, a la par de la creciente inequidad en la distribución de oportunidades ocupacionales y educativas, dan cuenta de estructuras sociales profundamente desiguales y crecientemente rígidas, donde el origen social constituye un determinante clave en el acceso a oportunidades.

Más de la mitad de los latinoamericanos ven restringidas tempranamente sus oportunidades de bienestar como consecuencia de las características que asume la transmisión intergeneracional de capital educativo y de oportunidades laborales, lo cual, junto con otros factores, es determinante en la elevada y persistente desigualdad económica regional (CEPAL, 2004b: 187).

En relación con las oportunidades ocupacionales, y concentrándonos en México, diversos estudios muestran que los miembros de hogares pobres no sólo se insertan en los escalones más bajos de la estructura ocupacional, sino que sus oportunidades de movilidad ascendente son cada vez más escasas (Behrman *et al.*, 2001; Durán Fernández, 2003; Cortés y Escobar Latapí, 2005; Bayón, 2006).

En su análisis sobre la movilidad social intergeneracional en áreas urbanas de México, Cortés y Escobar Latapí (*op. cit.*) señalan que en comparación con la etapa de industrialización sustitutiva de importaciones (antes de 1982), durante el periodo de reestructuración económica (1988-1994) se experimentó un estrechamiento de las posibilidades de movilidad social para todos los estratos. Sin embargo, este efecto es mucho más marcado en las clases más bajas –trabajadores no calificados de la industria, trabajadores informales de los servicios, ejidatarios, pequeños propietarios rurales y jornaleros–. Los autores observan que bajo el nuevo modelo económico crece la desigualdad de oportunidades entre las clases más bajas y los originarios de la clase más alta –profesionales, funcionarios y empleadores de más de cinco trabajadores–. Así, a la par de la intensificación de la desigualdad, el sistema de movilidad ocupacional se vuelve más rígido, y la ocupación del padre se vuelve un predictor más robusto del destino ocupacional de éste (Cortés y Escobar Latapí, *op. cit.*). En el mismo sentido, un estudio sobre movilidad intergeneracional en América Latina (Behrman *et al.*, *op. cit.*) ubica a México como un país de baja movilidad ocupacional: la probabilidad de tener una ocupación como empleado (*white collar*) es 3.5 veces mayor entre quienes sus padres tenían la misma ocupación que entre los hijos de padres obreros. Esta probabilidad es mayor que en Perú (2.8), Brasil (2.6) y Colombia (2.0).

Tendencias similares se observan respecto de la distribución del ingreso. Los resultados de un análisis con matrices de transición a partir de un panel sintético construido con base en datos de la ENIGH entre 1984 y 2000, realizado por Durán Fernández (*op. cit.*) destacan la escasa movilidad experimentada por la población mexicana durante ese periodo, particularmente a partir de 1994.[5] El autor afirma que la movilidad a lo largo de la vida de una persona es bastante limitada, y que el determinante más importante de la movilidad es la posición inicial en la distribución del ingreso, efecto que es más notorio en el extremo inferior de la distribución, donde la casi totalidad de la población tiene un nivel de escolaridad menor que primaria (Durán Fernández, *op. cit.*).

[5] Esta situación es más marcada cuando el quintil inicial se encuentra en uno de los extremos de la distribución del ingreso: en el caso del quintil más bajo la probabilidad de permanecer en el mismo quintil se incrementó del 60% entre 1984 y 1989 al 90% entre 1998 y 2000. Es decir, la probabilidad de que una persona que se encuentra inicialmente en el quintil más bajo ascienda por encima de la parte media de la distribución es prácticamente cero (Durán Fernández, *op. cit.*).

Junto a las escasas oportunidades de movilidad ocupacional, la distribución de oportunidades educativas constituye una de las evidencias más contundentes de la profundización de la brecha que separa a los sectores más y menos favorecidos.[6] Esta inequidad adquiere particular relevancia en un escenario en el que el acceso al conocimiento constituye un recurso clave para acceder a las "oportunidades" que los procesos en marcha ofrecen, y cuya carencia potencia y acelera los procesos de exclusión en los sectores más desfavorecidos.

Reimers (2000) destaca cinco procesos a través de los cuales la desigualdad en la distribución del ingreso se traduce en desiguales oportunidades educativas en Latinoamérica: el acceso diferenciado a distintos niveles educativos entre pobres y no pobres; el tratamiento diferenciado que pobres y no pobres reciben en la escuela, donde los pobres reciben una educación de menor calidad; la tendencia –cada vez más marcada– de los estudiantes a relacionarse sólo con pares de la misma condición socioeconómica; la contribución de los padres a la educación de sus hijos (la cual es mayor mientras más alto es el clima educativo del hogar); y los contenidos y procesos educativos no específicamente orientados a la reducción de la desigualdad.

Si bien en términos generales las tendencias en la región muestran un mayor acceso de los sectores pobres a la educación primaria, las disparidades se han mantenido –o agudizado– precisamente en aquellos niveles que resultan clave para la movilidad social.[7] La posesión de credenciales educativas ha desempeñado un papel cada vez más decisivo en las posibilidades de acceder a los –cada vez más escasos– "buenos" empleos. El incremento en los niveles educativos de la población activa no sólo se ha traducido en una progresiva devaluación educativa, sino en la creciente exclusión de los sectores con menor educación, cuyas oportunidades de empleo se han visto fuertemente reducidas.

Junto al incremento de los niveles educativos de la población, que en México pasó de un promedio de 6.1 años en 1991 a 7.4 años en 2001, se ensanchó la brecha educativa entre el 20% más pobre y el 20% más rico, de 7.3 a 8.1 años (World Bank, 2003). De acuerdo con datos de 2000, entre los jóvenes de entre 20 y 24 años que habitan en zonas urbanas –hayan superado o no el nivel educativo de sus padres– casi cinco de cada diez no logran acceder al capital educativo básico[8] necesario para "aspirar" a la obtención de un trabajo relativamente bien remunerado (CEPAL, 2004b).[9] Estos indicadores ilustran las profundas desventajas iniciales que

[6] Hacia mediados de los noventa, la distribución de oportunidades educativas en México era aún más inequitativa que la distribución del ingreso: en un *ranking* de diecinueve países latinoamericanos, el país se colocaba en el lugar 12 en equidad educativa y en el 8 en la distribución del ingreso (Reimers, *op. cit.*: tabla 4.1).

[7] En efecto, a partir de los 13 años de edad se agudizan las distancias en las oportunidades educativas. Al respecto, México evidencia escasos avances en la asistencia escolar de jóvenes entre 13 y 19 años de edad provenientes de los hogares de menores ingresos (20% más pobre), la cual permaneció casi estancada durante el periodo 1992-2002, al pasar de 55.6 a 57.6%, lo que contrasta con el mayor acceso del 20% más rico, que pasó de 80.7 a 92.8% (CEPAL, *op. cit.*).

[8] Haber completado como mínimo doce años de educación.

[9] En el periodo 1999-2003 sólo 6.4% de los jefes de hogares pobres en México lograron superar los

caracterizan el acceso al mercado de trabajo de los jóvenes provenientes de hogares de bajos ingresos y permiten anticipar el entrampamiento en inferiores oportunidades durante el curso de vida y su reproducción en términos intergeneracionales. Como señala la CEPAL (2004b: 192):

> La persistencia de la ligazón entre acceso a la educación y estrato social de origen indica que, en gran medida, las oportunidades de bienestar de quienes son jóvenes hoy ya quedaron plasmadas por el patrón de desigualdades prevaleciente en la generación anterior. Esto se traduce en una estructura social rígida y con escasa movilidad social.

No es sólo un problema de acceso a oportunidades, sino de la calidad de dicho acceso. En este sentido, el reciente informe del Instituto Nacional para la Evaluación de la Educación (INEE, 2006) sobre el aprendizaje del español, las matemáticas y la expresión escrita, ilustra de manera contundente la dramática segmentación de la calidad de las oportunidades educativas, así como el papel clave desempeñado por el Estado mexicano en la perpetuación y profundización de dichas desigualdades.[10] Los bajos niveles educativos, a la par de la deficiente calidad de la educación a la que acceden los sectores de menores ingresos, permiten anticipar profundas desventajas en su inserción en el mercado de trabajo, desencadenando procesos donde, como se señaló previamente, las desventajas no sólo se acumulan, sino que se retroalimentan. La ausencia o escasa movilidad durante el curso de vida y/o intergeneracional es un indicador clave de ausencia de igualdad de oportunidades (Hills, 1998). La mayor o menor desigualdad en la distribución de las oportunidades educativas entre la población tiene fuertes implicaciones sobre las oportunidades de movilidad intergeneracional.[11]

---

doce años de educación, y en más de la mitad de estos hogares el jefe tiene menos de seis años de estudio (CEPAL, *op. cit.*).

[10] Según este informe (INEE, 2006) en el aprendizaje de español en sexto de primaria y tercero de secundaria, 18 y 32.7% de los estudiantes, respectivamente, se encuentran por debajo del nivel básico, 50.8 y 32.7% se ubican en el nivel básico, 24.6 y 23.7% en el nivel medio y sólo 6.6 y 5.3% en el nivel avanzado. Entre los alumnos de sexto de primaria que se sitúan por debajo del nivel básico (que supone carencias importantes en los conocimientos, habilidades y destrezas escolares que constituyen una limitación para continuar progresando satisfactoriamente en la asignatura evaluada) 47.3% asisten a escuelas públicas indígenas (bilingües), 32.5% a cursos comunitarios, 25.8% a escuelas rurales públicas, 13.2% a escuelas urbanas públicas y 2% a escuelas privadas. Las escuelas privadas están 92 puntos por encima de las urbanas públicas y 187 puntos por encima de las escuelas indígenas. En secundaria, 51.1% de quienes se ubican por debajo del nivel básico son estudiantes de telesecundarias (que se concentran en poblaciones con menos de 2 500 habitantes), 31.1% de secundarias técnicas, 29.7% de públicas generales y 8.1% de privadas; en el nivel inferior, por cada alumno de escuelas privadas hay seis de telesecundaria. En matemáticas, más de la mitad de los estudiantes de tercero de secundaria (51.1%) se encuentra por debajo del nivel básico (que supone, entre otras cosas, serias deficiencias ante problemas que requieren razonamientos complejos, elaborar conjeturas, hacer generalizaciones o inferencias y vincular resultados), de los cuales, ocho de cada diez asiste a escuelas públicas en sus diversas modalidades (telesecundarias, técnicas y generales). Las diferencias en logros educativos son dramáticas: los estudiantes de sexto grado de escuelas primarias privadas obtuvieron puntuaciones equivalentes a los alumnos de secundarias generales en ambas asignaturas (INEE, *op. cit.*).

[11] Blanden *et al.* (2002) destacan que una parte importante de la disminución de la movilidad intergeneracional en la Gran Bretaña se explica por la desigual distribución en las oportunidades de acceder a la educación media y superior, que ha favorecido principalmente a los sectores de mayores ingresos.

Desigualdades espaciales y concentración de desventajas: una exploración a partir de la ciudad de México

La creciente complejidad y desigualdad de la estructura urbana de la ciudad de México (Rubalcava y Schteingart, 2000; Duhau, 2003; Parnreiter, 2002, 2005) se expresa con particular evidencia en algunas áreas de la ciudad donde distintos sectores sociales coexisten en espacios cercanos y muchas veces adyacentes, pero fuertemente contrastantes.[12] Esta proximidad espacial, acompañada de múltiples barreras físicas (altos muros, barrios y calles cerradas, seguridad privada, etc.) no pareciera estar indicando una mayor "mezcla" o interacción entre diferentes clases sociales. En este sentido, compartimos con Bourdieu (1999) la inclinación a poner en duda la creencia de que el acercamiento espacial de los agentes muy alejados en el espacio social pueda tener, de por sí, un efecto de acercamiento social.

Sin desconocer esta heterogeneidad, y si bien en un área metropolitana con alta incidencia de la pobreza,[13] los pobres se distribuyen en toda la ciudad, lo que aquí queremos destacar es la tendencia al crecimiento y consolidación de áreas homogéneamente pobres. Los grupos más desfavorecidos –en términos de empleo, ingresos y niveles educativos– no sólo tienden a concentrarse en determinadas zonas –las que presentan mayores desventajas de infraestructura y menores oportunidades laborales a nivel local–,[14] sino que esas áreas son las que han experimentado el mayor crecimiento poblacional en las últimas dos décadas. Es decir, la concentración socioespacial de la pobreza no sólo persiste, sino que crece y se hace más densa.

El caso de Chimalhuacán ejemplifica, de manera dramática, estos procesos. Este municipio presenta la mayor concentración de desventajas de la ZMCM, y es uno de los más pobres del Estado de México. Con una superficie de 57.8 km^2 y una población cercana a los 500 000 habitantes, es una de las localidades metropolitanas que mayor crecimiento poblacional ha experimentado en los últimos años. En el periodo 1995-2000 la tasa de crecimiento poblacional de esta delegación fue 5.1%, tres veces mayor que la de la ZMCM (1.6%) y el doble que la del Estado de México (2.6%). El factor de atracción poblacional está dado por la posibilidad de acceder a una casa propia a través de la adquisición de un lote barato, generalmente en asentamientos informales y mediante la

[12] En el oeste (Naucalpan, Huixquilucan, Álvaro Obregón, Cuajimalpa), junto a los barrios pobres han ido surgiendo zonas residenciales para la clase alta (generalmente como barrios cerrados) y también modernos complejos de oficinas. En el centro de la ciudad (por ejemplo en las delegaciones Miguel Hidalgo y Cuauhtémoc) o en Coyoacán al sur, las zonas residenciales de diferentes grupos sociales colindan entre ellas (Parnreiter, *op. cit.*).

[13] Según datos de Boltvinik (2002), de acuerdo con el MMIP (Método de Medición Integrada de la Pobreza), la población pobre (pobres extremos y moderados) en la Zona Metropolitana de la Ciudad de México (ZMCM) creció de 53.8% en 1984 a 61.3% en 2000.

[14] Extensas zonas de barrios de clases bajas, que concentran alrededor del 40% de la población de la ZMCM, se encuentran en el oriente, desde Tecámac y Ecatepec en el noreste, pasando por Chimalhuacán, Nezahualcóyotl e Iztapalapa, al oeste del centro, hasta La Paz, Ixtapaluca, Tláhuac y Chalco en el sureste de la ciudad. En el oriente de la ciudad prácticamente no viven clases altas o medias. En las áreas donde se concentran las AGEB (área geoestadística básica) más pobres muy excepcionalmente aparecen estratos que no sean bajos o muy bajos (Rubalcava y Schteingart, 2000).

autoconstrucción de vivienda.[15] El acceso a estos lotes, así como la provisión de servicios "públicos" como agua, luz, pavimentación, etcétera, está ligado, en general, a prácticas clientelares y cacicazgos políticos que tienen el "control" de la zona.

La magnitud de las privaciones en Chimalhuacán es alarmante: más de la mitad de su población es indigente (o "pobres alimentarios", según datos de la propia Sedesol), la relación niños-mujer es 44.8 (en contraste con 28.9 en el Distrito Federal) la población menor de 14 años alcanza el 36.4% (contra el 28.3% en la ZMCM), siete de cada diez habitantes no tienen acceso a los servicios de salud que provee el sistema de seguridad social, casi nueve de cada diez mayores de 18 años carecen de educación media superior (menos de 12 años de educación), sólo 2.1% de las viviendas dispone de computadora, y 32% no cuenta con drenaje conectado a la red pública (SCINCE, 2000). Entre la población ocupada, más de la mitad gana menos de dos salarios mínimos (aproximadamente 200 dólares), sólo el 4.3% más de cinco salarios mínimos, y cinco de cada diez trabajan más de 48 horas semanales (SCINCE, *op. cit.*). Los procesos de migración intrametropolitana contribuyen a reforzar esta concentración de desventajas. Arriagada y Rodríguez (2003) muestran que la alta correlación entre la selectividad educativa de los flujos migratorios y su destino tiende a profundizar la segregación residencial socioeconómica.[16]

Si bien la fuerte presencia de áreas homogéneamente pobres no constituye una novedad en las metrópolis latinoamericanas, su marcado crecimiento en las últimas décadas muestra que, lejos de haberse revertido en el nuevo escenario socioeconómico, la concentración espacial de la pobreza se ha agudizado y con ella las dinámicas más adversas y perjudiciales de la segregación para los pobres. Estas dinámicas expresan, consolidan y refuerzan las distancias sociales, reducen los ámbitos de interacción entre miembros de diferentes grupos socioeconómicos y erosionan la vida comunitaria por la mayor presencia de violencia, inseguridad, drogas, etcétera (Sabattini *et al.*, 2001; Arriagada y Rodríguez, *op. cit.*).

Durante los últimos meses los residentes de Chimalhuacán han realizado numerosas movilizaciones en protesta por la creciente inseguridad y violencia en el municipio.[17] La inseguridad, cuyo origen se encuentra en la acumulación y concentra-

[15] La supresión progresiva de subsidios y las políticas de libre mercado aplicadas desde los ochenta, que ciertamente también afectaron al mercado inmobiliario, a la par de una política de depresión salarial, fue empujando a los sectores más pobres hacia la periferia por la disponibilidad de viviendas más baratas, básicamente en el marco de fraccionamientos ilegales sobre terrenos de propiedad ejidal (Hiernaux, 1999).

[16] La diferencia entre la escolaridad de los inmigrantes y los emigrantes intrametropolitanos en la ZMCM muestra que aumentan las comunas perdedoras netas de recursos humanos. Así, quienes migran hacia los municipios más pobres (como Chimalhuacán) desde municipios vecinos (Iztapalapa, Nezahualcóyotl, La Paz, Iztacalco) poseen menos años promedio de educación que los no migrantes, mientras que quienes emigran de Chimalhuacán son precisamente quienes poseen en promedio mayores niveles educativos que sus residentes (Arriagada y Rodríguez, 2003).

[17] En el último año se han producido doce asesinatos contra mujeres (la mayoría menores de 24 años) y frecuentes violaciones; se registra un importante crecimiento del narcomenudeo y la localidad se ha constituido en un "cementerio" de autos robados, situaciones que van acompañadas de numerosas quejas de los residentes del lugar por recurrentes abusos de la policía municipal (*La Jornada*, 23 y 28 de octubre de 2006; *El Universal*, 6 y 7 de noviembre de 2006).

ción de desventajas estructurales previamente mencionadas, es padecida de manera creciente por los habitantes de estas zonas, víctimas frecuentes de violencia, abusos policiales y prácticas delictivas. Se produce así una progresiva despacificación de la vida cotidiana (Wacquant, 2001) que altera las rutinas diarias e incrementa la incertidumbre y la desconfianza, reconfigurando el espacio público comunitario.

CONCLUSIONES

El menor dinamismo del mercado de trabajo y el marcado deterioro de las condiciones de empleo, el acceso a los servicios sociales (básicamente salud y educación) y su creciente segmentación, así como los procesos de segregación espacial, constituyen dimensiones clave para entender las expresiones que asume la privación en el nuevo escenario socioeconómico.

La alta desigualdad en la distribución de oportunidades (residenciales, educativas y ocupacionales) analizada previamente revela con crudeza que los niveles de ingreso constituyen determinantes clave no sólo de las posibilidades de acceso, sino también, cada vez más, de la "calidad" de las oportunidades a las que se accede, generando un proceso de polarización y segmentación creciente entre ciudadanos de primera y segunda clases. Las ventajas o desventajas iniciales no sólo se mantienen –y profundizan– durante el curso de vida, sino que tienden a reproducirse intergeneracionalmente. Se trata no sólo de sociedades más desiguales y segmentadas, sino de estructura sociales más rígidas –donde los anteriores canales y expectativas de movilidad social han sufrido un marcado debilitamiento–.

Respecto de la dimensión espacial de estos procesos, en particular la concentración geográfica de desventajas, es preciso destacar que ésta no constituye un fenómeno coyuntural. Los bajos niveles educativos y la redundancia de las redes sociales, independientemente de los niveles de desempleo y de la intensidad del crecimiento económico, bloquean el acceso de los habitantes de estas zonas a puestos de trabajo que permitan superar los umbrales de pobreza.

Las dificultades crecientes que enfrentan los sectores más desfavorecidos para escapar del entrampamiento en circuitos de privación es una de las evidencias más claras de las tendencias excluyentes del modelo neoliberal por el que han transitado las sociedades latinoamericanas –con diferentes ritmos e intensidades– durante las últimas dos décadas. En este contexto, la política social no puede seguir "esquivando" el problema de la desigualdad y sus implicaciones en términos de derechos de ciudadanía. Una visión que reduce *lo social* a los sectores de extrema pobreza, y las políticas que de ésta se derivan, profundizan el dualismo y la segmentación social y poco contribuyen al fortalecimiento de la ciudadanía y a la reducción de las desigualdades permanentes y autorreproductivas.

El reconocimiento de la complejidad que asume la privación social plantea la necesidad de ensayar nuevos enfoques que nos permitan comprender su especificidad, así como elaborar diagnósticos y políticas integrales orientadas al desarrollo de sociedades más equitativas e incluyentes. Esto supone, entre otros múltiples "frentes", un ataque simultáneo y articulado sobre las debilidades de los sistemas educativo y de provisión de salud, los mecanismos de funcionamiento del mercado de trabajo, las políticas de vivienda y las excesivas disparidades espaciales.

BIBLIOGRAFÍA

Arriagada, C. y J. Rodríguez, 2003, *Segregación residencial en áreas metropolitanas de América Latina: Magnitud, características, evolución e implicaciones de política*, Serie Población y Desarrollo núm. 47, Santiago de Chile, CEPAL/CELADE/UNFPA.

Auyero, J., 2001, "Introducción. Claves para pensar la marginación", en L. Wacquant, *Parias urbanos. Marginalidad en la ciudad a comienzos del milenio*, Buenos Aires, Manantial.

Barry, B., 1998, "Social exclusion, social isolation and the distribution of income", en CASE Paper 12, Londres, Centre for the Analysis of Social Exclusion, London School of Economics.

Bayón, M.C., 2005, "Las huellas de los noventa en la sociedad argentina. Trayectorias, identidades e incertidumbres desde la inestabilidad laboral", en *Revista Mexicana de Sociología* 67, núm. 4, octubre-diciembre, México.

—, 2006, "Precariedad social en México y Argentina: Tendencias, expresiones y trayectorias nacionales", en *Revista de la CEPAL* 88, Santiago de Chile.

— y G. Saraví, 2006, "De la acumulación de desventajas a la fractura social. 'Nueva' pobreza estructural en Buenos Aires", en Gonzalo Saraví (ed.), *De la pobreza a la exclusión. Continuidades y rupturas de la cuestión social en América Latina*, Buenos Aires, CIESAS/Prometeo (en prensa).

Behrman, J. A. Gaviria y M. Székely, 2001, *Intergenerational Mobility in Latin America*, Working Paper # 452, Washington D.C., Inter-American Development Bank.

Blanden, J., A. Goodman, P. Greeg y S. Machin, 2002, "Changes in Intergenerational Mobility in Britain", Londres, Centre for the Economics of Education, London School of Economics and Political Science.

Boltvinik, J., 2002, "Pobreza en la Ciudad de México", en *La Jornada*, 25 de enero.

Bourdieu, P., 1999, "Efectos de lugar", en P. Bourdieu, *La miseria del mundo*, Buenos Aires, Fondo de Cultura Económica.

Burchardt, T., 2006, "Foundations for measuring equality: A discussion paper for the Equalities Review", en CASE Paper 111, Londres, Centre for the Analysis of Social Exclusion, London School of Economics.

Castel, R., 1997, *La metamorfosis de la cuestión social*, Buenos Aires, Paidós.

CEPAL, 2004a, "Panorama social de América Latina 2004", Santiago de Chile, CEPAL, Naciones Unidas.

—, 2004b, "Una década de desarrollo social en América Latina, 1990-1999", Santiago de Chile, CEPAL, Naciones Unidas.

Cortés, F. y A. Escobar Latapí, 2005, "Movilidad social intergeneracional en el México Urbano", en *Revista de la CEPAL* 85, Santiago de Chile.

Duhau, E., 2003, "División social del espacio metropolitano y movilidad residencial", en *Papeles de Población*, abril-junio, número 36, México.

Durán Fernández, R., 2003, "La movilidad al interior de la distribución del ingreso en México durante el período 1984-2000", en *Gaceta de Economía*, año 9, núm. 17, México, ITAM.

:sping-Andersen, G., 2002, "Towards a good society, once again?", en G. Esping- Andersen *et al.*, *Why we need a new welfare state?*, Nueva York, Oxford University Press.

:stivill, J., 2003, *Panorama de la lucha contra la exclusión social. Conceptos y estrategias*, Ginebra, Organización Internacional del Trabajo.

'aria, V., 1995, "Social Exclusion and Latin American analysis on poverty and deprivation", en G. Rodgers, C, Gore y J. Figuereido (eds.), *Social exclusion: Rethoric, reality, responses*, Ginebra, ILO, International Institute for Labor Studies.

'itoussi, J.P. y P. Rosanvallon, 1997, *La nueva era de las desigualdades*, Buenos Aires, Manantial.

;allie, D., 2002, "The Quality of Working Life in Welfare Strategy", en G. Esping- Andersen *et al.*, *Why we need a new welfare state?*, Nueva York, Oxford University Press.

Iiernaux, D., 1999, "Los frutos amargos de la globalización: Expansión y reestructuración metropolitana de la ciudad de México", en *Revista EURE*, vol. 25, núm. 76, Santiago de Chile.

Iills, J., 1998, "Introduction: What do we mean by reducing lifetime inequality and increasing mobility?", en *Persistent poverty and lifetime inequality: The evidence*, CASE report 5, Londres, Centre for the Analysis of Social Exclusion, London School of Economics and Political Science.

nstituto Nacional para la Evaluación de la Educación, 2006, *El aprendizaje del español, las matemáticas y la expresión escrita en la educación básica en México: sexto de primaria y tercero de secundaria*, México, INEE.

Jahoda, M., 1982, *Employment and unemployment: A social psychological analysis*, Cambridge, Cambridge University Press.

Kaztman, R., 2001, "Seducidos y abandonados: El aislamiento social de los pobres urbanos", en *Revista de la CEPAL*, 75, Santiago de Chile.

Marshall, T.H., 1992 [1950], "Citizenship and Social Class", en T.H. Marshall y T. Bottomore (eds.), *Citizenship and social class*, Londres, Pluto Press.

Parnreiter, C., 2002, "Ciudad de México: El camino hacia la ciudad global", en *EURE*, vol. 28, núm. 85, Santiago de Chile

—, 2005, "Tendencias de desarrollo en las metrópolis latinoamericanas en la era de la globalización: Los casos de Ciudad de México y Santiago de Chile", en *EURE*, vol. 31, núm. 92, Santiago de Chile.

Paugam, S., 1995, "The spiral of precariousness: A multidimensional approach to the process of social disqualification in France", en G. Room (ed.), *Beyond the threshold: The measurement and analysis of social exclusion*, The Policy Press, Bristol.

Power, A., 2000, "Poor areas and social exclusion", en A. Power y W.J. Wilson, *Social exclusion and the future of cities*, CASE Paper 35, Londres, London School of Economics.

Prévôt-Schapira, M., 2001, "Fragmentación espacial y social: Conceptos y realidades", en *Perfiles Latinoamericanos*, 10 (19), México.

Reimers, F., 2000, "Educational Opportunity and Policy in Latin America", en *Unequal schools, unequal chances: The challenges of equal opportunity in the Americas*, editado por F. Reimers, Londres, Harvard University Press.

Roberts, B., 2004, "From marginality to social exclusion: From laissez faire to pervasive engagement", en *From the Marginality in the 1960s to the "New Poverty" of Today: A LARR Research Forum, Latin American Research Review*, vol. 39, núm. 1., Austin, TX.

Rubalcava, R. y M. Schteingart, 2000, "Segregación socioespacial", en G. Garza (coord.), *La ciudad de México en el fin del segundo milenio*, México, Gobierno del Distrito Federal/El Colegio de México.

Saraví, G., 2004, "Segregación urbana y espacio público: Los jóvenes en enclaves de pobreza estructural", en *Revista de la CEPAL* 83, Santiago de Chile.

—, 2006, "Segregación, sociabilidad urbana y escuela en la ciudad de México: La coexistencia de mundos aislados", ponencia presentada en el Seminario "Neighborhood effects, educational achievements and challenges for social policies", Río de Janeiro, 31 de agosto-2 de septiembre.

Sen, A., 2000, "Social exclusion: Concept, application, and scrutiny", en *Social Development Papers* 1, Asian Development Bank.

Sistema para la Consulta de Información Censal (SCINCE), 2000, *Estado de México,* Instituto Nacional de Estadística, Geografía e Informática (INEGI).

Wacquant, L., 1999, "Urban marginality in the coming milennium", en *Urban Studies,* vol. 23, núm. 10, Glasgow.

—, 2001, *Parias urbanos. Marginalidad en la ciudad a comienzos del milenio,* Buenos Aires, Manantial.

World Bank, 2003, *Inequality in Latin America and the Caribbean: Breaking with History?,* Washington, D.C., The World Bank.

Yépez del Castillo, I., 1994, "A comparative approach to social exclusion: Lessons from France and Belgium", en *International Labour Review,* 133 (5-6), Génova.

DIFERENTES Y DESIGUALES: LOS INDÍGENAS URBANOS EN EL DISTRITO FEDERAL

PABLO YANES*

El Valle de México se ha caracterizado desde hace muchos siglos por dos características singulares: su naturaleza urbana y su diversidad cultural. El siglo XX constituyó el proceso de consolidación, desarrollo y explosión de ambas características hasta convertirse en un proceso megalopolitano en la perspectiva urbana, y megadiverso en la dimensión de pueblos, lenguas, culturas y comunidades que en ella viven, conviven e interactúan.

La singular pluriculturalización del Distrito Federal (DF) tiene como punto de partida la monumental expansión de la urbe que atrae corrientes migratorias de toda la República y que, al mismo tiempo, avanza como mancha urbana sobre las tierras, aguas y bosques de los pueblos indígenas que la rodean. Así, migración y geofagia son dos tendencias centrales a partir de la posguerra en el nuevo proceso de etnización y pluriculturalización del DF, hasta constituir una megalópolis megadiversa.

Uno de los reclamos más persistentes y que tienen implicaciones de fondo en términos del reconocimiento de derechos colectivos y del derecho a la ciudad, lo constituye la demanda indígena de no ser denominados "migrantes", sino residentes en la ciudad. Y no falta razón en la medida en que la migración indígena ha dado origen a diversas colectividades y comunidades con varias generaciones de residencia en la ciudad.

En este trabajo pretendemos mostrar las formas particulares de inserción urbana de miembros de los pueblos indígenas en el DF y las formas específicas de desigualdad social que los afectan. El estudio de los (y las) indígenas en la ciudad nos permite destacar que no existe una sola desigualdad social urbana, sino varias.

La pertenencia étnica se revela como un elemento estructural de desventaja y discriminación que genera una desigualdad social agravada. Pertenecer a un pueblo indígena y vivir en la ciudad significa vivir en la reproducción de relaciones sociales de exclusión. Por ello, de manera general, los y las indígenas en la ciudad, respecto de la población no indígena, tienen menos escolaridad y mayor analfabetismo, más miembros de la familia trabajan desde más jóvenes y por más tiempo, pero obtienen menores ingresos, habitan en viviendas más pequeñas, con peores materiales y escasos enseres, y cuentan con menor acceso al agua. Esto es: la pertenencia étnica es un factor de reproducción y profundización de la desigualdad que se agrava con las brechas de género entre hombres y mujeres indígenas.

* Director general del Consejo de Evaluación del Desarrollo Social del D.F. (EVALÚA-DF).

LA EXCLUSIÓN COMIENZA EN LA ESTADÍSTICA

Si en algún ámbito es particularmente compleja la estimación, el conteo y la clasificación de los miembros de los pueblos indígenas es en el DF, ello por varias razones: por el imaginario social que invisibiliza a los indígenas urbanos; por el alto grado de bilingüismo de los miembros de los pueblos indígenas, con lo que las estadísticas basadas en la lengua tienden a excluirlos; por la enorme diversidad de la composición indígena de la ciudad, y por el alto grado de mimetismo de sobrevivencia que practican los miembros de los pueblos indígenas de la ciudad para evitar la discriminación. Por ello debemos hacer una corrección. La ciudad de México tiene una megadiversidad, pero ésta es oculta, mimética, subterránea.

Así, tenemos que pesa mucho en la definición y magnitud de los miembros de los pueblos indígenas la metodología que se practique. De esa manera, encontramos la discrepancia de cifras entre el Instituto Nacional de Estadística, Geografía e Informática (INEGI) y el Instituto Nacional Indigenista (INI)-Consejo Nacional de Población (Conapo).

Para el INEGI, con base exclusivamente en el criterio lingüístico, en el DF, según el censo del año 2000, habría una población de 141 700 personas, que representarían apenas el 1.8% de la población de la entidad, esto es, el mismo que existía en 1900 (INEGI, 2004: 4). Pero si recurrimos a los cálculos del INI-Conapo incluidos en los *Indicadores socioeconómicos de los pueblos indígenas de México, 2002* (Serrano, *et al.*, 2002: 83) encontramos que se estima una población de miembros de los pueblos indígenas de 339 931 personas. Esto es, la diferencia entre una y otra metodología es cercana al 250%. De esta manera, si se aplica el criterio de lengua, adscripción y hogares se alcanza un estimado de miembros de los pueblos indígenas en la ciudad casi tres veces mayor a la que se logra rigiéndose únicamente por el criterio lingüístico.

En lo que sí coinciden ambos es en la tendencia al crecimiento de los miembros de los pueblos indígenas y su tasa de incidencia en la ciudad. Esto significa que si por un lado el DF ha estabilizado su número de habitantes, la población hablante de lengua indígena en la ciudad tiene una tasa de crecimiento superior a la de la ciudad, es decir, tiene una mayor presencia demográfica. Ello explicaría por qué, según los datos del INEGI, entre 1990 y 2000 los miembros de los pueblos indígenas pasaron del 1.5 al 1.8 por ciento.

Aún más, el INEGI establece también una diferencia entre la tasa de crecimiento entre la población no hablante y hablante de lengua indígena en el DF en la última década del siglo XX, mientras que la primera sólo creció en un 0.40%, y la segunda lo hizo en un 2.44 por ciento.

De esta manera, el INEGI, aunque subestima y subregistra la magnitud de los miembros de los pueblos indígenas en el DF, confirma la tendencia creciente de su peso demográfico en el DF, lo cual es parte de una tendencia de largo plazo de urbanización de los pueblos indígenas y de reindianización del DF.

Respecto de los cambios de la población hablante de lengua indígena en el DF en la última década del siglo XX, el INEGI señala:

> a población hablante [de lenguas indígenas] que se encuentra instalada en la capital del aís creció en 30 158 habitantes en los últimos diez años; este incremento es ocasionado por as características de la entidad, al ser el centro hegemónico de la economía del país, que in-ita a esta población a inmigrar a la capital para obtener los beneficios (trabajo remunerado, ducación, vivienda, atención médica, etc.) que ésta brinda a sus residentes. Al comparar el itmo de crecimiento entre la población de 5 y más años y la hablante de lengua indígena, se bservan diferencias significativas en el comportamiento en los dos ámbitos geográficos.
>
> Esto se debe al fenómeno migratorio en el que se encuentra inmersa la capital del país, la ual sigue siendo el centro hegemónico y un polo de atracción para la población inmigrante ablante de lengua indígena que proviene prácticamente de todas las regiones del territorio acional. Es por ello que el ritmo de crecimiento de la población hablante es casi del doble ue la de la población de 5 y más años para el periodo 1990-2000 (INEGI, *op. cit.*: 4-5).

Ahora bien, mientras el INEGI habla de poco más de 140 000 habitantes, según el NI-Conapo tendríamos presencia indígena en todas las delegaciones, un estimado lobal de 4% de miembros de los pueblos indígenas para la ciudad, con una dele-ación, Milpa Alta, que tendría un 11.5%, equivalente prácticamente al promedio acional, y otra delegación, Coyoacán, con el porcentaje más bajo, 2.7%. Asimismo, s muy llamativo que en todas las delegaciones la lengua indígena dominante es el áhuatl, pero con presencia importante de otras lenguas, como el otomí, de modo ue por cada dos hablantes de náhuatl hay un hablante de otomí, o de otras len-uas, como el mazahua, el mixteco y el zapoteco.

No obstante la existencia de lenguas de concentración, hay simultáneamente una xtraordinaria diversidad de lenguas indígenas de toda la República y de otros paí-ses de América. Conforme al registro del INI-Conapo, y sin tomar en consideración 'otras lenguas de América" y las distintas variantes dialectales, en el DF, de acuerdo on el censo del año 2000, había hablantes de 57 lenguas indígenas, a saber: aguaca-eco, amuzgo, cakchiquel, cora, cuicapá, cuicateco, chatino, chichimeco, chinante-o, chochó, chol, chontal de Oaxaca, chontal de Tabasco, chuj, guarijío, huasteco, uave, huichol, ixcateco, ixil, jacalteco, kanjobal, kekchí, kikapú, lacandón, mame, matlazinca, maya, mayo, mazahua, mazateco, mixe, mixteco, motocintleco, náhua-tl, tlahuica, otomí, pame, pima, popoloca, popoluca, purépecha, quiché, seri, tacua-te, tarahumara, tepehua, tepehuano, tlapaneco, tojolabal, totonaca, triqui, tzeltal, tzotzil, yaqui, zapoteco y zoque (Serrano *et al.*, *op. cit.*: 63-68).

Una de las particularidades de la composición de los miembros de los pueblos indígenas en la ciudad es la fuerte presencia de las mujeres. Así, mientras que el índice de masculinidad en los miembros de los pueblos indígenas a nivel nacional es de 0.96, en el DF cae a 0.89, esto significa que por cada 100 mujeres indígenas en la ciudad de México hay 89 hombres.

No resulta sencillo explicar la predominancia de las mujeres en la migración y residencia en la ciudad, pero algunos posibles factores que la explican son la alta participación de las mujeres en las actividades terciarias, particularmente en el ser-vicio doméstico y en el comercio informal. Pero también llama la atención que los índices de masculinidad más bajos por grupo edad se encuentran en la población entre 15 y 29 años de edad, llegando a caer tan bajo como 0.51 y 0.67 entre los 15 y 19 y los 20 y los 24 años (INEGI, *op. cit.*: 11) respectivamente, lo cual puede obedecer también a un subregistro de la población masculina indígena joven de esos años por la presión para el ocultamiento de su identidad cultural y lingüística en función de una rápida incorporación al mercado de trabajo.

Y en esta diferenciación de los índices de masculinidad en el DF se expresan también diferencias de género en el uso de la lengua, reportándose entre los mixes el mayor nivel de feminización, y entre los purépechas el menor.

Podría existir la tentación de explicar el crecimiento de los miembros de los pueblos indígenas como producto de los diferenciales en las tasas de fecundidad de las mujeres indígenas y la población no indígena. Sin embargo, la información disponible sostiene que dicha diferencia es mínima y que en realidad, en la ciudad, la brecha se ha ido cerrando. Así, en el 2000 el número de hijos nacidos vivos de mujeres indígenas fue de 1.78 y de la población no indígena de 1.47 (INEGI, *op. cit.*: 21).

Pero en lo que sí existe una diferencia importante es en la de los hijos fallecidos entre mujeres indígenas y no indígenas; además de que entre las propias mujeres indígenas se observan brechas significativas según los diferentes pueblos.

Por todo lo anterior, el crecimiento de los miembros de los pueblos indígenas en el DF obedece a la continuación y diversificación de los patrones migratorios más que al crecimiento de los miembros de los pueblos indígenas radicados en la ciudad, o si se prefiere, se combina la consolidación de comunidades de radicados con la llegada de nuevos (y sobre todo nuevas) migrantes.

La migración indígena a la ciudad de México tiene una matriz común, pero obedece también a una diversidad de factores. En esencia la migración se produce por dos tendencias: la de expulsión de la comunidad de origen, por un lado, y el factor de atracción que el DF ejerce por la concentración de servicios públicos que le caracteriza y la mayor accesibilidad de los mismos, con respecto a la media nacional y a la prevaleciente en las regiones indígenas.

Ahora bien, entre los factores de expulsión hay que distinguir los que se originan en factores estructurales como la escasez o carencia de tierras, el desgaste y agotamiento de los recursos naturales (particularmente aguas y bosques), la baja productividad de la tierra, los bajos precios de los productos primarios, la carencia de infraestructura y otras, de la expulsión que se origina en la crisis del tejido social y la convivencia interna, la represión, la violencia estatal y caciquil o los conflictos intracomunitarios. De esta manera no existe una sola migración, sino distintas migraciones en donde se combinan factores económicos, políticos y sociales.

Respecto del número de indígenas nacidos en las ciudades, la estimación del INI-Conapo discrepa sensiblemente de la del INEGI, ya que considera que el número de indígenas que han nacido en el DF es mucho más alta, esto es, se encontraría en alrededor de uno de cada dos indígenas, frente a uno de cada cinco según el INEGI, lo que hablaría de un proceso migratorio más consolidado en el que varias generaciones se han asentado en la ciudad y, por ello, es creciente el número de nacidos en ella.

LA DESIGUALDAD Y SUS AGRAVANTES

Aparte de los factores de expulsión en las comunidades de origen, probablemente el principal factor de atracción que ejerce la ciudad de México para las migraciones indígenas reside en la posibilidad de acceder a mayores niveles de escolarización, al sistema de salud, a mejores ingresos y a la vivienda. Sin embargo, aquí encontramos un proceso de inserción étnica diferenciada por pueblos y comunidades junto con la reproducción de las estructuras de desigualdad y de exclusión de la ciudad, que coloca sistemáticamente a los miembros de los pueblos indígenas en condiciones de desigualdad social agravada.

Esto es, tomando cualquier indicador, los miembros de los pueblos indígenas tienen, en relación con la media del DF, menor expectativa de vida, mayor número de niños fallecidos, menor escolaridad, menores ingresos, más horas de trabajo y menor calidad en los materiales y enseres de la vivienda.

Sí, en efecto, llegan a tener mayor escolaridad y servicios de salud que en sus lugares de origen, pero al mismo tiempo se encuentran por debajo de la media de la ciudad y en condiciones de exclusión e invisibilidad. Conforme a estos indicadores: mejor que en el lugar de origen, pero peor que en el de destino.

El analfabetismo y la escolaridad nos ilustran particularmente sobre esta problemática. Aclaramos que estos indicadores tienen que ver exclusivamente con el acceso, la cobertura y la permanencia en el sistema escolar para los miembros de los pueblos indígenas en el DF, y no se desarrolla otro asunto estratégico, que es el de la pertinencia de la educación que reciben los indígenas de la ciudad, el carácter hostil e invisibilizante de la misma, la carencia de educación en lenguas indígenas, de universos simbólicos adecuados y de una perspectiva intercultural para todo el sistema educativo. Aun así, no sólo nos enfrentamos a graves problemas en términos de contenidos educativos, sino también de cobertura y acceso.

En el 2000 los miembros de los pueblos indígenas mayores de 15 años analfabetas del país era de alrededor del 34%, mientras que la media nacional era del 10%, y en el caso del DF el analfabetismo entre los miembros de los pueblos indígenas era del 13%, mientras que la media de la ciudad era de 3% (INEGI, *op. cit.*: 41). Esto es, en el DF hay mucho menos indígenas analfabetas que en el resto de la nación, pero entre los analfabetas en la ciudad la tasa entre los indígenas es casi cuatro veces mayor que la de la población no indígena.

Pero además, esta diferencia es aún más pronunciada entre hombres y mujeres indígenas y, entre éstos y la población no indígena. En ambos casos los hombres de la población no indígena tienen una tasa de analfabetismo 2.5 veces menor que la de las mujeres no indígenas, que es del 4.0%, pero la tasa de analfabetismo de las mujeres indígenas en la ciudad llega al 17.2%, casi tres veces superior a la de los varones indígenas, quienes, a su vez, tienen una tasa de analfabetismo cuatro veces superior a la de los hombres no indígenas y una y media vez a la de las mujeres indígenas.

Así, en esta capilarización de la desigualdad en términos de analfabetismo, los mejor situados son los hombres de población no indígena, con un 1.7%, mientras que las mujeres indígenas tienen una tasa diez veces superior, 17.2%, pero aun así los hombres indígenas se encuentran por debajo de las mujeres indígenas, pero por encima de las mujeres de la población no indígena.

Hay una constante imbricación de los factores étnicos y de género en la construcción de relaciones de exclusión con la presencia de ambos factores, esto es, la brecha de género y la brecha étnica, en donde la desigualdad y la subordinación por razones de pertenencia a un pueblo indígena al ser más invisible, gozar de menor reconocimiento social, ser incipiente en la conformación de una perspectiva de derechos, se cristaliza como un poderoso factor de desigualdad tanto o más duro de desmontar y sobreponer que los roles de género. Y cuando se suman ambos elementos, género y pertenencia étnica, se alcanzan niveles explosivos de desigualdad y subordinación, como el que expresan la gran mayoría de las mujeres indígenas en la ciudad.

Además de la brecha entre miembros de los pueblos indígenas y población no indígena, entre mujeres y hombres, también hay procesos diferenciales entre los mismos pueblos indígenas. Así, encontramos que la mayor tasa de alfabetización entre los miembros de los pueblos indígenas residentes en la ciudad la tienen los tlapanecos, con cerca del 90%, frente al 73.3 % de los otomíes (INEGI, *op. cit.*: 40).

Los miembros de los pueblos indígenas en el DF tienen la tasa de escolarización indígena más alta del país y se encuentran muy por encima de la media nacional. Así, mientras el 25.8% de los miembros de los pueblos indígenas del país carece de instrucción escolar, dicho promedio cae en el DF a cerca del 9%, y mientras el promedio nacional de posprimaria es del 28.2%, en la ciudad de México es superior al 50%, y en algunas delegaciones incluso mayor al 60% (Serrano *et al.*, *op. cit.*: 217).

Pero el contraste es que mientras el 96.0% de los hombres y las mujeres entre 6 y 14 años en el DF asisten a la escuela, esta proporción cae al 84.5 y al 73.0% en el caso de los hombres y las mujeres indígenas (INEGI, *op. cit.*: 43). Nuevamente, la desigualdad social agravada por la brecha de género y por la exclusión de base étnica.

Más grave aún es el crecimiento en la diferencia de los años de escolaridad entre niños indígenas y población no indígena a partir de los 12 años de edad. Mientras que hasta los 11 años, esto es, sexto de primaria, la diferencia en la asistencia escolar entre niños indígenas y población no indígena es de alrededor de 10 puntos, crece a 15 en los 12 años, a 24 en los 13 años y a casi 40 puntos en los 14 años (INEGI, *op. cit.*: 44).

Este acelerado proceso de abandono escolar produce de nueva cuenta una profunda brecha entre indígenas y población no indígena, y, por supuesto, entre mujeres y varones indígenas. Tenemos, así, 16.9% de mujeres indígenas sin ninguna instrucción, contra 7.5% de varones, y mientras éstos llegan al 46.7% a recibir instrucción posprimaria, las mujeres sólo alcanzan el 30.2% (INEGI, *op. cit.*: 45).

No es de extrañar, en consecuencia, que el saldo de las condiciones desiguales de acceso, permanencia y desempeño escolar entre los miembros de los pueblos indígenas y la población no indígena sea una fuerte diferencia en el promedio de escolaridad, 9.61 años para los no indígenas y 6.44 para los indígenas (INEGI, *op. cit.*: 45). La educación puede ser un poderoso instrumento de integración y movilidad social, pero también puede serlo de exclusión y estratificación social. Es el caso de la mayoría de los indígenas en la ciudad de México.

MÁS TRABAJO Y MENOS INGRESOS

Analicemos ahora la problemática del ingreso monetario y el trabajo de los miembros de los pueblos indígenas en la ciudad de México.

Lo primero que llama la atención es que la población hablante de lengua indígena en el DF tiene una tasa de ocupación económica superior a la de la media de la entidad. Con las reservas ante la clasificación oficial de "población económicamente activa" (PEA) como aquella compuesta por personas de 12 años y más que en la semana de referencia se encontraban ocupadas o desocupadas, y la de población no económicamente activa o inactiva (PIA) como aquella de 12 años y más que en la semana de referencia no realizaron alguna actividad económica ni buscaron trabajo, tales como estudiantes, incapacitados para trabajar, jubilados, pensionados, personas dedicadas a los quehaceres del hogar u otro tipo de inactividad (INEGI, *op. cit.*: 102), aun con estas serias limitaciones conceptuales encontramos que mientras el 54.6% de la población no indígena pertenece a la PEA, esta proporción sube al 68.3% en el caso de los miembros de los pueblos indígenas en la ciudad. Esta brecha se reproduce por sexos. Así, la participación de las mujeres indígenas en la PEA es 14.8 puntos superior al de las mujeres no indígenas, y en los varones indígenas es mayor en 13.9 a los hombres no indígenas (INEGI, *op. cit.*: 61).

Ello es revelador de la fuerte presión en los núcleos familiares indígenas por incorporarse a alguna actividad generadora de ingresos, lo cual explica también la caída vertical de la permanencia en la escuela y la escolaridad de los niños y jóvenes indígenas a partir de los 12 años, como se señaló anteriormente.

Podemos con solvencia correlacionar el abandono escolar con la incorporación temprana a la actividad económica. Así, en el grupo de edad de 12 a 14 años la diferencia entre indígenas y no indígenas en su participación en la PEA es de casi 24 puntos superior en los primeros y, peor aún, de 45 puntos en el grupo entre 15 y 19 años, lo que expresa que las y los indígenas, en comparación con la media de la ciudad, abandonan primero la escuela y se incorporan mucho más temprano a la generación de algún tipo de ingreso.

Como en el resto de los indicadores que hemos venido desglosando, también existen diferenciales por pueblo indígena en las tasas de participación en la PEA; pero más allá de estas diferencias, en todos los casos es superior a la de la población no indígena. Oscila entre el 73.5% para los mazahuas y el 63.3% para los purépechas, cuando la media de la ciudad es de 54.6% (INEGI, *op. cit.*: 63). Ahora bien, esta diferencia entre distintos pueblos indígenas puede obedecer, entre otros elementos, al grado de escolarización, entre mayor es ésta, menor es la participación en la PEA, como pudiera indicar el caso de los purépechas y los zapotecos.

No existen diferencias significativas entre indígenas y no indígenas en cuanto a su inserción en los sectores primario, secundario y terciario de la economía, y se mantiene el patrón dominante en la ciudad de progresiva terciarización de la actividad económica. En este sector participan el 76.2% de los no indígenas y el 75.0% de los indígenas. Tal vez pudiera subrayarse una cierta diferencia en el sector primario, de por sí muy pequeño en el producto interno bruto del DF, en donde sólo participan el 0.6% de los no indígenas, frente al 1.5% de indígenas, lo cual es producto de que la delegación más rural, Milpa Alta, es también la de mayor densidad indígena.

En lo que hay diferencias importantes es en la manera asimétrica como se insertan los miembros de los pueblos indígenas en cada uno de estos sectores respecto de los no indígenas y, también, en la manera como hombres y mujeres indígenas participan en cada uno de ellos.

Podemos destacar tres aspectos: uno, la actividad primaria en la ciudad descansa fundamentalmente en el trabajo indígena; dos, hay un proceso de etnización de la fuerza de trabajo industrial que se desprende del hecho de que, proporcionalmente, los varones indígenas tienen una participación mayor en el secundario, y tres, nueve de cada diez mujeres indígenas se encuentran en el sector terciario, principalmente –podemos adelantar–, en el trabajo doméstico remunerado y en el comercio informal.

Son claros los contrastes en los perfiles ocupacionales entre indígenas y no indígenas, con predominancia de labores manuales y de baja calificación en los primeros, y de mayor calificación, mando y dirección en los segundos. Mientras que el 27.3% de los indígenas está en el trabajo doméstico, sólo el 5.3% de la población no indígena se dedica a ello.

Como ya habíamos observado, es superior la proporción de indígenas dedicados a la industria, con fuerte peso, seguramente, en la de construcción, que los no indígenas, pero las diferencias son más profundas en el caso de trabajadores administrativos, de tres a uno, y de dos veces y media, entre profesionistas y técnicos.

Y así como hay fuertes contrastes de perfil laboral entre indígenas y no indígenas, también lo hay entre mujeres y varones de los pueblos indígenas, como los hay también entre hombres y mujeres no indígenas. De esta manera, 57% de las mujeres indígenas se dedican al trabajo doméstico remunerado, y 33.4% de los hombres se encuentran en actividades industriales.

Desmintiendo los estereotipos sociales, únicamente el 15% de las mujeres y sólo uno de cada cinco varones indígenas se encuentran en el comercio informal y, además, en este rubro la tasa de participación de indígenas y no indígenas es prácticamente equivalente, 18.8 y 18.1% respectivamente (INEGI, *op. cit.*: 68).

En general, los miembros de los pueblos indígenas en la ciudad de México se encuentran insertos en actividades de baja calificación escolar y baja remuneración, pero en una gama extraordinariamente amplia. En efecto, están en el trabajo doméstico y el comercio informal, pero también en la industria, en la construcción, en el gobierno, en las policías y el ejército, y, aunque en una menor proporción, en trabajos técnicos, administrativos, de docencia y de investigación.

La inserción laboral indígena en la ciudad también ha dado origen a un proceso de diferenciación y capilarización social en el que, principalmente como producto de la escolarización y en particular del acceso al magisterio y a la educación superior en general, también ha ido surgiendo una incipiente pero real capa media indígena urbana que ha ido nutriendo la integración de una intelectualidad que, en ciertas vertientes, alimenta al movimiento indígena nacional y forma parte de la constitución de un proceso de reflexión, desde una perspectiva política y de derechos, sobre la condición, agenda y programa de los indígenas urbanos.

No obstante lo anterior, es predominante la inserción en actividades de peores condiciones laborales y más bajas remuneraciones. La desigualdad que padecen los indígenas en la ciudad se materializa en el hecho de que participan en una mayor proporción de la PEA de la ciudad y, simultáneamente, en una menor proporción en la distribución de los ingresos. Más miembros de la familia trabajan desde más temprana edad y, al final del día, obtienen ingresos inferiores a los de la media de la ciudad.

De esta manera la mitad de los indígenas recibe ingresos entre uno y dos salarios mínimos, y sólo el 7.8% tiene ingresos superiores a cinco salarios mínimos, frente al 18.1% de la población no indígena. La ya de por sí escandalosa distribución del ingreso en la ciudad, en la que, insistimos, menos del 20% de los habitantes logra un ingreso mayor a cinco salarios mínimos, es aún peor en el caso de los miembros de los pueblos indígenas.

De nueva cuenta, si comparamos sólo con el criterio estricto de ingresos monetarios, como se desprende de la investigación del INI-Conapo, en efecto, en todas las delegaciones del DF los ingresos de los indígenas tienden a ser menos bajos en la ciudad que en sus comunidades de origen o, si se prefiere, que la media del ingreso indígena en el país, pero globalmente son ingresos extraordinariamente bajos que no logran superar las líneas oficiales de pobreza, también muy bajas, establecidas por la Secretaría de Desarrollo Social del gobierno federal. Por ello constituye una conclusión sumamente cuestionable la formulada por el INEGI en el sentido de que:

> Otro elemento que puede incidir en los niveles de ingreso de la población hablante (en el DF) es la temporalidad de los empleos a que tienen acceso, al ser trabajos poco especializados o muy sencillos de realizar tienden a producirles bajos ingresos. Sin embargo, aun cuando se observa una desigualdad entre ambos universos de población, los niveles de ingreso son *mucho más altos* que los percibidos por hablantes de entidades con gran importancia indígena (INEGI, *op. cit.*: 70, cursivas mías).

Más bien habría que decir que en ningún caso los indígenas reciben ingresos altos, y que una mayor percepción monetaria en el ámbito urbano no es necesariamente indicativo de mayores niveles de ingreso, tanto por la profunda mercantilización de todos los bienes y servicios en la ciudad como por los diferenciales en el consumo y en el poder adquisitivo entre las comunidades de origen y el DF. En la ciudad la reproducción de la vida social depende del dinero y se accede por medio del mercado, lo cual no es necesariamente igual en las zonas rurales o comunidades de origen.

Para el año 2001 el ingreso per cápita de los 8.5 millones de habitantes del DF era de tres a uno con respecto a la media nacional, y medido en dólares se acerca a los 18 000 por habitante, contra aproximadamente 6 000 como promedio para el país. Pero si este dato lo refinamos y excluimos al DF del cálculo del promedio nacional, éste se ubica en 4 700 dólares.

Lo anterior no sólo ilustra la diferencia entre el ingreso disponible en el DF y en el resto del país, sino también el crecimiento simultáneo del ingreso per cápita con la persistencia de una desigualdad profunda. La diferencia entre el ingreso del DF y el promedio nacional es de tres a uno, pero la diferencia entre sus respectivos índices de Gini no expresan, ni de lejos, estas diferencias en el ingreso. En el año 2000 el coeficiente de Gini en el DF y el resto del país fueron respectivamente de 0.5734 y de 0.6169 (Conapo, 2006: 32).

Por un lado, el DF tiene uno de los ingresos per cápita más altos de la República, y por el otro, ocupa el lugar 10 en términos de mejor coeficiente de Gini. Hay que destacar que en el DF, a inicios del siglo XXI, se cuenta con un nivel de renta, un ingreso per cápita, propio de un país desarrollado. Un dato elocuente: el producto por habitante del DF es ligeramente superior al producto per cápita de España, pero el índice de Gini, que mide la estructura de la distribución del ingreso, es propia de un estado pobre de la República. En nivel de ingreso cerca de España, en distribución del ingreso, cerca de Yucatán.

LA FAMILIA PEQUEÑA ¿VIVE MEJOR?

La vivienda es otro de los indicadores relevantes sobre la situación de los miembros de los pueblos indígenas en la ciudad de México.

Lo primero que debe destacarse es el proceso de consolidación y asentamiento de los procesos migratorios que dan origen a la conformación de comunidades de radicados, o de comunidades transterritorializadas, que reproducen sus instituciones culturales y formas de organización social propias en el ámbito urbano y, al mismo tiempo, mantienen vínculos estables de cooperación, cumplimiento de obligaciones rituales o políticas, y traslado a la ciudad del calendario cívico o religioso de la comunidad de origen.

El asentamiento y la consolidación de las comunidades de indígenas urbanos radicados en el DF se expresa en el crecimiento del número y el porcentaje de viviendas particulares ocupadas por indígenas, las cuales pasaron de 48 373 en 1990 a 68 365 en el 2000, lo que porcentualmente significa que el número de viviendas indígenas pasó del 2.7 al 3.2% del total, y en términos de habitantes, del 2.9 al 3.6%. Aquí debe señalarse que el INEGI se ve obligado a modificar su estimación de la magnitud de la población indígena de la ciudad, pues al tomar el indicador de hablantes de lengua obtiene una cifra de alrededor de 141 000 personas, mientras que el basarse en el indicador de viviendas indígenas la cifra crece a más de 307 000 personas (INEGI, *op. cit.*: 77).

Sin embargo, el otro indicador que revela la consolidación y maduración de las comunidades de indígenas urbanos es el sensible crecimiento en el porcentaje de viviendas en propiedad. Así, entre 1990 y el 2000 se registra un salto en el número de viviendas indígenas reportadas como propias, al pasar de 52.5% en el primer año a 84.1% en el segundo. Ello puede derivarse de diferentes dinámicas, entre las que se encuentran la continuación de los procesos de urbanización popular en las zonas periféricas, la regularización de asentamientos irregulares, el acceso a programas de vivienda de interés social e, incluso, el asumir o reportar como vivienda en propiedad la existente en predios sobre los que se ha tenido una larga posesión producto de invasiones y ocupaciones.

No obstante, la persistente desigualdad se expresa, una vez más, en la calidad y en las condiciones de la vivienda. En primer lugar, el tamaño de la misma, medido por el número de cuartos y el número de habitantes. Cabe aclarar que si bien las familias indígenas son un poco mayores, en promedio, que las familias no indígenas, esta diferencia no es tan grande como pudiera creerse, y en realidad ha venido disminuyendo significativamente. Así, las familias indígenas en el DF pasaron de un promedio de 4.94 habitantes en 1990 a 4.49 en el 2000, cerca del promedio de las viviendas no indígenas, que es de 4.02 (INEGI, *op. cit.*: 77). Lo anterior es, además, consistente con el hecho de que las mujeres indígenas en el DF tienen una tasa global de fecundidad de 2.47, muy inferior al promedio de las mujeres indígenas del país, de 4.16, y en realidad cercana y en proceso de convergencia con la tasa global de fecundidad de las mujeres no indígenas en la ciudad de México, que es de 2.03 (INEGI, *op. cit.*: 22).

El problema radica, en consecuencia, no en el tamaño de las familias, sino en el de las viviendas. Aquí se encuentra el núcleo de la diferencia.

Mientras que únicamente el 16.4% de las viviendas del DF cuentan con un solo cuarto, en el caso de las viviendas indígenas esta proporción crece al 34.3%, esto es, casi tres veces. Más de la mitad de las viviendas indígenas, el 55%, tienen entre uno y dos cuartos, comparado con el 36% de las no indígenas, y mientras el 39% de las viviendas en la ciudad de México tienen cuatro y más cuartos, esta proporción es de sólo el 25% tratándose de viviendas indígenas (INEGI, *op. cit.*: 78).

También se reportan diferencias por familias hablantes de lengua indígena respecto del promedio de ocupantes de vivienda, siendo más altos entre mazahuas, matlazincas y otomíes, y más bajos entre totonacas, zapotecos y chinantecos.

No sólo existen diferencias importantes en relación con el tamaño de las viviendas, sino también en cuanto a la calidad de los materiales. Así, tenemos que 86.7% de las viviendas de la ciudad cuentan con materiales sólidos en su construcción, contra el 73.8% de las viviendas indígenas, pero esta proporción se invierte cuando en la vivienda se cuenta con láminas de asbesto; aquí hay 16.1% de viviendas indígenas frente a 9.0% en las no indígenas. Asimismo, las láminas de cartón se localizan tres veces más en viviendas indígenas que en no indígenas (INEGI, *op. cit.*: 81).

La misma tendencia se presenta cuando la vivienda tiene piso de tierra. En el 2000, el 1.2% de las viviendas del DF tenía esa condición, pero en el caso de las viviendas habitadas por hablantes de lenguas indígenas la proporción se triplica hasta alcanzar el 3.9%, aunque ciertamente muy lejos del 44% de las viviendas indígenas a nivel nacional (INEGI, *op. cit.*: 82).

Más fuerte es el contraste aún si nos referimos a la disposición y modo de acceso al agua. Aproximadamente una de cada tres viviendas indígenas no cuenta con conexión dentro de la casa, frente a una de cada cinco en el resto de las viviendas en la ciudad. En todas las categorías las viviendas indígenas cuentan con peores condiciones para el abasto del líquido, aunque en materia de drenaje la diferencia se ha ido empequeñeciendo al haber sólo una distancia de menos de 3 puntos entre las viviendas indígenas y no indígenas (INEGI, *op. cit.*: 87).

Finalmente, también se manifiestan desigualdades en los enseres y bienes con los que cuentan las viviendas indígenas. Es llamativo el hecho de que nueve de cada diez viviendas indígenas cuentan con televisión, radio o radiograbadora y licuadora, que es donde se localizan los menores rangos de diferenciación con las viviendas no indígenas. La brecha comienza a ampliarse significativamente en bienes como el refrigerador (20 puntos), el calentador de agua (25 puntos), la lavadora (25 puntos) o el teléfono (23 puntos). Llama la atención que la diferencia en la posesión de automóvil sea de 17 puntos, y de computadoras ligeramente inferior a 10 puntos, aunque en términos porcentuales ello significa, *grosso modo*, que uno de cada cinco hogares no indígenas cuentan con una computadora, a diferencia de uno de cada diez hogares indígenas (INEGI, *op. cit.*: 91).

UN HORIZONTE DE RETOS

Cabe añadir que todos los indicadores que hemos revisado muestran que el conjunto de los miembros de los pueblos indígenas de la ciudad se encuentran en condiciones de subordinación y de exclusión social, en el marco de una desigualdad agravada por razones de pertenencia étnica, a la cual se vienen a sumar, para profundizar esta estratificación y capilarización de la exclusión, los roles de género.

Podemos subrayar que así como no existe una sola etnicidad urbana, tampoco existe una sola desigualdad social en la ciudad, sino un conjunto de desigualdades en las que se acumulan y se yuxtaponen las relaciones de exclusión, de manera muy destacada por pertenencia étnica y roles de género.

La brecha social en el ejercicio de derechos, goce de ciudadanía y acceso a bienes y servicios públicos por razones de pertenencia étnica es una de las más profundas, más rígidas y más invisibles en la ciudad, que cristaliza relaciones estructurales de discriminación cuyas raíces podemos rastrear en el México colonial y que representa uno de los mayores desafíos de la ciudad: cómo lograr que su extraordinaria heterogeneidad cultural no se manifieste por la vía de una perversa y no menos extraordinaria desigualdad y exclusión social por razones de pertenencia étnica. La diversidad cultural del DF viene de lejos, con sus implicaciones profundas para la identidad de la ciudad, sus relaciones sociales, sus relaciones de poder, su marco normativo, el diseño de instituciones, la formulación de políticas y la distribución de los recursos.

Asumirse como una ciudad diversa, con fuerte composición indígena, implica redefinirse como urbe y construir el nuevo entramado de derechos, políticas y ética de convivencia social que ello implica.

No es sencillo visibilizar la presencia indígena en la ciudad, y aún es objeto de una fuerte polémica determinar su magnitud y composición. No es asunto menor que varíe en proporciones tan significativas la estimación de la población indígena en la ciudad si se emplea el criterio de población hablante de lengua indígena mayor de 5 años (INEGI), o la combinación de autoadscripción, hablantes y hogares (Conapo). Así, para el INEGI la población indígena en la ciudad es casi tres veces menor a la que estima el Conapo.

No obstante las discrepancias (abismales) en las cifras, la tendencia apunta a una tasa de crecimiento de la población indígena en el DF superior a la tasa media de crecimiento de la ciudad, con lo que porcentualmente el peso de la población indígena en el DF tiende a incrementarse, y ello, nos permitimos subrayar, mucho más por la continuación de las migraciones que por las diferentes tasas de fecundidad que, como hemos mostrado, tienden en la ciudad a converger entre mujeres indígenas y no indígenas.

Asimismo, este proceso de reindianización de la ciudad de México se manifiesta en una muy compleja diversidad por pueblos y comunidades, procesos diferenciales de territorialización con grados relativos de concentración en la ciudad central y alta dispersión en el resto de la ciudad, y la reproducción de relaciones de dominación, desigualdad y exclusión que nos permiten hablar de una inserción urbana y una reindianización asimétrica y subordinada, sin reconocimiento de derechos colectivos y con graves rezagos en el ejercicio de los derechos sociales y de las garantías individuales.

En el ámbito de la subjetividad y de la conformación de los sujetos políticos también se viven en la ciudad procesos de alta significación. De un lado, hay un proceso de revitalización cultural, organizativa y política en la zona de pueblos originarios, y de construcción de un discurso constitutivo y programático en clave de reivindicaciones en tanto pueblos indígenas. Las reivindicaciones de los pueblos originarios: integridad del territorio, preservación de los recursos naturales, autoadministración de los cementerios, reconocimiento de autoridades propias, entre otras, se sustentan cada vez más en el Convenio 169 de la OIT.

Del otro lado, hay un proceso incipiente, pero sostenido, de conformación de un movimiento etnopolítico urbano que se sustenta también en el Convenio 169 y que tiene como eje las diferentes organizaciones indígenas nacidas de corrientes migratorias originadas en el estado de Oaxaca; y finalmente, también un proceso de fuerte reivindicación étnica de las organizaciones indígenas constituidas fundamentalmente para la lucha y gestión por la vivienda, los servicios públicos, los derechos laborales o el comercio en la vía pública.

El proceso de reindianización de la ciudad de México no es sólo un frío proceso de tendencias demográficas, sino también un intenso proceso organizativo, político y de disputa de la imagen social y el imaginario colectivo urbano.

Frente al discurso de exaltación superficial de la pluralidad y la diversidad cultural hay que subrayar que la inserción indígena en los ámbitos urbanos se caracteriza ante todo por la reproducción de una desigualdad social agravada por rígidas brechas de exclusión social.

Por ello probablemente haya que precisar el uso de los conceptos de diversidad y pluralidad. En sentido estricto, no hay diversidad y pluralidad sin condiciones mínimas de equidad y de igualdad social que hagan posible una convivencia intercultural. La diversidad, para serlo, presupone condiciones mínimas de horizontalidad y goce de derechos. En sentido estricto, diversidad sin derechos no es diversidad. Más bien deberíamos hablar de heterogeneidad cultural, vertical y con exclusiones. La diversidad, en cambio, se construye desde una perspectiva de derechos. No todo lo que es heterogéneo es diverso.

Hoy los pueblos indígenas se encuentran territorializados, desterritorializados y transterritorializados. Están en el campo y en la ciudad, en el país y fuera de él, dentro y fuera de sus territorios originales. Reproducen su vida material y simbólica en sus territorios de manera permanente, estacional o intermitente y se vinculan objetiva o subjetivamente con ellos. La relación con los territorios originales se identifica, en unos casos, con la propiedad agraria, en otros con el sistema de autoridades, con la comunidad de lengua o variante dialectal o con otras instituciones culturales.

Pero esta extraordinaria complejidad de la relación con los territorios y sus sistemas de autoridades se produce en un contexto en donde lo predominante es el deterioro de las condiciones materiales de reproducción de las comunidades y familias. La pérdida creciente de la integridad del territorio y de los recursos naturales, la continuación de procesos de despojo, el despoblamiento y el empobrecimiento están en la base de migraciones obligadas por las condiciones de desigualdad y de exclusión de los pueblos indígenas.

Así como la nación mexicana, con al menos el 10% de la población viviendo fuera del país, es más grande que el territorio y que el Estado, los pueblos indígenas de México son, simultáneamente, urbanos y rurales, municipales, estatales, interestatales y binacionales, y son también más amplios que sus territorios y sus sistemas de autoridades, en un marco global de negación de derechos.

Por ello el proceso de recomposición de los pueblos indígenas no pasa por pretender re-ruralizarlos, sino por reconocer y garantizar sus derechos colectivos en sus territorios originales, así como sus derechos específicos fuera de ellos.

No se trata, en consecuencia, de que las ciudades se conviertan en las nuevas regiones de refugio, sino que el campo y la ciudad, los territorios indígenas y el sistema urbano nacional se transformen en la lógica del reconocimiento de los derechos de los pueblos indígenas y haya una redistribución equitativa de propiedad, recursos y poder para construir una diversidad cultural en la igualdad social en las ciudades y fuera de ellas, en el DF y en el país.

BIBLIOGRAFÍA

Anzaldo Gómez, Carlos, 2003, "Tendencias recientes de la urbanización", en *La situación demográfica de México, 2003*, México, Conapo.

Arizpe, Lourdes, 1975, *Indígenas en la ciudad de México. El caso de las "Marías"*, Sep-Setentas, núm. 182, México.

Asamblea Legislativa del DF, 2004, "Punto de acuerdo sobre las iniciativas de ley de cementerios del DF", 16 de noviembre.

—, Comisiones Unidas de Desarrollo Rural y de Preservación del Medio Ambiente y Protección Ecológica. Dictamen a la Iniciativa con Proyecto de Ley de los Fondos Comunitarios para el Desarrollo Rural Equitativo y Sustentable del DF presentada en el Pleno de la Asamblea Legislativa del DF, III Legislatura, el 23 de diciembre de 2005, por el diputado Héctor Guijosa Mora, 20 de abril de 2006, mimeografiado, México.

Audefroy, Joel, 2004, "Estrategias de apropiación del espacio por los indígenas en el Centro de la ciudad", en Pablo Yanes, Virginia Molina y Óscar González, *Ciudad, pueblos indígenas y etnicidad*, México, Universidad de la Ciudad de México-Dirección General de Equidad y Desarrollo Social.

Ayala Cortés, Benedicto, 2000, "Palabras en la Clausura del Taller de Capacitación de Traductores, Peritos Interculturales y Gestores en Lenguas Indígenas", 17 de noviembre, mimeografiado, México.

Canabal Cristiani, Beatriz, 1997, *Xochimilco, una identidad recreada*, México, Universidad Autónoma Metropolitana.

Casa de los Pueblos Originarios del D.F., "Evaluación del 2 de julio de 1999 al 24 de marzo de 2000", mimeografiado, México.

Castellanos, Alicia, 2005, "Exclusión étnica en ciudades del centro y sureste", en Pablo Yanes, Virginia Molina y Óscar González, *Urbi Indiano: La larga marcha a la ciudad diversa*, México, Universidad de la Ciudad de México-Dirección General de Equidad y Desarrollo Social.

Centro de Atención al Indígena Migrante, 2000, "Qué hemos hecho en 32 meses", mimeografiado, diciembre, México.

Coalición Hábitat México-Casa y Ciudad A.C., 2005, "Expediente Técnico. Vivienda para Grupo Indígena Otomí en el DF", mimeografiado, México.

Comisión de Recursos Naturales, Secretaría del Medio Ambiente del Gobierno del D.F., 1999, "Políticas públicas del gobierno del D.F. hacia el área rural del D.F., 1998-2000", mimeografiado, México.

Consejo Nacional de Población, 2000, *Clasificación de localidades de México según grado de presencia indígena*, México.

—, "Carpeta Informativa 2005", Día Mundial de la Población, 11 de julio, México.

—, *La población de México en el nuevo siglo*, México.

—, Plan Nacional de Población. Estrategia VIII, México, 2001.

—, *La desigualdad en la distribución del ingreso monetario en México*, 2006, México.

Díaz Polanco, Héctor, 1997, *La rebelión zapatista y la autonomía*, México, Siglo XXI.

—, *Elogio de la diversidad. Globalización, multiculturalismo y etnofagia*, México, Siglo XXI.

Dirección General de Equidad y Desarrollo Social. Gobierno del D.F, s.f, "Reseña del Taller de Formación de Traductores, Intérpretes Culturales y Gestores Comunitarios de la Ciudad de México", mimeografiado.

—, "Informe de las actividades realizadas por el Consejo de Consulta y Participación Indígena del D.F., 2001-2004". <www.equidad.df.gob.mx>

—, "Informe de Actividades en Materia Indígena", Gobierno del D.F. Décimosexta Sesión Ordinaria, 27 de octubre de 2005. <www.equidad.df.gob.mx>

Fernández, Patricia, Juan Enrique García y Diana Esther Ávila, 2002, "Estimaciones de la población indígena de México", en *La situación demográfica de México, 2002,* México, Conapo.

Fideicomiso de Estudios Estratégicos sobre la Ciudad de México, 2000, *La ciudad de México hoy, bases para un diagnóstico,* México, Gobierno del D.F., Oficialía Mayor, noviembre.

Flores Romualdo, Josefina, 2000, "El pueblo se está levantando", en *Memoria de los encuentros sobre presencia indígena en la Ciudad de México,* México, Secretaría de Cultura, Secretaría de Desarrollo Social, CATIM, Delegación Álvaro Obregón.

Gobierno del D.F., 1998, "Documento Marco. Política Social del Gobierno del D.F.", diciembre, México.

Gutiérrez Chong, Natividad, 2001, *Mitos nacionalistas e identidades étnicas: Los intelectuales indígenas y el Estado mexicano,* México, IIS-Conaculta-Plaza y Valdés.

Hiernaux, Daniel, 2000, *Metrópoli y etnicidad. Los indígenas en el Valle de Chalco,* México, El Colegio Mexiquense, Fonca, H. Ayuntamiento Constitucional Valle de Chalco Solidaridad.

Instituto de la Vivienda del D.F., 2004, "Reglas de operación y políticas de administración crediticia", Gobierno del D.F., mayo.

Instituto Nacional de Estadística, Geografía e Informática, 2004, *La población hablante de lengua indígena del D.F.,* Aguascalientes, México.

Instituto Nacional Indigenista, 1994, *Indicadores socioeconómicos de los pueblos indígenas de México,* México.

Oehmichen Bazán, Cristina, 2005, *Identidad, género y relaciones interétnicas: Mazahuas en la ciudad de México,* México, UNAM-IIA-PUEG.

Partida Bush, Virgilio, 2003, "Situación demográfica nacional", en *La situación demográfica de México, 2003,* México, Conapo.

Procuraduría General de Justicia del D.F., Acuerdo A/10/2003, mimeografiado, México.

Secretaría de Desarrollo Social, Consejo Nacional de Población, Instituto Nacional de Estadística, Geografía e Informática, 2004, "Delimitación de las zonas metropolitanas de México", México.

Serrano Carreto, Enrique, Arnulfo Ambriz Osorio, Patricia Fernández Ham, *Indicadores socioeconómicos de los pueblos indígenas de México, 2002,* México, INI-PNUD-CONAPO.

Valdés, Luz María, 2003, *Los indios mexicanos en los censos del año 2000,* México, IIJ-UNAM.

Valencia Rojas, Alberto, 2000, *La migración indígena a las ciudades,* México, INI-PNUD.

Yanes, Pablo, 2004, "Urbanización de los pueblos indígenas y etnización de las ciudades. Hacia una agenda de derechos y políticas públicas", en Pablo Yanes, Virginia Molina y Óscar González, *Ciudad, pueblos indígenas y etnicidad,* México, Universidad de la Ciudad de México-Dirección General de Equidad y Desarrollo Social.

Yanes, Pablo, Virginia Molina y Óscar González, 2004, *Ciudad, pueblos indígenas y etnicidad,* México, Universidad de la Ciudad de México-Dirección General de Equidad y Desarrollo Social.

—, 2005, *Urbi Indiano: La larga marcha a la ciudad diversa,* México, Universidad de la Ciudad de México-Dirección General de Equidad y Desarrollo Social.

—, 2006, *El triple desafío: Derechos, instituciones y políticas para la ciudad pluricultural,* México, Universidad de la Ciudad de México-Dirección General de Equidad y Desarrollo Social.

LOS JÓVENES POPULARES: ¿CUÁL FUTURO?
ACERCA DEL PAPEL DE LA ORGANIZACIÓN DE LOS JÓVENES Y DE LAS POLÍTICAS DE JUVENTUD

HÉCTOR CASTILLO BERTHIER*

SOBRE LA RELACIÓN ENTRE EXCLUSIÓN Y JUVENTUD

La noción de exclusión social aparece, al menos en Europa, cuando se acepta, entre otras situaciones, que existe un desempleo de larga duración, que un número considerable de personas no tiene vivienda, que existen nuevas formas de pobreza, que el Estado Benefactor se comienza a reestructurar frente a la crisis fiscal y que los sistemas de seguridad social ceden el paso a la solidaridad para atender la cuestión social. Pero si en los países europeos la exclusión social es un fenómeno relativamente reciente, en los países latinoamericanos la exclusión social "ha sido siempre la situación que han debido aceptar las grandes mayorías" (Ziccardi, 2001: 98).

En este sentido, la exclusión social se concibe en primer término como un "fenómeno producido por la interacción de una pluralidad de procesos (o factores) elementales que afectan a los individuos y a los grupos humanos, impidiéndoles acceder a un nivel de calidad de vida decente y participar plenamente, según sus propias capacidades, en los procesos de desarrollo". De esta manera, la exclusión "adquiere sentido en el contexto de la globalización que segmenta y polariza el todo social, al incorporar a algunos sectores de la población en la economía, la cultura, la tecnología internacionalizada, y excluir a grandes mayorías para acceder o ejercer una o todas estas dimensiones" (Quinti, 1997: 4, citado en Ziccardi, *op. cit.*: 98).

Por su parte, Brugué y Subirats (2002) ubican tres principales *dimensiones* de la exclusión: la pobreza, las condiciones precarias del mercado de trabajo y la degradación y el hacinamiento de la vivienda y el hábitat, en tanto que los ámbitos en donde se puede observar la exclusión social son el laboral, el formativo, el sociosanitario, el urbano-territorial, el familiar-relacional, el político e incluso el penal. A estos aspectos habría que agregar elementos de carácter estructural, como el sexo, la edad, la clase social y el origen (por ejemplo, la pertenencia a alguna etnia).

Otros autores afirman que la alusión a la exclusión social, en particular de los individuos, se refiere a la dimensión múltiple del empobrecimiento, que incluye como componentes principales la privación material y la situación adversa del empleo y de las conexiones sociales. Como atributo de las sociedades, apunta a la existencia de instituciones que restringen la interacción social y propician la desigualdad. A

* Unidad de Estudios sobre la Juventud del Instituto de Investigaciones Sociales de la UNAM.

su vez, una cohesión social débil limita las formas de participación social, lo que repercute negativamente en el acceso de grupos particulares de personas a recursos –y al proceso de adquisición de ingresos–, al igual que al ejercicio de sus derechos ciudadanos (Gore y Figueredo, 1997).

¿Qué relación podemos encontrar entre esta manera de concebir la exclusión y la condición juvenil?; ¿cuál es el papel de aspectos como la educación, el trabajo y la familia en los procesos de integración/exclusión de este sector de la sociedad?

Lo primero que habrá que mencionar es que la juventud es una construcción histórica y socialmente determinada. Lo anterior significa que la idea de "ser joven" varía en tiempo y espacio, dependiendo de las características que asume cada sociedad. Sin embargo, aunque cada sociedad construye en su interior una concepción sobre la juventud; lo cierto es que también los propios jóvenes contribuyen a esa construcción, a partir de sus prácticas, sus preocupaciones e intereses, sus formas de producción y de consumo cultural. Lo anterior implica un constante ir y venir: "de la manera en que la sociedad concibe a la juventud; a la manera en que ésta va construyéndose a través de sus diferentes prácticas sociales" (Nateras, 2000). Aún más, estas diferentes prácticas sociales, formas de producción y de consumo cultural, preocupaciones, necesidades e intereses, implican la existencia no de una sola juventud, sino de muchas juventudes, o, para decirlo de otra forma, de múltiples formas de "ser joven" en el mundo. Esta afirmación no es menor, pues implica tomar en cuenta, en primer lugar, que las mismas diferencias y desigualdades que caracterizan a una sociedad como la nuestra se pueden observar en el interior de su juventud.

Una de las afirmaciones más comunes es que la educación, el trabajo y la familia han dejado de funcionar como elementos de cohesión e integración social, al menos en una parte importante de la juventud en nuestras sociedades. La concepción tradicional de la juventud sostenía hasta hace no mucho que "ser joven" implica estar estudiando y depender de los padres (vivir con ellos); sin embargo, entre los jóvenes pobres de nuestra región esta situación dista mucho de la realidad.

Galland señala cuatro características para definir a la *juventud pobre*: ellos no van a la escuela, trabajan, continúan viviendo con sus padres y son solteros. Se supone que un joven, después de hacer el servicio militar debería dejar la casa paterna para independizarse, es decir, para trabajar y formar una familia, sin embargo, el mismo autor reconoce que este proceso no se verifica entre los jóvenes pobres, ya que "el fin de la escolaridad es precoz (13 o 14 años) y durante el periodo que precede al servicio militar (alrededor de los 20 años) el joven mantendrá la dependencia y control de sus padres". Según este modelo, un cierto número de jóvenes son víctimas de la exclusión social producto del disfuncionamiento de los mecanismos propios de la integración social (Galland, 1993).

LA JUVENTUD COMO ROSTRO DE LA EXCLUSIÓN: LOS DATOS DUROS

La juventud en el mundo y en la región latinoamericana

La fotografía de la juventud que puede obtenerse al revisar los datos duros de las estadísticas mundiales no es una foto agradable. Más bien, las diversas imágenes que pueden descubrirse en el conjunto parecerían pertenecer a un cuadro de Bruegel, el pintor de estilo flamenco del siglo XVI que retrataba escenas costumbristas de la vida cotidiana que a veces rayan en lo absurdo y hasta en lo vulgar. Así son los datos duros sobre la juventud, pero sin duda nos permiten entender el peso demográfico de este sector, sus necesidades, sus vacíos, sus esperanzas y las necesidades de construcción de políticas públicas coordinadas desde las distintas esferas de los gobiernos locales y sus referentes internacionales.

Tan sólo en el año 2000 en el mundo habitaban 1 061 millones de jóvenes. Cifras para ese mismo año indican que nueve de cada diez jóvenes del planeta vivían en países en vías de desarrollo; 133 millones de ellos eran analfabetos; 130 millones dejaron de asistir a la escuela (sólo en América Latina, 20% de los jóvenes ingresa tardíamente a la primaria y 50% presenta atraso escolar en algún momento del ciclo escolar); 100 millones presentaban problemas de desnutrición, 12 millones eran portadores del VIH-sida, lo que representa cerca de un tercio del total de personas infectadas en el mundo; en América Latina se reportaron 560 000 jóvenes infectados (ONU, 2003).

Según datos de la Organización Internacional del Trabajo (OIT), los jóvenes representaban el 25% de la población en edad laboral (de 15 a 64 años), pero para el 2003 representaron el 47% del total de los 186 millones de desempleados en todo el mundo, y en América Latina y el Caribe esa cifra representó el 16.6% (OIT, 2004).

Para el año 2004, 515 millones de jóvenes en el mundo vivían con menos de dos dólares al día; en América Latina y el Caribe 27.2 millones de jóvenes se encontraban en esta situación (Curtain, 2004).

Los datos sobre los retos y asignaturas pendientes entre el origen, la escolaridad y el empleo de los jóvenes hablan por sí mismos. Hay enormes contingentes de jóvenes pobres en los países del llamado tercer mundo que parecen estar fuera o muy alejados de los centros de poder, manteniéndose casi "de milagro" en los márgenes externos de la globalización.

Pero hay otras caras de la moneda: en los países afiliados a la OCDE, los jóvenes entre 15 y 16 años que han consumido alguna vez alcohol abarcan un rango que va del 68 al 98%; los que han probado tabaco van del 47 al 86%; la marihuana, del 35 al 42%; los inhalantes, más del 22%; el éxtasis entre el 4 y 5%, y la cocaína más del 4% (ONU, 2003).

En América Latina las cifras son significativas. Para 2000 la población joven era de 155 millones, lo que representaba el 30% del total de su población total; para el año 2025 se calcula que habitarán en la región 163 millones de jóvenes (Population Reference Bureau, 2000), y será en estas fechas cuando más jóvenes hayan existido en toda la historia de la humanidad. ¿Qué se está haciendo en los diversos niveles de los gobiernos para prever este futuro predecible?

El informe del Programa Regional de Empleo para América Latina y el Caribe (PREALC) señala que uno de los principales problemas que presentan los jóvenes de la región es su difícil inserción laboral, dado que éste es un elemento básico para lograr una adecuada inserción social (Rodríguez, 1995).

En América Latina (cuestión que no es exclusiva de este continente) esto se traduce en una gran desocupación juvenil y precariedad de los empleos disponibles, lo que se ha acentuado en la región a partir de las crisis económicas de los ochenta. En la mayoría de estos países las tasas de desocupación entre los jóvenes duplican o triplican los promedios para el conjunto de la población activa. Además encontramos importantes asincronías entre educación y trabajo; independientemente de la ampliación de los sistemas educativos, las oportunidades que se le presentan y la capacitación que recibe este sector de la población no es suficiente para que pueda obtener mejores niveles de ingresos y empleos de buena calidad (Rodríguez, *op. cit.*).

En lo que se refiere a la remuneración de los jóvenes en comparación con los adultos, durante 1992 en países como Guatemala, Honduras, Panamá y Paraguay el diferencial alcanza mayor intensidad en el caso de los menores de 20 años, quienes perciben entre 21 y 30% menos del ingreso medio de los no jóvenes; en el caso de los jóvenes de 20 a 24 años, sus remuneraciones equivalen aproximadamente a la mitad de los no jóvenes. Si se adopta como referencia el salario mínimo, se comprueba que los menores de 20 años perciben la mitad de ese monto, en tanto que jóvenes de 20 a 24 años de edad obtienen en promedio remuneraciones similares al mínimo. Lo anterior podemos considerarlo una generalidad en toda América Latina, en el sentido de que el desempleo juvenil es en todos los países de la zona muy superior al desempleo adulto (Rodríguez, *op. cit.*).

En lo referente a educación, vemos que el vínculo entre ésta y el empleo está en crisis; las teorías que en décadas anteriores establecían relaciones causales entre uno y otro sector son francamente insuficientes al explicar las asincronías entre ambos elementos. En el mundo existe una importante disparidad en la inscripción escolar entre varones y mujeres, que es más obvia en el nivel secundario. Mientras en las regiones más desarrolladas la mayoría de los niños y las niñas asisten a la escuela secundaria, en las menos desarrolladas sólo 57% de los niños y el 48% de las niñas se habían inscrito en la escuela secundaria para mediados o finales de la década de los noventa (Rodríguez, *op. cit.*).

Los jóvenes en México

La importancia de la juventud en nuestro país y su ciudad capital es indiscutible. En México, cerca del 30% de la población total (casi 27 millones) se encuentra dentro del rango de edad que va de los 15 a los 29 años. Por su parte, la ciudad de México presenta una de las mayores concentraciones de población joven (sólo después del Estado de México); e igual que en el país en su conjunto, los jóvenes capitalinos representan cerca de 30% del total de la población (un poco más de dos millones y medio) (INEGI, 2000). Esta población, no sólo por su número sino también por sus características, constituye una fuente de demanda de servicios públicos (educación, empleo, salud, recreación, etc.), a la cual cotidianamente el gobierno, cualquiera que sea su signo, tiene que hacer frente.

A pesar de que la juventud es un periodo de la vida que está asociado al deseo del cambio, la transformación, la vitalidad, la formación de expectativas, el aprendizaje y la innovación, entre otras muchas cosas, lo cierto es que la vida de muchos jóvenes en el país y en nuestra ciudad no es fácil, pues está llena de carencias, frustración y pérdida de la esperanza.

Problemas como la falta de empleo, la inseguridad pública, las dificultades para ingresar a la escuela o continuar estudiando, la insuficiente y deficiente prestación de servicios y orientación sexual y de salud, los pocos espacios recreativos, deportivos y culturales y la negativa estigmatización que de ellos se ha hecho, son, entre muchas otras cosas, la vivencia cotidiana en la que lamentablemente la mayoría de los jóvenes mexicanos están creciendo. Así, la experiencia de muchos jóvenes está marcada por la dificultad y escasez de oportunidades.

Algunas estadísticas revelan lo problemático y difícil que resulta ser joven, al tiempo que muestran que los costos sociales y económicos para este sector de la población son muy altos. Baste decir que cada año un millón de jóvenes cumple la edad para ingresar a lo que se llama la vida productiva, sin embargo, pese a los deseos que la mayoría de ellos tiene de incorporarse al mundo del trabajo, las posibilidades de acceder a un empleo de calidad son en realidad mínimas. Este problema afecta a todos los jóvenes, incluso a aquellos que se han preparado con estudios universitarios, lo que demuestra que la educación ha dejado de ser el instrumento de movilidad social que antaño le caracterizaba. Datos recientes señalan que de cada diez egresados universitarios sólo siete encontrarán trabajo, y de estos últimos sólo cuatro lo harán en algún empleo relacionado con la profesión que eligieron (Castillo Berthier, 2007).

A los problemas del desempleo y de la falta de oportunidades para acceder a la educación habría que sumarle el de la violencia y la inseguridad pública, este último considerado uno de los más graves en nuestra capital. Aquí habría que señalar el hecho de que 60% de quienes cometen algún tipo de delito son, desafortunadamente, personas entre 16 y 29 años, es decir, jóvenes en su mayoría. Muchos de ellos, ante la falta de oportunidades, no encuentran otro camino que su incorporación al crimen y la delincuencia.

La salud es igualmente otro ámbito en el que se refleja la poco alentadora situación de los jóvenes. El consumo de drogas, el vertiginoso aumento en los índices de contagio de enfermedades de transmisión sexual, como el VIH-sida, así como la escasa información y educación sexual y reproductiva, son sólo algunos aspectos que en este ámbito afectan sensiblemente a la población juvenil.

Las afirmaciones anteriores se pueden ejemplificar a partir de algunos datos duros: en nuestro país el promedio de escolaridad es apenas de 8.7 años de estudio; sólo 38% de la población joven ha concluido la educación básica; 22% de los jóvenes que abandonan sus estudios lo hace por falta de recursos económicos –a pesar de ello, 68% de los jóvenes que han abandonado la escuela expresan su deseo de regresar a ella–; 49% de los jóvenes no están satisfechos con el nivel de estudios que tienen (IMJ, 2002).

En la ciudad de México, la entidad que presenta los mejores indicadores, 347 mil niños y jóvenes de entre 5 a 19 años de edad están fuera de la escuela; de ellos, 282 000 son adolescentes de 15 a 19 años. Es decir, cuatro de cada diez jóvenes en edad de cursar la secundaria no estudian, y el 35% de quienes deberían estar en la preparatoria no acceden a ella (UNICEF, 2004).

En cuanto al empleo y su calidad, en el país sólo 29.3% de los jóvenes cuentan con un contrato, y de éstos sólo 38.8% posee estabilidad laboral, pues el resto son contratos por obra determinada (18%), eventuales (16%) o de confianza (12.7%). Adicionalmente, 37% no tiene ninguna prestación social, y para el 47.3% su única "prestación" es el salario base. Los jóvenes a nivel nacional atribuyen a infinidad de causas su desocupación, pero las más mencionadas son la carencia de empleos (21%), su insuficiente preparación (17%), su inexperiencia (14%), su edad (11.8%) y la situación económica del país (8.9%). Por último, es importante mencionar que 76% de los jóvenes ganaban en su primer trabajo menos de $1 500; de los jóvenes que actualmente trabajan en el país, 54% gana esa cantidad (IMJ, 2002).

Los jóvenes pobres de las zonas marginales en México, los llamados "chavos banda", a principios de los años ochenta adoptaron como lema el título de una canción del legendario grupo inglés Sex Pistols: "No hay futuro". Si pensamos en su importancia demográfica y en las precarias condiciones de desarrollo que tienen por delante deberíamos preguntarnos: si una buena parte del 30% de la población considera que "no hay futuro", ¿cuál es su futuro?, ¿qué están haciendo los jóvenes y qué está haciendo el gobierno para enfrentar estos retos?

A continuación trataremos de responder de alguna forma estas interrogantes.

LOS JÓVENES QUE SE ORGANIZAN Y LAS POLÍTICAS DE JUVENTUD

Los jóvenes que se organizan

Es una idea generalizada en la literatura sobre el tema, que existe un fuerte distanciamiento entre la población joven y las instancias tradicionales de participación política (Becerra, 2000). A los jóvenes, se dice, no les interesa la "política", sin embargo, esto es relativamente cierto si la "política" se reduce a la militancia partidista.

Cuando se les pregunta a los jóvenes por aquellos temas sobre los que más conversan con sus amigos y parejas, la "política" ocupa el último lugar: sólo 6% responden que platican *mucho* sobre ella, frente al 42% que afirma platicar *nada*. Por el contrario, sus *sentimientos*, la *familia* y el *trabajo* son los asuntos que ocupan frecuentemente su conversación (IMJ, 2002).

Si se les cuestiona sobre su confianza en ciertas instituciones, la familia y la Iglesia encabezan la lista entre aquellas que gozan de la mayor confianza; sin embargo, sólo después del Congreso, los partidos políticos son la institución en la que los jóvenes menos confían. Y qué decir sobre la confianza en ciertos personajes: médicos, sacerdotes y maestros son en quienes más confianza depositan los jóvenes; en tanto que políticos, jueces y policías –en ese orden– son quienes menor credibilidad tienen para este sector de la población (IMJ, 2002).

Sin embargo, y a pesar de los anteriores datos, los jóvenes se organizan y participan activamente en la vida pública fuera de las formas tradicionales e institucionalizadas de participación.

Aunque sólo uno de cada diez jóvenes ha participado en una marcha o acto político; cuando se les pregunta en general si estarían dispuestos a participar en algún tipo de actividad o manifestación pública, las relacionadas con la defensa del ambiente, el respeto a los derechos indígenas y a los derechos humanos y por la paz son asuntos por los cuales los jóvenes sí estarían dispuestos (IMJ, 2002).

Uno de cada cuatro jóvenes participa activamente en algún tipo de organización: las de carácter deportivo, religioso y estudiantil son aquellas que los jóvenes más eligen, frente a las de carácter partidista, que son las que menos frecuentan (IMJ, 2002).

Si bien no existe un inventario definitivo de las organizaciones juveniles en nuestro país (pues una de sus principales características es que aparecen y desaparecen con relativa facilidad), se cuenta con diversos registros que permiten saber que existen formas de agrupación juvenil de todo tipo a lo largo y ancho del país.

El Instituto Mexicano de la Juventud (IMJ), por ejemplo, ha conformado directorios generales y temáticos a partir sólo de fichas de inscripción y registro en certámenes, reuniones y encuentros juveniles de diversa índole, que permiten hablar de cientos de organizaciones juveniles en el país.

Al intentar realizar una primera agrupación de estas organizaciones con base en las características de los jóvenes que las conforman y de las actividades que en ellas se realizan, podemos observar al menos cuatro tipos (Serna Hernández, 2000):

a] Un grupo de organizaciones conformadas por estudiantes universitarios, principalmente de universidades privadas, cuya mejor descripción se resumiría, en palabras de Serna Hernández, en la frase: "formar líderes de excelencia".
b] Jóvenes organizados en torno de temas tan variados como la defensa del ambiente, los derechos sociales, la democracia y la solidaridad con los pueblos indios y rurales, cuya mejor descripción se resumiría, en palabras de la autora citada, en la frase: "participar en las decisiones que afectan a todos".
c] En otra categoría entrarían los colectivos culturales que en la década pasada tomaron fuerza como forma de expresión juvenil. "Skatos", "darks", "raves", "rastas", "punks", "grafiteros", entre muchos otros, conformarían este grupo de

organizaciones, que básicamente buscan a través de sus actividades y prácticas culturales, "reinventar el mundo".

d] Por último, estarían los jóvenes organizados en torno de las bandas juveniles urbanas, fenómeno surgido en los años ochenta y que tuvo su mayor expresión con la conformación del Consejo Popular Juvenil, que agrupó a las bandas más importantes de la capital.

Otra autora, por su parte, considera que las formas de organización juvenil en nuestro país bien podrían agruparse en torno de al menos tres aspectos: a] la banda como forma de agregación juvenil popular por excelencia, b] la música, particularmente el rock, como forma de producción y de consumo cultural juvenil, y c] la religiosidad como una importante fuente de socialización de los jóvenes, particularmente las comunidades eclesiales de base (Urteaga, 2000).

Los anteriores datos nos parecen relevantes: los jóvenes quieren participar (y lo hacen muy activamente cuando las convocatorias son transparentes y compartibles), pero no quieren sentirse manipulados. Sin embargo, importa también reconocer que entre los que participan se verifica siempre una gran inconstancia: en la mayor parte de los casos se trata de una participación en actividades específicas, durante ciertos periodos de tiempo, y no de una pertenencia a las organizaciones como tal. Esto evidencia otra característica relevante: los jóvenes viven el presente con una gran intensidad, sin que en sus vidas cotidianas pese demasiado la noción de mediano y largo plazos (aunque los adultos siempre identifiquen a los jóvenes con el futuro).

Estamos, en todo caso, ante un nuevo paradigma de participación juvenil (Serna Hernández, *op. cit.*) totalmente distinto al tradicional: mientras que en el pasado las identidades colectivas se construían en torno de códigos socioeconómicos e ideológico-políticos, ahora se construyen en torno de espacios de acción relacionados con la vida cotidiana (derechos de la mujer, defensa del ambiente, etc.); mientras que en el pasado los contenidos reivindicativos se relacionaban con la mejora de las condiciones de vida (en educación, empleo, salud, etc.) ahora se estructuran en torno del ejercicio de derechos (en la sexualidad, en la convivencia, etc.); mientras que en el pasado los valores predominantes tenían una impronta mesiánica y global (el cambio social debe modificar la estructura para que cambien los individuos) ahora están más vinculados con el aquí y el ahora, desde la lógica de los individuos, los grupos y las estructuras (simultáneamente); y mientras en el pasado la participación era altamente institucionalizada, ahora se reivindican las modalidades horizontales y las redes informales, más flexibles y temporales, evitando la burocratización.

Las políticas de juventud

Si aceptamos que el Estado "habla y construye" un discurso de lo juvenil a través de las instituciones, las políticas y los programas que, diseñados desde el gobierno, elabora para atender "las necesidades, exigencias, requerimientos y expectativas de este sector de la población" (Nateras, *op. cit.*), bien podemos afirmar que para el caso mexicano esto no ha sido la excepción. Durante el largo gobierno priista, la juventud, o mejor dicho, la mirada que el Estado mexicano tiene de la juventud y de los jóvenes, se relaciona directamente con las diferentes etapas por las que ese Estado atraviesa.

Así, se pasa de la organización de los jóvenes (a través, por ejemplo, de las federaciones de estudiantes) en torno del naciente partido de Estado, que buscaba su legitimación durante el periodo de institucionalización de la revolución, a la organización corporativista y el proceso de industrialización hacia dentro, que mira a los jóvenes únicamente como obreros (esto es, como potencial mano de obra) y como fuente de votos; y de ahí, a la identificación de los jóvenes, al final de los años sesenta y durante buena parte de la siguiente década, únicamente con lo estudiantil, y de esta forma, por supuesto, con lo subversivo; para transitar, al final de los años ochenta, hacia una mirada que pretende, en el mejor de los casos, identificar a la juventud con la práctica del deporte, pero en el peor, como sujetos peligrosos –casi delincuentes– a quienes se debe tener controlados por todos los medios posibles, desde la acción policial hasta la cooptación política (Pérez Islas, 1996).

Corporativismo, paternalismo, asistencialismo, control, represión, son sólo algunos de los elementos que han caracterizado, a lo largo de sus distintas etapas, la acción del Estado mexicano en materia de juventud (Castillo Berthier, 1996).

Si desde las políticas de juventud se pretende combatir la exclusión social que afecta a la juventud, aquéllas deben atacar una de sus principales deficiencias: la relacionada con las limitaciones inherentes a las respuestas sectoriales y desarticuladas, predominantes a lo largo de toda la historia del siglo XX; estas políticas han carecido de una visión integral y articulada, pues sus respuestas se han concentrado en aspectos particulares de la dinámica juvenil (algunas veces sólo en la educación, otras en el empleo), lo que ha dejado de lado una perspectiva integral y de conjunto.

Aunado a ello, algunas evaluaciones han dejado al descubierto las limitaciones de los enfoques pretendidamente universales, que en realidad sólo beneficiaron a jóvenes integrados de estratos medios y altos (es decir, los mejor preparados para aprovechar los servicios que ofrecen las políticas públicas universales), y a los enfoques excesivamente centralizados en los estados nacionales, que no han utilizado la enorme potencialidad existente en los planos locales, cuyas instituciones y servicios pueden estar más cercanos a los problemas reales y a quienes necesitan respaldos específicos para su integración social.

Las respuestas alternativas más recientes han tratado de focalizar los esfuerzos en los sectores juveniles que enfrentan más dificultades y carencias, y de desarrollar políticas municipales de juventud a partir de enfoques claramente descentralizados en términos de gestión pública. Pero, a pesar de la relevancia del tema, quizás en lo que menos se ha insistido es en señalar las muchas tensiones que se generan entre los propios organismos públicos y privados encargados de proporcionar servicios y respaldo a los jóvenes. En este sentido, cabe destacar dos que son particularmente importantes: las que se generan entre los enfoques promocionales y aquellos centrados en el control social de los jóvenes (promovidos desde instituciones especializadas en la esfera de las políticas sociales y desde los ministerios del interior y de defensa, respectivamente); y las tensiones que se generan entre los enfoques que parten de una desconfianza básica en relación con los jóvenes (considerados peligrosos) y aquellos que promueven la manipulación y la instrumentalización de la juventud (desde posturas populistas, fundamentalmente) (Rodríguez, *op. cit.*).

Finalmente, y desde el punto de vista institucional, las políticas públicas de juventud han enfrentado problemas considerables, especialmente en el caso de los institutos y ministerios especializados creados últimamente, que no supieron definir con precisión sus funciones, y en la mayor parte de los casos pasaron a competir –en condiciones muy desiguales, por cierto– con los grandes ministerios (sobre todo del área social) en la ejecución de programas dirigidos a jóvenes, sin lograr efectos significativos y generando conflictos institucionales muy serios. Una gran confusión de funciones ha dificultado hasta el momento el desempeño de la mayor parte de estas instituciones especializadas: en algunos casos, pretendiendo vanamente representar a los jóvenes en el aparato del Estado (y viceversa) y, en otros, queriendo cumplir funciones de rectoría, pretendiendo ubicarse artificialmente por encima de instituciones públicas de arraigada tradición, sin contar ni con la legitimidad ni con el poder y los recursos para ejercer efectivamente tales funciones (Rodríguez, *op. cit.*).

Para el caso de nuestro país, parece sintomático el total distanciamiento entre el órgano rector de las políticas de juventud (el IMJ) y la juventud, incluso la propia juventud organizada en colectivos y organizaciones.

La mayoría de los jóvenes (83.1%) no conoce o ha oído hablar del Instituto Mexicano de la Juventud, y el 20.7% de los jóvenes no pueden asociar ninguna palabra o frase con el instituto. El 96.1% no conoce los programas y servicios que ofrece el IMJ, el 95.4% no conoce los diversos concursos organizados por el IMJ, y el 95% no ha visto una convocatoria del IMJ en los medios de comunicación masiva (IIS, 2003).

LOS CRITERIOS BÁSICOS DE LAS POLÍTICAS DE JUVENTUD

Frente al panorama que presenta la juventud, sin duda las políticas públicas dirigidas a este sector juegan un papel importante; sin embargo, éstas deberán cumplir con un conjunto de requisitos básicos, como lo ha indicado Rodríguez (*op. cit.*):

1. Las políticas públicas deberían tomar a los jóvenes en una doble perspectiva: como destinatarios de servicios y como actores estratégicos del desarrollo, esto último significa impulsar la participación de los propios jóvenes.
2. Las políticas públicas de juventud deberían operar sobre la base de una auténtica y amplia concertación de esfuerzos entre todos los actores involu-

crados en su dinámica efectiva, desterrando los esfuerzos aislados y excluyentes entre sí.

3. Las políticas públicas de juventud deberían operar sobre la base del fortalecimiento de las redes institucionales existentes o creando otras en las esferas en las que no existen, poniendo en práctica la concertación aludida.
4. Las políticas públicas de juventud deberían operar sobre la base de una profunda y extendida descentralización territorial e institucional, priorizando el plano local.
5. Las políticas públicas de juventud deberían responder adecuadamente a la heterogeneidad de grupos juveniles existentes, focalizando con rigurosidad acciones diferenciadas para responder a las particularidades.
6. Las políticas públicas de juventud deberían promover la más extendida y activa participación de los jóvenes en su diseño, instrumentación y evaluación efectiva.
7. Las políticas públicas de juventud deberían contar claramente con perspectiva de género, brindando iguales oportunidades y posibilidades a varones y mujeres.
8. Las políticas públicas de juventud deberían desplegar un esfuerzo deliberado para sensibilizar a los tomadores de decisiones y a la opinión pública en general sobre la relevancia de estas temáticas, mostrando la exclusión juvenil como un reto del conjunto de la sociedad y no sólo como un problema de los jóvenes.
9. Las políticas de juventud deberían desarrollar también esfuerzos deliberados por aprender colectivamente del trabajo de todos, fomentando las evaluaciones comparadas, los intercambios de experiencias y la capacitación horizontal de recursos humanos.
10. Y para que todo lo dicho sea viable, las políticas públicas de juventud deberían definir con precisión y de manera consensuada una efectiva distribución de papeles y funciones entre los diferentes actores institucionales involucrados, a los efectos de no superponer esfuerzos conflictivamente y no dejar áreas sin cubrir.

A MANERA DE CONCLUSIÓN

¿Cuál futuro para los jóvenes?: La prioridad del empleo, la educación y la participación

Sin duda el futuro de la juventud en nuestras sociedades, y en nuestro país en particular, es poco prometedor. Para que este futuro comience a transformarse, las acciones dirigidas a este sector deberán concentrarse en tres ejes: educación, empleo y participación.

En cuanto a la educación, se deben atender cuatro aspectos fundamentales: a] generalizar la universalización en el acceso a la enseñanza básica y sobre todo a la media; b] asegurar estándares adecuados de calidad y rendimiento escolar, enfrentando decididamente los problemas de aprendizaje y la deserción escolar; c] mejorar sustancialmente la equidad entre los diferentes grupos sociales, buscando frenar y, eventualmente, revertir los procesos de segmentación educativa, y d] acercar cultura juvenil y cultura escolar en la enseñanza.

La inserción laboral de los jóvenes es sin duda la otra clave para romper con la exclusión que afecta a la juventud. Dado que los problemas son muy diversos, se requieren medidas diferentes, adaptadas a las particularidades de cada uno de los grupos juveniles prioritarios, y dado que las causas que explican dichos problemas tampoco son homogéneas, se requieren estrategias específicas para cada una de las situaciones en particular.

Sin embargo, una primera gran respuesta deberá seguir siendo la capacitación laboral, unida al desarrollo de *primeras experiencias laborales.* De ese modo se estará respondiendo a dos de las principales explicaciones del desempleo juvenil: la falta de experiencia y la falta de capacitación. Pero es preciso tener en cuenta que la capacitación no genera puestos de trabajo, cuestión que debe llevarnos al planteamiento y la discusión del desempleo desde una perspectiva estructural.

Por último, la exclusión juvenil también se da en el plano de su participación ciudadana, por lo que corresponde enfrentarla promoviendo nuevos canales e instancias más eficaces y atractivas para el desarrollo de estos derechos. Las razones son muchas y muy variadas, pero en lo fundamental se trata de una vía privilegiada para promover el fortalecimiento democrático de las propias políticas.

Sin embargo, la participación política de los jóvenes no puede agotarse en el plano electoral. Paralelamente se deben instrumentar otras medidas específicas y concretas, destacando la creación de instancias consultivas a nivel municipal, en torno de prioridades para la acción o el diseño y reformulación de planes y programas. Lo principal aquí es que los jóvenes no se sientan manipulados y al mismo tiempo perciban que su participación tiene sentido y que pesa en la toma de decisiones.

BIBLIOGRAFÍA

Becerra Laguna, Ricardo, 2000, "Participación política y ciudadanía de los jóvenes", en *Jóvenes: Una evaluación del conocimiento. La investigación sobre juventud en México, 1986-1999,* México, IMJ.

Brugué, Q., R. Goma y J. Subirats, 2002, "De la pobreza a la exclusión social. Nuevos retos para las políticas públicas", en *Revista Internacional de Sociología,* tercera época, núm. 33, septiembre-diciembre.

Castillo Berthier, Héctor, 2007, "Juventud y educación superior en México. Elementos para su caracterización", en *Los nuevos estudiantes latinoamericanos de educación superior,* Instituto Internacional para la Educación Superior en América Latina y el Caribe, México, Unión de Universidades de América Latina y el Caribe.

—, 1996, "Los proyectos juveniles: Entre la utopía y la cooptación política", en varios autores *Las políticas sociales en México en los años noventa,* México, FLACSO, UNAM, Instituto Mora, Plaza y Valdés.

Curtain, R., 2004, *Youth in extreme poverty: Dimensions and policy implications with particular focus on South East Asia*, documento elaborado como aportación al Informe sobre la Juventud Mundial, 2005.

Galland, Olivier, 1996, "Les jeunes et l'exclusion", en Serge Paugam (coord.), *L'Exclusion l'état des savoirs*, París, Éditions la Découverte.

Gore, Charles y José B. Figueredo (comps.), 1997, *Social exclusion and anti-poverty policy: A debate*, Instituto Internacional de Estudios Laborales/Programa de las Naciones Unidas para el Desarrollo (PNUD), Ginebra, citado por Margarita Flores y Fernando Rello, 2003, "Capital social: Virtudes y limitaciones", en Raúl Atria y Marcelo Siles (comps.), *Capital social y reducción de la pobreza en América Latina y el Caribe: En busca de un nuevo paradigma*, Santiago de Chile, CEPAL y Universidad de Michigan.

Hernández, Mirtha, 2006, "Urgen políticas para los jóvenes", en *Reforma*, 7 de junio.

Instituto de Investigaciones Sociales. Unidad de Estudios sobre la Opinión, 2003, *Percepciones del Instituto Mexicano de la Juventud*, México, UNAM.

Instituto Mexicano de la Juventud, 2002, *Encuesta Nacional de Juventud, 2000*, México, IMJ.

Instituto Nacional de Estadística, Geografía e Informática, 2000, *Los jóvenes en México*, México, INEGI.

Nateras Domínguez, Alfredo, 2001, "Presentación", en *El Cotidiano*, núm. 109. UAM Iztapalapa, México.

—, 2000, "Jóvenes, identidad y diversidad", en *Travesaño 2000. Temas de población*, año 3, núm. 8, Gobierno del Estado de Guanajuato – Consejo Estatal de Población, Guanajuato, México.

Organización de las Naciones Unidas, 2003, *World Youth Report*, Nueva York, ONU.

Organización Mundial del Trabajo, 2004, *Tendencias mundiales del empleo juvenil, 2004*, Ginebra, OIT. Disponible en: <http://www.cinterfor.org.uy/public/spanish/region/ampro/cinterfor/temas/youth/doc/cint/tmej.htm>

Pérez Islas, José Antonio, 1996, "Historia de un amor como no ha habido otro igual", en Rafael Cordera (coord.), *México joven. Política y propuestas para su discusión*, México, UNAM.

Population Reference Bureau, 2000, *La juventud del mundo*, Population Reference Bureau, Washington, D.C. Disponible en <http://www.prb.org/pdf/WorldsYouth_Sp.pdf>

Quinti, Gabriele, 1997, "Exclusión social: Sobre medición y sobre evaluación", en Rafael Menjívar Larín, Dirk Kruijt y Lieteke van Vucht Tijssen (eds.), *Pobreza, exclusión y política social*, Costa Rica-FLACSO, Universidad de Utrecht, UNESCO-Programa MOST. Disponible en <http://www.unesco.org/most/povpobre.htm>

Rodríguez, Ernesto, 1995, *Capacitación y empleo de jóvenes en América Latina*, Montevideo, CINTERFORD.

—, 2002, "Juventud, desarrollo social y políticas públicas en América Latina y el Caribe: Oportunidades y desafíos", en Carlos Sojo (ed.), *Desarrollo social en América Latina: Temas y desafíos para las políticas públicas*, San José de Costa Rica, FLACSO, Banco Mundial.

Sandoval, Mario, 2000, "La difícil relación entre la juventud actual y la exclusión social", ponencia presentada en la Reunión Anual del Grupo de Trabajo sobre Juventud de CLACSO, San José de Costa Rica.

Serna Hernández, Leslie, 2000, "Las organizaciones juveniles: De los movimientos sociales a la autogestión", en *Revista de Estudios sobre Juventud*, núm. 1, abril-junio. IMJ, México.

Urteaga-Pozo, Maritza, 2000, "Formas de agregación juvenil", en José Antonio Pérez Islas (coord.), *Jóvenes: Una evaluación del conocimiento. La investigación sobre juventud en México, 1986-1999*, México, IMJ.

Ziccardi, Alicia, 2001, "Las ciudades y la cuestión social", en Alicia Ziccardi (coord.), *Pobreza, desigualdad social y ciudadanía. Los límites de las políticas sociales en América Latina*, Buenos Aires, CLACSO, ASDI, IIS-UNAM, FLACSO.

DESIGUALDAD, EXCLUSIÓN Y VIOLENCIA.
EXPERIENCIAS DE VIDA DE LAS ADOLESCENTES POBRES DE LA CIUDAD*

CRISTINA SÁNCHEZ-MEJORADA F.**

INTRODUCCIÓN

La pobreza está estrechamente relacionada con los patrones de desigualdad social que están en la base de los fenómenos de exclusión social. La desigualdad es resultado de procesos históricos y mecanismos de discriminación que la reproducen cotidiana y estructuralmente. "El género es una de las formas más recurrentes de creación de la diferencia, que en su interrelación con otras construye el sistema de desigualdades de una sociedad" (Narotzki, 1995: 38), de ahí que tenga un peso específico muy significativo entre los condicionantes de la pobreza.

En la década de los ochenta, estudiosas de la problemática de género identificaron una serie de fenómenos dentro de la pobreza que afectaban de manera específica a las mujeres. Esta perspectiva puso en evidencia la necesidad de reconocer que hombres y mujeres experimentan la pobreza de maneras diferentes, y que el género es un factor –junto con la edad, la etnia, la ubicación geográfica, entre otros– que incide en la pobreza aumentando la vulnerabilidad de las mujeres a experimentarla. La división del trabajo por sexo, al asignar a las mujeres el espacio doméstico, determina la desigualdad en las oportunidades que ellas tienen como género para acceder a los recursos materiales y sociales (propiedad de capital productivo, trabajo remunerado, educación y capacitación), así como a participar en la toma de las principales decisiones políticas, económicas y sociales. En efecto, las mujeres cuentan no sólo con activos materiales relativamente más escasos, sino también con activos sociales (ingresos, bienes y servicios a los que tiene acceso una persona a través de sus vínculos sociales) y culturales (educación formal y conocimiento cultural que permiten a las personas desenvolverse en un entorno humano) más escasos, lo que las coloca en una situación de mayor riesgo de pobreza (CEPAL, 2004).

Ello refuerza la propuesta de que el problema de la pobreza no se limita a la carencia de recursos, sino también de condiciones estructurales, de ventajas y desventajas que afectan a determinados sectores, donde los procesos de desafiliación

* El trabajo presenta algunos de los resultados de una investigación realizada para el Instituto de las Mujeres del Distrito Federal, titulada "Necesidades y expectativas de las adolescentes en el Distrito Federal", el objetivo de este trabajo era profundizar en el conocimiento de las adolescentes con objeto de diseñar una política dirigida a ellas. El trabajo de campo se realizó de septiembre de 2003 a mayo de 2004. Para profundizar en el conocimiento de las adolescentes determinamos acotar el universo de nuestro estudio a mujeres de entre 14 y 19 años de edad, de sectores populares, y que estuvieran estudiando la secundaria o la preparatoria.

** Universidad Autónoma Metropolitana, Azcapotzalco.

y exclusión son resultado de una creciente concentración y acumulación de desventajas; a ellos se incorporan dimensiones socioculturales asociadas a situaciones de pobreza en las que se hallan entramados de desventajas que se retroalimentan mutuamente (Saraví, 2004).

Si bien el mercado de trabajo, el hogar de origen, el barrio y la comunidad local constituyen ámbitos en donde se generan algunas de estas ventajas o desventajas, es sin duda el género, el ser mujer, lo que constituye una de las principales desventajas. El género identifica las características socialmente construidas que definen y relacionan los ámbitos del ser y del quehacer de lo femenino y lo masculino dentro de contextos específicos y condicionados por razones históricas, económicas, sociales y culturales. Estos factores favorecieron la consolidación de relaciones jerárquicas de desigualdad entre los sexos. En ellas la mujer perdió el derecho a desarrollarse en las mismas condiciones que el hombre, y la violencia, en sus múltiples formas (física, sexual, psicológica y moral) ha sido una de las vías fundamentales para el logro de este objetivo.

Si bien las causas de la violencia de género estriban en los papeles desiguales que la sociedad patriarcal ha asignado a hombres y mujeres, ésta se ha visto agravada por una sociedad que ya no ofrece valores colectivos, puntos de referencia estables para sus miembros, que ya no indica los caminos a seguir, y que con frecuencia se agita confusamente.

No cabe duda de que en la actualidad, en esta sociedad inquieta, anómica, que clama en voz alta las reglas del derecho y de la ley, pero que las respeta muy poco, predomina el individualismo, y que la moral colectiva se ha debilitado. El cada uno para sí –tanto más poderoso cuanto que la crisis es más profunda– corroe las solidaridades colectivas. El individuo, si ya no puede vislumbrar un horizonte, acaba dañado por tanta incertidumbre (Fize, 2001: 57).

Ahora bien, entre las mujeres pobres existe un sector que se encuentra doble o triplemente excluido por ser mujeres, pobres y jóvenes, y más aún *adolescentes*. Dado que el objetivo de este trabajo es mostrar algunos de los rostros de la desigualdad social nos pareció fundamental dar cuenta de las condiciones y experiencias de vida de las adolescentes que radican en los barrios populares de la ciudad, a través de una de las manifestaciones más relevantes de la pobreza, la desigualdad y la exclusión: la violencia.

El curso de vida de las adolescentes se desliza desde su infancia en múltiples campos de interacción[1] (familia, escuela, comunidad, instituciones estatales, religiosas, deportivas, etc.), en donde aprenden y enfrentan una constelación de reglas, convenciones, recursos, esquemas y situaciones. Las adolescentes, al igual que las familias, los grupos y las clases sociales, se objetivan en ámbitos concretos en los que

[1] Según Bourdieu, un campo de interacción puede conceptuarse de manera sincrónica como espacio de posiciones, y diacrónicamente como un conjunto de trayectorias. Los individuos particulares se sitúan en ciertas posiciones dentro de este espacio social y siguen, en el curso de sus vidas, ciertas trayectorias. Las posiciones y trayectorias están determinadas en cierta medida por el volumen y la distribución de diversos tipos de recursos o capital (John Thompson, 1993: 163).

adquieren sentido y especificidad las formas simbólicas que expresan. Para hacer una lectura analítica de la voz de las adolescentes es importante considerar algunas precisiones conceptuales y reconstruir y delinear los escenarios que dan marco a su vida cotidiana.

Lo primero que habrá que precisar es que la situación ambigua y difícil por la que atraviesan los y las adolescentes responde a los cambios que se producen tanto a nivel mundial como local, en lo público y lo privado, y que han influido en el rompimiento del circuito ideal propuesto para la inserción de los jóvenes a la sociedad: familia-escuela-trabajo-participación. Entre otros elementos que han incidido en la condición de los y las adolescentes podemos señalar: las transformaciones en la familia (debido, entre otras razones, a la incorporación de la mujer al mercado de trabajo); el aumento de los niveles de escolaridad y su relación inversamente proporcional con las opciones de empleo (que influyen en la menor movilidad social que representa el paso por la escuela); la diversificación de los mercados de trabajo (y su correlativa ampliación de los sectores ocupados en la informalidad); la creación de un espacio de consumo específicamente destinado a ellos y la emergencia de una verdadera cultura juvenil al amparo de la articulación de un lenguaje universal difundido por los medios de comunicación de masas: la música y la estética corporal; el remplazo de la moral puritana dominante por una moral consumista, más laxa (Medina, G., 1998).

Por otra parte, la vida urbana actual, y más en una metrópoli como la nuestra, que genera aglomeraciones y el desorden propio de las grandes urbes: prisa, falta de tiempo, tensión, densidad, tráfico, vida compleja y falta de comunicación, y que profundiza una serie de vicios sociales y morales como la anomia, la hipocresía social, la creación consumista de necesidades artificiales y la doble moralidad, entre otras, lleva a unas circunstancias de vida tan inseguras y frustradoras que se entiende, aunque no se justifica, que surjan la violencia y la agresividad como medios para sobrevivir.

Por todo lo hasta aquí descrito, las adolescentes de entre 14 y 19 años (nuestro universo de estudio)[2] que provienen de estratos populares urbanos, experimentan, hoy más que nunca, un nivel de riesgo de exclusión social históricamente inédito, fruto de una confluencia de determinaciones que van desde el mercado, el Estado, la sociedad y la familia, que repercuten en sus condiciones psicoemocionales y tienden a concentrar su pobreza al aislarlas de otros espacios y estratos de la sociedad; aislamiento social que además se da en un contexto de hueco normativo provocado por el deterioro de las instituciones primordiales.

[2] De acuerdo con el censo del año 2000, en el Distrito Federal residen 8 605 239 personas; los jóvenes (15 a 29 años) representan el 28.8% del total. Las adolescentes que tienen entre 15 y 19 años son 414 375, es decir que representan el 4.8% del total de mujeres. El 21% de estas mujeres son migrantes, el 90% son solteras, el 78% estudian (secundaria o preparatoria); sólo el 49% se dedica exclusivamente a estudiar y el 29% ya no lo hace porque trabaja; el 76% no han abandonado el hogar de origen, 15% han tenido un hijo. Si agregamos a las chicas de 14 años, las estimaciones estadísticas refieren que en la ciudad radican un total de 473 794 mujeres adolescentes. Alrededor del 30% vive violencia.

LA VIOLENCIA EN TRES ÁMBITOS DE INTERACCIÓN

La violencia ha sido profunda y profusamente arraigada como una forma de interlocución colectiva, imposición de formas de dominación y resistencia a la misma, inhibición, disuasión y manipulación para reorganizar la dominación. Es, sin duda, el espacio y la forma privilegiada que han adoptado las relaciones entre desiguales en el mundo contemporáneo, sociedades que se niegan a reconocer y respetar la otredad... Comportamiento generalizado y frecuente que supone la sustitución de un vínculo de afecto por uno que transita de la desconfianza al poder y a la imposición. Hombres y mujeres cuya interlocución violenta comenzó en la adolescencia, durante el noviazgo, y en la que la violencia sustituyó a la comunicación amorosa debido, en buena medida, a las presiones sociales y económicas, a la pobreza, a la existencia de adicciones. Niñas y jóvenes que crecen y se desarrollan en familias desintegradas y violentas. Residentes en zonas de media marginación, de alta incidencia delictiva, vecinas y familiares de delincuentes y reclusos, que son constantemente hostigadas, muy atemorizadas en escuelas públicas penetradas por vendedores de drogas, víctimas de asaltos, hostigamiento y amenazas, incluso víctimas de los silencios de otras víctimas (Sosa, 2002).

La violencia basada en género, o "violencia contra las mujeres", abarca muchos tipos de comportamiento físicos, emocionales y sexuales nocivos para las mujeres adultas, jóvenes y niñas, que son practicados tanto por miembros de la familia como por extraños. Se trata de un problema complejo que obedece a múltiples causas y factores: sociales, económicos, psicológicos, jurídicos, culturales e incluso biológicos, aunque se reconoce que hay factores de riesgo, como el abuso de alcohol y de drogas, la pobreza o el hecho de presenciar o sufrir violencia en la niñez. Si bien este problema ha existido siempre, la contundencia de las pruebas y la mayor conciencia acerca de los problemas de salud física y emocional ha llevado a los organismos internacionales y nacionales a calificarla como un problema de salud pública. Como prueba tenemos el caso de la ciudad de México, donde en 2005 el Sistema de Registro de Información Estadística de Violencia Familiar en el Distrito Federal registró 72 074 casos de violencia intrafamiliar reportados a alguna institución. De éstos, el 90% fueron mujeres, y 2 738 eran niñas y adolescentes.

La violencia está en todas partes, no tiene límites temporales, no tiene fronteras espaciales. La violencia golpea a las adolescentes en los lugares que más frecuenta, en la casa, en la escuela, en la calle, en el transporte. El 31% de las 727 chicas a las que aplicamos el cuestionario han sufrido agresiones en distintos espacios, tanto públicos como privados. Los lugares en donde más violencia sufren son: en la escuela (32%) y en la casa (26%), en el transporte (14%) y en la colonia (12%). El material recabado da para un análisis muy amplio y profundo, y puede ser abordado desde distintas perspectivas, pero nos limitaremos a hacer referencia a la violencia que enfrentan las adolescentes pobres de la ciudad de México en tres de sus ámbitos de interacción: la escuela, la familia y la calle o el barrio.

Violencia en la escuela

El lugar donde más agresiones han sufrido las adolescentes a las que aplicamos la encuesta es la escuela (32%). En efecto, el medio escolar se ha convertido en un espacio en el que la violencia es permanente. Violencia de alumnos a otros alumnos, de alumnos a maestros y de maestros a alumnos; violencia de los más grandes y los más fuertes contra los más pequeños y los más débiles.

A este fenómeno, que inicia en Estados Unidos (hemos escuchado las alarmantes historias de asesinatos masivos) y en Europa, se le denominó *bullying*,[3] que en español quiere decir violencia, acoso, intimidación. Se define como el abuso del poder que se traduce en comportamientos agresivos injustificados y que puede producir victimización. Se trata de un caso grave de violencia física o psicológica que sitúa a las víctimas en posiciones de las que difícilmente pueden salir por sus medios. Intencionalidad del agresor, reiteración de la violencia e indefensión de la víctima son, por lo tanto, características *sine qua non* para incluir un hecho en la categoría de "*bullying* o acoso escolar"[4] que algunos autores definen como:

> Un continuado y deliberado maltrato verbal y modal que recibe un niño o una niña por parte de otro u otros, que se comportan con él/ella cruelmente con el objeto de someter, amilanar, arrinconar, excluir, intimidar, amenazar u obtener algo de la víctima mediante chantaje y que atentan contra su dignidad y sus derechos fundamentales (Piñuel y Oñate, 2007).

Diversas investigaciones dan cuenta de que el maltrato continuado de escolares por parte de otros alumnos constituía un factor determinante de muertes violentas entre adolescentes. Las víctimas habituales de ensañamiento son muchachos, pero especialmente muchachas pacíficas, tímidas, introvertidas y, sobre todo, vulnerables. A menudo muestran aspectos físicos, actitudes o hábitos diferentes a los de la mayoría del grupo. Los maltratadores suelen ser personajes inseguros y provocadores, que no han madurado la capacidad de sentir compasión ante el sufrimiento ajeno. Mientras que los varones tienden a utilizar la agresión física y verbal, las chicas recurren a la marginación, a las burlas y a la manipulación de las relaciones. Ellos y ellas ansían la sensación excitante de poder que experimentan cuando subyugan física y emocionalmente a sus víctimas. Los efectos más comunes incluyen ansiedad, fobia al colegio, aislamiento social, baja autoestima y depresión.[5]

De las jóvenes que dijeron sentirse violentadas en la escuela, la mitad afirmaron que son acosadas psicológicamente (de manera verbal a través de insultos, burlas,

[3] *Bullying* es un término anglosajón que el sueco Dan Olweus, profesor de psicología de la Universidad de Bergen, Noruega, aplicó a este tipo de agresiones. Cf., página web <http:/es.wikipedia.org/wiki/Acoso_escolar>

[4] *Ibid.*

[5] Tomado de una entrevista realizada a la psicóloga Rosario Ortega por Nuria Navarro. Artículo "Los niños no son más violentos que antes", en *El Periódico*, 21 de mayo de 2005. Cf., página web <www acosomoral.org/bully10.htm>

amenazas, chantajes y presiones de distinta índole, y no verbal mediante gesticulaciones hostiles y vejatorias, marginación, bromas crueles o difusión de rumores humillantes); el 30% dijo que ha sido víctima de violencia física (golpes, empujones, jalones de pelo, etc.); el 4%, de violencia sexual (caricias y besos forzados, abuso a través de ciertos juegos, y violación), y el 11% ha sido víctima de varias de éstas.

> Esta preparatoria no me gusta, no fue mi opción, pues es muy diferente a lo que yo he vivido en otra escuela, siempre he ido en colegios particulares... no me gusta la escuela, no me llevo muy bien con muchas personas... me agreden mucho, tanto los hombres como las mujeres, me tratan como la "niña fresa", yo pienso que cómo puedo estar en esta escuela si no me quieren... aunque no sé si voy a aguantar sintiéndome presionada por los alumnos, paso y me gritan, en el mismo salón, hay un niño que la otra vez me amenazó con golpearme cuando me viera sola (Lolita, 16 años, Cuajimalpa).

En un estudio aproximativo que hicieron investigadores de la UNAM[6] en escuelas públicas, del nivel de secundaria, en las delegaciones Coyoacán, Álvaro Obregón e Iztapalapa, los alumnos reportaron sentirse inseguros tanto en los planteles como en sus casas. En este estudio se incluyó un sondeo realizado en seis secundarias, en las que se consultó a 537 alumnos, de los cuales un tercio señaló que el lugar donde se sienten más inseguros es la escuela, otro tercio indicó que su casa, y un tercio más que las calles aledañas a los planteles. Otro dato importante que surgió en el sondeo fue que el 50% de los alumnos consultados indicó haber visto algún tipo de arma en su plantel: pistolas, navajas, chacos y una infinidad de objetos que sirven para hacer daño. Como sabemos, han tenido que realizarse operativos especiales para evitar casos como el de Diego Orlando Rosales Serrano, de 14 años de edad, que se disparó en la sien dentro de su salón de clases, con una pistola calibre 22, o el de Dalia, la niña de secundaria que fue herida de muerte "accidentalmente" por uno de sus compañeros, aunque algunos de sus amigos dicen que la llevaba para matar al maestro de historia que lo hostigaba mucho.

Si bien la mayoría de los casos de acoso se da entre compañeros, no debe minimizarse la violencia de distinta índole que muchos profesores ejercen sobre sus alumnos y alumnas, y tal vez lo más importante es la omisión que hacen del problema cuando se percatan de que algunos de sus alumnos están siendo acosados y no intervienen, volviéndose cómplices y en muchos casos hasta disfrutando y promoviendo la agresión.

Desde luego, tampoco se puede obviar los problemas de violencia que se generan en las calles aledañas a la escuela, donde se vende droga o los chicos se pelean, agreden y violan.

[6] Este sondeo se realizó en el marco del Programa de la Escuela de Trabajo Social de la UNAM, "Comunidades seguras", coordinado por Nelia Tello. Los datos fueron tomados del artículo de Rolando Herrera, "Conviven con la violencia", *Reforma*, 25 de mayo de 2001.

Al salir del Conalep iba con mi mamá y otras amigas y llegó una chava por atrás y me empujó y jaló del pelo, yo reaccioné y le pegué, pues ya nos traíamos ganas. Mi mamá y amigas nos separaron y nos fuimos a hablar con el director. A mí me suspendieron unos días, pero a ella la corrieron de la escuela, pues no era la primera vez que agredía y se peleaba con alguien, y estaba condicionada. Cuando regresé a la escuela tenía miedo de la salida, pues pensaba que se iba a vengar, así es que mi hermano o mi mamá tenían que ir a recogerme. Ya no pasó nada. También con frecuencia suben los chavos de las bandas de las colonias cercanas y se pelean con mis compañeros por las chavas, porque nos molestan (Rocío, Álvaro Obregón).

Los chavos del taller se drogan casi frente a los maestros, cuando les toca carpintería o electricidad, que es cuando más horas tenemos, muchos se esconden en rincones de la escuela y sacan su mona... A la hora de la salida las peleas son bien sangrientas. Bueno, también en los salones se pelean (Teresa, secundaria 83).

También se tiene noticia de que el crimen organizado está reclutando niñas y adolescentes afuera de las escuelas secundarias y preparatorias, públicas y privadas, para introducirlas al mercado de la explotación sexual.

Violencia doméstica o intrafamiliar

La familia, grupo primario de socialización, unido por relaciones de parentesco, representa un campo de interacción cotidiano, de aprendizaje de normas y prácticas sociales, además de vivencias significativas que permiten o inhiben el desarrollo de potencialidades en el humano de ambos géneros y en cualquier etapa de la vida. En la ciudad de México predominan las familias nucleares, aunque no se puede negar que existen otros tipos y "arreglos" en los que aparecen distintos tipos de relaciones sociales y distintas prácticas cotidianas de vivir la familia. Al examinar las familias de las adolescentes a las que se aplicó la encuesta, el 70% vive en familias nucleares (aunque muchas veces el padre está ausente pero se mantiene al tanto o cerca de la familia). El 14% son hogares monoparentales (en éstos sólo el 1% está encabezado por el padre), las familias extensas representan el 13%, y el 3% restante a otro tipo de familias.

El 21% de las chicas encuestadas reconoce que en su casa hay violencia; desde su perspectiva predomina la verbal (82%), seguida de la psicológica (13%) y la física (5%). Esta violencia la ejercen fundamentalmente los padres (59%), aunque el 23% dice que la violencia la ejercen todos contra todos (padre contra madre, padres contra hijos, hijos contra padres, hermanos contra hermanos, etc,). Al preguntárseles por las víctimas, el 34% reconoció que les afecta o que son víctimas todos los miembros de la familia, 28% dijo que a ella y a sus hermanos (es decir a los hijos), en el 16% de los hogares es la madre la víctima (agredida principalmente por el padre), y en el 9% de los casos es el padre (agredido principalmente por los hijos o hijas).

Las relaciones familiares no se dan en el vacío, más bien son construcciones en el campo de interacción del hogar bajo ciertas circunstancias concretas. Las crisis de padres, madres e hijos son propias del curso de vida familiar por la que atraviesan, pero se vuelven patológicas cuando la conflictiva se agrava por serios problemas en la salud física o emocional, por adicciones o por sociopatías de algunos de sus integrantes.

Tengo un hermano en la cárcel, fue acusado de violar a su esposa, va a cumplir un año en la cárcel, en Tamaulipas, tuvo que irse a vivir a Tamaulipas porque le pegó muy feo a otra de mis hermanas y la mandó al hospital... una vez también en el partido de futbol se peleó con un señor que lo acusó de ratero, decía que se había robado dinero y eso no era cierto, mi hermano juraba que él no había sido, sin embargo se lo llevaron y lo amarraron para que no se escapara y pudieran encerrarlo, pero mi hermano se escapó y le pegó al señor, rompiéndole la quijada, y le tuvieron que realizar tres operaciones... Mi hermano el que vive con nosotras toma cada mes o cada ocho días, él es esposo de mi cuñada con la que tengo muchos problemas, me gustaría que no tomaran y que se llevaran bien, no me gusta que tomen porque mi papá murió de alcoholismo, de cirrosis, a los 42 años (Lupita, 18 años, Iztapalapa).

En los hogares de la muestra, en los problemas de adicciones, delincuencia y desempleo la incidencia es mucho mayor en el género masculino. En cambio, los desórdenes de tipo emocional son detectados con mayor frecuencia en las mujeres de la familia. Adicciones, agresividad y problemas emocionales, todos ellos ramas de un tronco común; estrés, incomprensión, soledad, depresión y frustración, pero la expresión y el camino es diferente si se trata del hombre o de la mujer.

En muchos países los padres recurren a los castigos físicos, como las nalgadas o los manazos, para educar a sus hijos. Ésta es una práctica culturalmente aceptada en México, que muchas veces encubre y justifica los severos problemas de maltrato y violencia. Se utiliza como medio para controlar el comportamiento de los hijos, por lo que se considera algo "natural" en amplios sectores de la población. La pobreza, no sólo en términos económicos sino también emocionales y en experiencias, es uno de los factores predisponentes observados, se pierde la paciencia y se descarga la ira. Si bien hay una mayor conciencia del problema, está comprobado que quien fue maltratado, aunque no quiere maltratar, no sabe qué otra cosa hacer cuando se siente frustrado. El siguiente ejemplo es muy ilustrativo de la problemática:

Paciente femenina de 17 años, quien es traída al hospital por la maestra de la escuela secundaria al notar que con frecuencia llega golpeada a la escuela. Argumenta que se cae repetidamente; sin embargo, acepta que la golpean la madre y el hermano desde hace cuatro años. Refiere que seis días antes de su ingreso y por negarse a comer, su madre la insultó e intentó quemarla con un leño. Por defenderse fue golpeada con un palo en cara y cuello. Estas situaciones se presentan constantemente en su casa y es ella la más afectada, ya que sus hermanas de 7 y 15 años sufren menos el maltrato. Desde la muerte del padre, también su hermano la golpea a puñetazos en la cara. La paciente se encuentra muy inestable emocionalmente y quiso fugarse del hospital. La madre vivió cuatro años con su esposo, pero al quedar embarazada de la paciente fue abandonada y tuvo que trabajar al nacer la niña. Mantuvo relaciones inestables con un sujeto más joven y los hijos se tornaron rebeldes y desobedientes. Ocho años más tarde regresó su esposo enfermo con el fin de que lo cuidaran. Sus hijos convencieron a la madre de hacerlo hasta que falleció de insuficiencia renal. La madre, de 35 años, cocina en un colegio de monjas y siempre ha tenido un carácter impulsivo. Un hermano de 20 años es alcohólico, con escolaridad primaria y vive en unión libre con una joven de 16 años. Se decide que toda la familia reciba tratamiento psiquiátrico y que la paciente retorne a su hogar... Desde su regreso ya no fue golpeada y la familia asistió a terapia psiquiátrica. Sin embargo, tres meses después, al tratar de inscribirse en la escuela, la madre se lo prohibió argumentando que los maestros de esa institución eran unos "chismosos", pues fueron quienes la acusaron. Desde ese momento el maltrato volvió a ocurrir mediante insultos y, en una ocasión, además de golpear a la paciente la dejó fuera de casa hasta la madrugada. También el hermano mayor la sigue golpeando (tomado de Loredo, 2004: 64-65).

El caso descrito también presenta evidencias de violencia psicológica. Olamendi (2000) considera el maltrato psicológico como una forma de violencia que comprende aquellos actos de cualquier miembro adulto del grupo familiar (o de cualquier otro) que tiende a la hostilidad verbal crónica, ya sea mediante el insulto, la burla, el desprecio o la amenaza de abandono, y al constante bloqueo de iniciativas de interacción infantiles. Por su parte, la norma oficial mexicana (NOM-190-SSA1-1999) lo define como "signos y síntomas, indicativos de alteraciones del área psicológica (baja autoestima, sentimientos de miedo, de ira, de vulnerabilidad, de tristeza, de humillación, de desesperación) o de trastorno psiquiátrico como del estado de ánimo, de ansiedad, por estrés postraumático, de personalidad, abuso o dependencia a sustancias, ideación o intento suicida, entre otros" (Loredo, 2004:106).

El mismo Loredo reconoce en la violencia psicológica contra las (los) adolescentes cuatro diferentes conductas: 1] *agresión verbal*: conducta constante que ofende, humilla y denigra el autoconcepto del menor; 2] *rechazo*: conductas que indican abandono, como es no mostrar afecto ni reconocimiento a los logros del niño o adolescente; 3] *terror*: amenazar al niño o adolescente imponiéndole castigos vagos o extremos, con lo que se crea un ambiente impredecible de amedrentamiento; 4] *corrupción*: actitudes de los padres con las que socializan mal al niño y refuerzan una conducta antisocial o desviada. Pero también hay otro tipo de violencia, a la que se le califica como "de omisión", y se refiere a: *el aislamiento* y asilamiento: ejercido por padres que evitan que en especial las adolescentes mantengan y aprovechen las oportunidades normales de relación social de maneras positiva y activa; la *indiferencia*: constituida por la falta de disponibilidad psicológica de los padres, los cuales permiten el uso de sustancias adictivas y conductas de inadaptación, además de no cumplir los cuidados psicológicos y emocionales que requiere el menor; por último, el *desapego*: inatención pasiva-agresiva de los padres hacia las necesidades del niño, que evita la creación de un vínculo afectivo positivo y mutuo (Loredo, 2004: 106).

La violencia verbal es la más frecuente, el 30% de las adolescentes de la muestra la ha padecido. Las principales agresiones provienen de algún miembro de la familia, aunque en este caso son más las madres que lo hacen. A pesar de que no lo manifiestan como relaciones violentas, las adolescentes se desarrollan en un ambiente hostil. De 598 chicas el 27% dice que lo que más le disgusta de su familia es la desintegración, al 17% la incomunicación y la poca convivencia, y otro 17% dice que las carencias afectivas y la agresividad.

El 7% de las adolescentes encuestadas han sufrido violencia sexual en sus casas, violencia que va desde manoseo y tocamientos hasta violación. Cuando se les vuelve a preguntar si ella o alguna amiga ha sufrido de violencia sexual, 12% (88) responde que sí, en el 28% de los casos se trata de ella misma y en el 60% de una amiga, ejercida principalmente por otros familiares (26%), el propio padre (11%) o el novio (13%).

Vale la pena detenernos un momento para reflexionar sobre la violencia en el noviazgo. Los patrones y las señales de la violencia en jóvenes bajo relaciones de noviazgo tienden a ser un reflejo de los que se exhiben en las relaciones adultas abusivas. La violencia en relaciones de noviazgo es perpetrada por uno de los miembros de la pareja contra el otro, e incluye el abuso físico, que va desde empujar, lanzar objetos y atacar con armas, hasta el abuso sexual y emocional. Los muchachos jóvenes abusivos, al igual que los hombres abusivos, intimidan, amenazan físicamente, obligan a la intimidad sexual, aíslan a las mujeres jóvenes de sus amigos y amigas y de su familia, igualan la posesividad y los celos con el amor y usan su estado social para establecer un control sobre las mujeres en su vida.

> Mi novio se volvió violento, me celaba demasiado, me decía muchas cosas feas y me humillaba, no me dejaba pintarme, no podía dejarme crecer las uñas, no podía ponerme faldas, no podía arreglarme el cabello, pero como lo quería mucho aceptaba todo ese tipo de cosas, además, yo me iba a casar con él, pues teníamos planes (María, 19 años, Iztapalapa).

> Cuando me di cuenta de que estaba embarazada se lo dije a mi ex novio, pero él no me creyó, porque en una ocasión tuve una sospecha, pues mi regla no se presentaba, pero finalmente se quedó en sospecha, entonces mi ex novio pensó que se trataba de lo mismo; un día, celoso me golpeó fuertemente en el estómago, esto provocó un sangrado, yo pensé que probablemente era mi periodo, pero no, ya tenía dos meses de embrazo, pues me mareaba y tenía vómito. Cuando mis papás se enteraron se enojaron mucho, mi papá me apoyó en todo, pero mi mamá me obligó a abortar, por los golpes recibidos, era necesario que me practicara un legrado, pues el bebé ya no estaba bien (Rosita, 19 años, Xochimilco).

Algunas de las conductas que pueden considerarse como violentas dentro del noviazgo son las que asumen cuando se enojan entre sí. El 38% de las adolescentes dijeron que cuando su pareja se enoja con ellas les deja de hablar, el 21% dice que les hace escenitas, 13% se va y las deja solas, 5% al enojarse golpea algo, al 2% le gritan o insultan, y en el 19% de los casos tienen varias de estas reacciones. Sólo en el 2.5% de los casos platican. Debe señalarse que la respuesta de la joven ante estas escenas es igual. Otras de las conductas frecuentes que pueden considerarse como signos de violencia hacia las chicas son: amenazar con terminar la relación y no hacerlo, prohibir que continúen relaciones de amistad e incluso con familiares, negar la posibilidad de pertenecer a algún grupo religioso, cultural, artístico o político, y obligar o chantajear a la chica para tener relaciones sexuales. Finalmente, tampoco debe olvidarse que el amor no correspondido genera muchas veces una verdadera obsesión. Se sufre, se espera y se desespera. Hay en esto una tradición de amores adolescentes trágicos que incluso la literatura ha transformado en arquetipos. No faltan en este recuento las decepciones, los engaños y el dolor por dejar de ser amado, que pueden incluso provocar una depresión seria en la adolescente que, como se ha visto en varias ocasiones, deriva en el suicidio.

Durante la adolescencia se presentan en los jóvenes cambios difíciles que les producen ansiedad y depresión, hasta llegar, en muchas ocasiones, a una tentativa de suicidio. Este intento plantea el problema de la depresión como vivencia existencial y como una verdadera crisis de la adolescencia:

> Se sabe que los hábitos de consumo de productos tóxicos, incluyendo los lícitos, se instauran y se organizan durante la adolescencia, y que dependen de factores sociales y económicos: desempleo, precariedad profesional, dificultades escolares, fracasos o presiones, divorcio de las generaciones que incrementa el estado de aislamiento, falta de disponibilidad de los demás y en primer lugar de los allegados, reducción de la comunicación verbal, etcétera. Todas estas situaciones, estas actitudes, generan o incrementan el aburrimiento, la soledad, la sensación de inutilidad y la depresión (Fize, *op. cit.*: 65).

Francisco Peña, jefe de la Clínica de Adolescentes del Instituto Nacional de Psiquiatría, señaló que el suicidio en México se ha convertido en la tercera causa de muerte entre los jóvenes, y que más del 50% de los casos en este último año fueron de personas con edades entre los 20 y 30 años, mientras que otro 20% fueron menores de 20 años. La depresión mayor se presenta en uno de cada 50 adolescentes. El diagnóstico es difícil en muchos casos, ya que los síntomas son tomados como "comportamiento normal del adolescente", producto de los cambios hormonales normales, y no se les ofrece la ayuda que necesitan. Las diferentes estadísticas señalan que el "pico" de depresión entre los adolescentes se presenta entre los 13 y los 15 años, que coincide con las épocas de más baja autoestima de este periodo del crecimiento.

La depresión en el adolescente parece presentarse con mayor frecuencia en familias disfuncionales (problemas maritales), en que el adolescente tiene dificultad de establecer su identidad. Abuso sexual y problemas de orientación sexual (homosexualidad) pueden estar ligados a un cuadro depresivo. También es muy importante la percepción que tiene el adolescente de sí mismo en su contexto escolar y en sus relaciones interpersonales, tanto como su capacidad académica y la participación en deportes o en las artes, para tener una alta estima. Lo mismo ocurre cuando están sujetos a mucha "competencia" en la escuela, con sus hermanos o con sus amigos, y un "fallo" en cualquier actividad los puede llevar a un cuadro depresivo. El 27% de las adolescentes que investigamos dijo que se sentía triste y deprimida, y el 18% dijo que se sentía angustiada, asustada o preocupada. Finalmente, desde su perspectiva, los principales problemas que viven los jóvenes son: problemas de adicciones y desintegración familiar, por un lado, y por otro falta de identidad, baja autoestima, inseguridad personal y problemas afectivos y de relación.

Violencia en el barrio y en la calle

Como resultado de su cercanía e inmediatez, el "espacio público barrial" asume una particular relevancia en las experiencias y condiciones de vida de quienes participan en él, y se le puede atribuir un efecto directo sobre la comunidad local en la medida en que da lugar a diversas prácticas de sociabilidad. El espacio público representa el riesgo de ser sujeto de violencia o de crimen, el ámbito de valores y normas alternativos u opuestos a los de la sociedad mayor, o un espacio de aislamiento y segregación. El entorno socioespacial local emerge de esta manera como un aspecto de particular importancia en el estudio de la pobreza o, más específicamente, de situaciones de vulnerabilidad social, de los jóvenes, que pueden conducir a la exclusión (Saraví, *op. cit.*).

La gran mayoría de las chicas llevan muchos años viviendo en su colonia, la media es de 12 años y la mediana de 15, por lo que se puede decir que más de la mitad nacieron ahí, sólo 17% lleva menos de 5 años viviendo en su colonia. Con todo y que es el entorno donde han crecido, en casi tres cuartas partes (433) de las adolescentes que encuestamos hay algo que les disgusta de su colonia. Al 8% no les gusta nada, al 34% lo que no les gusta son sus vecinos, como ellas dicen: "el tipo de gente que vive ahí", por lo que no han logrado establecer vínculos de amistad y no se sienten a gusto, y al 15% no les gusta la inseguridad y la violencia. El 12% de las adolescentes han sufrido algún tipo de agresión en su colonia, la gran mayoría es por acoso verbal y psicológico (57%), 22% han sufrido agresiones físicas y 15% agresiones sexuales.

> En las noches es insegura la colonia, a veces pasa que una se acostumbra, aquí ya nos conocen, saben que vivimos ahí y dicen que no nos hagan nada, pero sí me da cosa verlos así, no me gustaría imaginar a alguien cercano a mí así, a veces me gustaría platicar con ellos, por qué lo hacen, pero como que sí me da miedo, y ya en las noches a veces salgo a jugar porque sí se pone muy fuerte eso de que se están drogando aquí afuera, aquí en la esquina... aquí en la colonia sólo se drogan, asaltan y todo más allá del mercado, es demasiada insegura la colonia, me gustaría que le den más seguridad aquí y en todas partes, porque sí se está dando eso de la delincuencia juvenil, porque son jóvenes entre 22 y 25 años (Carmelita, 15 años, Iztapalapa).

La exclusión de ámbitos de institucionalización de la transición a la adultez, como la escuela y el mercado de trabajo, la discriminación social que marca espacios de pertenencia y no pertenencia, la pobreza de recursos que impide acceder al mercado, el hacinamiento y otras deficiencias de las viviendas, sumadas a frecuentes ambientes familiares conflictivos que expulsan a los jóvenes de sus hogares, así como los aspectos de identidad asociados a la calle, son algunos de los factores que nos ayudan a entender lo importante que es la calle para los jóvenes residentes en enclaves de pobreza.

El "mundo de la calle" se ha convertido para los jóvenes de sectores populares en el espacio privilegiado de la socialización. La calle, incluyendo no sólo las veredas y esquinas del barrio sino también las plazas, las canchas, los quioscos y las "tienditas" en las que se vende cerveza, es no sólo un espacio público más importante que para otros sectores sociales, sino el más importante como espacio de encuentro y socialización. Más de la tercera parte (32%) de las adolescentes de la muestra por lo general se reúnen con sus amigas, pero especialmente con sus amigos, en la calle o en espacios abiertos como parques, explanadas, deportivos, etcétera,[7] el 22% en la escuela, el 8% en algún lugar de esparcimiento cerrado, como cines, plazas comerciales y cafeterías, o cuando realizan actividades escolares, como visita a museos, teatros, bibliotecas, etcétera. No obstante, dado que reunirse en la escuela significa compartir no sólo en las clases y en los recreos, sino verse para otras actividades vinculadas a la misma, como los recorridos de ida y venida, sacar fotocopias o compartir materiales bibliográficos, ir a bibliotecas o a realizar alguna actividad extracurricular, como ir al teatro, al cine o realizar actividades colectivas, se puede decir que el 72% de las jóvenes se reúne fuera de casa, en la calle. Sólo el 28% dijo reunirse en su casa o en la de alguna amiga.

La calle, que de alguna manera es el espacio de los excluidos, es el afuera el opuesto al adentro, la libertad preferible a la obligación. Es un complejo de situaciones que se entremezclan, que se enmarañan, que se ignoran, es una multitud de individuos que se cruzan, que se hablan, que callan y se ignoran, pero también que se encuentran, se crean y recrean, se identifican y fortalecen, significa la autonomía y la libertad.

La joven adolescente está con sus pares. Pequeños grupos de iguales, débilmente estructurados, con objetivos comunes. Estar juntos, excitarse juntos, vivir sensaciones fuertes. El reunirse en las esquinas, formar bandas, etcétera, conforma el "espacio del estar entre sí de los adolescentes", cargado de ritualidad, de símbolos y de imaginación. En el caso de las adolescentes de la muestra a la que aplicamos la encuesta, las tres cuartas partes dijeron que en su colonia había una pandilla o banda:

> Salgo a fiestas, me gustan las fiestas, el relajo, casi siempre me junto en la esquina, donde vivo hay una tienda y ahí es donde se juntan mis amigas y amigos y ahí nos sentamos a platicar, o hay veces que nos vamos a otro lado, pero casi siempre nos vemos para platicar (María, 15 años, Xochimilco).

[7] El 28% dice que se reúne en la calle, el 3.3% en parques, el 2.8% en deportivos, el 2.1% en explanadas y el 4.4% en el Centro Histórico.

Cabe hacer la aclaración que cuando se les preguntó a las adolescentes si había alguna banda o pandilla en su colonia, no se les explicó sobre qué tipo de bandas estábamos hablando, así que la respuesta es totalmente subjetiva y depende de la percepción positiva o negativa que tengan las chicas de las bandas. Puede ser un grupo de "chavas y chavos" que se reúne o juega en la calle sanamente, grupos de jóvenes que se reúnen a tomar y a drogarse sin delinquir, y de los que sí delinquen. Lo cierto es que en muchos casos las colonias donde residen coinciden con las 160 colonias identificadas por el gobierno de la ciudad como colonias de alta vulnerabilidad y riesgo para los jóvenes.[8] En el 37% de los casos se trata de pandillas o bandas de hombres, el 62% dijo que eran mixtas y sólo en un caso se habló de una banda de mujeres.

De las chicas encuestadas sólo participan en alguna banda el 9.4% (48). De éstas, el 15% dijo que participaba en la banda porque sus integrantes son buena onda, le agradan, le gusta su compañía y conversación, y el 75% dijo que porque tiene muchas cosas en común con ellos y sobre todo confianza y respeto.

De las restantes 470, el 41% dijo no pertenecer a las bandas porque no le interesa o no le gusta, y sobre todo para evitar problemas, 9% por miedo y 8% porque son infractores sociales (alcohólicos, drogadictos, etc.) e incluso, como ellas dicen, "son delincuentes y muy vagos". El 23% dijo que aunque no pertenece a la banda se lleva con ellos, y de éstas el 40% dice que son agradables, 34% porque tiene amigos o familiares que pertenecen a la banda, y 11% por no tener conflictos con ellos, para sobrellevar las cosas.

Lamentablemente, muchas de estas bandas o grupos de jóvenes inician y se transforman en bandas de delincuentes, fenómeno que cada vez es más recurrente en nuestra ciudad; constantemente nos enteramos a través de los medios de comunicación que adolescentes forman parte de bandas de ladrones, de traficantes e incluso de secuestradores. Muchos jóvenes (antes principalmente hombres y cada vez más mujeres) con tal de ser aceptados entre los chicos de su edad llegan a cometer actos delictivos, consumir drogas e incluso llegan a matar.

Mientras que en el primer semestre de 2001 el ministerio público puso a disposición del Consejo de Menores a 1 629 adolescentes que tenían conflicto con la ley, en el mismo semestre de 2006 la autoridad ya tenía registrados a 2 105 infractores. El delito más común es el robo, el cual constituye el 80% de las acusaciones presentadas. Los robos son cometidos sin violencia y algunos de ellos los realizan para adquirir unos tenis, ropa o alimentos, celulares o dinero. Los delitos sexuales representaron el 4% de los de las faltas cometidas por los adolescentes; el homicidio y el narcotráfico el 3% cada uno, y la portación de arma prohibida el 2%.[9] La policía preventiva remitió a 402 adolescentes por posesión de estupefacientes, 258 por robo de vehículo con violencia, 154 por delitos sexuales, 261 por lesiones y 61 por homicidios.[10]

[8] Se trata de las colonias de donde proviene la mayor parte de los delincuentes que se encuentran recluidos en las cárceles de la ciudad.

[9] *Reforma*, 11 de octubre de 2006, "Aumenta 30% la delincuencia juvenil".

[10] *El Universal*, 11 de febrero de 2006.

Es importante el aumento experimentado por la delincuencia juvenil en los últimos años. Una de las razones por las que la delincuencia alcanza su máxima frecuencia entre la adolescencia media y la final es que, en esta época, muchos jóvenes son capaces de aprender a adaptarse por sí mismos, sin el auxilio de padres o tutores. Aunque la delincuencia continúa ligada a la miseria, su práctica se ha extendido últimamente a los grupos socioeconómicos medios y altos y también entre los adolescentes más jóvenes (8 a 12 años), aunque, según las estadísticas, son más frecuentes entre 15 y 17 años. También existe una diferencia entre sexos en función del tipo y de la gravedad de los delitos cometidos. En las muchachas son más frecuentes los hurtos menores y la prostitución, mientras que entre los muchachos lo son la agresión física, los robos, la alteración del orden, etcétera: "De 5 722 menores de edad consignados en el 2005, 4 811 tenían edades que oscilaban entre los 15 y 17 años, 904 entre los 11 y 14 años, y siete menores de 11 años" (*Reforma*, 10 de febrero de 2006).

La violencia se asocia con las adicciones, y desde la perspectiva del 37% de las chicas encuestadas es el principal problema que aqueja a la juventud. El consumo de marihuana y cocaína entre estudiantes de educación media y media superior en el Distrito Federal se ha incrementado en los últimos años; los jóvenes de entre 12 y 17 años son el sector más vulnerable:

> El doctor Villatoro señaló que en el caso de la marihuana, de 1997 a 2000 aumentó el consumo de 5 a 5.8%, y la cocaína pasó de 1.6% en 1993, a 5.2% en 2000. En cuanto a la frecuencia con que los adolescentes beben alcohol, destacó que uno de cada cinco, de entre 12 y 17 años, hacen un uso excesivo –cinco copas o más por ocasión– una vez al mes; sin embargo, a pesar del riesgo que implican estos hábitos, este tipo de bebedores no solicita ayuda profesional. Apuntó que los lugares donde acostumbra beber este sector de la población son principalmente fiestas (58%) y discotecas (23%); le siguen la casa (18%), restaurante-bar (13%), estacionamientos públicos (4%) y la escuela (2%). Dijo que esto es problemático, ya que las cifras permiten ver cómo los centros de diversión donde supuestamente se prohíbe la entrada a menores son frecuentados por jóvenes que son menores de edad (Villatoro, 2001).

Uno de los factores que más consistentemente se ha asociado con el consumo de drogas es la disponibilidad: cada vez más jóvenes experimentan con drogas por tenerlas disponibles en su medio, de hecho los datos de la escuela señalaron que a 35% de los adolescentes les era fácil obtener drogas y que el riesgo de experimentar con ellas se incrementaba 1.89 veces cuando esto ocurría (Medina Mora, 2003: 524), como últimamente se ha debatido y lo demuestra el gran problema del narcomenudeo que se da en las colonias y en especial en el entorno inmediato de las escuelas públicas o privadas.

El principal vector para el consumo de drogas son los amigos. El 47% de las adolescentes dijo tener algún amigo (55%) o amiga (17%) con problemas de alcoholismo, 17% reconoció también que ella los tiene. Respecto a la drogadicción, el 35% dijo tener a un amigo (70%), amiga (13%), o ambos (11%), y el 8% reconoció consumir droga.

CONSIDERACIONES FINALES

Las jóvenes de 14 a 19 años en el Distrito Federal afrontan circunstancias difíciles. Por un lado, los cambios y las problemáticas mismas que implica vivir la adolescencia, las exigencias sociales y los estigmas culturales asignados a esa etapa de la vida; y por el otro lado, se le suman las dificultades crecientes de un país y de una ciudad que busca salir adelante a pesar de los pesares.

Todo lo hasta aquí descrito genera violencia y un sentimiento de inseguridad y de indefensión que lastima y deprime a las adolescentes. La violencia genera violencia, es decir, los y las adolescentes que viven en un contexto generador de violencia son susceptibles de producir más violencia, en especial porque se sienten agredidos por las mismas instituciones. Coincido con Arturo Chávez[11] en que:

> Si analizamos la sociedad contemporánea, la actitud solidaria de ayer se perdió con el crecimiento de las ciudades; ahora hay un ambiente de violencia que se inicia con el Estado y culmina en la familia, donde el niño o el adolescente que lo vive lo reproduce en la escuela o el barrio. México tiene una juventud acorralada, con violencia familiar, deserción escolar, desempleo, dificultad para acceder a la cultura y recreación. Los estudiantes de las escuelas públicas de educación básica y media superior conviven de manera cotidiana con la ilegalidad, la corrupción, la inseguridad y la violencia como una situación de normalidad. Aunque esta problemática muchas veces no es percibida por los adolescentes, sí les genera sentimientos de malestar e inseguridad.

A partir de la condición de las mujeres adolescentes participantes en la investigación, se pudo constatar que viven en situación de violencia constante por la sociedad y la cultura patriarcales debido solamente a que pertenecen al género femenino, por el hecho de ser mujeres ya se les discrimina para el acceso a la educación y se les confina al ámbito doméstico, siempre bajo el tutelaje de algún varón, que puede ser el padre, el hermano, o, en su defecto, los hijos, quienes asumen una "debilidad intrínseca" de las mujeres, actitud que permea el trato de que son objeto. La violencia contra las mujeres es de distinta índole y adquiere diferentes manifestaciones de acuerdo con quien la ejerce, contra qué tipo de mujer y la circunstancia en la que ocurre; en el caso de este grupo de mujeres podemos detectar la violencia del sojuzgamiento económico, de la imposición de decisiones, del engaño, de la infidelidad y del abandono, fenómenos de la subjetividad individual o social que contribuyen a la perduración de la violencia avalados por mitos y creencias provenientes de una ideología patriarcal que aún está vigente.

En definitiva, violencia e inseguridad pública, exclusión juvenil y hueco normativo son, pues, tres elementos estrechamente vinculados en términos de explicación racional, pero los mismos no figuran como corresponde al momento de diseñar

[11] Palabras del sociólogo Arturo Chávez López, de la UNAM, en una entrevista publicada por la revista *Vértigo* el 7 de junio de 2004.

respuestas pertinentes y oportunas desde las políticas públicas. Asunto que urge atender.

BIBLIOGRAFÍA

Bourdieu, Pierre, s.f., *La distinción. Criterios y bases sociales del gusto,* México, Taurus.

Comisión Económica para América Latina y el Caribe, 2004, *Entender la pobreza desde la perspectiva de género,* serie Mujer y desarrollo, núm. 52, enero, Santiago de Chile.

Fize, Michel, 2001, *¿Adolescencia en crisis? Por el derecho al reconocimiento social,* Buenos Aires, Siglo XXI.

Guelar, Diana y Rosina Crispo, 2001, *Adolescencia y trastornos del comer,* Barcelona, Gedisa.

Instituto Nacional de Estadística, Geografía e Informática, 2001, Encuesta Nacional de la Juventud, 2000, México, INEGI-Instituto Mexicano de la Juventud.

—, 2001, *Tabulados básicos. Distrito Federal. XII Censo General de Población y Vivienda,* 2000, México, INEGI.

—, 2003, *Estadísticas a propósito del día internacional para la eliminación de la violencia contra las mujeres,* México, INEGI.

Instituto de las Mujeres del Distrito Federal. <http./:www.inmujer.df.gob.mx>

Izquierdo M., Ciriac, 1999, *Sociedad violenta. Un reto para todos,* Madrid, San Pablo.

Jiménez Ornelas, René Alejandro, 2005, "La delincuencia juvenil: Fenómeno de la sociedad actual", en *Papeles de Población,* núm. 43, México, CIEAP/UAEM.

Loredo Abdalá, A., 2004, "Maltrato físico", en *Maltrato en niños y adolescentes,* México, Mc Graw Hill.

Medina, Gabriel, 2000, "La vida se vive en todos lados. La apropiación de la juventud de los espacios institucionales", en Gabriel Medina (comp.), *Aproximaciones a la diversidad juvenil,* México, El Colegio de México.

—, 1998, "Adolescencia y salud en México, 1985-1997, un estado del arte", en *Desarrollo Humano Adolescente,* FLACSO, México. <http/www.sexualidajoven.el/estudios/est_Medina_AdolescenciaySaludEn Mexico.htm>

Medina Mora, M.E. *et al.*, 2003, "Consumo de drogas entre adolescentes: resultados de la Encuesta Nacional de Adicciones, 1998", en *Salud Pública de México,* 45, supl. 1.

Narotzki, Susan, 1995, *Mujer, mujeres, género. Una aproximación crítica al estudio de las mujeres en las ciencias sociales,* Madrid, CSIC.

Olamendi, Patricia, 2004, "Entorno jurídico de las víctimas del maltrato al menor en México", en A. Loredo (ed.), *Maltrato en niños y adolescentes,* México.

Piñuel y Oñate, 2007, *Mobbing escolar: Violencia y acoso psicológico contra los niños,* España, CEAC.

Saraví, Gonzalo A., 2004, "Segregación urbana y espacio público. Los jóvenes en enclaves de pobreza estructural", en *Revista de la CEPAL,* 83, Chile.

Sosa E., Raquel, 2002, "Violencia social, violencia familiar. Lo público y lo privado", en *Violencia familiar en el Distrito Federal,* México, UACM/Equidad y Desarrollo, GDF.

Thompson, John, 1998, *Los medios y la modernidad. Una teoría de los medios de comunicación,* España, Paidós.

—, 1993, *Ideología y cultura modernas,* México, UAM-Xochimilco.

Villatoro, Jorge, 2001, "Dramático aumento en el consumo de drogas entre jóvenes", conferencia presentada en el III Coloquio Internacional sobre Prevención y Tratamientos de Conductas Adictivas", Facultad de Medicina, México, UNAM.

SEGREGACIÓN Y MODELO HABITACIONAL EN GRANDES CONJUNTOS DE VIVIENDA EN MÉXICO

GUILLERMO BOILS MORALES*

INTRODUCCIÓN

En estas páginas me ocupo de los principales aspectos conceptuales asociados a los grandes conjuntos habitacionales que en los últimos tiempos se han venido desplegando en muchas ciudades de nuestro país. Ante todo, me centro en algunas de las características espaciales que tienden a generalizarse en dicho modelo, así como en el examen de las implicaciones urbanas que lo acompañan. Empero, el eje principal en torno del cual desarrollé este texto se refiere a los diversos efectos sociales que derivan de esa modalidad habitacional. En este afán, me detengo, hasta cierto punto, en la reflexión acerca de los antecedentes históricos en los que, en buena medida, se ha cimentado el modelo. De manera particular me ocupo de aquellos que marcan formas de segregación espacial, las que, al paso del tiempo, pueden derivar en conflictos sociales.

La otra idea vertebral que anima este texto es la relativa a la exclusión en la que se coloca a muy amplios sectores sociales, y que está contenida en las modalidades de financiamiento crediticio de los actuales programas de vivienda. Me detengo en el examen de esa forma de exclusión para la mayoría de las familias con más limitaciones económicas para hacerse de una vivienda, y que para la abrumadora mayoría de los sectores sociales subalternos se expresa en la verdadera imposibilidad de acceder a las líneas de crédito para la adquisición de ese bien. En especial analizo ese asunto en relación con los grandes conjuntos contemporáneos de nuestro país, atendiendo a los criterios con que operan las empresas privadas, llamadas desarrolladoras de vivienda, encargadas de su diseño, construcción y comercialización.

ACTUALIDAD DE LOS GRANDES CONJUNTOS

Estos grandes conjuntos se han desplegado por muchas localidades del territorio nacional, sobre todo en las principales aglomeraciones del mismo. Su vigoroso despliegue se liga a nuevas líneas de política habitacional que han impulsado los últimos gobiernos y que se han traducido en un incremento sin precedentes en el volumen de viviendas producidas durante los años recientes. Más allá de las

* Instituto de Investigaciones Sociales y Facultad de Arquitectura de la UNAM.

estadísticas, que responden a objetivos de índole programática, con una cuota importante de intencionalidad política, están por lo menos dos circunstancias: la primera atiende al enorme negocio, de muy alta rentabilidad, que están haciendo las empresas desarrolladoras privadas con tan vasto programa de edificación habitacional, financiado con los fondos de los organismos estatales. La segunda se sitúa en las características que encierran esos grandes conjuntos y sus consecuencias sociales y culturales para quienes los habitan, así como para las ciudades y regiones donde se han sembrado.

Un primer elemento a destacar aquí es la ubicación de esos conjuntos. En efecto, la mayoría de los nuevos grandes desarrollos habitacionales de ese tipo se han fincado en las periferias de las ciudades. Algunos de ellos a distancias que bien pueden rebasar los 40 kilómetros de la ciudad central. En especial, esto ocurre en el caso de los que se sitúan en varios municipios del Estado de México, que forman parte de la Zona Metropolitana de la Ciudad de México (ZMCM), por ejemplo en Tecámac y Zumpango, pero también se encuentran a varias decenas de kilómetros de la capital del estado de Nuevo León, así como a más de 20 kilómetros al sur de la capital morelense. Lo cierto es que, en general, son construidos ahí donde los desarrolladores privados encuentran suelo barato, lo que les permite reducir sus costos por ese concepto, y les da mayores márgenes de utilidad en la comercialización de las casas.

Bien sabemos que la localización de cualquier conjunto habitacional determina, en gran medida, su éxito o su fracaso. No está de más recordar cómo fracasaron muchos conjuntos de vivienda pública con torres multifamiliares en diferentes centros urbanos de Estados Unidos. Edificados en los años cincuenta y sesenta del siglo XX, no funcionaron porque se ubicaban en predios situados dentro de las zonas deprimidas de las ciudades. Esos verdaderos guetos de pobreza y de exclusión socioeconómica, donde suelen campear la delincuencia y el resentimiento social, en muy pocos años evidenciaron la falta de previsión de los arquitectos y planificadores (Macsai, 1984: 21).

Así, para la primera mitad de los setenta, buena parte de esos conjuntos fueron demolidos. Del mismo modo, las grandes unidades de vivienda en las periferias *(banlieues)* de las ciudades francesas se convirtieron en espacios de confinamiento y segregación para, ahí sí, albergar a los sectores más carentes de aquella nación europea y, por lo mismo, para ser los principales escenarios de muchas rebeliones juveniles, en especial la de octubre-noviembre de 2005 (Boils, 2006b: 85-105).

Además, al desplegarse dichos proyectos habitacionales en sitios muy distantes de los límites urbanos de las ciudades a las que se adscriben, sus moradores se ven obligados a trasladarse a través de vehículos particulares o colectivos, y con frecuencia se depende de ellos hasta para moverse dentro de la propia unidad habitacional. El grave inconveniente que ello supone para la mayoría de estas grandes unidades de casas es que cuando se edifican no se llevan a cabo nuevas obras viales de acceso, ni se procede a la ampliación y mejoramiento de las ya existentes, para dar fluidez al desplazamiento de sus habitantes. En tales condiciones, en muy poco tiempo las vías de circulación existentes que conectan esos megaconjuntos quedan saturadas.

Esto lleva a que los pobladores de los mismos tengan que administrar su tiempo de recorrido, hacia y desde sus destinos en las ciudades, teniendo que considerar a veces más de dos horas de ida y otras tantas de regreso, con lo que en un lapso muy breve, después de que empiezan a poblarse las unidades, la circulación de vehículos se torna por demás lenta, hasta en domingos y días feriados (Maya, 2005: 103).

EN QUÉ CONSISTE EL MODELO

Una de las características dominantes en el desarrollo de grandes conjuntos habitacionales ha sido la implantación de fórmulas estandarizadas en el diseño y la producción de vivienda. Así, ésta se proyecta y edifica conforme a un prototipo único, o casi único, de espacio. Asimismo, se realiza acudiendo a características constructivas uniformes, o casi sin modificaciones. Estas mismas se reproducen de manera repetitiva y en gran escala, alcanzando dimensiones en verdad masivas. De esa forma, el esquema compositivo de las casas se aplica prácticamente sin variación alguna, implantándolas en un predio que se extiende a través de muchas hectáreas de superficie. En muchos casos esos segmentos territoriales donde se erigen las grandes unidades llegan a comprender varios miles y hasta decenas de miles de viviendas, que en lo esencial son todas iguales.

Sin embargo, a fin de que esa repetición no sea tan evidente, las empresas desarrolladoras han realizado algunas acciones de diseño y construcción que buscan aparentar una cierta diversidad de imagen. En ese orden de ideas, buscando romper la monotonía, aplican modificaciones secundarias en las fachadas de las secciones de los grandes conjuntos, así como cambios de color exterior y, por supuesto, algunas variaciones en el tamaño, aunque estas últimas se ejecutan de conformidad con el precio, en una progresión directa. En realidad las modalidades que el patrón edificatorio de los grandes conjuntos ha asumido en el México de finales del siglo XX e inicios del XXI, han buscado ofrecer algunas variantes que lo hagan atractivo a los ojos de los usuarios potenciales. Empero, en un tiempo muy breve este modelo uniformizado propicia sobre sus habitantes una creciente pérdida de identidad frente al espacio, tanto del conjunto como de sus propias viviendas.

Otra característica fundamental de esas unidades habitacionales consiste en el descomunal número de viviendas que las integran. En efecto, se trata de conjuntos constituidos por miles y hasta decenas de miles de viviendas en un solo complejo habitacional. Ciertamente, este género de conjuntos grandes no se desarrolló por primera vez en los últimos años y tiene antecedentes en los realizados por el Estado mexicano entre los años cincuenta y ochenta del siglo XX. Sólo que aquéllos, como fueron El Rosario o Tlatelolco en la ciudad de México, o El Coloso en Acapulco, por señalar sólo algunos ejemplos, estaban dentro del tejido citadino, o adyacentes a éste. Pero sobre todo, aun siendo unidades constituidas por miles de casas ciertamente, su edificación era esporádica, además de ser ejecutada de manera directa por los fondos de vivienda del Estado, como se hizo hasta finales de los años oche ta (Pardo y Velasco, 2006: 59). A lo que se añade el que sólo un puñado de es grandes unidades llegara a constituirse por miles de casas. Mientras que los actual desarrollos de megaconjuntos suman decenas cada año y están en las proximidad de todas las principales aglomeraciones urbanas del país.

EL ANTECEDENTE CONCEPTUAL DEL MODELO

Uno de los fundamentos conceptuales y de diseño que están en el centro de es modelo habitacional se remonta a las primeras décadas del siglo XX. En efect buena parte de las propuestas básicas que sostienen el patrón de dicha modalida habitacional fueron planteadas, ante todo, por uno de los pilares de la arquitect ra y el urbanismo modernos: Charles Edouard Janneret, más conocido como L Corbusier. Este talentoso diseñador y teórico franco-suizo trazó algunas de las tes primordiales en las que se habría de cimentar la modernidad habitacional y urb no-arquitectónica en general. Veamos algunas de ellas a fin de situar los supuest que están detrás de los grandes conjuntos habitacionales de los últimos tiempos e México.

En realidad, el componente lecorbusiano que está más presente en la acció constructiva desplegada por los desarrolladores habitacionales del México conten poráneo es el de la producción industrial de las casas. El concepto de la casa com una "máquina de vivir", formulado por el urbanista de la modernidad al inicio d siglo XX, suponía que las viviendas se produjeran en serie, de manera similar a producción de otros objetos elaborados en las plantas industriales. El criterio pr mordial que animaba la idea de ese esquema productivo habitacional estaba en necesidad de abatir los costos de construcción. Una motivación vertebral de los d sarrolladores mexicanos actuales se orienta hacia la lógica de incrementar sus má genes de ganancia a partir de la reducción de los costos. Por lo tanto, al disminu dichos costos mediante la producción de vivienda en gran escala, consiguen abat considerablemente los recursos financieros requeridos para su producción.

Rigurosamente hablando, el esquema lecorbusiano se cumplía en términ más ortodoxos en los conjuntos multifamiliares de Mario Pani y otros arquitect mexicanos de mediados del siglo XX. Así, conjuntos como el Multifamiliar Migu Alemán, la Unidad Independencia, la Villa Olímpica o Nonoalco-Tlatelolco, p señalar sólo algunos, se inscriben de manera más cabal dentro de los lineamient de las propuestas del mencionado autor europeo. A saber: viviendas de depart mentos situadas en edificios con alturas de más de diez niveles y descansando sob columnas a modo de pilotes para dejar la planta libre; circulaciones vehiculares s paradas de las peatonales, envolviendo grandes manzanas donde están los edificio equipamientos urbanos dentro de las supermanzanas para evitar lo más posible qu los habitantes tengan que desplazarse fuera de éstas; pero sobre todo, aumentar l ensidad en la ocupación del terreno, elevando los edificios en varios pisos a fin de esarrollar en cada uno de ellos decenas de viviendas, de donde deriva su designaón como espacios multifamiliares.

Empero, las características de los desarrollos urbano arquitectónicos en los reentes grandes conjuntos de nuestro país están muy lejos de lo señalado en el páafo anterior. Esto es, se trata en el caso mexicano de vivienda unifamiliar, así como íplex, tríplex y cuádruplex, abarcando estas últimas la tipología más recurrente. or lo general son construcciones de dos plantas, correspondiendo a viviendas difentes para cada nivel. La forma que adoptan estos grandes desarrollos tiende a sigficarse por su horizontalidad, desplegándose a través de fórmulas de ocupación rritorial de baja densidad. Esto determina que la superficie de cada conjunto, con entos, miles y hasta decenas de miles de casas, se extienda en forma co nsiderable, barcando decenas de hectáreas. Conforme a este modelo, se van erigiendo múltiles desarrollos habitacionales fincados sobre inmensas extensiones de suelo, que asta poco antes de la edificación de las viviendas estaba casi siempre ocupado por ctividades agropecuarias.

En concordancia con lo anterior, el crecimiento físico de las ciudades medias y ayores del país se desenvuelve de manera no planificada. Por ello mismo la exansión del territorio citadino, o en todo caso suburbano, se incrementa a un ritmo or demás acelerado. Asimismo, su despliegue se torna caótico y está marcado por n sinnúmero de carencias, sobre todo por el incremento en la demanda de agua y nergía en municipios cuya oferta de ambos era de por sí incipiente. Con frecuencia sto acarrea serias consecuencias en términos de las necesidades de abastecimiento ara las comunidades ya existentes en las proximidades de los nuevos megadesarroos. Del mismo modo, en unos cuantos meses se incrementa el volumen de residuos ólidos, rebasando las posibilidades existentes de los depósitos municipales y a veces mbién la capacidad de recolección de esos excedentes por los servicios de limpia ocales. En el mismo sentido, se multiplica la descarga de aguas residuales, la que on frecuencia termina saturando los conductos de drenaje. Estos efectos se dejan entir sobre todo más allá de los límites de los propios conjuntos habitacionales, los ue se realizan dotándolos de la red necesaria, pero en ocasiones sin considerar el npacto de las descargas sobre los colectores municipales.

En suma, las propuestas de racionalidad urbana contenidas en los afanes de la odernidad delineada por Le Corbusier han sido pasadas por alto en la gran mayoa de los grandes conjuntos habitacionales de reciente edificación en México.

Se cimienta su realización en algunos principios de aquella modernidad, sobre odo en lo relativo a los esquemas de producción industrializada de las casas dentro e los conjuntos. Se logra, asimismo, abatir el tiempo de ejecución de las unidades abitacionales, muchas de las cuales quedan concluidas en un tiempo en verdad écord conforme a los estándares de la producción de vivienda en nuestro país. mpero, no se atienden muchos de los principios urbanísticos que incluía el moelo definido por aquel diseñador europeo, profundamente comprometido con la nejor calidad de vida en las ciudades.

DE LA REDUCCIÓN DE COSTOS A LA MAXIMIZACIÓN DE GANANCIAS

Otro aspecto que marca una profunda diferencia entre la propuesta de Le Co busier y los actuales desarrolladores de los megaconjuntos habitacionales mexic nos se halla en la idea que está detrás de la producción industrial de casas. Así, criterio de vivienda producida en serie que proponía aquel diseñador buscaba reducción de costos a fin de abaratar el acceso a la vivienda para los sectores d bajo poder adquisitivo. Mientras que para los actuales desarrolladores el sentid fundamental que rige su participación como constructores a escala masiva apun hacia la maximización de sus ganancias. En este orden de ideas, los desarrollador se mueven en la lógica de que abatir costos tiene como resultado el incremento e las utilidades de sus empresas.

La disyuntiva anterior no es, en principio, necesariamente contradictoria. S pueden hacer espacios con menor costo unitario y, al mismo tiempo, ampliar lo márgenes de ganancia que obtienen los promotores de los conjuntos. Pero es ev dente que en el esquema imperante hoy día en las empresas promotoras de vivie da mexicanas el impulso casi exclusivo de su desempeño apunta a las creciente ganancias. Por lo mismo no es de sorprender que muchas de las grandes desarr lladoras de vivienda se cotizan como algunas de las empresas más exitosas en mercado bursátil del país. Así, llegan a alcanzar en la Bolsa Mexicana de Valor incrementos anuales de hasta el 70%, como ocurrió a lo largo de 2004 con el grup Brasa Desarrollos (Feyke Tycho de Jong, 2005).

Más aún, el principal accionista de la desarrolladora URBI, una de las de mayo actividad en la edificación de casas, fue reconocido como "empresario del año" po la revista *Expansión*. Precisamente el año 2004 había sido declarado oficialment como "Año de la Vivienda", por lo que tal designación a ese empresario por s capacidad para convertirse en "el mayor creador de valor en el sector"[1] revistió un singular importancia. Además, ello pone en evidencia, de manera fehaciente, qu el de la vivienda es en la actualidad uno de los negocios más lucrativos que hay e México.

Volviendo a Le Corbusier, en éste siempre estuvo presente un profundo sentid de compromiso social. Su afán principal apuntaba hacia la satisfacción de las nec sidades de habitación para las mayorías en las sociedades de su tiempo. La lógic mercantil no animaba, en absoluto, sus inquietudes como diseñador de viviend edificada en serie, dentro de grandes conjuntos. Por el contrario, la acción habit cional de los desarrolladores privados se sitúa, ante todo, dentro de los definido márgenes de la lógica de mercado. En la propuesta lecorbusiana prevalecía la in quietud por hacer más habitables las ciudades, asunto que dista mucho de esta presente en los propósitos de estos últimos.

De igual forma, existen marcadas diferencias entre los actuales desarrollos h bitacionales mexicanos respecto del referente lecorbusiano, como es la persistent

[1] Editorial de la revista *Expansión* del 19 de enero de 2005, p. 14.

horizontalidad que impera en los grandes conjuntos contemporáneos, mientras que en la lógica del destacado diseñador del siglo XX estaba la realización de edificios en altura con el fin de densificar el uso del terreno. Con ello buscaba el aprovechamiento más concentrado del espacio urbano, de manera que esto se tradujera en un menor desplazamiento de los habitantes de esos conjuntos. Al mismo tiempo, su planteamiento implicaba también aprovechar la infraestructura ya existente dentro de las ciudades. En la misma dirección, se preocupó por asegurar que las unidades contaran con fácil acceso al equipamiento urbano, de modo que si éste era insuficiente, o no existía, en la planeación de los conjuntos debería considerarse su inclusión.

Por último, y en ese mismo sentido de las diferencias entre el modelo lecorbusiano y el que han implantado las empresas desarrolladoras en México hoy, está el relativo a las dimensiones de las viviendas. Para el arquitecto urbanista franco- suizo la vivienda debería cubrir un espacio en el que se pudieran desarrollar a plenitud las actividades de una familia con cinco miembros, en promedio. Nunca especificó de manera precisa cuál sería la superficie requerida para satisfacer ese propósito. Aunque en sus proyectos de conjuntos habitacionales, así como en las unidades habitacionales que realizó, las viviendas siempre estuvieron por encima de los 60 metros cuadrados. Veamos en seguida qué está ocurriendo al respecto en los conjuntos proyectados en el México de los últimos años.

LA VIVIENDA MÍNIMA MEXICANA, O EL MÍNIMO DE VIVIENDA

Un asunto de capital importancia es el que atiende a las dimensiones de las casas dentro de los recientes grandes conjuntos habitacionales mexicanos. Así, vemos que se desarrollan en superficies que promedian los 35 metros cuadrados, incluyendo el área correspondiente a muros e indivisos. La idea que se propone como fundamento para esa reducida extensión del territorio doméstico familiar descansa en el concepto de "vivienda mínima". Éste sostiene que la superficie requerida para desplegar las actividades cotidianas de una familia integrada por cuatro miembros en promedio puede resolverse en una superficie que contenga un mínimo de 30 metros cuadrados. La solución de diseño y el reto para quienes la proyectan consiste precisamente en cubrir los espacios básicos, requeridos en ese número de metros cuadrados para cada casa.

En esa misma lógica, de las dimensiones mínimas requeridas, los promotores de los grandes conjuntos sostienen que al lograr superficies promedio de 35 metros cuadrados están cubriendo de manera sobrada o, cuando menos, suficiente, las necesidades espaciales de las familias usuarias. Empero, más allá de lo cuestionable que resulta esa extensión superficial como tamaño en verdad satisfactorio para una habitabilidad cuantitativamente adecuada, está el hecho de que con suma frecuencia las viviendas erigidas por esos desarrolladores privados no alcanzan a cubrir una extensión mayor de los 25 metros cuadrados. Claro que al promediar éstas con las viviendas que sobrepasan los 40 metros cuadrados, algunas incluso cubriendo áreas cercanas a los 50 metros cuadrados, el promedio se ubica en mayor número de metros cuadrados.

Llama la atención el hecho de que, vistas desde afuera, las casas se muestran más grandes de lo que son en realidad. Aquí, de nueva cuenta, entra el trabajo de los diseñadores arquitectónicos, quienes proyectan las fachadas de cuatro viviendas en dos plantas integrándolas, a fin de aparentar que se trata de una sola de mayor tamaño. Así, cuando el frente de cada casa apenas alcanza los 5 metros lineales, al sumarse con la que viene aparejada en el mismo nivel aparenta ser de 10 metros. De la misma manera, al resolver un diseño de fachada que envuelve a las otras dos casas del segundo nivel, la fachada se muestra con doble altura y proyecta la imagen de viviendas cuatro veces más grandes de lo que son en realidad.

Una última mirada la dirijo hacia los materiales de construcción con los que se están erigiendo las viviendas en los grandes conjuntos. En la búsqueda de abaratar los costos, las empresas tienden a realizar sus edificaciones echando mano de componentes constructivos que están lejos de ser los de mayor resistencia y durabilidad. Si bien las estructuras generalmente se resuelven a través del concreto armado, muchos de los demás insumos materiales empleados en la construcción no pueden ser considerados, ni remotamente, como los de mayor solidez y calidad. De ahí que no resulte exagerado admitir que "aumenta la proporción de viviendas con materiales de menor calidad en cada uno de sus componentes". Lo cierto es que para poder hacer una evaluación con mayor fundamento acerca de los materiales y sistemas constructivos empleados en la producción de las viviendas, habrá que esperar a ver cómo se comportan una vez transcurridos algunos años de su edificación. Aun así, es frecuente que nos enfrentemos con unidades habitacionales en las que las casas ya se muestran viejas desde las primeras semanas siguientes a su inauguración. Pero esto es más bien localizado, habida cuenta de que las empresas buscan siempre mostrar una imagen de limpieza y calidad en los acabados de sus casas recién terminadas, sobre todo en la medida en que de ello depende también el que éstas resulten atractivas para los potenciales compradores.

NECESIDADES Y MERCADO DE LA VIVIENDA EN MÉXICO

Si hay algo en lo que, a grandes rasgos, coinciden analistas, arquitectos, funcionarios y empresas constructoras, es en la consideración respecto del elevado déficit habitacional que confronta nuestro país. Cuando menos, se requiere levantar un volumen de 10 millones de viviendas nuevas para los próximos diez años (hasta el 2016). Algunos especialistas estiman que ese número podría elevarse al doble para el referido periodo, a fin de dar satisfacción a las necesidades habitacionales que se generarán hasta el año referido. Si la proyección la extendemos hasta 2030, algunas estimaciones en torno de la necesidad de ampliación del parque habitacional para todo el país plantean parámetros de entre 20.5 y 23 millones de casas. Esta estimación se formula, tomando como referente el total de viviendas registradas por el censo del año 2000 (Flores y Ponce, 2006).

Pero quedémonos con la cifra inicial de 10 millones de viviendas que se requerirá construir durante el periodo 2006-2016. Veamos entonces cómo podría comportarse esa estimación a la luz de los precios del mercado habitacional propios de los grandes conjuntos y del poder adquisitivo de las familias mexicanas en la actualidad. Así tenemos que, para poder acceder a los llamados "cajones de crédito" para adquirir una de las viviendas de menor precio, los ingresos familiares necesarios que se deben demostrar comprenden cuatro salarios mínimos mensuales. Aquí tenemos un primer factor limitante que se explorará más adelante: el bajo poder adquisitivo de la gran mayoría de la población mexicana. En ese orden de ideas, es muy probable que menos del 30% de las viviendas podrían ser construidas y ofertadas en el mercado conforme al modelo vigente. De esa proporción, poco menos de dos tercios (alrededor de 1.9 millones) se harían dentro del esquema de grandes conjuntos y tendrían demanda real.

Por supuesto que si aumentara el ingreso familiar de los sectores sociales subalternos en los próximos años, este escenario podría reconfigurarse. De no ser así, para poder tener acceso a viviendas producidas y financiadas dentro del sector formal de la economía, éstas tendrían que bajar de precio. Del mismo modo en que también tendrían que hacerlo las condiciones de solvencia crediticia de acuerdo con los ingresos familiares. Lo cierto es que estas dos últimas condiciones se antojan por demás imposibles de cumplirse, por lo que es de esperarse que un amplio número de familias seguirán resolviendo su necesidad de vivienda a través de mecanismos ajenos al mercado formal y, en especial, de la oferta proporcionada por los desarrolladores.

Y es que aquellos grupos familiares que se hallan situados por debajo del rango referido de cuatro salarios mínimos, no califican como sujetos de crédito con la solvencia requerida por las empresas desarrolladoras, con lo que aflora la principal paradoja del modelo crediticio vigente: quienes están más necesitados de un espacio para vivir son los que menos ingresos tienen, sólo que, por ello mismo, no pueden ser considerados como sujetos de crédito habitacional por las sociedades de financiamiento privado (Sofoles), que se han convertido en entidades administradoras de los créditos, en su mayoría proporcionados por los fondos estatales de vivienda del gobierno federal (Infonavit; Fonhapo, Fovissste y Fovi), además de los existentes en los gobiernos de una buena parte de las entidades federativas del país.

USUARIOS Y ESQUEMA DE CRÉDITO EXCLUYENTE EN EL MODELO

Señalé en la introducción que quienes adquieren viviendas en los nuevos conjuntos no provienen de sectores sociales que se encuentren dentro de la línea de pobreza.

Si se les ve desde la perspectiva de sus niveles de ingreso, son familias que, incluso las que se sitúan en el umbral más bajo, obtienen por encima de los cinco salarios mínimos mensuales. Más aún, un número no tan pequeño de esas familias percibe ingresos por encima de los diez salarios mínimos al mes. En último término, las percepciones promedio de los grupos familiares que habitan los grandes conjuntos erigidos entre 2001 y 2006 se encuentran ligeramente por encima de los 7.5 salarios mínimos de ingreso familiar. Vale decir que, en todos los casos, se colocan por encima del umbral de pobreza.

Por consiguiente, los usuarios que ahí viven no pertenecen a las amplias capas sociales que están más urgidas de tener una casa. Los que forman parte de éstas, tanto por sus ingresos como por su inserción en gran medida dentro del mercado de trabajo informal, se encuentran fuera de toda posibilidad de ser sujetos de crédito. A pesar de que una buena parte de los que están ocupados dentro del sector formal, y que por lo tanto cotizan al Infonavit o al Fovissste, no poseen el nivel de solvencia requerido por los esquemas crediticios. Por lo mismo, no cubren las exigencias para entrar en el cajón de crédito que les permita ingresar al programa.

La urbanización de la pobreza es un proceso de carácter global, al que en manera alguna escapa la sociedad mexicana contemporánea. Sólo que en nuestro país las manifestaciones de la exclusión espacial se extienden más allá de los sectores sociales subalternos. La búsqueda de suelo barato para desarrollar conjuntos de gran tamaño lleva a las empresas involucradas, como vimos, a adquirir grandes predios en zonas cada vez más alejadas de las ciudades, lo cual deriva en la gestación de nuevos asentamientos, apartados de diversos servicios y equipamientos, y que a su vez se traduce en una dosis variable de exclusión para las familias ahí alojadas. Así, por ejemplo, son frecuentes las condiciones de exclusión de acceso a los equipamientos culturales, a las instalaciones hospitalarias y de educación media superior o superior, en una buena porción de los nuevos desarrollos habitacionales.

Asimismo, cabe formular una reflexión en torno de la ecuación pobreza igual a exclusión social. Ésta, sin lugar a dudas, rige en la gran mayoría de las circunstancias. Aun así, hay otras formas de exclusión, en particular algunas que atañen al espacio físico vital, y donde quienes las padecen también pueden encontrarse en otros segmentos sociales que no forman parte del amplio territorio de la pobreza. Como expongo líneas adelante, la segregación espacial en la que se desenvuelven los habitantes de los grandes conjuntos, deviene en una real forma de exclusión, además de que constituye una suerte de privación por las limitaciones de traslado, así como la carencia o limitaciones de servicios y equipamiento urbanos, que confrontan los habitantes de esos grandes conglomerados de casas. A todo ello, finalmente, se agrega el reducido tamaño en el espacio de las viviendas que conforman los grandes conjuntos del México contemporáneo.

VIVIENDA, EXCLUSIÓN Y CONFLICTO SOCIAL

Al estudiar las modalidades que asumió la vivienda en grandes conjuntos habitacionales de la periferia (*banlieue*) de las ciudades francesas, me concentré en los aspectos excluyentes que ésta suponía (Boils, 2006b: 87); por lo mismo exploré el potencial de violencia social que esta forma de asentamientos habitacionales contribuía a propiciar y que ha mostrado su potencial explosivo, sobre todo entre los jóvenes que ahí habitan. La estrechez de los espacios de cada vivienda, así como su localización, generalmente la más alejada de las áreas centrales de las ciudades; la deficiencia, muchas veces carencia, de servicios, y el deterioro de los equipamientos urbanos, al igual que otros fenómenos asociados a los señalados, conforman un panorama habitacional de pésima calidad, marcado por el signo de la segregación espacial.

Como vimos antes, en nuestro país las dimensiones de las viviendas producidas por las empresas desarrolladoras en estos primeros años del siglo XXI ya se están situando en los 25 metros cuadrados de superficie que tienen las casas en muchas unidades habitacionales de Francia. El inevitable hacinamiento que supone vivir en tales condiciones de estrechez genera incomodidad y malestar a quienes las habitan. Esto suele no derivar en conflictos de envergadura social durante los primeros años de vida de las casas en los grandes conjuntos, toda vez que los ocupantes tienden a mantener una suerte de "luna de miel" con sus casas, por lo menos los primeros cinco años de ocupación de las mismas, en promedio. Son los años de la vivienda nueva, cuando por lo regular las instalaciones y los acabados de las casas no muestran importantes síntomas de desgaste o deterioro.

Además de que gran parte de las familias a las que se les aprueba el crédito y ocupan esas viviendas suelen ser matrimonios jóvenes, muchas veces recién casados, sin hijos, o con un solo hijo pequeño. Por ende, sus requerimientos de espacio vital son menores, relativamente, que los de familias con más tiempo de haberse integrado. En efecto, la mayoría de los que viven en los recientes grandes conjuntos de la periferia urbana de nuestro país conforman en promedio familias de cuatro miembros. Asimismo, son de manera predominante familias nucleares, en general integradas por personas con edades promedio que apenas rebasan los 30 años para los adultos, mientras que las edades de los hijos promedian los 7.5 años (Maya, 2005).

Al paso del tiempo, empero, la familia crece en número de hijos y éstos crecen también, reclamando mayor espacio. Las escasas dimensiones de la vivienda, que al inicio no representaban limitaciones para la vida cotidiana, se van tornando, en unos cuantos años, en un importante generador de conflicto intrafamiliar. Pero asimismo, el desgaste material de la construcción se agrega al potencial de conflicto que produce la limitada disponibilidad de espacio físico. Si bien las tareas de mantenimiento de las casas y de todo el conjunto habitacional suelen contrarrestar ese deterioro, también es cierto que el envejecimiento de los espacios es irreversible y en algunos casos ocurre en muy pocos años.

Por último, encuestas levantadas por investigadores académicos en varias de las más grandes unidades habitacionales de los diversos municipios mexiquenses de la ZMCM revelan que el nivel de satisfacción de sus habitantes se ha mantenido. En líneas generales no se han decepcionado de sus casas y tampoco exponen serias quejas respecto de las mismas ni de la urbanización. Esto se explica tal vez porque en la mayoría de los casos estudiados se trata de conjuntos con menos de cuatro años de edificación. Pero las encuestas dejan ver, asimismo, que ha menguado el entusiasmo inicial y las expectativas halagüeñas que prevalecían en la generalidad de los vecinos cuando eran recién llegados a esos megaconjuntos.[2] La bibliografía dedicada a estudiar los conjuntos habitacionales en México no es abundante, pero tampoco es escasa, y tienden a incrementarse los análisis sobre este asunto. Sin embargo, más allá de las conclusiones que arrojan esos estudios, lo más probable es que al paso del tiempo habrá de incrementarse la pérdida de entusiasmo por parte de los usuarios hacia sus viviendas y los conjuntos habitacionales.

EL MERCADO DE LA VIVIENDA DE INTERÉS SOCIAL Y LOS LÍMITES DEL MODELO HABITACIONAL EN MÉXICO

En la legislación mexicana concerniente a la vivienda se postula el derecho a la vivienda "digna y decorosa", como lo establece la propia Constitución Política. La formalidad legal, empero, no tiene correspondencia en la nación con las condiciones reales en que se encuentran sumidos buena parte de los ciudadanos con mayores carencias habitacionales. En particular, un asunto a través del cual se manifiesta la referida evasión de esos principios de igualdad está en la imposibilidad real que una considerable porción de ellos tienen para adquirir un espacio vital con un mínimo de satisfacción material y de servicios, y que se pueda adquirir en condiciones crediticias accesibles; que la adquisición de un espacio no esté determinada exclusivamente por el criterio de rentabilidad que caracteriza a la operación de los programas de edificación, actualmente casi en su totalidad en manos de empresas privadas, no obstante que buena parte del financiamiento se origina en los fondos estatales.

Asimismo, la producción de grandes conjuntos está concentrada y tiende a concentrarse más todavía en unas cuantas empresas desarrolladoras. En general, el mayor volumen de construcción de vivienda en México se está llevando a cabo por un número cada vez más reducido de firmas privadas (Castro, 2006: 447). En especial, tratándose de las grandes unidades habitacionales, esto es debido a que los sistemas constructivos en gran escala reclaman una serie de tecnologías, experiencia e insumos, de los que carecen las constructoras pequeñas y medianas. Pero, además, los

[2] Los siguientes son algunos estudios que pueden enriquecer o precisar diversos aspectos de ese género de vivienda: Emilio Duhau, 1998; María Teresa Esquivel, 2001; Graciela de Garay, 2004; Angela Giglia, 1995 y 1998; Esther Maya, 2005; María Ana Portal, 2001; Procuraduría Social del GDF, 2001; R. Vilchis, 1999; Judith Villavicencio, 1997; J. Villavicencio, Ana M. Durán, M.T. Esquivel y A. Giglia, 2000; Judith Villavicencio, 2006.

desarrolladores no se circunscriben al mero diseño y producción material de los conjuntos habitacionales; entre otras acciones, ellos se ocupan de realizar exploraciones de mercadeo, localizar y adquirir los predios, además de llevar a cabo diversas gestiones e incluso se dedican a promover y vender las casas. Esta diversidad de funciones reclama de organizaciones empresariales de un nivel de complejidad que los pequeños constructores no están en condiciones de cubrir.

De otra parte, todo parece indicar que se está llegando a una suerte de techo en la demanda habitacional, de tal manera que la producción de vivienda, dentro de los esquemas vigentes, podría desembocar en un desequilibrio entre la dinámica de la oferta creciente, en su relación con una demanda habitacional real, que en gran medida ya ha sido cubierta. En esa misma perspectiva, aparentemente ha ido disminuyendo el grado de ocupación de las viviendas en las grandes unidades habitacionales, edificadas en los últimos dos años del gobierno de Fox. En algunos conjuntos del municipio de Xochitepec, Morelos, que fueron edificados hacia 2004, casi dos años más tarde la mayoría de las casas estaban vacías.

Por consiguiente, de continuar la producción de vivienda de interés social al ritmo de los últimos tres o cuatro años, ello podría conducir a un proceso con características similares a las de los rescates carretero o bancario de hace unos años. De llegar a ocurrir esa eventualidad, el conjunto de los contribuyentes tendríamos que pagar la imprevisión tanto de autoridades encargadas de ese renglón de las políticas públicas, como de los empresarios desarrolladores privados. En realidad, no es que en la actualidad no hagan falta viviendas en el país, lo que ocurre es que la mayoría de los sectores más necesitados de un espacio habitacional no cuenta con recursos para adquirirlas, dados sus magros niveles de ingreso.

CONCLUSIONES

Los efectos de un modelo habitacional basado en grandes conjuntos de vivienda, con miles de casas todas iguales, sembradas en los suburbios, supone una cuota alta de segregación espacial. En condiciones específicas, este patrón de ocupación territorial, apartado incluso a decenas de kilómetros de la ciudad central, contiene el germen de un alto potencial conflictivo. Toda proporción guardada, la rebelión de los jóvenes en múltiples ciudades francesas el otoño de 2005 es muestra, por demás fehaciente, de las respuestas violentas que se pueden incubar ahí. Ciertamente, la violencia incendiaria de los participantes en la llamada *intimada francesa* de octubre-noviembre del citado año, tuvo muchas otras causas que son ajenas a los factores del confinamiento espacial y a las características de las unidades habitacionales donde reside la mayoría de los jóvenes rebeldes de aquella nación. Empero, el que los protagonistas de las incendiarias jornadas del otoño francés de 2005 fueran precisamente habitantes de esos conjuntos no deja de ser un factor digno de considerar con algún detenimiento.

Asimismo, debe recordarse que las condiciones de estrechez con que se están edificando las viviendas en los grandes conjuntos viene a ser también un serio limitante al nivel de habitabilidad que éstos brindan. En la lógica del mercado, definida principalmente por criterios de rentabilidad, las empresas desarrolladoras proyectan y materializan espacios reducidos a fin de lograr ofrecer precios que sean relativamente más atractivos para cada vivienda. Así, las superficies se van haciendo cada vez más reducidas, llegando incluso a comprender extensiones que apenas se acercan a los 30 metros cuadrados. Al respecto, no está por demás recordar aquella vieja idea de que "en materia de vivienda la cantidad también es parte de la calidad".

Finalmente, la calidad de vida de los habitantes de los grandes conjuntos del México actual se ve mermada por las condiciones de alejamiento en que se encuentran, muchas veces en medio de zonas rurales y con carencia, o bien, con limitados equipamientos y servicios urbanos; en particular, las complejas y difíciles condiciones de desplazamiento, sobre todo a través de escasas –y por lo tanto saturadas– vialidades, configuran un factor de primordial gravedad. Esta insuficiencia a veces supone hasta cuatro horas de tiempo invertido para ir desde sus viviendas a los centros de trabajo o de estudio. Debe admitirse que el conjunto de los habitantes de las grandes y medianas aglomeraciones urbanas de nuestro país padecemos en mayor o menor grado de dificultades para movernos de un sitio a otro. Pero estas dificultades se magnifican cuando se trata de asentamientos edificados a decenas de kilómetros de las áreas centrales.

BIBLIOGRAFÍA

Boils, Guillermo, 2004, "El Banco Mundial y la política de vivienda en México", en *Revista Mexicana de Sociología*, vol. LXVI, núm. 2, México, IIS-UNAM.

—, 2006a, "Política de vivienda en México", en *Ingeniería*, México, Colegio de Ingenieros, septiembre.

—, 2006b, "Vivienda y exclusión social en París", en *Revista de Investigación Social*, núm. 2, México, IIS-UNAM.

Boletín de la Comisión Nacional de Fomento a la Vivienda, varios números, México, Conafovi. <www.conafovi.gob.mx>

Castro, José *et al.*, "Los desarrolladores privados y la vivienda de interés social", en René Coulomb y Martha Schteingart (coords.), 2006, *Entre el Estado y el mercado*, México, UAM-Azcapotzalco/Cámara de Diputados.

Coulomb, René y Martha Schteingart (coords.), 2006, *Entre el Estado y el mercado*, México, UAM-Azcapotzalco/Cámara de Diputados.

Duhau, Emilio, 1998, "Bienes colectivos y gestión vecinal en los conjuntos habitacionales del Infonavit", en M. Schteingart y B. Graizorg, *Vivienda y vida urbana en la ciudad de México*, México, El Colegio de México.

Esquivel, María Teresa, 2001, "Vida cotidiana y vivienda: De la vivienda al conjunto habitacional", en *Cuicuilco*, vol. 7, núm. 22, mayo-agosto, México, ENAH.

Feike Tycho de Jong, 2005, "Menos grilla, más casas", en *Expansión*, núm. 911, 23 de marzo, México.

Flores, René y Gabriela Ponce, "Vivienda y dinámica demográfica" en el libro coordinado por René Coulomb y Martha Schteingart (coords.), 2006, *Entre el Estado y el mercado, op. cit.*

Garay, Graciela de (coord.), 2004, *Modernidad habitada. Multifamiliar Miguel Alemán en la ciudad de México*, México, Instituto Mora.

Giglia, Angela, 1995, "La democracia de la vida cotidiana. Dos casos de gestión en condominio en la ciudad de México", en *Alteridades*, año 6, núm. 11, México, UAM-Iztapalapa.

—, 1998, "Vecinos e instituciones. Cultura ciudadana y gestión del espacio compartido", en Néstor García Canclini (coord.), *Cultura y comunicación en la ciudad de México*, México, Grijalbo/UAM-Iztapalapa.

Instituto Nacional de Estadística, Geografía e Informática, 2005, *Estadísticas sociodemográficas*, México, INEGI.

Macsai, John y otros, 1984, *Conjuntos habitacionales*, México, Limusa.

Maya, Esther (coord.), 2005, *La producción de vivienda del sector privado en Ixtapaluca*, posgrado de la Facultad de Arquitectura, México, UNAM.

Mier y Terán, Arturo, *Vivienda y gobiernos locales*, tesis doctoral en urbanismo, actualmente en desarrollo en la Facultad de Arquitectura de la UNAM.

Pardo, María del Carmen y E. Velasco (coords.), 2006, *El proceso de modernización del Infonavit, 2001-2006*, México, El Colegio de México.

Portal, María Ana, 2001, "Territorio, historia, identidad y vivencia en un barrio, un pueblo y una unidad habitacional de Tlalpan", en M.A. Portal (coord.), *Vivir la diversidad. Identidades y cultura en dos contextos urbanos de México*, México, Conacyt-UAM-Iztapalapa.

Procuraduría Social del GDF, 2001, *Programa de Rescate de Unidades Habitacionales*, México, GDF.

Puebla, Claudia, 2002, *Del intervencionismo estatal a las estrategias facilitadoras. Cambios en la política de vivienda en México*, México, El Colegio de México.

Pugh, Cedric, 1994, *Mexico: Housing Reform under Structural Adjustment 1982-1993*, inédito, Sheffield University, Sheffield.

Romero Vadillo, Irma, 2005, "La política habitacional y el hábitat del siglo XXI", tesis doctoral en urbanismo, México, Facultad de Arquitectura, UNAM.

Sedesol, 2005, *Sistema de estadísticas históricas de vivienda*, México, Dirección General de Política de Fomento y Financiamiento de la Vivienda.

Softec, 2004, *Estimación de viviendas a partir de los datos censales de 2000*, México, Softec, Consultoría de Proyectos Inmobiliarios.

Topelson, Sara (coord.), 2006, *Estado actual de la vivienda en México, 2005*, México, Cidoc/Joint Center For Housing Studies of Harvard University.

Vilchis, R., 1999, *Planeación, diseño y uso de los espacios comunes en los conjuntos habitacionales promovidos por el Infonavit*, tesis de maestría en Planeación y Políticas Metropolitanas, UAM-Azcapotzalco, México.

Villavicencio, Judith, 1997, "Evaluación de programas habitacionales de interés social en el D. F.", en *Revista Mexicana de Sociología*, núm. 2, México, IIS-UAM.

—, Ana M. Durán, M.T. Esquivel y A. Giglia, 2000, *Condiciones de vida y vivienda de interés social en la ciudad de México*, México, UAM-Azcapotzalco, Porrúa.

Villavicencio, Judith (coord.), 2006, *Conjuntos y unidades habitacionales en la ciudad de México*, México, UAM/RNIU.

World Bank, Lending Projects (lista de 219 proyectos de préstamos al gobierno mexicano por el Banco Mundial, actualizada al 19 de agosto de 2004), Washington, D.C., varias fechas a partir de 1971.

IV. DESIGUALDAD, EXCLUSIÓN Y EJERCICIO DE LA CIUDADANÍA

CIUDADANÍA Y EXCLUSIÓN SOCIAL

JUAN ESTRELLA*

INTRODUCCIÓN

En las últimas dos décadas un concepto que se ha venido explorando de manera creciente es el de exclusión. Exclusión que por antonomasia se adjetiva como social. Si se piensa en retrospectiva, la exclusión social siempre ha existido, pero también, con un poco de rigor, debe entenderse que esta exclusión social padecida por grandes núcleos de población es de nuevo cuño.

Desde la perspectiva que se trabaja en este ensayo, la actual exclusión social corresponde a un proceder de los estados contemporáneos, reconfigurados a partir de la segunda mitad de la década de los ochenta, respecto de la ciudadanía. Si hasta esa década la exclusión social resultaba de la incapacidad de los estados-nación para crear ciudadanía, vía distintas estrategias de política económica y social que acompañaban los procesos de producción capitalista hasta entonces predominantes, la actual exclusión social resulta de un "exitoso" programa de reformas que, traducidas en políticas públicas, al tiempo de chocar completamente con la creación de ciudadanía, son necesarias en el pujante proceso de globalización económica.

Pero antes de profundizar en esta hipótesis debemos señalar lo siguiente. El marco de referencia que nos sirve como punto de partida para esta reflexión se encuentra en la distinción que establece Bauman entre modernidad sólida y modernidad líquida. La centralidad del Estado en el ejercicio del poder y su presencia en la sociedad definirían la primera modernidad. La desterritorialización de las entidades efectivas de poder, más allá del Estado y de la esfera de lo público, caracterizaría a la segunda modernidad.

Respecto del binomio ciudadanía-exclusión también cabe hacer un par de acotaciones. Primero, es necesario precisar, esto por la laxitud del término "exclusión" y por la innumerable cantidad de ocasiones en que se utiliza, que en este trabajo se reflexiona sobre ella siempre en relación con la ciudadanía –ejercicio y categoría construida históricamente–. Desde nuestra perspectiva, el perfil que ha asumido la exclusión ha estado en función de la configuración que adopta la ciudadanía, función que depende, a su vez, de las características que ha terminado por asumir el Estado.

* Profesor de la Facultad de Ciencias Políticas y Sociales. Alumno del Doctorado en Ciencias Políticas y Sociales de la Universidad Nacional Autónoma de México y becario de la Dirección General de Apoyos al Personal Académico de la UNAM en el marco del Proyecto Especial "Pobreza urbana, exclusión social y políticas sociales".

Segundo, durante la modernidad sólida se habrían materializado dos tipos de Estado con su correspondiente ciudadanía, uno característico de lo que se conoció como Estado regulador hasta el periodo de entreguerras, y otro, entendido como Estado Benefactor, que habría operado hasta la década de los ochenta. Durante la modernidad líquida, por su parte, se habría configurado un nuevo tipo de Estado que presupone un ejercicio de ciudadanía, aunque quizá sea más pertinente decir "de no-ciudadanía". Y, según lo que afirmamos antes, habría exclusiones diferentes sobre la base de ciudadanías también diferentes.

CIUDADANÍA

De las distintas acepciones establecidas en relación con la ciudadanía, resulta útil para este trabajo detenernos en tres de ellas, a efecto de contar con un punto de partida, un punto de llegada y un elemento que permita profundizar en la reflexión sobre el tema de la exclusión. El punto de partida es la definición más formal de ciudadanía, entendida ésta como la condición jurídica, predominantemente política, que expresa los vínculos existentes entre individuo y la comunidad política relevante, que desde los orígenes de la Modernidad cobra la forma de Estado nacional de derecho.

Por esa condición jurídica, el ciudadano debe sumisión a la autoridad y a la ley, pero también se asume como miembro de pleno derecho, disfrutando de las distintas prerrogativas que el Estado le garantiza y que, en este caso, remiten al reconocimiento jurídico de participación en los asuntos políticos, materializado en un conjunto de mecanismos e instrumentos mediante los cuales se accede formal y plenamente a la lucha por el poder (Cortina, 1998: 39; Castro, 1999: 39; Espasa, 2000: 396; Grijalbo, 1986: 434; IIJ, 1987: 468-471; Larousse, 1999: 249; Serrano, 1977: 40).

Esta definición formal de ciudadanía, extendida en la mayor parte de Occidente durante la primera modernidad sólida, excluía de las prerrogativas garantizadas por la comunidad política relevante a quienes no pertenecían al Estado nación correspondiente, entendiéndose aquí la exclusión en su definición más simple, próxima a expulsión, apartamiento, segregación (Espasa, *op. cit.*: 697; Larousse, *op. cit.*: 147).

Al interior, por el contrario, el Estado-nación de Occidente, por su propia naturaleza y a través de la ciudadanía, fue incluyente. En sí, la condición de la ciudadanía habría sido la argamasa pretendida por el mismo Estado para sustituir lo que el parentesco y la tradición fueron a la solidaridad social en la premodernidad. Constituir ese referente ciudadano tomó décadas, y en esa tarea las políticas públicas y particularmente las sociales tuvieron un lugar significativo (Offe, 1991: 79 y 84).

Dentro de sus fronteras, el Estado-nación pretendió ciudadanizar a los habitantes del territorio en el cual se arrogaba el monopolio del uso de la violencia física legítima (Weber, 1991: 83). El medio para realizar tales fines fue principalmente la escuela, como centro organizacional, generador de procesos de socialización, de habilitación para funcionar cotidianamente en la sociedad y de transmisión y uso del conocimiento (Bruner, 1992: 11).

No obstante, aun en esta lógica homogeneizadora, el Estado excluyó a individuos y comunidades del conjunto de prerrogativas que ésta habría de garantizar. En primer lugar, el Estado-nación excluyó, mediante una sustracción completa de la comunidad vía la deportación, el destierro y la matanza (Castel, 2004: 67). Los casos representativos y extremos fueron los Konzlager en Occidente y los Gulags en el Este.

La construcción de espacios cerrados, ya fuese dentro o fuera de la comunidad, pero siempre separados de ella, fue la segunda forma de exclusión de la época: las prisiones, los manicomios, las leproserías e incluso los guetos son ejemplo de este tipo de exclusión. Finalmente, la dotación de estatutos especiales que permitieron la coexistencia de ciertas comunidades también excluyó a éstas de ciertos derechos y de la participación en determinadas actividades sociales (Castel, *op. cit.*: 67).

Aun con esto, con la clara excepción de los genocidios, la exclusión practicada por los estados durante la modernidad no se concebía como una situación permanente, se entendía que por medio de la enseñanza se podría reeducar, reencauzar; en este sentido, las privaciones de que eran objeto los individuos y las comunidades serían pasajeras.

Ahora bien, una segunda definición de ciudadanía nos permite identificar, por un lado, un referente a realizar, y, por otro, nuevas manifestaciones que ya asume la exclusión desde la primera modernidad sólida. Esta definición se toma del texto clásico de Marshall, *Ciudadanía y clase social* (1998), donde se establece que la ciudadanía es

> un *status* que se otorga a los que son miembros de pleno derecho de una comunidad. Todos los que poseen ese *status* son iguales en lo que se refiere a los derechos y deberes que implica. No hay principio universal que determine cuáles deben ser estos derechos y deberes, pero las sociedades donde la ciudadanía es una institución en desarrollo crean una imagen de la ciudadanía ideal en relación con la cual puede medirse el éxito y hacia la cual pueden dirigirse las aspiraciones. El avance en el camino así trazado es un impulso hacia una medida más completa de la igualdad, un enriquecimiento del contenido del que está hecho ese *status* y un aumento del número de aquellos a los que se les otorga (Marshall, *op. cit.*).

El primer punto que aquí debe señalarse es el claro interés en los planteamientos de Marshall por reconocer la aportación que la construcción de la ciudadanía en los estados-nación de Occidente hace a la disminución de las desigualdades y de la exclusión social: dos efectos consustanciales al sistema capitalista y al correspondiente sistema de clases (Opazo, 2000: 55).

Este referente de ciudadanía que aquí ubicamos como un fin en sí mismo, en la interpretación de Marshall, y en consideración a las condiciones históricas y particulares de Inglaterra, tendría tres elementos que habrían de asumirse por el conjunto de la comunidad, a saber: civil, consistente en los derechos necesarios para la libertad individual; político, referido al derecho a participar en el ejercicio del poder político como miembro de un cuerpo investido de autoridad política, o como elector de los miembros de tal cuerpo, y social, entendido como el derecho a un mínimo de bienestar económico y de seguridad al derecho a participar del patrimonio social y a vivir la vida de un ser civilizado conforme a los estándares corrientes en la sociedad (Marshall, *op. cit.*).

A cada uno de estos elementos estarían asociadas instituciones que en mayor medida podrían garantizar su realización. Los tribunales serían las instituciones asociadas a los derechos civiles; el parlamento y los concejos del gobierno local corresponderían a los derechos políticos, y el sistema educativo y los servicios sociales a los derechos sociales.

Sin negar las desigualdades sociales, Marshall estaría aportando un principio –la membrecía plena a la comunidad– por el cual se eliminaría la posibilidad de exclusión al interior y entre los miembros pertenecientes al Estado-nación. En este sentido, en la postura de Marshall, no habría un rechazo a las desigualdades materiales, económicas, cuantitativas –contradicciones estructurales características del sistema de clases– pero sí a la separación, exclusión, que resultan de las diferencias cualitativas entre los miembros de una misma sociedad y donde se gesta el resentimiento social, en general, y el resentimiento de clase en particular (Barbalet; 1993: 46).

Bajo esta definición, la ciudadanía no es solamente un vínculo político, la simple cualidad que se adopta por los miembros de una comunidad frente a la organización social estructurada políticamente, la mera posibilidad de participación política. Con la propuesta de Marshall (*op. cit.*) de fondo, la dimensión sustancial de la ciudadanía se asocia a la búsqueda por la afirmación de los derechos de los miembros individuales de la colectividad, lo que implica garantizar una participación plena en los derechos políticos, civiles y, fundamentalmente, de los derechos sociales. Éste sería nuestro punto de llegada.

En este sentido, la ciudadanía sustantiva

> hace referencia a un determinado conjunto de derechos y formas de participación en la vida política, económica y social que no se encuentran garantizados por la mera pertenencia formal a un Estado-nación y cuyo ejercicio efectivo se encuentra sujeto a una serie de determinaciones ancladas en mecanismos de distancia social, en particular en las diferencias de clase, étnicas y de género (Castro, *op. cit.*: 39).

El acceso efectivo a la ciudadanía se reconoce como un ejercicio diferenciado para los distintos miembros de una comunidad, sujeto a condiciones de clase, etnicidad y género. La igualdad jurídica entre "individuos" queda acotada por las condiciones reales en que se desenvuelven; los derechos y las formas de participación que definen la ciudadanía no son más un atributo *per se* de los "individuos".

CIUDADANÍA Y EXCLUSIÓN

Como se puede observar, la diferencia entre la anterior definición y la que se estableció al principio del texto resulta de la incorporación de los derechos sociales en la constitución de la ciudadanía sustantiva que construye Marshall, base para garantizar la participación en el patrimonio social heredado, para gozar de la membrecía plena a la comunidad.

Esta diferenciación conceptual también permite considerar dos tipos de exclusión particulares; por un lado, la exclusión política, entendida como la carencia de derechos efectivos que permitan tomar parte en el ejercicio del poder político y, por el otro lado, la exclusión social, entendida como la ausencia de derechos efectivos para alcanzar un mínimo de bienestar económico y de seguridad al derecho a participar del patrimonio social.

Por supuesto, debe puntualizarse que al hacer referencia a la exclusión social se pueden tomar distintos ejemplos de estos procesos, locales o internacionales, recientes o de siglos anteriores; sin embargo, es pertinente hacer una observación: la referencia a esta exclusión, con las connotaciones que actualmente asume, es más reciente de lo que se supone, apenas data del segundo lustro de la década de los noventa.[1]

Sin lugar a dudas, el antecedente que motiva la incorporación y la reflexión sobre estos conceptos está en las transformaciones que desde entonces experimenta el Estado-nación y en las secuelas que resultan de su redimensionamiento. En sí, por un lado, la revisión de los trabajos sobre ciudadanía sintetiza las preocupaciones sobre nación, nacionalismo, etnicidad, sociedad civil y participación, que si bien se producen paralelamente a la desintegración de los estados nacionales de la Europa del Este y al retraimiento del Estado de actividades políticas y sociales antes realizadas por sus organismos, también corren a la par de las luchas interétnicas en los distintos continentes del planeta, de oleadas de migrantes internacionales y de la multiplicidad de organizaciones surgidas bajo la idea-fuerza de "sociedad civil".

Por supuesto, las nuevas aproximaciones a la ciudadanía también pueden encontrarse en la búsqueda de las sociedades "posindustriales" por generar entre sus miembros un tipo de identidad en la que se reconozcan, por el déficit de adhesión

[1] Por lo menos así se infiere de una primera revisión bibliográfica y hemerográfica sobre el tema, donde de 156 libros registrados que aluden a la exclusión, menos de 10 aparecen antes de 1995. En revistas de ciencias sociales, también de antes de 1995, sólo se encuentran 5 artículos de un total de 96 referencias. Es sólo a partir de 1995 cuando aparecen a granel las menciones al término que tratamos. Algo muy parecido resulta con el concepto de ciudadanía: de las más de 200 referencias en las revistas de ciencias sociales, no más de 10 de ellas aparecen antes del segundo lustro de los noventa, y en cuanto a los libros, de 196 títulos, si bien el número es un poco mayor a 10, la cifra de textos que aparecen luego de 1995 es significativamente mayor. Esta mención, por supuesto, no es sólo anecdótica, busca señalar la existencia de un conjunto de factores compartidos que inducen a la utilización de ambos conceptos, que si bien se remiten a procesos que inician desde la década de los setenta sólo se aprehenden un par de décadas después. La referencia de los textos se localiza en los sitios http://132.248.67.3:8991/F/-/?func=find-b-0&local_base=MX00, en lo relacionado a libros, y en https://ciid.politicas.unam.mx/, en lo concerniente a las revistas de ciencias sociales.

por parte de los ciudadanos al conjunto de la comunidad del que adolecen estas sociedades (Cortina, *op. cit.*: 22). No obstante, y sin lugar a dudas, en este debate juegan un papel de mayor empuje las cuestiones sociales, que adoptaron una significación específica en los contextos antes citados. De este modo, el abordaje a la ciudadanía coincide con la demanda que distintas organizaciones, en diferentes foros, expresan por modificar la concepción tradicional de los "derechos de ciudadanía" (Castro, *op. cit.*: 42).

Particularmente en América Latina, los movimientos vinculados a la defensa de los derechos humanos motivaron sustancialmente la discusión sobre la ciudadanía y los derechos que ésta implicaba. En el caso de la Europa Occidental los procesos de integración económica, legal y política también han llevado a revisar el significado del concepto "ciudadanía" (Castro, *op. cit.*: 42-43), pero quizá no tanto, y esto en plena coincidencia con América Latina, como consecuencia del notable incremento de la desigualdad social y la exclusión social, cuyo reflejo inmediato está en la marcada segregación urbana y en la inequidad que prevalece en el acceso a bienes y servicios sociales (Bodemer *et al.*, 1999: 21-26).

Como ya se observa, motivaciones semejantes tendría para su recuperación, y con el tratamiento específico que ahora se le da, el tema de la exclusión. No se desconoce la polisemia que posee el término, sin embargo hay una coincidencia en los textos que la abordan: el énfasis que se hace en las condiciones de desigualdad social y de ruptura del tejido social que se observan de manera más significativa en los lustros recientes.

Como resultado de los distintos procesos que se han vivido a partir de las reformas estructurales a los estados-nación y las correspondientes políticas de ajuste económico, se observa un tipo de exclusión que no es del tipo tradicional. Antes de estos años se puede hablar de excluidos de la economía, del progreso, de la vivienda,

> pero estas exclusiones son de carácter parcial, particular, que podrían recibir respuestas en términos de hábitat, de empleo, no concierne todavía a la exclusión social [...] La exclusión social supone problemas de vivienda, de escolaridad, de empleo, sin reducirse en absoluto a ellos (Karsz, 2004: 144-145).

Actualmente, la referencia a exclusión remite por antonomasia al adjetivo social; por supuesto, tiene que ver con desigualdades sociales que antes ya se presentaban y, de manera más marcada, en estados con sistemas de seguridad social limitados, como corresponde a los países latinoamericanos; no obstante, habría que notar que el hecho de entender *per se* la exclusión como social es indicativo de lo que ahora sucede con lo social:

> expresa su disfuncionamiento, su desrazón, su malestar, lo social dividido, desigualitario, conflictivo, contradictorio [...] La exclusión social interpela a la unidad social como tal, a la sociedad en su conjunto, así como a cada uno de sus componentes [...] la cohesión social necesita ser restaurada más allá de las grietas que la atraviesan (Karsz, *op. cit.*: 149).

En términos de su conceptualización, ciudadanía y exclusión tienen un ambiente común que motiva su aprehensión, los distintos momentos y secuelas del redimensionamiento de los estados-nación; pero más allá de esta cercanía, una segunda motivación por trabajar sobre este binomio subyace en que uno respecto a otro son repelentes –o si se quiere, se excluyen (*sic*)–. Si la ciudadanía, en el término de llegada que hemos denominado, remite a la membrecía plena a la comunidad, por lo menos en su interior no hay exclusión, sería imposible concebirla dentro de una comunidad que reconoce y hace efectivo el derecho a un mínimo de bienestar económico y a la participación del patrimonio social históricamente construido.

Sin embargo, hacer a un lado de manera efectiva la exclusión, sobre la base de reconstituir la ciudadanía, demanda redimensionar este último concepto como instrumento de análisis y de reflexión en un contexto donde el estado-nación ha dejado de tener la preeminencia que tuvo hasta la década de los ochenta. Para esto nos valemos de la definición de Bryan Turner (1993: 2-3), quien establece que la ciudadanía.

> puede ser definida como aquel conjunto de prácticas (jurídicas, políticas, económicas y culturales) por las cuales se define una persona como miembro competente de la sociedad, y por las cuales, en consecuencia, se forma el flujo de recursos para las personas y los grupos sociales.

Esta definición escapa de las aproximaciones formales, donde se constriñe la ciudadanía a derechos y obligaciones, y va más allá del ideal en el que en un momento queda la descripción de Marshall, en tanto que la idea de prácticas remite a la dinámica de la construcción social de la ciudadanía, cambiante históricamente como consecuencia de luchas políticas. La referencia a prácticas sociales por igual sitúa a la ciudadanía en relación con el problema de la desigual distribución de recursos en sociedad, la inequidad, las diferencias de poder y de clase social (Turner, *op. cit.*: 2-3).

Como consecuencia de esta definición:

> una teoría de la ciudadanía debería preocuparse por atender los siguientes puntos: a] el contenido de los derechos sociales y las obligaciones; b] la forma o tipo de tales derechos y obligaciones; c] las fuerzas sociales que producen tales prácticas, y d] los diferentes arreglos sociales por los cuales tales beneficios son distribuidos a los diferentes sectores de la sociedad. El contenido de la ciudadanía remite a la naturaleza exacta de los derechos y obligaciones que la definen […] el tipo de ciudadanía refiere a si estamos frente a una ciudadanía pasiva o a una activa […] las condiciones de la formación de la ciudadanía nos remiten a la sociología histórica de las democracias modernas y […] los flujos de recursos se relacionan con las diferencias en el ciclo de vida individual en relación al disfrute de los privilegios ciudadanos (Turner, *op. cit.*: 3).

Sobre esta definición, resulta pertinente reflexionar acerca de lo señalado por Turner en el tercer inciso, esto es, en las fuerzas sociales que actualmente producen las prácticas de la ciudadanía.

DE LA EXCLUSIÓN SOCIAL O LA NO-CIUDADANÍA

Sin duda alguna, durante la modernidad sólida a la que nos hemos referido, el lugar por excelencia al que se remite la ciudadanía para su comprensión es el Estado nación, una entidad organizada por donde ineludiblemente atraviesa el poder. Las dos primeras aproximaciones a la ciudadanía dan cuenta de ello. El Estado es la entidad por referencia a la cual se dirigen las exigencias y de donde se esperan las soluciones.

Sin embargo, los últimos lustros han sido escenario del desplazamiento de los centros de poder fuera de la esfera política, en la cual se localiza el Estado, como se ejemplifica con las entidades privadas, financieras, consorcios empresariales que han venido a ocupar mayores espacios en las esferas de poder, donde hasta hace un par de décadas se situaba casi en su totalidad la comunidad humana a cargo del Estado.

Si bien es cierto que dentro de las esferas del poder siempre ha existido una ley de hierro de las oligarquías –para retomar la expresión de Michels (2003)–, y que frente a ella la ciudadanía ha quedado al margen, ahora nos encontramos ante un grupo de patricios ajenos a las propias comunidades de donde obtienen sus recursos; patricios que "no ven qué podría ofrecerles permanecer *en* y *con* la comunidad, aparte de lo que ya han logrado asegurarse" (Bauman, 2003: 62).

Éstos componen una jaula de hierro aún más distante, casi inexpugnable, y que difícilmente puede servir de correa de transmisión de las necesidades y demandas sociales. Oligarquías globales, ajenas, que instruyen a los organismos financieros internacionales para generar "propuestas innovadoras" que permitan resolver los problemas de pobreza y exclusión social. Aun cuando, al hacer referencia a la exclusión y a su lucha contra ella, *a priori* acoten una zona de intervención que a fin de cuentas da lugar a prácticas relativamente específicas, encaminadas a focalizar la acción social, que en nada cambian los esquemas desde donde se alimenta la exclusión social contemporánea.

> Parece más fácil y realista intervenir sobre los problemas relativamente limitados que plantean "los excluidos", que controlar o intentar controlar los procesos desencadenantes de tal exclusión. Ocuparse de las consecuencias de estos procesos –o sea, de los excluidos– moviliza básicamente respuestas técnicas, pero el dominio del proceso exigiría un tratamiento político, en el sentido de política global (Castel, *op. cit.*: 61).

En México, y hasta hace unos años también en América Latina, los distintos gobiernos de la región siguieron a pie juntillas estas propuestas de intervención puntual, a la par de promover reformas constitucionales que, traducidas en políticas públicas, produjeron un mayor deterioro en las condiciones de vida de amplios segmentos de la población.

Como consecuencia de esto, se puede afirmar que la exclusión adjetivada como social, para referirse a la ruptura del tejido social, no resulta de la falta de profundización y ampliación de las actividades de las agencias del Estado, como en décadas previas lo fue, antes bien, esa exclusión deriva de las propias condiciones que resultan de Políticas, con mayúscula, y que implican transformaciones en el marco jurídico, en las variables económicas y en acciones puntuales para legitimar tales decisiones, cuyo signo, por definición, es el empobrecimiento de la población y las marcadas desigualdades.

La exclusión que resulta obedece a modalidades específicas de intervención política del Estado y no sólo, como luego se confunde, a la dinámica espontánea del mercado, que con paliativos sociales puede rectificarse. Como bien establece Vilas para América Latina:

> La eficacia de los mecanismos del mercado resulta potenciada por las modalidades específicas de intervención estatal y por el marco institucional que aquéllos promueven. Destacan [...] los procesos de privatización y desregulaciones amplias, la reforma de la legislación laboral, la apertura externa asimétrica, la deslegitimación ideológica e institucional de las demandas sociales y laborales, y la reducción de la política social a un combate a la pobreza, cuya ineficacia está más allá de toda duda (Vilas, 2000: 41).

La exclusión social, que debe entenderse como una ruptura profunda del tejido social, resulta de un proceso institucional de canalización de recursos que difunde la pobreza, propaga las desigualdades entre amplios sectores de la población y favorece la concentración de riqueza en grupos pequeños, consecuencia de las decisiones tomadas desde centros de poder retirados de la esfera de lo político, en su sentido más tradicional.

Se alude a la esfera pública porque en el retroceso de ésta frente a la esfera de los intereses privados se produce la ruptura del principio de ciudadanía como membrecía plena al patrimonio históricamente construido y heredado por y a la comunidad. Por lo menos durante la modernidad occidental, la esfera pública resultó políticamente relevante en tanto posibilitó a sus participantes, vía su estatus como ciudadanos, a mutuamente acomodar o generalizar sus intereses y a imponerlos de forma tan efectiva en el mismo cauce de las decisiones del Estado.

Sin embargo, ahora el interés por identificar quién se encuentra dentro de esa esfera pública y quién no, así como el significado de esa inclusión en términos de la habilidad de esos actores para conseguir sus propios intereses autodefinidos (Oxhorn; 2003: 134), se desplaza por el interés de identificar cuál es el peso real de esa esfera pública en términos de poder frente a otros ámbitos de decisión.

En este sentido, siguiendo la orientación teórica de Turner, presenciamos nuevos equilibrios entre las fuerzas sociales que producen las prácticas por las cuales se forma el flujo de recursos para personas y grupos, por los cuales unos y otros asumen una posición en la sociedad.

Y es que, como consecuencia del redimensionamiento del Estado en Occidente, se ha producido un proceso de despublificación de esferas y actividades que se entendían de competencia pública (Bazúa y Valenti, 1993: 44 y ss.); una colonización de lo privado sobre el espacio público que redunda en el alejamiento del poder del control de la ciudadanía y en el hecho de que los individuos sistemáticamente sean "despojados de la armadura protectora de su ciudadanía y expropiados de su habilidad e interés de ciudadanos" (Bauman, 2004: 30 y 46).

En la búsqueda por detener el deterioro de los lazos sociales, que fielmente refleja la profundidad de lo que representa la actual exclusión, no basta entonces con atender aspectos puntuales implícitos en la dimensión de lo social, es menester, además, trabajar en la reconstrucción de la ciudadanía, lo cual exige, como se ha dicho, un reacomodo de fuerzas sociales.

En este sentido, la tarea es compleja, pues entre otros aspectos a considerar hace falta o bien correr la esfera del poder a la esfera de la política, o bien publificar el espacio de toma de decisiones para que la presencia de la ciudadanía posibilite una Política más próxima al interés colectivo.

Esforzarse para alcanzar la primera opción nos parece poco pertinente, sería retroceder la película de la historia y reeditar los desfiguros de un Estado permanentemente incapaz de atender las necesidades cada vez más puntuales de las complejas sociedades actuales; más propicio sería potenciar la capacidad de la ciudadanía para interferir en las decisiones de los actores particulares que en las última década se han envestido de poderes metaconstitucionales, y gracias a los cuales influyen significativamente en las condiciones y en la calidad de vida de amplios sectores de la población.

Claro, aquí se abren referencias al capital social, a la participación ciudadana, al empoderamiento ciudadano, a la construcción de redes sociales y de redes de consumidores, entre otros puntos temáticos, relacionados y de relevancia para la consolidación de una ciudadanía más fuerte, pero que sin lugar a dudas ya pertenecen a una reflexión ulterior.

UNA REFLEXIÓN FINAL

La exclusión social que hoy se padece es de nuevo cuño. Corre paralelamente al debilitamiento de los estados-nación frente a las nuevas entidades que conducen el actual proceso de globalización económica. Ese debilitamiento y los amplios márgenes de discrecionalidad con que se orienta la globalización económica por parte de sujetos sociales que escapan al escrutinio de lo público, realizan un trayecto en dirección contraria a los derechos de la ciudadanía.

Inequívocamente, estos procesos de exclusión social tienen su manifestación más evidente en las zonas urbanas, y el signo que les distingue se localiza en la precarización del empleo y en las crecientes tasas de desempleo permanente. La razón es simple, pues fue en las ciudades donde preferentemente se aplicaron políticas públicas para ampliar los niveles de ocupación laboral. Los mayores porcentajes de población ocupada, con y sin seguridad social, siempre estuvieron en zonas urbanas.

Sin embargo, en la nueva fase de modernidad líquida, el empleo aparece como algo accesorio a la organización productiva global. Por supuesto, frente a los estragos sociales generados por esta toma de posición, que en más de una ocasión amenaza con desbordar los cauces institucionales de los sistemas políticos, los gobiernos nacionales y locales han aplicado distintas políticas sociales para paliar esta situación y reducir los riesgos de conflicto político.

No obstante, hasta este momento no se tiene una ruta clara a seguir para revertir las tendencias negativas en relación con el empleo. En los años más recientes se han practicado políticas exitosas que han reducido el riesgo de exclusión social para sectores y grupos etáreos específicos en materia de salud, alimentación, educación y vivienda. Lo anterior no se desconoce, sin embargo, no se puede decir lo mismo en cuanto al empleo, pues cualquier política que se haya diseñado para favorecer la creación de puestos de trabajo en lo inmediato no se refleja sustancialmente.

El trabajo, la obtención de un empleo, no es menor y tampoco se circunscribe a la dimensión económica. El marxismo, hoy tan olvidado, lo entendió como propiedad ontológica de los seres humanos (Marx, 1976), actividad consustancial a su realización como especie. En otras aproximaciones teóricas también se destaca la importancia del trabajo, como en el texto de Marshall que aquí se mencionó, y por igual en las propuestas, originalmente producidas en Europa, sobre el ingreso ciudadano (Bodemer *et al.*, *op. cit.*: 1999).

El empleo garantiza un mínimo de recursos para el mantenimiento de la vida diaria. Pero también, para los grupos productivos de la sociedad, es el primer paso hacia la membrecía plena a la comunidad. La precarización del empleo y las crecientes tasas de desempleo hoy por hoy representan la principal tarea que deben resolver los gobiernos de las urbes. Sin atender este complejo problema, difícilmente se puede concebir que la desigualdad social que aqueja las ciudades pueda reducirse. De este tamaño es el reto para los gobiernos de los territorios urbanos.

BIBLIOGRAFÍA

Barbalet, J.M., 1993, "Citizenship, class inequality and resentment", en Bryan Turner (ed.), *Citizenship and social theory*, Londres, Sage Publications.

Bauman, Zigmund, 2003, *Comunidad*, Madrid, Siglo XXI.

—, 2004, *Modernidad líquida*, México, FCE.

Bazúa, Fernando y Giovanna Valenti, 1993, "¿Cómo hacer del Estado un bien público?", en *Sociológica*, año 8, núm. 22, UAM-Azcapotzalco, mayo-agosto, México.

Bodemer, Klaus, José Luis Coraggio y Alicia Ziccardi, 1999, *Las políticas sociales urbanas a inicios del nuevo siglo*; Montevideo, Cuaderno Red núm. 5 "Políticas Sociales Urbanas" de la Unión Europea.

Bruner, José Joaquín, 1992, "América Latina en la encrucijada de la modernidad", en *Comunicación, identidad e integración latinoamericana*, vol. 1. En torno a la identidad latinoamericana. Memorias del VII Encuentro Latinoamericano de Facultades de Comunicación Social.

Castel, Robert, 2004, "Encuadre de la exclusión", en Saül Karsz (comp.), *La exclusión: Bordeando sus fronteras. Definiciones y matices*, Barcelona, Gedisa.

Castro, José Esteban, 1999, "El retorno del ciudadano: Los inestables territorios de la ciudadanía en América Latina", en *Perfiles latinoamericanos*, 14, junio, FLACSO-México.

Cortina Orts, Adela, 1998, *Ciudadanos del mundo: Hacia una teoría de la ciudadanía*, Madrid, Alianza Editorial.

Espasa (2000), *Diccionario enciclopédico*, España, Espasa.

Grijalbo (1986), *Diccionario enciclopédico*, España, Grijalbo.

Instituto de Investigaciones Jurídicas [IIJ] (1987); *Diccionario Jurídico Mexicano*, t. I, México, IIJ-UNAM, 810 pp.

Karsz, Saül, 2004, "La exclusión: concepto falso, problema verdadero", en Saül Karsz (comp.), *La exclusión: Bordeando sus fronteras. Definiciones y matices*, Barcelona, Gedisa.

Larousse, 1999, Diccionario enciclopédico, México, Larousse.

Marshall, Thomas Humphrey, 1998, *Ciudadanía y clase social*, Madrid, Alianza Editorial.

Marx, Karl, 1976, *Los manuscritos económicos y filosóficos de 1844*, México, Cultura Popular.

Michels, Robert, 2003, "Los partidos políticos" y "Tendencias autocráticas de los líderes", en *Los partidos políticos* I, Buenos Aires, Amorrortu.

Offe, Claus, 1991, *Contradicciones en el Estado de Bienestar*, traducción de Antonio Escotado, México, Conaculta/Alianza (Los Noventa, 66).

Opazo Marmentini, Juan Enrique, 2000, "Ciudadanía y democracia. La mirada de las ciencias sociales", en *Metapolítica*, vol. 4, núm. 15, México.

Oxhorn, Philip, 2003, "Cuando la democracia no es tan democrática. La exclusión social y los límites de la esfera pública en América Latina", en *Revista Mexicana de Ciencias Políticas y Sociales*, 187, enero-abril, México.

Serrano Gómez, Miguel, 1977, *Diccionario de términos socio-políticos*, Madrid, Everest.

Turner, Bryan, 1993, "Contemporary problems in the theory of citizenship", en Bryan Turner (ed.), *Citizenship and Social Theory*, Londres, Sage Publications.

Vilas, Carlos, 2000, "Deterioro laboral y exclusión social: la otra cara del crecimiento", en *Acta Sociológica*, 28-29, enero-agosto, México.

Weber, Max, 1991, "La política como vocación", en *El político y el científico*, México, Alianza.

Ziccardi, Alicia, 2001, "Las ciudades y la cuestión social", en Alicia Ziccardi (coord.), *Pobreza, desigualdad social y ciudadanía. Los límites de las políticas sociales en América Latina*, Buenos Aires, CLACSO, ASDI, IIS-UNAM, FLACSO.

CIUDADANÍA, CULTURA POLÍTICA Y DEMOCRACIA: NOTAS PARA UN DEBATE

ALBERTO AZIZ NASSIF*

1. Discutir problemas de pobreza y exclusión tiene un vínculo con los problemas de la democracia y la construcción de ciudadanía.

Una buena parte de las teorías políticas insisten en que una democracia necesita para consolidarse y funcionar con estabilidad, de una cultura política de respaldo, sin la cual dicha empresa no sería posible. A este supuesto se le ha llamado culturalismo. En trabajos recientes existe una larga argumentación sobre este tema, pero desde una perspectiva diferente.[1] El institucionalismo y el *rational choice* se dedica a desmontar la argumentación de los llamados culturalistas, de la tradición que viene de Tocqueville, pasa por Almond y Verba y llega hasta Putnam. Las conclusiones son interesantes, por supuesto todas ellas son polémicas y muy discutibles, pero están fundadas. Las preguntas son: ¿se necesita una cultura política para contar con una democracia estable? ¿Cuánta ciudadanía se necesita? ¿Qué nivel de pobreza soporta una democracia?

Desde esta discusión, queremos plantear algunas preguntas sobre la importancia de la ciudadanía hoy en nuestro proceso democrático. Es de sentido común escuchar que una parte de los problemas que tenemos para consolidar nuestra democracia se deben a una falta de cultura política. Por supuesto, la definición de este amplio y complicado concepto ha generado muchas definiciones, y como alguna vez lo señaló Norbert Lechner, el problema existe y es real, a pesar de que no tengamos una definición adecuada. Muchos esfuerzos se han hecho en los últimos años para conocer, a través de encuestas y otros instrumentos, cómo es nuestra cultura política, cuáles son sus características. Lo que tenemos, en la tradición culturalista, además de múltiples estudios, es toda una industria que se dedica a hacer encuestas, que se iniciaron hace unos años en México para hacer diagnósticos electorales, después desempeños de gobierno y recientemente se han dedicado a indagar qué es eso de la ciudadanía. Hay países que nos llevan décadas en esta labor, quizá los mismos que nos faltan para tener un sistema democrático estable y consolidado.

2. Una parte significativa de los estudios sobre cultura política se han dedicado a indagar sobre la construcción de ciudadanía.

* Centro de Investigación y Estudios Superiores en Antropología Social.

[1] Cf. Przeworski, Adam, Cheibub y Limongi (2004).

En diversos trabajos hay una serie de cadenas causales del siguiente tipo: para tener una democracia estable se necesita una cultura política que la respalde, además de instituciones; y para ello se necesita contar con una ciudadanía madura, activa y participativa; y se le pueden agregar más calificativos, como responsable, crítica, etcétera. Retomando la idea de Przeworski podemos preguntar, ¿en qué consiste esa parte de cultura y de ciudadanía que necesita una democracia estable? La indagatoria se puede remontar a trabajos clásicos, a Montesquieu, John Stuart Mill, Tocqueville, y llegar a autores contemporáneos como Almond y Verba, o el mismo Putnam, y todo indica que en estos trabajos se construyen cadenas causales que soportan argumentos sobre qué rasgos culturales son necesarios para una democracia. En esas argumentaciones se puede abrir un archivero grande y colocar tarjetas dentro de series jerárquicas y relaciones causales: por ejemplo, se necesitan valores, tradiciones, espíritus libertarios, sociedades civilizadas, hábitos, símbolos, ideologías, ideas, deberes, derechos, ciudadanos, capital político, cultura participativa, y todas las definiciones de cultura política. La importancia de los factores cambia con los autores, pero todos colocan en cadenas causales sus argumentos.

Con estos conceptos se han formulado tesis, supuestos, hipótesis, y se ha llegado a conclusiones como las siguientes: las democracias han sido precedidas por un aumento en el número de demócratas (Maravall, 1995); o la tesis contraria, a la que han llegado otros autores, de que es la democracia la que genera demócratas (Schmitter y Karl, 1991). Parece que nos acercamos a la tesis del huevo y la gallina. Qué genera y soporta a qué, las instituciones a la cultura o la cultura a las instituciones.

No podemos dejar de traer a cuenta el caso paradigmático de Putnam (1993), que hizo un planteamiento interesante y riguroso en principio: ¿por qué la democracia funciona en unas partes y en otras no, incluso dentro de un mismo país, como lo planteó en su investigación sobre Italia? Construyó sus datos y llegó a un callejón sin salida: en el norte sí había comunidades cívicas, con capital político, y en el sur no; luego pegó un salto de mil años y se fue a la historia medieval de esas comunidades y perdió lo ganado, en términos de explicación, de rigor y de causalidad lógica (Putnam, *op. cit.*). Imaginemos lo que pasaría con nuestras comunidades si tuviéramos que saltar mil años atrás para explicar por qué el norte de México tiene un comportamiento y el sur otro, y a pesar de que haya datos históricos sobre su diferencia, sería complicado adjudicar causalidades únicas.

3. Una buena parte de los estudios culturalistas han llegado a presupuestos generales que han tratado de comprobar en estudios empíricos o que han ajustado después de haber tenido resultados empíricos.

- Sobre todo en encuestas, por ejemplo, hay un doble acercamiento para medir el apoyo a una democracia, frente a otras posibilidades no democráticas; una cosa es el apoyo y otra es la satisfacción con la democracia que experimentan; el primero se encarga de ver los valores y convicciones, y el segundo indaga sobre el desempeño, la utilidad de la democracia y la calificación de los ciudadanos sobre un sistema en concreto. De este conjunto de variables se desprenden porcentajes y aproximaciones que permiten comparaciones internacionales, como las que hacen los barómetros en distintas regiones del mundo.

- Existe otro conjunto de medidas para indagar los grados de aceptación de las reglas del juego y de la legalidad; percepciones sobre el grado de observancia y cumplimiento de las leyes. De donde se pueden desprender el tipo de consensos y la relación entre mayorías y minorías.
- La polémica sobre el grado de homogeneidad y heterogeneidad que puede tener y aguantar una democracia; existen tesis diversas sobre la necesidad de que se compartan los valores, para lo cual se requiere que la lengua, la etnia y la religión sean comunes; otra que va por el lado de la diversidad y que habla de compartir reglas, más que valores, señala la importancia y necesidad de asumir comunidades heterogéneas, multiculturales, en cuanto a etnia, incluso lengua, siempre y cuando se asuman ciertas reglas básicas y generales.
- Las polémicas en torno del interés por la vida política y por la participación; se trata de acercamientos propiamente sobre ciudadanía, información, participación, valores democráticos.

Este conjunto de variables y relaciones de causalidad son o deben estar como condición de una democracia, según ciertas miradas, y han tenido desarrollos diversos y resultados heterogéneos, sin que hasta la fecha se haya dado con la fórmula única, porque para unos son los valores, para otros es la educación; unos ven a la ciudadanía, ahora está de moda hablar de capital social, pero sigue la misma lógica: si no hay capital político, léase confianza, redes de socialización, valores, una democracia no podrá consolidarse. Pero lo que no sabemos es cuánto de valores, qué niveles de educación, qué perfil de ciudadanía, qué tipo de información, cuánta homogeneidad, cuánta heterogeneidad, cuánto ingreso y hasta qué niveles de pobreza aguanta una democracia para seguir siendo tal. Preguntas que siguen abiertas.

Lo que sí sabemos es que el nivel de pobreza que existe en México genera una democracia precaria, sin calidad, y abre las puertas al clientelismo y al mercado político de los votos, que se venden como una mercancía.

4. Otra vertiente, denominada no culturalista o como *rational choice*, cuestiona el procedimiento de las cadenas causales, las cuales han elaborado paradigmas importantes en las ciencias sociales.

Por ejemplo, el paradigma de la modernización, que establecía como requisito de un proceso democrático las condiciones previas de un desarrollo económico determinado, urbanización, niveles educativos; luego el paradigma se ha invertido y los resultados son que para tener un desarrollo económico determinado se requiere tener un sistema democrático que posibilite instituciones que lo hagan posible. Lo cierto es que la discusión y los debates siguen abiertos. La pregunta sigue siendo relevante: ¿qué hace que haya niveles de desarrollo y democracias estables y qué hace que existan países subdesarrollados y democracias inestables? En esta parte entra la tesis no culturalista de la investigación de Przeworski *et al.* (2000): "conforme aumenta el nivel de desarrollo en un país la posibilidad de que la democracia desaparezca disminuye".

Después de un análisis sobre la duración de las democracias, estos autores llegaron a conclusiones que plasman como grandes tendencias: las democracias tienen más probabilidades de sobrevivir si están por encima de los 4 000 dólares per cápita. Esto puede implicar un cierto nivel de desarrollo, de educación, de legalidad, etcétera. Pero no se establecen argumentos causales para acomodar los datos, simplemente se afirma que la evidencia indica que con este ingreso no se quebraron regímenes democráticos entre 1950 y 1990.

La conclusión es interesante: "al igual que la habituación a la democracia genera una cultura democrática, es la riqueza, y no la cultura, la que mantiene a las democracias vivas (Przeworski, 2004). Si la ciudadanía es básica para una democracia de calidad, la pobreza genera ciudadanía precaria y un amplio déficit democrático.

5. Una democracia incipiente, como la nuestra, puede tener diversos huecos y debilidades (pobreza, inseguridad, débil impartición de justicia, instituciones del viejo régimen, ciudadanía vulnerable), pero la pregunta importante es si esto la pone en riesgo o no.

Quizás esta situación sólo retrase su consolidación, mientras las fuerzas políticas y económicas relevantes o dominantes consideren que mantenerlas sigue siendo conveniente para sus intereses. Este presupuesto, que puede ser una obviedad, tiene dos implicaciones que no son tan obvias:

- El estado en el que se encuentra la lucha política, los avances logrados, los muchos pendientes y retos, son el resultado de un balance de fuerzas, más que una consecuencia directa de los déficits mencionados.
- Es importante el desarrollo de la ciudadanía, una pobreza acotada y de una cultura política democrática, pero que estos factores no determinan causalmente el estado en el que se encuentra nuestra incipiente democracia. Tal vez afecten, pero habría que indagar cómo y hasta qué punto.

Por ejemplo, en el año 2000 no había, significativamente, más ciudadanos democráticos de los que había en 1994; sin embargo, lo que no había en 1994 era un conjunto de reglas que hicieran posible la alternancia, y en el 2000 sí. Esto no quiere decir que no sean importantes la ciudadanía y la cultura política, simplemente que quizá no fueron decisivas para los resultados del 2000, como tampoco lo fueron en 1994.

Si llevamos el caso al proceso electoral del 2006 podemos observar de qué forma las mismas reglas del 2000, con un desempeño diferente de los actores involucrados, tuvieron un resultado que agudizó los puntos débiles de las reglas. Si el arbitraje de la autoridad es defectuoso, si algunos actores rompen abiertamente con la legalidad y quedan impunes, se degrada el sistema. Eso fue lo que generó el conflicto político durante la pasada elección presidencial. Cuando se habla de consolidación, un tema polémico y discutible, entramos a una zona de experimentación de indicadores. Algunos autores se refieren a ese proceso simplemente como las condiciones que hagan posible sus condiciones de sustentabilidad; otros plantean áreas y unos más construyen indicadores y ciclos, pero el tema sigue siendo problemático (Przeworski *et al.*, 1998; Linz y Stepan, 1996).

6. Una tesis general que escuchamos con frecuencia es la siguiente: la ciudadanía es indispensable para el sustento de una democracia.

En los últimos años se ha observado en diferentes investigaciones que nos estamos acercando, no sólo en nuestro país, a un fenómeno nuevo: democracias sin ciudadanos, o democracias sin demócratas. El matiz impone hacer una serie de acercamientos antes de establecer las valoraciones, las jerarquías o las relaciones causales.

El nivel de la ciudadanía se correlaciona de forma directa con el nivel educativo, y en eso tenían razón algunos de los autores clásicos cuando afirmaban que para ser ciudadano se necesitaba cierto ingreso digno y educación. En diversas encuestas sobre cultura política y sobre ciudadanía se ve que a mayores niveles educativos sube la confianza en las instituciones democráticas, suben los valores, como la tolerancia, se tiene una idea más clara del país y de la región y se posibilita el acceso a mejores espacios de información, análisis y crítica. Todos estos ingredientes e instrumentos son necesarios para un desempeño democrático.

Por supuesto, no se trata de una perspectiva en blanco y negro, sino de una serie de niveles y matices. Se podría indagar un esquema de análisis similar al que han elaborado para determinar los niveles de pobreza (alimentaria, de capacidades y de patrimonio) y establecer niveles de ciudadanía, por ejemplo mínimo, intermedio y alto, y en cada uno establecer algunos criterios que definan la visión del mundo, sus valores y sus capacidades. Por ejemplo, ver cuál es su visión sobre la democracia, su apoyo y satisfacción; su nivel de tolerancia; su visión y vínculo con las instituciones; el valor del voto; sus formas de organización; su apreciación de lo público; niveles de confianza; su percepción sobre la justicia; sus aspiraciones.

- En el nivel mínimo podemos tener escolaridad nula o muy baja e ingresos máximos de un salario mínimo; una comprensión mínima de su entorno local; la sobrevivencia como condición económica y una ubicación restringida en cuanto a derechos y obligaciones.
- En el nivel intermedio tendremos una escolaridad e ingreso más altos; un margen más amplio del ejercicio de derechos y obligaciones; una comprensión regional de su entorno.

- En el nivel alto, niveles de ingreso y escolaridad mayores de forma significativa; más capacidad organizativa; manejo de la agenda pública; capacidad de comprensión nacional e internacional.

Puede establecerse una línea que vaya de una ciudadanía más intensa a otra más débil, vulnerable. Lo que sí es una hipótesis que cada día se comprueba más es que sin que exista la posibilidad de exigir derechos ciudadanos a nivel político, social, civil y cultural, es decir, sin que haya estructuras institucionales que hagan posible esta exigibilidad de derechos, cualquier proyecto democrático seguirá siendo completamente débil y vulnerable. De esta forma, por ejemplo el voto en condiciones de pobreza, tiene alta posibilidades de entrar al circuito del mercado de la compra y la coacción; sin niveles mínimos de escolaridad, cualquier posibilidad de deliberación democrática se convierte en un ejercicio prácticamente imposible de realizar. Y así de forma sucesiva con cada una de las áreas que integran los derechos ciudadanos en una democracia. Otros ejemplos tienen que ver con la impartición de justicia, en donde el déficit es agudo; o en el mundo laboral, donde la simulación de los llamados contratos de protección domina de forma abrumadora.

7. En una perspectiva comparada y a partir de estudios recientes sobre cultura política, ciudadanía y capital social, se pueden establecer los siguientes presupuestos:

- El nivel de comparación sobre niveles de cultura política, capital social y ciudadanía en países desarrollados y con democracias estables y consolidadas, muestra mucho más diferencias que semejanzas.
- Las semejanzas se ubican en un nivel tan general como el de los estudios que se han logrado con la encuesta mundial de valores, que muestra grandes agregados de cómo se ha pasado de una concepción materialista a otra posmaterialista (Inglehart *et al.*, 2004).
- Las diferencias son la parte más interesante; para ello nos basamos en el trabajo que coordinó Putnam (*op. cit.*). *El declive del capital social*, en él se ve que la hipótesis inicial de que lo que este autor encontró en Estados Unidos en su investigación *Bowling Alone* (Putnam, 2002) de un quiebre de la sociedad cívica, no se replica en Europa, Japón o Australia. Las referencias siguientes son de la investigación sobre *El declive...*
- Por ejemplo, en Gran Bretaña, Peter Hall hace una revisión de los mismos indicadores y obtiene resultados diferentes de los encontrados en Estados Unidos.
- Igual sucede en Suecia; Bo Rothstein habla de cómo el declive del modelo sueco de relaciones laborales tiene sólo un vínculo indirecto con los problemas de la democracia en ese país nórdico.
- En Australia, Eva Cox encuentra que los resultados son contradictorios, se ve un crecimiento del escepticismo político, pero en qué parte no sucede lo mismo.

- En Japón, Takashi Inoguchi establece la pregunta sobre si la confianza y la prosperidad explican los logros del sistema democrático. Otra vez las relaciones causales no tienen una ruta única. Como hipótesis se sugiere que en Japón un alto nivel de conciencia cívica afecta positivamente la actividad participativa; y cuanto más elevado es el nivel de confianza, más alta es la participación; la otra cuestión interesante es que la confianza sube mientras la política se hace más local, lo cual también se observó en Alemania.
- En Francia, Jean Pierre Worms descubre que el capital social no atraviesa por un hundimiento, sin embargo hay una ciudadanía más independiente de los partidos, y éstos presentan cada vez menos opciones; el autor de este trabajo considera que en Francia hay una doble crisis, la de una redistribución social de las rentas y el empleo y una crisis de representación, mediación y regulación. De nuevo, cuál Estado y cuál sociedad no enfrenta esos ajustes.
- En Alemania, Claus Offe llega a una tesis interesante: dice que "la calidad del gobierno democrático no está determinada únicamente por el nivel de asociacionismo cívico y capital social (es decir, organización social, redes, confianza, cultura política, etc.), al contrario de lo que parecen suponer a veces algunos entusiastas de la idea de sociedad civil. Las estructuras legales e institucionales de gobierno y el principio subyacente de ciudadanía universal desempeñan un cometido independiente y al menos igualmente importante en la medida en que compensan los vacíos y las desigualdades de la producción asociativa de bienes colectivos".[2]
- En España, Víctor Pérez Días encuentra una curiosidad, un desequilibrio entre la percepción de tener poco interés en la vida política y en los partidos, sin embargo el voto es alto, hay estabilidad del voto partidista y un apoyo permanente y expreso a la democracia. Esta investigación tuvo detrás una guía sobre indicadores de capital social, pero cada autor hizo una reelaboración del planteamiento conceptual, lo cual significa que las comparaciones de mayor profundidad necesitan un ajuste en las herramientas y en la perspectiva conceptual. El presupuesto es que a medida que sube el nivel de profundidad, crecen las singularidades y bajan las generalizaciones.

8. El haber llegado a un sistema democrático de forma tardía ha ubicado a México en el cruce de una contradicción: enfrentar la construcción democrática al mismo tiempo que la crisis que viven los sistemas democráticos en el ámbito internacional. La conjunción de estos dos procesos nos ha llevado a que tengamos una democracia que muestra signos tempranos de agotamiento, incluso antes de haber llegado a su fase de consolidación.

En los países que tienen una democracia consolidada y añeja se presentan conflictos en donde la fuerza de la ciudadanía empieza a bajar, o por lo menos a debilitarse

[2] Véase Offe en Putnam (2003), *op. cit.*, p. 406.

en lo que fueron sus signos de identificación, como la baja adscripción y militancia partidista, la caída en la incorporación sindical, el crecimiento del abstencionismo electoral y el creciente alejamiento de las iglesias, todos ellas redes tradicionales de participación ciudadana y de asociacionismo. Las formas clásicas para mirar la participación ciudadana tomaban en cuenta tres factores: la participación electoral, el activismo ciudadano en las organizaciones de filiación voluntaria y la política de la protesta (Norris, 2002).

A simple vista, el comparativo con nuestro país es poco alentador en estos tres indicadores:

- Desde que se inició la alternancia presidencial, es decir, desde la fecha canónica del 2 de julio del 2000, todas las elecciones locales posteriores tuvieron un crecimiento de la abstención alto; y se esperaba que la elección intermedia modificara la tendencia, pero presentó un cuadro de una abstención muy alta, casi 60% a nivel nacional. El 2 de julio del 2006 la participación electoral estuvo por debajo del 60 por ciento.
- El mundo de asociaciones tiene números bajos, comparado con cualquier democracia consolidada, y ni qué decir del sindicalismo, que tiene una tradición de corporativismo estatal en su mayor parte, que últimamente ha entrado en una descomposición mayor porque ya se pasó del corporativismo tradicional, que era una forma autoritaria, pero sí tenía una organización real del trabajo, a una forma de pura ficción en donde simplemente se firman contratos de protección, que son como franquicias sindicales, o simple renta de placas. Se trata de un mundo de simulación.
- En la parte de la expresión de la protesta existen grupos y movimientos de muy diversa causa, los cuales van por causas focalizadas, y en algunas circunstancias logran una convergencia más amplia. Lo que se conoce como la generación Génova; son grupos reducidos que giran en torno de sus pares de otros países y que aquí no se han distinguido por hacer una contribución masiva o de gran convergencia.

Tenemos que cambiar los indicadores; por ejemplo, hay que preocuparnos por el estado de derecho, por la construcción de instituciones, lo cual no está reñido con la posibilidad de que un proceso de consolidación democrática sea una cuestión de por lo menos dos generaciones, y en ese caso la preocupación por el corto se puede terminar.

A MODO DE CONCLUSIÓN

a] En suma, tenemos datos preocupantes en México, masas de ciudadanos poco informados y poco interesados en la política y en lo público; con fuertes contrastes y desniveles que se ubican en la escala educativa; hasta aquí los clásicos tienen razón, para ser ciudadano se requiere educación y salario digno. Otra parte tiene que ver con una inercia de cultura política autoritaria, así como el desprestigio de las instituciones públicas, que se expresa en los niveles más bajos de educación. Una visión más democrática y corresponsable se da más entre los jóvenes que entre los mayores y entre ciudadanos educados. Niveles bajos de participación y un asociacionismo muy limitado.

La democracia puede tener niveles de apoyo y de preferencias altas, pero el balance de la visión es pesimista porque, a final de cuentas, si no resuelve, no sirve. Seis de cada diez ciudadanos consideran que si en un país hay elecciones limpias, pero no se resuelve la pobreza, no es un país democrático.[3] La violación a la ley por parte de autoridades y ciudadanos es un dato relevante y alto. La percepción sobre el mal trato de las autoridades puede tener una correlación directa con la desconexión ciudadana frente a cualquier nivel de gobierno, y como consecuencia una ciudadanía ignorante e ignorada de las instituciones, incluso desamparada y desvinculada.

La ciudadanía en este país está insatisfecha porque la democracia no resuelve la pobreza, porque la autoridad viola la ley, porque no recibe un trato justo, porque falta libertad de expresión, porque para tres de cada diez ciudadanos no se respeta el voto. En suma, ya no somos el país de hace veinte años, tenemos un poder dividido y desconcentrado, y libertad de expresión, pero a pesar de ello la democracia no nos satisface.

b] Por otra parte, mientras el balance de fuerzas no camine en la ruta de una consolidación democrática –entendida como condiciones para ejercer derechos ciudadanos dentro de un marco institucional acorde para ello–, mientras la conveniencia de los actores y fuerzas no se empeñe en reformar las reglas del juego para consolidar un sistema democrático, estará cuesta arriba subsanar los déficits de nuestra democracia, y la fragilidad de la ciudadanía. Esa parte de la ciudadanía altamente vulnerable no saldrá de esa condición, por más cultura política democrática que hagan llegar, si no hay un nuevo arreglo institucional que permita que la democracia, un sistema de derechos positivos, pueda construir las condiciones para que esa vulnerabilidad sea superada. Las preguntas siguen abiertas: ¿cuánta ciudadanía y cultura política se necesitan para tener una democracia estable? ¿Cuánta pobreza tolera una democracia antes de volverse una simulación, una democracia ineficiente y precaria?

BIBLIOGRAFÍA

Instituto Federal Electoral, 2003, "La naturaleza del compromiso cívico", encuesta, México.

Inglehart, Ronald *et al.*, 2004, *Human beliefs and values. Across-cultural sourcebook based on the 1999-2002 values surveys*, México, Siglo XXI.

[3] Véase Encuesta del Instituto Federal Electoral, "La naturaleza del compromiso cívico", México, 2003.

Linz, J. Juan y Alfred Stepan, 1996, *Problems of democratic transitions and consolidation. Southern Europe, South America, and Post-comunist Europe*, Johns Hopkins, John Hopkins University Press.

Maravall, José María, 1995, *Los resultados de la democracia*, Madrid, Alianza Editorial.

Norris, Pippa, 2002, *Democratic Phoenix: Reinventing political activism*, Nueva York, Cambridge University Press.

Przeworski, Adam *et al.*, 1998, *Democracia sustentable*, Buenos Aires, Paidós.

—, J.A. Cheibub, F. Limongi, 2004, "Democracia y cultura política", en *Metapolítica*, núm. 33, enero-febrero, México.

—, *et al.*, 2000, *Democracy and development. Political institutions and well-being in the world, 1950-1990*, Nueva York, Cambridge University Press.

Putnam, Robert D., 1993, *Making democracy work. Civic traditions in modern Italy*, Princeton University Press.

—, 2002, *Solo en la bolera. Colapso y resurgimiento de la comunidad norteamericana*, Barcelona, Galaxia Gutenberg, Círculo de Lectores.

Putnam, Robert D. (ed.), 2003, *El declive del capital social. Un estudio internacional sobre las sociedades y el sentido comunitario*, Barcelona, Galaxia Gutenberg, Círculo de Lectores.

Schmitter, P.C. y T.L. Karl, "What Democracy is… and is not", en *Journal of Democracy*, núm. 2. (75-89), Johns Hopkins University Press, 1991.

NUEVA EXCLUSIÓN SOCIAL Y CIUDADANÍA

VÍCTOR MANUEL DURAND PONTE*

La marginalidad o la exclusión se han relacionado con formas de participación política correspondientes a una ciudadanía precaria, a la subciudadanía o a la no-ciudadanía, formas caracterizadas por prácticas políticas clientelares o dominadas por caciques; en síntesis, autoritarias.

La relación entre marginalidad o exclusión y la participación política ha sido objeto de amplios estudios, en América Latina y en México; la integración política, social y económica de los sectores marginados al conjunto de la sociedad siempre se ha colocado como una meta. José Nun (1972), a finales de los años sesenta, inició la polémica acerca de que la "masa marginal" ya no podría ser incorporada por el desarrollo capitalista, lo cual fue un replanteamiento de la tesis marxista sobre el ejército industrial de reserva, cuyas repercusiones están vigentes hasta nuestros días.

El tema que tratamos, por supuesto, no es nuevo y ha sido abordado también desde diferentes ángulos. Buena parte de la literatura sobre los movimientos sociales, como los estudios de la sociedad civil –del tercer sector–, proponía que por medio de las organizaciones civiles se profundizaría la democracia y se integraría a los marginados o excluidos. El agotamiento de estos enfoques ha dado lugar a nuevos intentos, como los del capital humano o del capital social, el empoderamiento, los cuales, se supone, asociados a políticas públicas, podrían integrar a los excluidos.

En todos los acercamientos, con la excepción de Nun, ha existido el presupuesto de que la integración a la sociedad es posible, que el progreso, el desarrollo y la diferenciación de las sociedades pueden proporcionar los empleos y los recursos fiscales necesarios para ampliar las políticas y los alcances del Estado Benefactor, de que en principio todos los individuos pueden y deberían ser integrados. En la teoría económica dominante, la neoclásica o economía política, se mantiene ese presupuesto básico de que el desarrollo económico basado en el libre mercado, en la competitividad de las naciones, posibilitará la asimilación de los pobres y la desaparición de la pobreza extrema.

Nosotros partimos de que ese supuesto es discutible, que la integración ya no es realizable en los marcos de las sociedades contemporáneas. Las características del capitalismo actual, y en especial el fin de la sociedad salarial, están asociados a la crisis de los mecanismos institucionales que articulaban a la sociedad y, en consecuencia, ya no aseguran la integración del conjunto de los miembros de dicha sociedad.

* Instituto de Investigaciones Sociales de la Universidad Nacional Autónoma de México.

Los mecanismos institucionales a que nos referimos son el mercado de trabajo formal, la familia y el Estado Benefactor. El supuesto de que habría empleo bien remunerado para todos, el pleno empleo (el incremento de los indicadores de desempleo tolerado en la definición de pleno empleo es una muestra de ello), parece ser algo que se quedó en el pasado.

De la misma manera, las transformaciones que ha sufrido la familia, el debilitamiento de su estructura, el incremento de familias monoparentales, el creciente empleo femenino, entre otros factores, han transformado el papel que desempeñaba la familia en la integración social.

En estas condiciones, el problema de la integración social debe ser necesariamente repensado. En nuestro planteamiento no se trata simplemente de buscar la integración a una sociedad dada que funciona y es posible ampliarla, mediante la diferenciación, para que el proceso de la integración se realice; en nuestra opinión es necesaria la construcción de una nueva sociedad, con nuevos mecanismos institucionales de integración.

Además, se trata de cambiar a la sociedad, de reorganizarla, y en ese proceso deben participar los marginales y los excluidos para que ello sea posible, para que la nueva organización garantice la integración y la colaboración de todos.

Dicho en términos sociológicos, nos encontramos frente a un cambio civilizatorio que se asienta en el agotamiento de la relación entre organización y expansión, en diferenciar para integrar; de alguna manera la relación entre acumulación y expansión, complejidad, diferenciación e integración se desvincula. La acumulación expande el sistema pero no diferencia para incluir; por el contrario, selecciona a quién incluir y al mismo tiempo expulsa o elimina a los demás; hay sectores de la sociedad que sobran, que son inútiles para el capital, sea para la producción, sea para el consumo.

Si esto es así, la distinción entre estructura y agencia o entre sistema y acción pierde parte de su filo para el análisis, pues se basa en la diferenciación para organizar e incluir, y ahora se trata de diferenciación y selección, de eliminación. El cómo se pueden articular esos dos elementos es lo que marca el umbral civilizatorio. En términos de la teoría de los sistemas sociales, éstos, en la medida en que tienen una parte que no pueden integrar, pierden su capacidad de autorregularse, la fricción con sus ambientes aumenta y su funcionamiento tiende a pervertirse, el sistema en su conjunto se vuelve inestable.

Sin embargo, este mal funcionamiento del sistema puede ser funcional a su permanencia en las condiciones precarias de México. Como señala Nun (2000), "no es nada obvio que la integración del sistema y la integración social covaríen. Por el contrario, mantener baja la primera puede contribuir a reducir la conflictividad social en la medida en que, por ejemplo, las zonas rurales atrasadas o los guetos urbanos retengan una mano de obra que los sectores hegemónicos de la economía no necesiten"; el crecimiento de la informalidad es así funcional al sistema.

La relación entre el crecimiento del mercado y la desorganización de la sociedad que se dio en el siglo XIX y principios del XX, que Polanyi (2003) estudia magistralmente y que encontró su solución en la llamada sociedad salarial y en el Estado Benefactor, es radicalmente distinta a la actual desorganización social causada por el capitalismo basado en el binomio ciencia-tecnología como motor de la productividad. Por ello la disputa entre mercado y sociedad deberá encontrar una nueva solución civilizatoria (sin descontar la barbarie) y en esa posibilidad los marginales y los excluidos deben jugar un importante papel; si quedan afuera, si son expulsados, el resultado será la barbarie.

Es importante destacar el hecho de que en la realidad actual, marcada por el nuevo capitalismo y la globalización, los marginales o excluidos no son homogéneos. Sostenemos que en cada fase del capitalismo fueron marginados sectores de la población latinoamericana y mexicana que no tuvieron más la oportunidad de incorporarse: los grupos indígenas y campesinos expulsados de las haciendas durante el capitalismo mercantil o el llamado desarrollo primario exportador; los migrantes y marginales citadinos que se acumularon en las orillas de las ciudades e iniciaron el hinchamiento del sector informal de la economía urbana durante la fase industrial; por último, los excluidos por el cambio tecnológico y por las cambiantes exigencias de calificación de la fase contemporánea.

Cada contingente de marginados tiene sus especificidades y su posible participación política, su conversión en ciudadanos está marcada por ese origen. Para ejemplificar, vale decir que los marginales urbanos jamás podrán seguir la ruta de los movimientos indígenas, cuyo principal capital es poseer comunidades consolidadas.

Existe cierta confusión, polisemia, entre los conceptos de pobreza, desigualdad, marginalidad, exclusión, etcétera. En nuestro caso, utilizaremos los conceptos de *pobreza, pobreza extrema* o *miseria*, en referencia a situaciones descriptivas, estáticas, definidas por estándares estadísticos establecidos de forma estricta e intersubjetiva. El concepto de *distribución* es similar a los anteriores, pero hace referencia a la comparación entre deciles u otra unidad dentro de la sociedad. La comparación en el tiempo de estos conceptos nos permite conocer, descriptivamente, su tendencia en el tiempo, si aumenta o disminuye la pobreza, la miseria, o si mejora o se agrava la distribución del ingreso.

Reservamos el concepto de *marginalidad* para designar a los sectores de la sociedad que no fueron integrados en las fases anteriores del capitalismo, en especial los indígenas y el campesinado, dejados de lado durante la fase de lo que en América Latina se llamó modelo primario exportador (Cardoso y Faletto, 1970), así como a los sectores o grupos migrantes que fueron orillados durante los procesos de industrialización.

Los *excluidos* son, para nosotros, los grupos separados por la nueva fase del capitalismo, dominada por el conocimiento como fuerza productiva fundamental, son el producto del nuevo desempleo producido por la desindustrialización, por el cambio tecnológico, por la pérdida de capacidades o habilidades, de calificación laboral de sectores de los trabajadores. Pero no es sólo el desempleo que lleva a la exclusión, también es la precarización, la flexibilización, la terciarización del empleo dentro del mercado formal, que retira de una parte del trabajo formal y la posibilidad de vivir bien, con tranquilidad y decencia. Entre los excluidos cabe diferenciar a los *desafiliados*, que representan un sector muy especial, aunque muy importante, son los antes bien integrados, empleados de cuello blanco u obreros muy calificados, que son expulsados por el cambio tecnológico u otras modificaciones que afectan su empleo; que debido al desempleo sus redes sociales se van debilitando (trabajo, familiares, grupos sociales) y caen en una situación de exclusión; y a los *vulnerables*, que se ubican en esta dinámica del nuevo capitalismo que abre espacios sociales *vulnerables*, conformado por grupos que viven en el riesgo de ser *desafiliados* del sistema formal, de ser desempleados sin posibilidad de volver a emplearse, al menos en los mismos niveles de productividad y remuneración.

En el entendido de que no toda exclusión tiene un origen socioeconómico, debemos recuperar la *exclusión por ser diverso*. En la actualidad esta categoría se ha discutido en torno del término pluralismo cultural, el multiculturalismo, el cual se opone a las visiones que defienden la unicidad cultural o el predominio de una cultura a la que se define como única en una nación. En este sentido, es muy importante la distinción que realiza Amartya Sen entre el monoculturalismo plural, al que acompaña la separación basada en la fe, y el multiculturalismo plural, al que acompaña la libertad cultural, en la razón, en la posibilidad de elegir entre distintas culturas en sentido amplio (Sen, 2006: 11). No se trata sólo de que convivan distintas razas o religiones, que se toleren, que los miembros de cada una de ellas sean políticamente correctos, sino que además se reconozca que la clasificación o la identidad de los individuos no se agota en la identidad étnica o religiosa, sino que se acompaña de otros principios de identidad igualmente importantes, como el género, las preferencias sexuales, los gustos artísticos y muchos más. El monoculturalismo plural se refiere a esa identidad básica, cimentada en la fe, que acepta la existencia de otras etnias o religiones, por ejemplo; en cambio, el multiculturalismo plural se refiere a esa identidad compleja elaborada en la libertad, en la elección de los actores.

El pluralismo cultural es un tema de discusión reciente entre nosotros, aunque en la realidad es tan antiguo como nuestra historia más remota, donde la idea del otro, diferente del nosotros, es central en la época prehispánica; donde los otros, los distintos pueblos o etnias, eran enemigos sometidos y debían pagar tributos materiales y humanos; durante la Colonia los peninsulares se diferenciaban de los indios, separados dentro de las repúblicas de indios, y de otros, las castas, que no tenían siquiera una identidad clara; en esta época la religión católica se impone como la única verdadera, se combaten y se destruyen los otros cultos, la pluralidad racial se funde en la identidad católica; la unicidad religiosa brinda el primer principio de igualdad de todos los hombres y mujeres frente a Dios, la heterogeneidad social está contenida en un orden social; la igualdad formal se opone a la desigualdad étnica y socioeconómica. En la época independiente, la igualdad formal que define la religión católica se ve acompañada por la definición de otra igualdad, la que brinda la pertenencia a la nueva comunidad nacional, el establecimiento de la ciudadanía, derecho que define adscriptivamente el haber nacido en el territorio nacional; por supuesto que había sectores diferenciados, como las etnias, las mujeres y los grupos socioeconómicos; lo cual se reproducía y daba lugar a derechos diferenciados, como en el caso de las mujeres o los pobres, quienes carecían del derecho al voto. La igualdad de los actores frente a la nación y ante Dios daba el principio de unidad y orden a una sociedad muy heterogénea. Con la Constitución de 1857 se agudiza el liberalismo, los pueblos, las cofradías y las corporaciones fueron prohibidas en beneficio del individualismo liberal, se niega la igualdad ante Dios como principio del orden social, la religión es relegada a la vida privada; sólo la igualdad que da la pertenencia nacional y la igualdad ante la ley y el Estado, finalmente la ciudadanía, se acepta como el principio ordenador, las otras identidades, especialmente las étnicas y la religiosa, deben ser subsumidas; así, fueron convertidas en los otros, que debían ser combatidos, el individuo debería ser libre y su libertad garantizada por el Estado; sin embargo, la igualdad formal chocó con el poder de algunas corporaciones y con la resistencia de las etnias, que se negaron a disolverse, el individualismo no se impuso, como se había impuesto la religión católica, y pasó a convivir con sus opuestos; la ciudadanía se volvió un adefesio. En el plano de los derechos políticos, el ejercicio del voto también estaba restringido para sectores de la población, como las mujeres y los pobres, quienes no eran ciudadanos a pesar de pertenecer a la comunidad nacional, su condición socioeconómica no les garantizaba su autonomía y, por ello, su libertad. En la Constitución de 1917 la comunidad nacional se redefinió como el conjunto de individuos libres, pero también se reconoció la existencia de las clases sociales y de los pueblos indios y sus derechos diferenciales: hay una definición pluralista, la ciudadanía está basada en la pertenencia a la nación y en la igualdad de todos ante la ley, pero se reconoce que las divisiones socioeconómicas, las clases sociales y las etnias, los pueblos indígenas, requieren de derechos sociales que mitiguen su desigualdad bajo la tutela del Estado. Aun con las grandes modificaciones que trajo la lucha revolucionaria se mantuvo la exclusión de las mujeres respecto del derecho al voto.

Como producto del desarrollo ideológico que siguió a la revolución de 1910-1917 la comunidad nacional pasó a ser englobada en el nacionalismo revolucionario. El otro, el imperialismo, Estados Unidos, daba sustento a la definición del nosotros, los defensores de la nación y de su pueblo. En ese movimiento, la comunidad nacional pasó a redefinirse en un nosotros nacionalista conformado por el pueblo, el partido oficial paso a ser su representante único y el Estado era el encargado de su defensa y de promover sus intereses; el otro, los enemigos del pueblo, eran los que se oponían desde la derecha o desde la izquierda a los principios revolucionarios; eran los traidores y debían ser excluidos, combatidos. La comunidad política se escindió, la libertad individual se limitó. El pluralismo, inscrito en la Constitución, se transformó en la unicidad de las organizaciones sindicales o campesinas, en pocas palabras, en la subordinación de toda identidad al Estado: se impuso la unidad de lo diverso. Dentro del nosotros, las mujeres continuaron sin tener reconocido su derecho formal al voto y, en el derecho civil, los derechos de las mujeres en la familia eran inferiores a los de los hombres.

Hasta la primera mitad de los años ochenta las ideologías totalizantes dominaban nuestra concepción cultural, fundamentalmente el nacionalismo que disolvía todo lo diverso en el compromiso con la nación; todo interés individual debía subordinarse; el mestizaje procuraba negar toda diferencia étnica, las comunidades indígenas debían disolverse en el pueblo mestizo, volverse mexicanos como todos los demás. En menor medida, el marxismo (dominante en aquellos años, el cual sostenía la dictadura del proletariado como la salida a los males de la sociedad capitalista) también pretendía que los intereses de los diversos fuesen pospuestos para resolver el asunto después del triunfo de la revolución.

Fueron justamente los movimientos feministas los que combatieron esta subordinación cultural y postularon la defensa de sus intereses ¡ya! Las mujeres también iniciaron la lucha por sus derechos dentro de los propios movimientos populares, especialmente el urbano; el enfoque de género empezó a conformarse y a imponerse. Entonces algunos pueblos indígenas también iniciaron un movimiento por la reivindicación de sus derechos como pueblos. Lo diverso empezó a cobrar visibilidad.

La ideología nacionalista y la socialista revolucionaria han quedado atrás en nuestra historia, y aunque todavía hay grupos que las defienden, ya no tienen la repercusión de antaño en nuestra vida político-cultural. Sin embargo, en la realidad mexicana lo diverso continúa atrapado en una sociedad que le continúa siendo hostil.

El tema de la exclusión por diverso en las sociedades contemporáneas se suma a la creciente complejidad de las mismas y a su dinámica actual, dirigida por el nuevo capitalismo y la globalización a que nos referimos al inicio; dicha dinámica está marcada por fuertes transformaciones estructurales, donde se destaca el problema del aumento de la pobreza y de la desigualdad; la polarización social escinde a las sociedades entre un sector altamente integrado a los procesos globales, con ingresos y niveles de productividad muy altos, sometidos a niveles de competitividad y de cambio incesantes, y otro sector, las mayorías, que se empobrecen, son desafiliadas y excluidas del proceso, se reproducen en ocupaciones de muy baja productividad, de bajos ingresos, con el empobrecimiento de su cotidiano y la destrucción de sus redes sociales (Kaztman y Wormald, 2002).

¿Cómo pensar la ciudadanía en esta heterogeneidad social que parece tender más a la segregación que a la integración, que prufundiza la vieja contradicción entre la igualdad formal de los individuos frente a la ley y el Estado (la ciudadanía adscrita al ser miembro del Estado-nación) y la desigualdad creciente que se profundiza en los espacios sociales, económicos y culturales (la ciudadanía entendida como posesión de derechos y obligaciones)?

Nos parece que la solución es política. Desde luego no es lo que ahora conocemos como la política pública contra la pobreza, en la cual se despolitiza al pobre y se le define con criterios técnicos, no como un actor político; nos referimos a la política que permita la participación de quienes no son parte o han dejado de serlo. La política como diferendo, como conflicto con el orden institucional establecido, con lo político en términos de Claude Lefort (1988), nos aleja de la administración de lo político, de la gobernanza, de la reproducción del sistema político y su relación con otros subsistemas, lo que Jacques Rancière (1996) define con el término de *policía*. Desde el punto de vista de los pobres, en su heterogénea especificidad, la nueva política implica la definición del diferendo con el orden actual; descontamos en ello la alternativa revolucionaria y, por ende, asumimos la presencia y dominación del capitalismo como modo de producción o como sistema económico regido por el libre mercado. El diferendo debe tomar en cuenta dos elementos: por una parte, la crisis del sistema político, del régimen democrático, de la representación política, de la participación de los ciudadanos; por la otra, la crisis de la sociedad salarial, el fin del trabajo asalariado como principio ordenador de la sociedad. En otras palabras, la nueva política no puede pensarse dentro de la lógica de la sociedad salarial, ni suponiendo que los antiguos mecanismos políticos de integración pudiesen funcionar; no es posible suponer que el sistema económico va a crear los puestos de trabajo formales necesarios, bien remunerados y con todas las prestaciones de la ley, ni tampoco que los pobres van a moverse por medio de instituciones políticas, como los partidos políticos, o sociales, como los sindicatos. La nueva política conlleva tanto la modificación del orden social y político como la creación de nuevos mecanismos de participación y representación políticas.

En este propósito se aúnan esfuerzos de diferente índole: a las políticas públicas orientadas a disminuir la pobreza, como el programa Oportunidades (que fortalece el capital humano de todas las personas, sin que por ello se destruya o se obstaculice el enriquecimiento del capital social) debe sumarse la presión de las asociaciones para que los distintos derechos que existen formalmente se hagan reales, se aplique y beneficien a los marginados y excluidos, se amplíe el derecho a participar en la definición y aplicación de las políticas orientadas a la inclusión de esos sectores, las cuales afectan sus vidas, sus cotidianos; también se debe adicionar la promoción de la participación de los pobladores en la definición de las prioridades que deben ser atendidas, que participen en la formulación del presupuesto, que vigilen su aplicación. Adicionalmente debe fomentarse la administración colectiva de los bienes comunales y otras formas que fortalezcan la economía popular, ya que es de fundamental importancia encontrar los espacios institucionales para el desarrollo de lo que hoy llamamos economía informal, la cual debe ser reconceptualizada y refuncionalizada, para fortalecerla como sector y aprovechar su contribución a la sociedad en general. En síntesis, debe empoderarse a los grupos marginales y excluidos para que puedan convertirse en actores estratégicos de su futuro y de la definición del nuevo orden social.

Sin embargo, la posibilidad de lograr esa nueva forma de hacer política, desde el disenso, depende básicamente de la organización autónoma y de la lucha de los marginales, de los pobres, de su capacidad de hacer que el resto de la sociedad los reconozca plenamente y pasen a formar parte de un nuevo modelo de organización social, donde el mercado capitalista y el desarrollo de capitalismo, con su complejo científico tecnológico y su alta productividad, deje libre el espacio de la solidaridad social, de la comunicación racional, sin que someta a la mayor parte de la sociedad, como en la actualidad, a la degradación y a la pobreza.

BIBLIOGRAFÍA

Cardoso, Fernando H. y Enzo Faletto, 1970, *Dependencia y desarrollo económico en América Latina. Ensayo de interpretación sociológica,* México, Siglo XXI.

Kaztman, R. y G. Wormald (coords.) (2002),*Trabajo y ciudadanía. Los cambiantes rostros de la integración y exclusión social en cuatro áreas metropolitanas de América Latina,* Montevideo, s.e.

Lefort, Claude, 1988, "Democracia y advenimiento de un lugar vacio", en *La invensión democrática,* Buenos Aires, Nueva Visión.

Nun, José, 1972, "Marginalidad y otras cuestiones", en *Revista Latinoamericana de Ciencias Sociales,* núm. 4, Buenos, Aires, FLACSO.

—, 2000, "O futuro do emprego e a tese da massa marginal", en *Novos Estudos Cebrap,* núm. 56, marzo, São Paulo, Editora Brasileira de Ciências Sociais.

Polanyi, Karl, 2003, *La gran transformación. Los orígenes políticos y económicos de nuestro tiempo,* México, Fondo de Cultura Económica.

Rancière, Jacques, 1996, *El desacuerdo: Política y filosofía,* Buenos Aires, Nueva Visión.

Sen, A., 2006, "Usos y abusos del multiculturalismo", en *Este País. Tendencias y opiniones,* núm. 184, julio, México.

POBREZA URBANA Y CAPITAL SOCIAL

SARA GORDON R.*

INTRODUCCIÓN

La pobreza en México y América Latina constituye un objeto de análisis que ha recibido mucha atención por parte de los investigadores. Este interés ha aumentado en gran medida por las dificultades que experimentan las economías de la región para consolidar un crecimiento continuo que permita logros sustantivos en materia de bienestar social, así como por el surgimiento de procesos económicos que favorecen los enfoques centrados en la capacidad de agencia de los individuos.

Una característica de la extensión de la pobreza es que ha pasado a ser mayoritaria en las zonas urbanas, a diferencia de lo que ocurría hasta principios de los años ochenta, cuando se localizaba principalmente en las zonas rurales. Al finalizar la década de los años noventa, seis de cada diez pobres habitaban en zonas urbanas (Arriagada, 2000).

La investigación reciente sobre pobreza urbana en América Latina ha reconocido la complejidad de los procesos que inciden en la creciente vulnerabilidad de determinados sectores de la sociedad y ha destacado la importancia de relacionar entre sí los órdenes institucionales –Estado, mercado y comunidad–. De este modo, se ha abordado el análisis de la oferta de oportunidades de integración social que proporcionan el mercado, el Estado y la organización de la sociedad, las cuales comprenden las oportunidades de acceso al empleo, a la salud, a la educación, a la protección que otorga la previsión social y a las oportunidades de interacción dentro de la comunidad (redes y organizaciones sociales).[1]

En el marco del análisis de oportunidades se han establecido unas dimensiones específicamente relacionadas con la vulnerabilidad social. Tanto los estudios sobre la dinámica del mercado de trabajo urbano como los análisis sobre la organización del espacio urbano han señalado la importancia de dos dimensiones relacionadas con la vulnerabilidad en América Latina: por una parte, el debilitamiento creciente de los vínculos de los sectores pobres con el mercado de trabajo, y por el otro, el aislamiento progresivo de estos sectores en relación con el resto de la población

* Instituto de Investigaciones Sociales de la Universidad Nacional Autónoma de México.

[1] El enfoque incluye un microacercamiento a los activos de los hogares, con el fin de relacionar la vulnerabilidad de diferentes estratos sociales con las estructuras de oportunidades que proporcionan el Estado, el mercado y las organizaciones de la sociedad. La idea es que las posibilidades de integración y de movilidad social o, por el contrario, las situaciones de exclusión social de los grupos vulnerables pobres, se relacionan con las diversas combinaciones entre activos de los hogares y oportunidades sociales (Wormald, Cereceda y Ugalde, 2002).

urbana (Kaztman y Wormald, 2002; Duhau, 2005). El análisis de las transformaciones en los modos de inserción al mercado de trabajo con distintos niveles de calificación ha comparado la evolución de las tasas de desempleo, la cobertura de las prestaciones sociales y los ingresos de trabajadores calificados y no calificados, y la vertiente que estudia el aislamiento de los sectores pobres ha analizado procesos de segregación residencial y de segmentación educativa, en tanto mecanismos que contribuyen a reforzar el aislamiento de los trabajadores no calificados (Kaztman y Wormald, *op. cit.*: 30).

Los enfoques descritos incorporan el análisis de las relaciones sociales como parte de las oportunidades y las condiciones que favorecen la inserción social. Parten de la premisa de que las redes sociales favorecen los contactos y dan acceso a información, lo cual permite abrir oportunidades a los hogares, de ahí que se constituyan en activo familiar. Así, la investigación sobre pobreza urbana introduce el concepto de capital social, ampliando el campo de análisis, que anteriormente se centraba sobre todo en el estudio de las redes sociales.

Así, el objetivo del presente trabajo es reflexionar acerca de la relación de la pobreza urbana con determinados componentes del concepto de capital social, tomando como marco la investigación elaborada en países latinoamericanos, y exponer resultados provisionales de una encuesta levantada en 2004 en los municipios de Monterrey, Saltillo y Chilpancingo.[2] Nos interesa ilustrar algunos fenómenos o procesos relacionados con la pobreza urbana que se han identificado en varios países de la región. Sobre todo, las oportunidades de interacción entre población de estratos socioeconómicos distintos que, de acuerdo con varios autores (Duhau, *op. cit.*; Kaztman, 2002: 2), sufren un proceso de reducción entre los sectores más pobres. De manera creciente, los contactos sociales de personas de escasos recursos se limitan a la vinculación con personas de su misma situación socioeconómica, lo cual tiene efectos en la limitación de oportunidades a las que pueden acceder.

Inquirir sobre la pobreza en relación con el capital social permite un enfoque que vincula las estructuras de las relaciones sociales con fenómenos que caracterizan la condición socioeconómica de grupos de bajos ingresos y pone el acento en la incidencia de variables socioculturales.

En una primera parte expondremos las principales definiciones de capital social que han orientado las elaboraciones conceptuales en América Latina, para más adelante anotar el contenido de estas últimas, así como los principales hallazgos de la investigación. En una segunda parte presentaremos los resultados de la encuesta a la que nos hemos referido, en la que abordamos las variables del capital social.

[2] La encuesta se aplicó en el marco del proyecto "Capital social, percepción de incertidumbres y desempeño social", financiado por PAPIIT y por CONACYT, y fue realizado de manera conjunta con el doctor René Millán.

EL CAPITAL SOCIAL COMO RECURSO

La elaboración conceptual de capital social en la que se sustenta la investigación en América Latina abreva de dos fuentes principales: la definición formulada por James Coleman y los planteamientos emanados de la teoría de redes. Para Coleman, quien incorpora el concepto de capital social en su teoría de la acción racional, el capital social constituye un tipo de recurso disponible que reside en la estructura de relaciones entre los actores y que se define por su función. Está compuesto por una variedad de diferentes entidades, con dos elementos en común: "todas consisten en algún aspecto de la estructura social y facilitan ciertas acciones de los actores –sean personas o corporaciones– dentro de la estructura" (Coleman, 2000: 16). Coleman identifica las siguientes formas del capital social: a] las obligaciones, las expectativas y la confiabilidad de las estructuras, que descansan en la reciprocidad basada en la confianza; b] los canales de información, cuya importancia radica en que la información constituye la base de la acción; c] las normas y sanciones efectivas; d] la estructura social que facilita el capital social, referido a las estructuras en las que mejor funciona una efectiva sanción colectiva y que favorecen por ello el cumplimiento de las normas y el control social (la más importante es la estructura de clausura que alude a las relaciones que pueden ser ilustradas por medio de un triángulo; e] las relaciones de autoridad; f] el carácter apropiable de las organizaciones, que permiten que una organización se mantenga disponible aun cuando los problemas que le dieron sentido se hayan resuelto, y, por último, *g*] la organización intencional. En virtud de que el capital social es un atributo de la estructura social y no propiedad privada de quienes se benefician de él, es inalienable, es decir, no puede ser intercambiado. Esto le confiere su carácter de bien público no divisible (Coleman, 1990: 315).

Los planteamientos derivados de la teoría de redes coinciden con Coleman en que el capital social se define como los recursos que pueden utilizarse para determinados fines y por ello pueden ser movilizados. En efecto, Lin sostiene que "el capital social debe ser concebido como recursos accesibles a través de lazos sociales que ocupan lugares estratégicos o posiciones organizativas significativas" (Lin, 2001: 24-25). En la bibliografía sobre redes se establece la distinción entre redes constituidas por lazos fuertes y las integradas por lazos débiles. Los primeros se definen por la frecuencia y la cercanía del contacto: hay un lazo fuerte cuando varias personas son amigas entre sí y pasan mucho tiempo juntas, en tanto que los lazos débiles se refieren a contactos esporádicos y con pocas amistades en común. Las redes constituidas por lazos débiles proporcionan información de mejor calidad y favorecen los contactos amplios, porque al otorgar o recibir el bien o servicio fuera del círculo de amigos se abren nuevas posibilidades de relación y un horizonte más amplio de oportunidades (Granovetter, 1973). Para la obtención de beneficios tales como conseguir trabajo son más importantes los lazos débiles, en tanto que los lazos fuertes, como los constituidos por la familia, los parientes, los amigos y los vecinos, tienden a generar información redundante; sin embargo, estos últimos lazos constituyen un soporte clave cuando se trata de obtener apoyos en bienes y servicios para atender la vida cotidiana.

El capital social se orienta a reforzar los lazos cuando reúne a gente a partir de características importantes y similares (edad, clase social, género, preferencia política); y tiende puentes cuando las redes reúnen a gentes diferentes entre sí. La importancia de la distinción radica en que las redes que tienden puentes generan efectos más positivos desde el punto de vista social.

LA CONCEPCIÓN DE CAPITAL SOCIAL EN AMÉRICA LATINA

En América Latina, el análisis de redes se ha centrado principalmente en las redes de subsistencia de los pobres. Se investigan las relaciones establecidas entre familiares, vecinos y amigos que habitan en la misma área física y comparten una situación de pobreza. Larissa Lomnitz (1975) describe la red social como un "mecanismo efectivo para suplir la falta de seguridad económica que prevalece en la barriada". La autora destaca esencialmente la función económica de los intercambios que se dan en las redes sociales.

La formulación del concepto en América Latina ha sido llevada a cabo por Durston en el marco de CEPAL para investigar la pobreza rural y orientar la aplicación de políticas de desarrollo. En la elaboración del concepto se ha partido de algunas críticas formuladas a Coleman, sobre todo por Alejandro Portes, y se han retomado elaboraciones de investigadores auspiciadas por organismos internacionales como el Banco Mundial. Portes ha advertido sobre el carácter tautológico del concepto de capital social en la medida en que incluye los resultados de la acción como parte de los componentes del capital social:

> hay una tendencia común a confundir la habilidad de conseguir recursos por medio de redes, con los recursos mismos [...] De hecho, la capacidad de un actor para obtener recursos por medio de contactos no garantiza un resultado positivo (Portes y Landolt, 2000).

Por otra parte, en varios trabajos auspiciados por el Banco Mundial se ha desarrollado un modelo de varios niveles de capital social, en los que se incorporan hallazgos del enfoque de redes, sobre todo de Granovetter. Así, se distingue el capital social que establece puentes (*bridging*) del que refuerza lazos (*bonding*) y del que conecta con entidades de distinta jerarquía (*linking*) (Woolcock, 2000, Woolcock y Narayan, 2000). El último, de carácter vertical, permite incorporar el papel del Estado y de instituciones públicas para crear una sinergia Estado-sociedad.

Durston define el capital social como "el contenido de ciertas relaciones sociales: la actitud de confianza y las conductas de reciprocidad y cooperación, que hacen posible mayores beneficios que los que podría lograrse sin esos activos". Las relaciones de confianza, reciprocidad y cooperación pueden contribuir a reducir los costos de transacción, producir bienes públicos y facilitar la constitución de organizaciones de gestión de base efectivas, de actores sociales y de sociedades civiles saludables. El autor establece la distinción entre dos tipos de capital social: uno individual y otro comunitario (o colectivo): el individual "consta del crédito que ha acumulado la persona en la forma de reciprocidad difusa que puede reclamar en momentos de necesidad, servicios o favores en cualquier momento del pasado" (Durston, 2000: 21). El capital social comunitario "consta de las normas y estructuras que conforman las instituciones de cooperación grupal. Reside, no en las relaciones interpersonales diádicas, sino en estos sistemas complejos, en sus estructuras normativas, gestionadoras y sancionadoras" (Durston, *op. cit.*: 22). Los vínculos –tanto de carácter horizontal como vertical– que dan acceso a personas e instituciones distantes entre sí permiten ampliar el capital social.

Esta definición implica destacar el carácter de bien público del capital social, y no establecer relaciones causales entre los componentes del capital social: la cooperación no es vista como resultado de confianza y reciprocidad, sino como parte de relaciones de confianza y reciprocidad.

La mayor parte de los estudios sobre pobreza urbana que incorporan el análisis del capital social en América Latina parten de la definición que acuña Durston. Destacamos aquí algunos hallazgos referentes a los vínculos sociales: en barrios habitados por sectores pobres se da el predominio de lazos fuertes de carácter homogéneo que funcionan como mecanismos de sobrevivencia, en los que el intercambio de ayudas permite mantener el consumo; sin embargo, estos vínculos no favorecen la incorporación de estos sectores a una estructura de oportunidades más amplia, ni el acceso a mecanismos de movilidad ascendente (Wormald, Cereceda y Ugalde, 2002: 215-216). En el ámbito laboral, Espinoza y Canteros llegan a conclusiones semejantes respecto de la preponderancia de los vínculos fuertes, que los autores consideran ligados al estatus del trabajo: "las personas con un empleo de bajo estatus no tienen posibilidad de introducir variedad, por lo que conformarían su red preferente o totalmente de lazos fuertes. Así, el *status* del trabajo daría cuenta de las posibilidades de las redes en términos de lazos débiles y lazos fuertes" (Espinoza y Canteros, 2001: 18).

CAPITAL SOCIAL Y POBREZA EN TRES MUNICIPIOS MEXICANOS

A fin de contrastar estos hallazgos, abordaremos los problemas de la cohesión social, la confianza y el acceso potencial a recursos mediante las redes, por medio de la agregación y articulación de respuestas individuales. Haremos cruces de los resultados de estos componentes con nivel de ingresos para mostrar percepciones, disposiciones y prácticas de relaciones sociales en determinados ámbitos, así como para analizar las diferencias entre los tres grupos de ingresos que establecimos: menos de dos salarios mínimos, más dos y menos de seis, y más de seis.

Inicialmente haremos una breve caracterización socioeconómica de cada uno de los tres municipios que en conjunto constituirán nuestro universo de estudio. Los municipios son Monterrey, Saltillo y Chilpancingo, y los tres cuentan con un alto grado de consolidación, es decir, cuentan con infraestructura física urbana, tal como electricidad, drenaje, pavimentación, etcétera. Sin embargo, se distinguen entre sí por sus niveles de actividad económica y de bienestar social, como lo ilustran los siguientes datos:

Según información de 2000, el PIB per cápita en Monterrey es de 14 769 dólares, en Saltillo de 13 298 y en Chilpancingo de 5 419 (Sistema Nacional de Información Municipal –SNIM–, 2007). Mientras Monterrey y Saltillo tienen sólo 3.2% de analfabetismo de mayores de 15 años, Chilpancingo tiene 10.5%, ligeramente arriba de la proporción nacional, que es de 10.3%. Asimismo, hay una gran distancia en los datos de la población ocupada que gana menos de dos salarios mínimos, que en Monterrey es de 28% y en Saltillo de 25%, en tanto que en Chilpancingo llega al 48% (INEGI, 2007).[3] Lo mismo ocurre con los datos sobre población no derechohabiente, que en Monterrey es de 35%, en Saltillo de 21% y en Chilpancingo de 57% (INEGI, *op. cit.*), y con la proporción de viviendas sin drenaje: en Monterrey es de 0.5%, en Saltillo de 1.86% y en Chilpancingo llega a casi 11% (SNIM, *op. cit.*). En síntesis, los municipios de Monterrey y Saltillo se caracterizan por un relativo alto grado de homogeneidad social, que se expresa en los niveles de ingreso y escolaridad de su población, así como en los servicios públicos, en tanto que Chilpancingo se caracteriza por un relativo bajo grado de modernización, con indicadores de bienestar intermedios. La integración de un universo de estudio con municipios que tienen características disímiles permite contar con un espectro más amplio de las percepciones.

El primer grupo de resultados que mostramos (cuadro 1) se refiere a cohesión social, la cual medimos por medio de una pregunta dirigida a abordar dos planos simultáneamente: el plano del ambiente social en que actúa una persona y el de la capacidad individual de acción.

Si bien las personas de las tres categorías de ingresos coinciden en sentirse más seguras con personas de sus mismas ideas, quienes tienen menores ingresos muestran un alto porcentaje de seguridad con gente con su mismo nivel económico –más que las otras dos categorías–. Lo mismo ocurre con personas de su misma religión. A medida que aumenta el ingreso, se concentra el sentimiento de seguridad en la gente con las mismas ideas. Así, quienes tienen mayores ingresos, claramente se sienten más seguras (59%) con personas de sus mismas ideas, cifra que casi triplica a la de gente de su mismo nivel económico. Estos datos podrían indicar que en los municipios estudiados las distancias sociales se hacen notar en la interacción entre las clases, en detrimento de los más pobres.

[3] El porcentaje fue calculado respecto de la población ocupada.

CUADRO 1

PERSONAS CON LAS QUE EL ENTREVISTADO SE SIENTE MÁS SEGURO

		Ingreso laboral en 3 categorías			
		Hasta dos salarios mínimos	*Más de dos hasta seis salarios mínimos*	*Más de seis salarios mínimos*	*Total*
1.3 Del siguiente grupo de personas ¿con cuál se siente o cree que se sentirá más seguro en su vida?	Con la gente de su misma religión	19.8%	18.3%	12.8%	17.6%
	Con la gente de sus mismas ideas	39.2%	50.2%	59.1%	49.7%
	Con la gente de su mismo nivel económico	31.7%	24.8%	20.1%	25.2%
	Con ninguna	3.8%	1.9%	.7%	2.0%
	Otro	2.4%	3.0%	4.0%	3.1%
	No sabe	1.9%	1.6%	2.0%	1.7%
	No responde	1.1%	.2%	1.4%	.6%
Total		100.0%	100.0%	100.0%	100.0%

En el cuadro 2 nos interesa abordar algunas líneas que se relacionan de manera indirecta con la definición de pobreza formulada por A. Sen, y con aquellos planteamientos cercanos a los postulados de la pobreza relativa y la exclusión social que destacan efectos emanados de predisposiciones que se traducen en segmentación social. Sen considera a la pobreza como falta de desarrollo humano que se expresa en los logros de las personas, respecto de vivir largas vidas, bien alimentadas, y en las dificultades para ejercer su libertad de elección. La ampliación de la elección depende del "empoderamiento" individual por medio de capacidades humanas tales como salud, alimentación, habilidades, conocimiento tecnológico y un marco que asegure el uso total de esas capacidades. En este caso, nos referimos a la capacidad de afrontar situaciones potencialmente conflictivas en la interacción cotidiana.

Nótese que en el grupo de menores ingresos es mayor la proporción de quienes no harían nada para solucionar el problema, y comparativamente menor la de quienes lo solucionarían con el vecino. No hay diferencias en la proporción de quienes acudirían a la autoridad entre las categorías de ingresos.

A continuación (cuadro 3) presentamos los datos referidos a confianza, en la cual aplicamos una pregunta distinta de la que usualmente se utiliza, y que pretende incorporar la percepción sobre el ambiente social.

CUADRO 2

		Ingreso laboral en 3 categorías			
		Hasta dos salarios mínimos	*Más de dos hasta seis salarios mínimos*	*Más de seis salarios mínimos*	*Total*
1.4. Si su vecino hiciera mucho ruido en la noche y usted no pudiera dormir ¿qué haría para resolver el problema?	Lo solucionaría con su vecino	60.2%	66.2%	66.8%	65.1%
	Acudiría a gente que lo pudiera ayudar	3.6%	2.7%	5.6%	3.4%
	Acudiría a la autoridad	11.9%	11.9%	11.2%	11.8%
	No lo solucionaría/no haría nada	23.7%	18.7%	16.1%	19.2%
	Pelearía con su vecino		.2%		.1%
	No sabe	.3%	.3%	.1%	.2%
	No contesta	.3%		.3%	.1%
Total		100.0%	100.0%	100.0%	100.0%

Sobre la percepción de confianza podemos establecer dos amplios grupos: quienes perciben menos de seis salarios mínimos y quienes ganan más de seis salarios mínimos. En el primer grupo es más alta la proporción de quienes han notado que la gente desconfía de ellos. Llega casi al 40% en el grupo intermedio de ingresos.

CUADRO 3. CONFIANZA

		Ingreso laboral en 3 categorías			
		Hasta dos salarios mínimos	*Más de dos hasta seis salarios mínimos*	*Más de seis salarios mínimos*	*Total*
2.5. En su vida cotidiana ¿alguna vez ha notado que la gente se comporta como si usted fuera una persona deshonesta o poco confiable?	Sí	36.6%	39.1%	27.1%	36.8%
	No	61.1%	60.1%	69.6%	62.1%
	No sabe	2.3%	.6%	.7%	.9%
	No responde		.2%		.15%
Total		100.0%	100.0%	100.0%	100.0%

En lo que se refiere a las redes, retomamos el enfoque que considera que el capital social consiste en "recursos accesibles a través de lazos sociales que ocupan lugares estratégicos o posiciones organizativas significativas" (Lin, *op. cit.*: 24-25). Los vacíos de conexión o de información entre redes pueden ser atravesados por las personas-puente y conectar a dos o más redes, estableciendo lazos entre personas con recursos asimétricos. Las limitaciones de las redes dependen de tres dimensiones: tamaño, densidad y jerarquía de una determinada red. El supuesto es que entre más pequeñas, densas y jerárquicas sean las redes, más limitantes serán (Burt, 2001).

Vamos a presentar cruces de variables que nos indiquen si las personas de menores ingresos establecen relaciones con personas que tienen recursos similares y posiciones semejantes (redes homofílicas), o si tienen acceso a relaciones con personas que tienen recursos y posiciones sociales diferentes, lo cual favorece el acceso a recursos de distinto carácter, que permite superar los vacíos de información y de conexión que separan a los distintos estratos sociales y tener acceso a nuevas oportunidades.

La primera variable se refiere a la facilidad para establecer nuevas relaciones (cuadro 4).

CUADRO 4. FACILIDAD PARA ENTABLAR NUEVAS RELACIONES

		Ingreso laboral en 3 categorías			
		Hasta dos salarios mínimos	*Más de dos hasta seis salarios mínimos*	*Más de seis salarios mínimos*	*Total*
6.1. En el hambiente en que usted se mueve ¿qué tan fácil o difícil es para usted hacer nuevas relaciones, conocer gente o hacer amigos?	Muy fácil	18.8%	15.8%	28.2%	18.8%
	Fácil	58.1%	64.7%	61.9%	62.9%
	Ni fácil ni difícil	7.1%	10.4%	4.0%	8.5%
	Difícil	14.1%	8.3%	3.6%	8.6%
	Muy difícil	1.4%	.7%	1.9%	1.0%
	No sabe	.0%	.1%	.3%	.1%
	No responde	.4%		.2%	.1%
Total		100.0%	100.0%	100.0%	100.0%

Aunque las tres categorías muestran altas proporciones de entrevistados que indican que en los municipios estudiados es fácil hacer nuevas relaciones, en los dos grupos de menores ingresos es más alto el porcentaje de quienes señalan que es difícil o muy difícil (15%). Sólo en el grupo de mayores ingresos este porcentaje es muy bajo; apenas llega al 5 por ciento.

En el cuadro 5 relacionamos la similitud de las redes potenciales con el nivel de ingreso de los entrevistados.

Los más pobres tienen una mayor proporción de relaciones circunscritas territorialmente que les permiten un acceso potencial a los recursos; representa más del doble que la de quienes tienen ingresos más altos. Asimismo, es claro que la delimitación territorial disminuye a medida que aumenta el ingreso. Estos datos coinciden con la tesis de la segmentación territorial de los grupos de menores ingresos que presentan varios trabajos en América Latina.

CUADRO 5. HOMOFILIA TERRITORIAL

		Ingreso laboral en 3 categorías			
		Hasta dos salarios mínimos	*Más de dos hasta seis salarios mínimos*	*Más de seis salarios mínimos*	*Total*
6.7. La mayoría de estas personas que le podrían dar algún tipo de ayuda ¿son de la misma colonia que usted?	Sí	40.5%	34.7%	18.2%	32.6%
	No	59.5%	65.1%	81.8%	67.3%
	No aplica		.1%		.0%
	No sabe		.1%		.1%
Total	100%	100%	100%	100%	100%

A continuación, en el cuadro 6, exploramos la semejanza en el nivel de estudios de las redes potenciales.

CUADRO 6. NIVEL DE ESTUDIOS

		Ingreso laboral en 3 categorías			
		Hasta dos salarios mínimos	*Más de dos hasta seis salarios mínimos*	*Más de seis salarios mínimos*	*Total*
6.7. La mayoría de estas personas que le podrían dar algún tipo de ayuda ¿son del mismo nivel de estudios de usted?	Sí	49.0%	53.5%	58.0%	53.5%
	No	50.8%	45.5%	41.4%	45.7%
	No sabe	.1%	1.0%	.6%	.8%
Total	100%	100%	100%	100%	100%

A medida que aumenta el ingreso se eleva la proporción de personas que tienen redes con el mismo nivel de estudios. Quienes tienen menores ingresos muestran el mayor porcentaje de relaciones con diferente nivel de estudios. Esto podría indicar interacción entre personas con recursos educativos asimétricos.

CUADRO 7. NIVEL ECONÓMICO

		Ingreso laboral en 3 categorías			
		Hasta dos salarios mínimos	*Más de dos hasta seis salarios mínimos*	*Más de seis salarios mínimos*	*Total*
6.7. La mayoría de estas personas que le podrían dar algún tipo de ayuda ¿son del mismo nivel económico de usted?	Sí	67.8%	64.5%	63.6%	64.9%
	No	32.2%	35.2%	36.3%	34.8%
	No aplica			.1%	.0%
	No sabe	.1%	.3%		.2%
Total	100%	100%	100%	100%	100%

A diferencia del cuadro sobre el nivel de estudios, el cuadro 7, que se refiere a nivel de ingreso de las redes, indica que a medida que aumenta el ingreso disminuye la proporción de personas que tienen redes del mismo nivel económico, a pesar de que esta proporción es alta para los tres grupos de ingreso.

En seguida presentamos, en el cuadro 8, una síntesis de las variables que indican homogeneidad de las redes.

CUADRO 8. CUADRO SÍNTESIS DE HOMOFILIA DE LAS REDES SOCIALES, SEGÚN INGRESOS

		Ingresos	
	Menos 2	*De 2 a 6*	*Más de 6*
Colonia	40.5	34.7	18.2
Estudios	49.0	53.5	58.0
Económico	67.8	64.5	63.6
Ocupación	33.3	36.6	30.7
Sexo	59.5	69.6	62.8

En la síntesis de las variables mediante las que se mide la homogeneidad de las redes se muestra la circunscripción territorial de los sectores de menores ingresos, cuyas redes habitan en la misma colonia, rasgo que coincide con las mencionadas conclusiones de la investigación en América Latina sobre la tendencia a la segmentación territorial de los sectores pobres. Una alta homogeneidad de las redes se muestra en el nivel económico. Si bien esta proporción es alta para los tres grupos, es mayor en el de menores ingresos.

En el siguiente cuadro (cuadro 9) veremos datos sobre el modo en que los entrevistados consiguieron trabajo.

CUADRO 9

		Ingreso laboral en 3 categorías			
		Hasta dos salarios mínimos	*Más de dos hasta seis salarios mínimos*	*Más de seis salarios mínimos*	*Total*
6.15. ¿Por qué medios consiguió su último trabajo?	Parientes/amigos vecinos	43.1%	45.6%	37.1%	43.5%
	Conocidos/gente que lo relacionó	18.0%	18.9%	29.6%	20.8%
	Periódicos/radio/televisión/internet	16.7%	19.8%	17.5%	18.7%
	Otro	.1%	1.0%	1.3%	.9%
	Solo/ por mi propio esfuerzo	18.0%	10.6%	9.5%	11.8%
	Nunca ha trabajado	.3%	.1%	.3%	.2%
	Por la escuela	.1%	.7%	1.2%	.7%
	No trabajo	.7%	.3%		.3%
	Por concurso	.1%	.1%	.2%	.1%
	Ayuntamiento/ Secretaría de empleo	1.5%	.0%		.3%
	Una persona se me acercó a ofrecerme trabajo	.0%			.0%
	Volantes/anuncios en la calle	.2%	.5%	1.6%	.7%
	Por el sindicato	.2%	.1%		.1%
	Por la bolsa de trabajo		.8%	.1%	.5%
	Promoción deportiva		.4%	.1%	.2%
	institución de ayuda por parte de la SEP		.2%		.1%
	No sabe		.6%	.1%	.4%
	No responde	1.1%	.3%	1.0%	.6%
Total		100.0%	100.0%	100.0%	100.0%

Los resultados del cuadro 9 ilustran sobre las diferencias que hay entre los grupos de ingreso. Los grupos de menores ingresos –en proporciones de 43% para quienes ganan menos de dos salarios mínimos y 46% para quienes ganan menos de seis– obtuvieron su último trabajo por medio de lazos fuertes, es decir, caracterizados por la frecuencia, la intensidad emocional, la intimidad y los servicios recíprocos. Y sólo 18 y 19%, respectivamente, obtuvieron su empleo por medio de lazos débiles, es decir, de relaciones poco frecuentes, con poca intensidad emocional, que tienen acceso a medios sociales e información distinta. Este tipo de lazos son considerados como más efectivos para cruzar las distancias sociales. En cambio, las personas con mayores ingresos muestran diferencias menores en el tipo de lazos que les permitieron obtener su último empleo: 37% los lazos fuertes y 30% los lazos débiles. Por otra parte, 18% de quienes tienen menores ingresos afirmó haber conseguido su trabajo sólo mediante esfuerzo propio, proporción mucho más alta que la de los otros dos grupos: 11 y 10%, respectivamente.

Estos datos confirman el escepticismo que muestran varios estudios respecto de la posibilidad de los pobres de superar su condición de pobreza por medio de redes, y va a contracorriente de las tesis que postulan que las redes constituyen un activo que permite a los pobres superar su situación.

El hecho de que el porcentaje de personas que obtuvo su último empleo por medio de la prensa y otros medios informativos sea similar en los tres grupos de ingreso indica el bajo nivel de formalización del mercado de trabajo. Habrá que estudiar si hay diferencias por municipio.

Veamos ahora los datos referentes a la variedad de recursos que se obtienen de las redes, independientemente del ingreso. El objetivo de contrastar la potencialidad de las redes con su efectividad, atiende a la recomendación de Portes en cuanto a distinguir la habilidad para obtener los recursos, del nivel y la calidad de éstos (cuadro 10).

CUADRO 10. POTENCIALIDAD DE LAS DIFERENTES AYUDAS, EFECTIVIDAD Y SUFICIENCIA

Tipo de ayuda	*Potencialidad*	*Efectividad*	*Suficiencia*
Dinero	92.7	51	97.5
Trabajo	75.1	26.9	92.1
Cuidado de hijos	63.4	33.4	98.3
Política	20.9	13.6	84.4
Relaciones sociales	44.2	17.9	98.0
Información	69.1	44.1	97.0
Recomendación	84.4	47.4	99.3
Servicios	63.9	36.1	99.0
Emocional	87.9	61.0	98.8

Del cuadro anterior se desprenden tres observaciones: por una parte, hay una gran heterogeneidad en los tipos de ayudas –desde 92.7 para el caso del dinero, hasta 20.9 en el caso de la política–; por otra parte, se da una gran diferencia entre la potencialidad de las redes y su efectividad, lo que indica que se recurre a ella de manera restringida: mientras que 75% de los entrevistados dice tener personas que los podrían ayudar a conseguir trabajo, sólo 27% lo ha pedido. Por último, la suficiencia de la ayuda es prácticamente total.

Distinguimos a continuación las tres variables: potencialidad, efectividad y suficiencia por nivel de ingresos (cuadro 11).

CUADRO 11. POTENCIALIDAD, EFECTIVIDAD Y SUFICIENCIA DE LAS DIFERENTES AYUDAS, POR NIVEL DE INGRESO

	Ingresos								
	Potencialidad			*Efectividad*			*Suficiencia*		
Tipo de ayuda	*Menos 2*	*De 2 a 6*	*Más de 6*	*Menos 2*	*De 2 a 6*	*Más de 6*	*Menos 2*	*De 2 a 6*	*Más de 6*
Dinero	95.1	94.6	97.6	60.7	57.0	43.2	96.1	97.9	96.4
Trabajo	84.4	84.4	86.0	38.6	33.8	19.6	91.6	94.5	97.6
Cuidado de hijos	65.9	62.4	70.7	32.5	35.1	31.6	98.7	99.5	96.6
Política	21.5	20.2	38.6	17.1	16.0	18.6	88.1	76.5	86.8
Relaciones sociales	44.0	44.3	74.9	17.2	20.5	22.1	97.1	97.5	97.4
Información	71.1	70.2	83.6	41.0	48.5	46.6	98.9	96.2	97.4
Recomendación	90.5	86.9	92.5	52.3	55.0	48.4	99.0	99.1	99.9
Servicios	61.7	66.3	77.8	40.4	42.6	38.0	98.7	99.0	100.0
Emocional	61.7	66.3	77.8	61.2	61.9	53.3	98.7	98.8	100.0

Los datos del cuadro 11 indican que en los municipios estudiados el tipo de ayuda que de manera más frecuente solicitan y obtienen los grupos de menores ingresos es el dinero y el trabajo: los dos grupos de menores ingresos recurren más a ayudas en dinero, y es el de menos de 2 salarios mínimos el que más recurre a este tipo de ayudas. La diferencia respecto del grupo de más de seis salarios es de casi 18 puntos porcentuales. Un patrón semejante ocurre respecto del trabajo. En efecto, los datos muestran que la obtención de ayuda para conseguir un trabajo disminuye a medida que aumenta el ingreso; de casi 39 en el grupo de menor ingreso, disminuye a poco menos de 34 en el intermedio, y cae a menos de 20 en el de mayor ingreso.

En cambio, la obtención de ayuda para acceder a nuevas relaciones sociales sigue un patrón inverso, ya que aumenta a medida que aumenta el ingreso. Este dato contribuye a apuntalar la idea de que los sectores de menores ingresos tienen un acceso a redes circunscrito, frecuente en las investigaciones sobre pobreza.

Otro tipo de ayudas siguen una lógica que no se asocia con el ingreso: en lo referente a la obtención de información, el grupo de ingresos que más ayuda obtuvo fue el intermedio, y muestra una diferencia sustantiva respecto del grupo de menores ingresos. También en lo que se refiere al cuidado de los hijos, el porcentaje de quienes obtuvieron ayuda es mayor en el grupo intermedio, aunque en este caso no hay diferencias importantes entre el grupo de menor ingreso y el de mayor ingreso –32.5 y 31.6%, respectivamente–.

CONSIDERACIONES FINALES

Los resultados de la encuesta presentados en el trabajo coinciden con los hallazgos en la investigación sobre pobreza en América Latina, principalmente los que se refieren a la segmentación territorial de las zonas urbanas –la cual opera en detrimento de los sectores de menores ingresos– y a la homogeneidad de las redes de que disponen estos sectores, sobre todo respecto del lugar en que habitan y el monto de sus ingresos. El predominio de los lazos fuertes entre estos sectores limita su acceso a nuevas oportunidades. A pesar de que en los sectores de más bajos ingresos se ve un claro predominio de lazos fuertes, en la obtención de determinadas ayudas que implican acceso a oportunidades, como conseguir trabajo, el grupo intermedio contó fundamentalmente con lazos fuertes, incluso en mayor proporción. Este rasgo podría estar indicando una gran rigidez de la estructura social que requiere mayor investigación, sobre todo porque a la vez en este grupo se registra el más alto porcentaje de obtención de empleo por la vía de medios de comunicación (internet, prensa, etcétera).

Por otra parte, algunos resultados de la encuesta indican que no todas las variables vinculadas con capital social operan estrechamente relacionadas con el ingreso. Esta observación se desprende de los datos en los que pretendimos captar la percepción de los entrevistados sobre el ambiente, es decir, los de confianza y los que se refieren al grado de dificultad para hacer nuevas relaciones. Estas dos variables no se modifican según el ingreso, sino que operan de modo semejante en los dos grupos de menores ingresos (menos de seis salarios mínimos).

Anexo metodológico

La encuesta sobre capital social (ENCAS, 2004) fue realizada en tres municipios de México durante los meses de agosto y septiembre de 2004. La población objetivo estuvo conformada por todos aquellos ciudadanos de 18 años y más, residentes permanentes al momento del levantamiento de la información, en los municipios de Chilpancingo, Saltillo y Monterrey.

Se consideró a cada uno de estos municipios como dominios de estudio independientes, para cada uno de los cuales se diseñó un esquema de muestreo específico. Por lo tanto, la encuesta aplicada en los tres municipios captó información que permitió generar información estadísticamente válida para los tres municipios en conjunto, para cada uno de ellos por separado, y para realizar comparaciones estadísticamente válidas entre los tres municipios.

Para cada uno de los municipios, considerados como dominio de estudio independientes, se diseñó un esquema de muestreo probabilístico, estratificado, por conglomerados y con selecciones distintas en cada una de sus etapas (probabilidad de selección proporcional al número de personas de 18 años y más, y selección sistemática).

El tamaño de muestra calculado para cada uno de los dominios de estudio fue de 1 072 casos, con el 95% de confianza, error de estimación no mayor de cuatro puntos porcentuales y tasa de no respuesta de 5%. Para los tres municipios se cuenta con un tamaño de muestra de 3 217 casos. Con el 95% de confianza, tasa de no respuesta de 5%, se obtendrán estimaciones de proporciones con errores de estimación no mayores de 2.2 puntos porcentuales.

El diseño del cuestionario para la encuesta abarcó catorce módulos temáticos con un promedio de quince preguntas por módulo distribuidos de la siguiente manera:

1. Cohesión social
2. Confianza
3. Reciprocidad
4. Asociatividad formal
5. Asociatividad informal
6. Redes sociales
7. Cooperación
8. Control de ambiente
9. Identificación de acciones
10. Coordinación de acciones
11. Cultura y valores cívicos
12. Desempeño institucional
13. Incertidumbre
14. Sociodemográficas

BIBLIOGRAFÍA

Arriagada, Camilo, 2000, *Pobreza en América Latina: Nuevos escenarios y desafíos de políticas para el hábitat urbano*, serie Medio ambiente y desarrollo, núm. 27, Comisión Económica para América Latina y el Caribe, Santiago de Chile.

Burt, Ronald S., 2001, "Structural Holes versus Network Closure as Social Capital", en Lin,

Nan, Cook Karen y Burt, Ronald (comps.), *Social Capital. Theory and Research*, Nueva York, Aldine de Gruyter.

Coleman, James, 1990, *Foundations of Social Theory*, Cambridge, Massachusetts y Londres, The Belknap Press of Harvard University Press.

—, 2000, "Social capital in the creation of human capital", en Partha Dasgupta e Ismail Serageldin (coords.), *Social Capital. A Multifaceted Perspective*, Washington, D.C., Banco Mundial.

Consejo Nacional de Población, 2001, *Índices de marginación, 2000. Anexo A*, consulta en línea: <www.conapo.gob.mx/00cifras/marg2000/005.htm>, 13 de febrero de 2007.

Duhau, Emilio, 2005, "As novas formas da divisão social do espaço nas metropoles latinoamericanas: uma visão comparativa a partir da cidade do México", en *Caderno CRH*, vol. 18, núm. 45, septiembre-diciembre, Salvador, Brasil.

Durston, John, 2000, *¿Qué es el capital social comunitario?* CEPAL, División de Desarrollo Social. Serie políticas sociales núm. 38, Santiago de Chile.

Espinoza, Vicente, y Eduardo Canteros, 2001, "Contactos sociales y carreras laborales en hogares chilenos de escasos recursos", *Proposiciones*, núm. 32, Santiago de Chile, Sur Ediciones.

Granovetter, Mark S., 1973, "The strength of weak ties", en *American Journal of Sociology*, vol. 78, núm. 6, Chicago, The University of Chicago Press.

Instituto Nacional de Estadística, Geografía e Informática, *Censo General de Población y Vivienda, 2000*, consulta en línea: <www.inegi.gob.mx/inegi/default.aspx>, 13 de febrero de 2007.

Kaztman, Rubén y Guillermo Wormald (coords.), 2002, *Trabajo y ciudadanía. Los cambiantes rostros de la integración y exclusión social en cuatro áreas metropolitanas de América Latina*, Montevideo, Edición de los coordinadores.

Lin, Nan, 2001, *Social Capital: A Theory of Social Structure and Action*, Nueva York, Cambridge University Press, Structural Analysis in the Social Sciences.

Lomnitz A., Larissa, 1975, *Cómo sobreviven los marginados*, México, Siglo XXI.

Portes, A. y P. Landolt, 1996, "The Downside of Social Capital", en *The American Prospect*, 26, mayo-junio. lugar de edición <http://epn.org/prospect/26/26-cnt2.html>. Lo consulté en línea, no tiene lugar de edición. 6 de noviembre de 2006.

—, 2000, "Social Capital: Promise and Pitfalls", en *Journal of Latin American Studies*, vol. 32, núm. 2, mayo, Nueva York, Cambridge University Press.

Richards, Patricia y Bryan Roberts, s.f., "Redes sociales, capital social, organizaciones populares y pobreza urbana: nota de investigación", consulta en línea: <http://wbln0018.worldbank.org/LAC/LACInfoClient.nsf/d29684951174975c85256735007fef12/2e28f6a7e0776b32852567ec007df621/$FILE/broberts.doc>, 6 de noviembre de 2006.

Sistema Nacional de Información Municipal, consulta en línea: <www.snim.gob.mx>, 15 de febrero de 2007.

Sunkel, Guillermo, 2000, "La pobreza en la ciudad: Capital social y políticas públicas", en Raúl Atria (coord.), *Capital social y reducción de la pobreza en América Latina y el Caribe*, Santiago de Chile, CEPAL/ Universidad del Estado de Michigan.

Woolcock, Michael y Deepa Narayan, 2000, "Social capital: Implications for Development Theory, Research and Policy", en *The World Bank Research Observer*, núm. 15, Oxford, Oxford University Press.

Wormald, Guillermo, Luz Cereceda y Pamela Ugalde, 2002, "Estructura de oportunidades y vulnerabilidad social: los grupos pobres de la Región Metropolitana de Santiago de Chile en los años noventa", en Rubén Kaztman y Guillermo Wormald (coords.), *Trabajo y ciudadanía. Los cambiantes rostros de la integración y exclusión social en cuatro áreas metropolitanas de América Latina.* Es edición de los coordinadores, Montevideo.

V. INDICADORES, MEDICIONES Y MAPAS PARA EL ANÁLISIS DE LA POBREZA, LA EXCLUSIÓN Y LA DESIGUALDAD

ANÁLISIS COMPARATIVO DE MEDIDAS DE DESIGUALDAD Y POBREZA EN MÉXICO

ADOLFO SÁNCHEZ ALMANZA*

INTRODUCCIÓN

La desigualdad y la pobreza son fenómenos que se explican en diferentes teorías y que se pueden medir con varios métodos y técnicas, bajo las limitaciones de calidad y comparabilidad de la información disponible en cada sociedad y momento histórico. El análisis de estos fenómenos es útil para conocer las condiciones de equidad o inequidad social en el nivel de bienestar y con ello evaluar y orientar la acción gubernamental.

En este trabajo se presentan tres secciones. La primera consiste en una reflexión general sobre algunas concepciones filosóficas de la igualdad y la desigualdad en la justicia distributiva. La segunda trata sobre las condiciones y características de los principales índices de desigualdad. En la tercera se exponen los resultados de algunos índices obtenidos para México con fines comparativos.

IGUALDAD Y DESIGUALDAD EN LA JUSTICIA DISTRIBUTIVA

Los conceptos de igualdad y desigualdad tienen diferentes interpretaciones en el espacio-tiempo, pero se aceptan como nociones que explican y guían la acción social. La igualdad social es una situación según la cual las personas tienen el mismo nivel de acuerdo con alguna variable de referencia, lo que implica un juicio de valor asociado a una posición teórica filosófica, social o económica. Por ello es necesaria una reflexión general acerca de las principales concepciones sobre la igualdad, en particular desde la justicia distributiva.

El concepto de igualdad, y en consecuencia el de justicia distributiva, se interpreta de manera diferente en cada doctrina filosófica. En la versión utilitarista se trata de maximizar la utilidad total de todos los miembros de la sociedad, lo que permite la existencia de diferencias entre los miembros mejor situados y los peor situados en la sociedad. En la concepción rawlsiana se proponen asignaciones igualitarias, pero que maximicen la utilidad de la persona peor situada. En el liberalismo radical la asignación de los recursos queda en manos de las fuerzas del mercado, lo que provoca grados significativos de desigualdad. En el marxismo y el comunitarismo se en-

* Instituto de Investigaciones Económicas de la Universidad Nacional Autónoma de México.

fatiza la idea del igualitarismo, aunque acotado a la propiedad social de los medios de producción y a la contribución del individuo a la comunidad, respectivamente.

Las diferentes doctrinas presentan algunos factores comunes. Todas suponen la igualdad de los individuos o de sus intereses en mayor o menor escala. Aceptan el principio de la remuneración individual a partir de la contribución individual, aunque también apuntan la necesidad de modificar las dotaciones iniciales de las personas para lograr una mejor posición al ingresar y participar en la sociedad. Todas las escuelas coinciden en que el problema de la pobreza absoluta y la carencia total de ingresos se debe atender mediante las políticas públicas. Sin embargo, no hay consenso acerca de por qué y cómo se deben corregir las desigualdades del ingreso y la riqueza, y cuáles deben ser la función y las formas de articulación de las esferas estatal, mercantil y social para lograr esos objetivos de justicia distributiva.

Entre las doctrinas recientes destaca la teoría de la justicia, de John Rawls, por su importancia para el diseño de la política social, especialmente como argumentación en el diseño de los programas de combate a la pobreza extrema. Aunque se sustenta en la elección racional, tiende a asignar gran importancia a las circunstancias "externas" (al individuo), como la familia, los antecedentes sociales, la riqueza heredada y el talento, en la conformación de la fortuna de los individuos. Dado que los determinantes principales del bienestar individual y la justicia distributiva podrían encontrarse fuera del control y de la responsabilidad del individuo, son "arbitrarios desde un punto de vista moral", por lo tanto la desigualdad se convierte en una cuestión ética. Entonces se requiere un concepto de la justicia a fin de crear instituciones sociales que aseguren la equidad en la distribución del ingreso y de la riqueza dentro de la sociedad (Solimano, 2000).

Por otra parte, Amartya Sen, desde la teoría de los activos o las titularidades, enfatiza el criterio de igualdad de capacidades de los individuos para alcanzar ciertas funciones, logros y objetivos considerados valiosos. Desde este enfoque, una persona tiene derecho al acceso formal (legal) y efectivo a salud, educación, vivienda y oportunidades de empleo sin discriminación, pero también es responsable de transformar tales derechos en mejoría en sus condiciones de vida. Otro aspecto es que cada individuo cuenta con una diferente dotación de capital inicial, gustos y ambición, de manera que un problema de política distributiva es establecer criterios para compensar a los individuos por esas desigualdades de origen. Estas ideas fortalecen el enfoque de derechos humanos en el diseño de la política social.

La superación de la desigualdad y la pobreza, entonces, dependen de los principios de la justicia distributiva que adopte cada sociedad para evaluar la injusticia en una situación dada. Por ejemplo, desde la noción de la justicia como imparcialidad nos alejamos de posiciones individualistas y pasamos a una situación más ventajosa donde se realizan tareas comunes con un sentido ético. Esta transición implica definir algunos principios de aceptación universal –como los derechos a la vida, a la libertad o a la igualdad– que normen la idea de justicia distributiva y permitan su aplicación instrumental.

La toma de decisiones colectivas para garantizar los derechos dependerá del consenso social[1] al que accedan razonablemente los ciudadanos, pero la definición de una canasta de bienes que satisfagan dichos principios requiere actuar en varios frentes, por ejemplo, en un acuerdo sobre el sistema impositivo para contar con recursos para atender tales fines en situaciones concretas. Las sociedades que deciden bajo normas éticas y de manera democrática pueden aspirar a ser más justas y, cuando se presentan disensos normales derivados de las diferencias, se pueden dirimir mediante procedimientos también justos.

En las sociedades democráticas modernas existen, en mayor o menor intensidad, diferentes formas de desigualdad social que pueden ser consideradas moral o éticamente injustas, por ello la redistribución de la riqueza constituye el eje de la acción del Estado, en la medida en que su razón es la búsqueda del bien común.[2]

Esta misión ha de hacer concordar en lo posible la libertad con la igualdad y con la reducción de las desigualdades legales que darían derecho a una distribución no equitativa.

La constatación de la persistencia de la desigualdad social conduce a un debate ideológico acerca de si el mercado se puede autorregular y puede distribuir de manera equilibrada la riqueza de un país, o si el Estado debe intervenir para modificar estas condiciones, es decir, si debe cumplir con un papel redistributivo para corregir resultados injustos a través de su intervención para mantener el equilibrio relativo entre libertad e igualdad, bajo el dilema central de reducir las desigualdades sociales sin violar las libertades económicas básicas.[3]

Cabe señalar que en la mayoría de los países capitalistas occidentales predomina, entre las clases dominantes y los gobiernos, una ideología distributiva sustentada en la meritocracia, entendida como la igualdad de oportunidades, es decir, que las recompensas se distribuyan en función del logro y el esfuerzo en un espacio de libertad. No obstante, los ciudadanos en situaciones concretas se inclinan por principios igualitarios sobre la base de las necesidades sociales porque esperan mejorar su situación.[4]

[1] El consenso social es necesario para lograr acuerdos justos, pero no es garantía de ello porque depende del grado de cohesión social, de los valores éticos y de la visión del mundo predominantes en cada sociedad.

[2] En la filosofía moderna, y en particular en el liberalismo político que se inicia con el empirismo inglés, se mantiene el concepto de bien común, pero se destacan ya los aspectos económicos del mismo, fundados en el derecho "natural" a la propiedad privada; se habla entonces, preferentemente, de "interés general", noción más ligada al contexto socioeconómico de la época, que de bien común, con mayor contexto ético y metafísico. La convicción creciente de que los derechos del hombre son inalienables e inviolables ha hecho que no pueda defenderse una idea de bien común –ya sea con el nombre de libre concurrencia, bienestar público, prosperidad pública o interés público– que no tenga en cuenta determinados derechos individuales de la persona, como la justicia y la libertad, y debe decirse que el bien común sólo puede prevalecer sobre el bien particular en determinados aspectos, y que aquél, en general, ha de tender a promover éste (Bobbio, Matteucci y Pasquino, 1995).

[3] En las sociedades poscomunistas opera el dilema opuesto: fomentar el capitalismo incrementando las libertades económicas básicas sin un aumento intolerable de las desigualdades sociales. Estas diferencias se observan entre los países capitalistas de la Europa Central y en los ex socialistas de la Europa Oriental, donde se han producido cambios en la preferencia de los ciudadanos por los principios de justicia distributiva (Gijsberts y Ganzeboom, 2001).

[4] El estudio comparativo entre sociedades socialistas y capitalistas ofrece conclusiones interesantes: a] cuanto más alta es la posición socioeconómica (por ingresos, estatus ocupacional o clase social subjetiva)

Asimismo, avanzan posiciones que reivindican la esfera de la sociedad civil a través de la noción de los derechos humanos y la participación de la ciudadanía en la formulación de las políticas públicas sobre otros criterios discrecionales y mercantiles.

En América Latina, bajo la idea de construir sociedades más equitativas como eje articulador del desarrollo, la CEPAL apunta la necesidad de priorizar la vigencia de los derechos civiles y políticos –como garantías a la libertad individual frente al poder del Estado y a la participación en las decisiones públicas– así como la de los derechos económicos, sociales y culturales que responden a los valores de la igualdad, la solidaridad y la no discriminación. Los dos grupos de derechos se expresan en el concepto de ciudadanía, entendida como titular de esos derechos y su correlativa exigibilidad, en condiciones de participación y responsabilidad de los individuos (CEPAL, 2000).

Como se puede ver, los conceptos de igualdad y desigualdad se definen de diferente manera según la perspectiva teórica en que se ubiquen, y las consecuencias de su medición se expresan en diferentes mecanismos de intervención desde el Estado, el mercado y la sociedad, con la finalidad de corregirlas. En este contexto, adquieren relevancia los índices que miden la desigualdad, considerando que constituyen espacios de responsabilidad central –aunque no exclusiva– del Estado.

LOS ÍNDICES DE DESIGUALDAD

Los índices de desigualdad se refieren a la distribución equitativa o justa de la riqueza social medida a través de variables e indicadores en múltiples dimensiones. La forma de la igualdad depende de las características de las personas (edad, sexo, etnia, etc.) o de las condiciones sociales vigentes (educación, empleo, ingreso, etc.); no obstante, ha predominado la medición a partir de los datos de ingreso de los hogares, las familias o los individuos.

Entre los índices de desigualdad económica más utilizados destaca el Índice de Gini, mientras que entre los índices de concentración sobresalen los de Theil y Atkinson, los cuales reflejan la magnitud de la concentración de datos de una población determinada, sobre todo en series de ingreso. Cada uno responde a una matriz conceptual diferente, se calcula de manera distinta y refleja parcialmente el mismo fenómeno de la distribución de la riqueza. Por tal motivo, no es adecuado compararlos entre ellos, aunque sí es posible comparar una serie de estimaciones hechas en el tiempo con el mismo índice. A su vez, en el caso de la medición de la pobreza ha predominado el método del ingreso o línea de pobreza que se estima con datos de la encuestas de ingreso-gasto en relación con alguna canasta de bienes.

---

mayor es el apoyo dado a los principios meritocráticos frente a los igualitarios; b] las personas de mayor edad y los hombres defienden más que los jóvenes y las mujeres los valores meritocráticos antes que los igualitarios, y c] quienes alcanzan mayores niveles educativos son más progresistas que aquellos con menor formación (Gijsberts y Ganzeboom, *op. cit.*).

Condiciones de los índices

Existen varios índices que miden la desigualdad socioeconómica, pero todos ellos deben satisfacer varias condiciones, como las siguientes:

a] Invariabilidad a transformaciones proporcionales o cambios de escala. Permite comparaciones intertemporales o internacionales de la desigualdad, ya que resultan independientes de las unidades en que se mida.

b] Condición Pigou-Dalton. Sugiere que, si se genera una transferencia de ingresos de los hogares ubicados en la parte superior de la distribución hacia las familias o personas ubicadas en los deciles más bajos, el indicador debe reflejar una caída en el nivel de concentración.

c] Simetría. El valor de un índice no se altera cuando las mediciones de la desigualdad se hacen a un nivel en el que los ingresos son iguales.

d] Cambio relativo. Toma en cuenta la redistribución del ingreso según la existencia de una relación no lineal en el cambio experimentado por el indicador. Si un índice cumple con la condición de cambio relativo, automáticamente satisface el criterio de Pigou-Dalton, pero el razonamiento a la inversa no es válido.

e] Independencia de tamaño. El índice de desigualdad proporciona el mismo valor para dos poblaciones independientemente de su tamaño, siempre y cuando las proporciones de individuos para cada nivel de ingresos sea la misma.

f] Consistencia con la ordenación de la Curva de Lorenz. Un índice será consistente con el orden de Lorenz cuando asume un valor menor para la distribución dominante con relación a la dominada.

g] Decrecimiento de efecto ante transferencias. Las transferencias equivalentes entre individuos equidistantes tienen mayor efecto cuando ambos están ubicados en la parte baja de la distribución.

h] Decrecimiento relativo del efecto ante transferencias de ingresos. Esta propiedad asigna mayor importancia relativa a las transferencias que se efectúan en la parte baja de la distribución, incluso en aquellos casos en que la diferencia de ingresos entre los dos individuos "más pobres" sea considerablemente menor que la de una pareja ubicada en la parte superior de la distribución. Esta propiedad sólo la satisfacen algunos índices normativos.

i] Descomposición aditiva. Un índice cumple con esta propiedad cuando puede calcularse para subgrupos, de tal forma que sea posible identificar la proporción de la desigualdad explicada por cada uno de ellos (Cortés y Rubalcava, 1984; Medina, 2001).

Los principales índices de desigualdad

La desigualdad se mide a través de varios índices aplicados principalmente a la distribución del ingreso, que es la manera en que se asignan los recursos entre los distintos grupos sociales. En este análisis generalmente se utiliza el ingreso corriente total (monetario más no monetario) de los hogares, ya que éstos constituyen una unidad de consumo en la que se concentran las percepciones de sus miembros, se decide sobre el destino de los recursos, se comparten los bienes y servicios colectivos que son adquiridos con el presupuesto familiar, y se desarrollan sus integrantes para el proceso de producción-reproducción. A su vez, los datos se presentan estadísticamente como muestras por deciles o quintiles. Entre los índices de desigualdad para datos agrupados que más se utilizan destacan los siguientes:

a] Coeficiente de concentración de Gini. Se emplea para medir la desigualdad en los ingresos, aunque se puede utilizar para medir cualquier forma de distribución. Es un número entre 0 y 1, en donde 0 se corresponde con la perfecta igualdad (todos tienen los mismos ingresos) y 1 se corresponde con la perfecta desigualdad (una persona tiene todos los ingresos y todos los demás ninguno). El Índice de Gini es el Coeficiente de Gini expresado en porcentaje. El Coeficiente de Gini se calcula como una razón (relación entre dos cantidades) de las áreas en el diagrama de la Curva de Lorenz, que contiene una línea recta que representa la norma democrática o teórica de perfecta igualdad, y una línea de la distribución empírica del ingreso, generalmente medidas en deciles.

b] Índice de concentración de Theil. Se define como la diferencia entre la entropía que se deriva de la situación de igualdad perfecta y la calculada para la distribución empírica, es decir, la entropía que se genera debido a que el ingreso no se distribuye en forma igualitaria. Como coeficiente asume valores de 0 a 1, y como índice se expresa en la escala de 0 a 100.

c] Índice de Atkinson. Permite captar en forma adecuada lo que sucede en la parte baja de la distribución, porque en la medida en que se incrementa el valor de e (parámetro asociado con la aversión social a la desigualdad), las transferencias entre los más pobres se ponderan en mayor proporción. En el caso en que $e \infty$, sólo se estarían analizando las transferencias que recibe el individuo más pobre de toda la distribución. El índice siempre es positivo y asume el valor 0 únicamente cuando todos los individuos tienen el mismo nivel de ingreso y 100 cuando existe concentración total.

CÁLCULO DE ÍNDICES PARA MÉXICO

Los índices de desigualdad aplicados en México han sido de diferentes tipos, aunque a continuación se exponen algunos cálculos ilustrativos en los niveles nacional y estatal.

La desigualdad en el largo plazo

La medición de la desigualdad en el caso de México, a partir de los datos directos, revelan condiciones estructurales en la distribución de la riqueza. El Índice de Gini entre 1950 y 2005 reportó un promedio de 48.4, con años en que se llegó a elevar hasta 55.4, como en 1974, y otros años, como en 1984, cuando bajó a 42.9, aunque en una fase económica recesiva, lo que implicó un empobrecimiento generalizado con igualdad a la baja. Otro aspecto relevante es que las variaciones en la participación en el ingreso total presentan una correlación negativa entre los grupos de más bajos ingresos (suma de deciles del I al V) en relación con el decil más alto (decil X), ya que el valor es de –0.72, es decir que cuando aumentan los ingresos de los deciles más ricos se reducen los ingresos de los deciles más bajos. Este patrón también se observa en el caso del decil X en relación con la suma de los deciles del VI al IX, con una correlación de –0.84, que es muy alta, lo que significa un empobrecimiento de las clases medias del país (gráfica 1).

GRÁFICA 1. MÉXICO: ÍNDICE DE GINI Y DISTRIBUCIÓN DEL INGRESO POR DECILES, 1950-2005

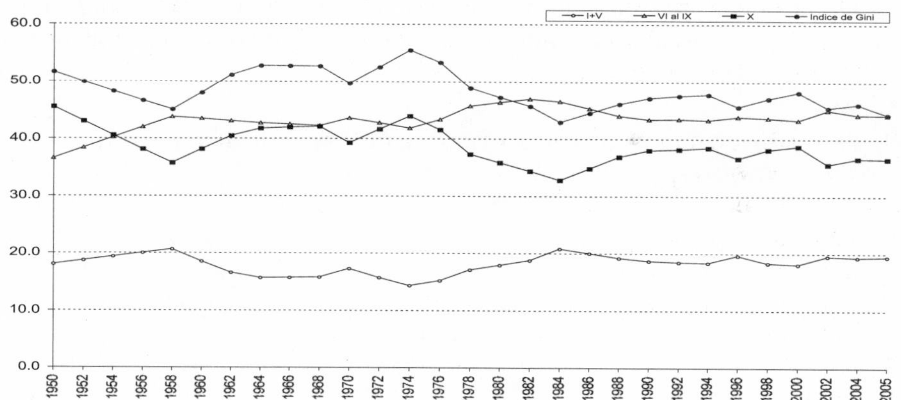

FUENTE: Estimaciones propias con base en las ENIGH de varios años.

Comparaciones de índices de desigualdad

Las estimaciones de los índices de desigualdad para el caso de México, a partir de los datos directos (sin ajuste a Cuentas Nacionales) reportados en la Encuesta de Ingreso-Gasto de los Hogares del año 2004, indican los siguientes resultados comparativos (cuadro 1).

CUADRO 1. MÉXICO. CONCENTRACIÓN DEL INGRESO CORRIENTE TOTAL TRIMESTRAL EN 2004

Índice	*Valor*
Gini	46.02
Theil	37.01
Atkinson	
e = 0.5	17.13
e = 0.999	31.15
e = 1.5	42.19
e = 2.0	50.67
e = 2.5	57.16
e = 3.0	62.11

FUENTE: Estimaciones propias con base en INEGI, ENIGH, 2004.

El Índice de Gini reporta un valor de 46.02, considerado medio. El Índice de Theil se ubica en 37.01. En el caso del Índice de Atkinson, con un nivel de baja aversión a la desigualdad, con *e* = 0.5, el valor es de 17.13, es decir, si los recursos se distribuyeran de manera igualitaria entre todos los individuos, con el 83% del total de ingresos se garantiza el nivel de equidad observado, lo cual significa que el 17% restante se despilfarra a causa de la inequidad que existe en la distribución

GRÁFICA 2. MÉXICO. CURVA DE LORENZ PARA EL INGRESO CORRIENTE TOTAL DE LOS HOGARES, 2004

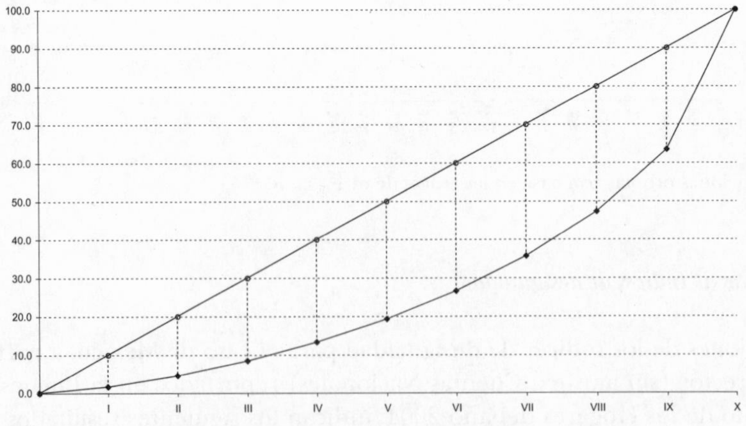

FUENTE: Estimaciones propias con base en INEGI, ENIGH, 2004.

del ingreso. En el caso de $e = 3$ –que considera una mayor aversión a la desigualdad, donde las transferencias entre los más pobres se ponderan en mayor proporción–, el valor del índice se eleva a 62.11, es decir que se requiere de una mayor proporción de recursos para reducir la concentración en el ingreso.

A su vez, la Curva de Lorenz expresa los datos del ingreso corriente total por decil de hogar (gráfica 2).

Comparaciones por entidad federativa

Los datos de los índices de desigualdad que miden en sentido negativo y que se presentan a continuación con fines comparativos por entidad federativa son tres: el Índice de Gini (IG) y el Índice de Theil (IT), que expresan la concentración del ingreso, y el Índice de Marginación (IM) que mide necesidades básicas; mientras que el Índice Modificado de Desarrollo Humano (IMDH) mide las condiciones sociales en sentido positivo y se relaciona con la noción de las capacidades. Los cuatro índices se presentan reescalados para facilitar la comparación en valores de 0 a 100.

Un primer resultado es que la correlación es muy alta entre los dos primeros índices (IG e IT), ya que el valor alcanza 0.99, es decir, hacen mediciones prácticamente iguales sobre la distribución del ingreso por entidad federativa.

A su vez, la correlación entre los otros dos índices (IM e IMDH) es de –0.92, que también es muy alta pero, obviamente, negativa, ya que ambas series mantienen una asociación inversa, aunque no se ajustan completamente (cuadro 2 y gráfica 3).

CUADRO 2. MÉXICO: ÍNDICES NORMALIZADOS POR ENTIDAD FEDERATIVA, 2000*

Entidad federativa	*Índice modificado de desarrollo humano*	*Índice de marginación*	*Índice de Gini*	*Índice de Theil*
Chiapas	1.0	100.0	100.0	100.0
Guerrero	11.9	96.5	86.4	83.8
Oaxaca	4.3	95.4	82.4	73.5
Veracruz	24.4	74.3	44.9	37.4
Hidalgo	28.9	63.7	41.6	35.0
San Luis Potosí	38.9	59.5	46.4	37.2
Puebla	30.0	59.5	57.6	52.1
Campeche	42.7	59.0	45.6	38.7
Tabasco	32.6	57.8	61.8	54.3
Michoacán	25.5	52.3	70.2	69.4
Yucatán	40.7	50.5	36.4	31.5
Zacatecas	30.4	48.4	71.7	66.9
Guanajuato	35.0	42.6	59.1	57.7
Nayarit	33.9	42.0	13.1	10.0

CUADRO 2. *continuación*

Entidad federativa	*Índice modificado de desarrollo humano*	*Índice de marginación*	*Índice de Gini*	*Índice de Theil*
Sinaloa	45.0	37.8	3.7	4.2
Querétaro	59.6	37.6	88.1	94.6
Durango	49.1	37.4	36.4	30.5
Tlaxcala	32.8	35.6	16.0	14.6
Morelos	49.0	31.0	32.3	30.0
Quintana Roo	70.9	31.0	36.3	29.5
México	49.6	24.5	33.5	33.0
Colima	56.5	22.3	4.5	3.7
Tamaulipas	61.4	22.2	27.7	24.7
Sonora	67.5	20.5	22.3	21.9
Jalisco	56.5	20.3	24.1	21.9
Chihuahua	72.8	19.8	42.1	42.1
Baja California Sur	68.3	19.3	44.1	45.4
Aguascalientes	66.1	14.7	1.0	1.0
Coahuila	71.7	8.7	23.6	24.3
Baja California	70.9	6.9	47.2	50.7
Nuevo León	83.8	3.6	17.8	17.4
Distrito Federal	100.0	1.0	29.3	24.8

* Todas las estimaciones se realizaron sin considerar a los hogares que no especificaron su ingreso.
FUENTE: Elaborado con base en PNUD, *Informe sobre desarrollo humano, 2002*, México, ONU, 2003; Conapo, Índice de marginación por entidad federativa, 2000 <www.conapo.gob.mx>; y Conapo, *La desigualdad en la distribución del ingreso monetario en México*, 2005, <www.conapo.gob.mx>.

GRÁFICA 3. MÉXICO: ÍNDICES NORMALIZADOS POR ENTIDAD FEDERATIVA, 2000

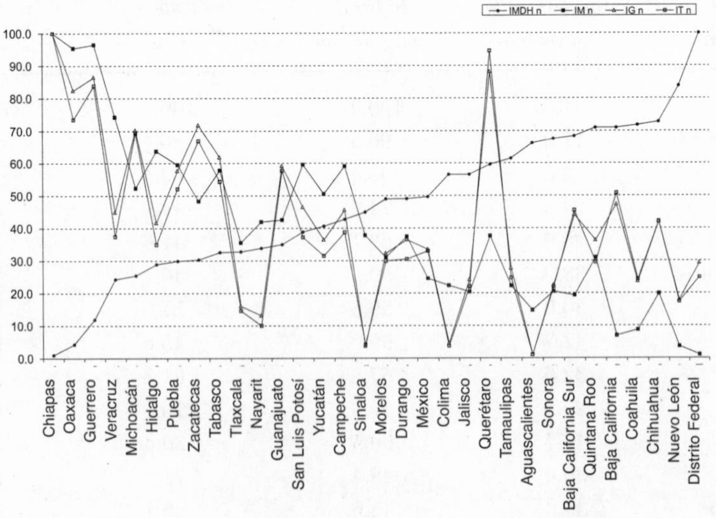

La comparación de resultados indica que hay un patrón general inverso entre el imdh (criterio de ordenación) y los otros índices que miden aspectos negativos. Sin embargo, hay casos atípicos que destacan; por ejemplo, Tlaxcala y Nayarit presentan una baja concentración del ingreso en sus Índices de Gini y Theil, pero marginación media; mientras que Querétaro tiene marginación media con un buen nivel de desarrollo humano, pero alta concentración del ingreso. Una medición más integral permite, entonces, establecer las prioridades para la formulación de las políticas sociales territoriales considerando objetivos normativos nacionales.

REFLEXIONES FINALES

Los índices de desigualdad corresponden a corrientes de pensamiento que les dan sentido, aunque no siempre se entiende explícitamente a cuál de ellas. Constituyen formas de medición útiles para establecer la magnitud en que se separan las unidades de análisis, que pueden ser hogares, familias o personas, o bien unidades territoriales, como entidades federativas, municipios o localidades.

La discriminación estadística resulta indispensable para el diseño de las políticas públicas, aunque es necesario seleccionar aquellos índices que resulten más adecuados para este fin, considerando que algunos no se pueden comparar entre sí, o bien, tomando en cuenta que algunos mantienen una alta correlación, por lo que sería posible optar por alguno en vez de otro.

Un análisis general como el anterior muestra que el Índice de Gini ofrece varias ventajas para medir la desigualdad por ingreso y territorio, mientras que el Índice de Marginación es adecuado para medir rezagos según necesidades básicas en el territorio. El Índice de Atkinson permite establecer metas sociales en función del grado de aversión a la pobreza. A su vez, el Índice de Theil puede ser redundante con el Índice de Gini, por lo que se puede aplicar éste en vez de aquél.

En este sentido, desde el enfoque de las necesidades básicas resultan útiles el Índice de Gini para medir la concentración de la riqueza en cada momento histórico; mientras que la medición del Índice de Marginación permite discriminar estadísticamente las distancias entre unidades territoriales y ofrecer elementos para la acción complementaria de las esferas social, gubernamental y mercantil.

En general, hay que tener en cuenta los objetivos mismos de cada medición respecto del marco teórico en que se desarrolle el estudio.

BIBLIOGRAFÍA

Bobbio, Norberto, Nicola Matteucci y Gianfranco Pasquino, 1995, *Diccionario de política*, México, Siglo XXI.

Comisión Económica para América Latina y el Caribe, 2000, *Equidad, desarrollo y ciudadanía*, Santiago de Chile.

Consejo Nacional de Población, 2000, *Índice de marginación por entidad federativa*, <www.conapo.gob.mx>.

—, 2005, *La desigualdad en la distribución del ingreso monetario en México*, <www.conapo.gob.mx>.

Cortés, Fernando y Rosa María Rubalcava, 1984, *Técnicas estadísticas para el estudio de la desigualdad social*, México, El Colegio de México.

Gijsberts, Mérove y Harry B.G. Ganzeboom, 2001, "El apoyo a los principios distributivos. Una comparación entre las sociedades socialistas y las sociedades de mercado (1987-1996)", en *Política y Sociedad*, núm. 30, Madrid.

Instituto Nacional de Estadística, Geografía e Informática, 2005, *Encuesta Nacional de Ingreso-Gasto de los Hogares, 2004*, México.

Medina, Fernando, 2001, *Consideraciones sobre el Índice de Gini para medir la concentración del ingreso*, Serie Estudios Estadísticos y Prospectivos, 9, Santiago de Chile, CEPAL.

Programa de las Naciones Unidas para el Desarrollo, 2003, *Informe sobre desarrollo humano, 2002*, México, ONU.

Solimano, Andrés, 2000, "¿El fin de las disyuntivas difíciles?, Revisión de la relación entre la distribución del ingreso y el crecimiento económico", en Andrés Solimano (comp.), *Desigualdad social, valores, crecimiento y el Estado. El Trimestre Económico*, núm. 90, México, Fondo de Cultura Económica.

LA PRECARIZACIÓN DEL EMPLEO EN LAS GRANDES CIUDADES LATINOAMERICANAS *

OMAR VICENTE PADILLA PÁEZ**

Desafortunadamente las diversas *ciencias sociales* se han distanciado de la inevitable tarea de revisar crítica y sistemáticamente los conceptos y la metodología que son el soporte teórico-empírico de sus argumentos, conclusiones o propuestas; más aún, se ha sustituido "el indicador" por *el concepto* o *categoría teórica*, creyendo que su *proximidad con lo real* implica evidencia absoluta, luego entonces la *simple sumatoria de los indicadores* se ha convertido en la supuesta explicación del fenómeno social a través de una lógica o razonamiento generalmente no expuesto a una reflexión crítica. Sin embargo, pese a lo anterior, los indicadores no son neutrales, implican de alguna manera una posición teórica, una posición política.

En ese sentido, el objetivo de la presente exposición consiste en relevar la importancia de que previamente se realice una reflexión crítica sobre los fundamentos teórico-epistemológicos que están presentes al tratar de explicar o hacer comprensible un fenómeno socioterritorial como el de la *precarización del empleo en las grandes ciudades latinoamericanas* a través de "indicadores" generalmente relacionados con ciertas condiciones sociolaborales.

Se plantea la hipótesis de que el fenómeno de *precarización del empleo en las grandes ciudades* no puede ser entendido sólo por la particularidad de las relaciones laborales y de las condiciones de trabajo, sino esencialmente como una expresión de los *diferentes desdoblamientos socioterritoriales* de la actual lógica y dinámica del proceso de trabajo capitalista (*espacialidad del capital*) y producto de un *patrón de reproducción del capital exportador de especialización productiva que se ha venido imponiendo desde la década de los ochenta.*

La exposición del presente texto inicia con una breve revisión crítica de la metodología, los indicadores y las estadísticas que el Instituto Nacional de Estadística, Geografía e Informática (INEGI) utiliza para definir lo que entiende como "precariedad laboral", definición que por cierto es la que predomina en la literatura que versa sobre dicho fenómeno. En una segunda parte se continuará con la explicación y comprensión de la relación existente entre proceso de metropolización, superexplotación del trabajo, precarización del trabajo y pobreza urbana, a través de las nociones teóricas de *patrón de reproducción* y *espacialidad del capital.*

* El presente artículo forma parte de la tesis que para obtener el grado de Maestro en Urbanismo presenté en la Universidad Nacional Autónoma de México. Agradezco la beca que me otorgó la Dirección General de Apoyo al Personal Académico de la UNAM en el marco del proyecto especial "Pobreza urbana, exclusión social y políticas sociales".

** Profesor de Economía de la Facultad de Ciencias Políticas y Sociales de la UNAM.

PRECARIEDAD LABORAL Y SUS INDICADORES EN LA LITERATURA PREDOMINANTE

Permítaseme iniciar el presente artículo con aspectos que se conocen y mencionan continuamente en las discusiones que versan sobre la realidad del mundo del trabajo; vayamos de lo más descriptivo hasta lo que considero nos podría ayudar en la explicación y comprensión de la precarización del empleo en las grandes ciudades latinoamericanas.

La gran mayoría de los indicadores sobre seguridad social relacionada con el empleo nos indican que en México, desde principios del siglo XX hasta la década de los ochenta, establecen una recta con pendiente positiva, mientras que para los inicios de la década de los noventa y hasta la fecha se presenta una recta horizontal con pendiente cercana al cero o incluso negativa.

Por ejemplo, de acuerdo con las estadísticas del INEGI, podemos encontrar para el caso de México –incluso lo siguiente sería una situación similar para cualquier otro país de América Latina–, que hay una tendencia decreciente desde la década de los noventa en el porcentaje de trabajadores asalariados con prestaciones sociales, siendo más grave la caída para el caso de las mujeres, del 66 al 59% en los hombres y del 74 al 64% en las mujeres; que en el sexenio del ex presidente Vicente Fox se ha reducido el porcentaje de la población derechohabiente a través de instituciones públicas como el IMSS (de 81 a 66%) y el ISSSTE (del 15 al 12%) y que ha sido absorbida por el llamado seguro popular, que hoy tiene al 15% del total de la "población derechohabiente"; que según la Conapo, en el sexenio de Fox cuando menos 3 millones de personas fueron lanzados a Estados Unidos en busca de alguna oportunidad de trabajo; que se han perdido empleos formales y aumentado los empleos informales, que los salarios más precarios son los ubicados en el llamado sector servicios y comercial, en el que predominan las mujeres; que hoy en día el 60% de la población mexicana tiene estudios de primaria o secundaria (truncos o terminados), el 30% tiene una educación media superior o superior, y alrededor del 10% no tiene ninguna instrucción, resultando que en 1991 el 18% de los desocupados estaba conformado por personas con estudios de nivel medio superior y superior, y para 2004 representan el 41%, que para el caso de las mujeres es más grave según la tendencia, pues en el mismo periodo pasó de 14 al 44%; por último, en el año 2000, nueve de cada diez nuevos empleos en América Latina los genera el sector denominado terciario (servicios), y por cada nuevo puesto de trabajo generado en los servicios de alta calidad se crean nueve en los servicios informales (OIT, 2004).

De ahí que cuando se define "precariedad laboral" se comienza habitualmente por decir que lo precario significa inseguridad, inestabilidad, insuficiencia, fragilidad, etcétera, y luego entonces precariedad laboral aludiría a la inseguridad, inestabilidad e insuficiencia de las condiciones, situaciones y relaciones laborales; por lo que los indicadores o variables principales para "medir el fenómeno" son el disfrute o no de prestaciones sociales, la existencia o no de un contrato de trabajo, la relación entre el número de horas trabajadas y el nivel de los ingresos, etcétera.

En el caso del INEGI, y para la mayoría de los investigadores, lo anterior es lo central; no obstante, dependiendo de la perspectiva teórica, habría investigadores que de manera diferenciada considerarían o no, indicadores tales como la organización sindical, la duración del contrato laboral, el desarrollo de una determinada ley federal del trabajo, el tipo de organización del sistema de pensiones, el tipo de empleo en tanto su ubicación en una rama o sector de la economía y las condiciones "humanamente adecuadas" para el trabajador, entre otros.

Cabe señalar además que sin duda alguna las investigaciones que han planteado de esa manera el concepto de *precariedad laboral* y utilizado los indicadores antes mencionados, han realizado importantes estudios para describir de manera sistemática y detallada dicho fenómeno, sin embargo no se ha avanzado en la explicación de la *precariedad laboral* como algo estructural y no coyuntural, como algo que tiene que ver con necesidades específicas del proceso de valorización del capital internacional y no sólo con el proceso de trabajo en general, como algo que es un fenómeno socioterritorial y no sólo económico-regulacionista, que tiene su raíz en los mecanismos no visibles de la relación capitalista sujeto-objeto (trabajadores y medios de producción), que no es algo que deba entenderse sólo por la actual situación del Estado, sino por la actual dinámica del mercado interno en referencia al externo (patrón de reproducción), que se trata de espacios superexplotados (tiempo de vida total frente al tiempo de diario que absorbe tiempo futuro). Lo anterior nos exige no confundir términos, discriminar niveles de abstracción y pasar de la descripción a la explicación y comprensión del fenómeno.

Entonces nuestra posición es que la precarización del trabajo es una manifestación, una expresión de la acumulación internacional de capital y no sólo un simple "abandono" del Estado en materia de regulación de las condiciones laborales; que el actual patrón de reproducción del capital impuesto en América Latina en los últimos veinticinco años ha exigido una flexibilidad laboral a través de la adaptación de los mercados de trabajo a las innovaciones tecnológicas llevadas a cabo en los países desarrollados, a través de hacer más competitivas a las empresas con cargo a las normas de seguridad del empleo, al aumento de la intensidad del trabajo, a la disminución del poder adquisitivo de los salarios, a la desregulación de las condiciones de protección de los trabajadores (es la forma más extendida en América Latina).

Se trata del desarrollo de un nuevo mercado laboral que va más allá de la diferenciación entre lo que se denomina "sector informal" y "sector formal", ya que la realidad nos está mostrando lo endeble de esa diferenciación y supuesta no relación directa en cuanto a la estructura productiva.

Tal parece que las tesis del "fin del trabajo", "fin de la lucha de clases", el "adiós al proletariado", han ganado terreno y que por lo tanto ya no hay obreros; lo cierto es que como nunca en las grandes concentraciones urbanas latinoamericanas se emplean de manera directa o indirecta a millones de personas que están bajo un particular régimen salarial. Habrá quienes piensen todavía que obrero es el típico sujeto con casco y overol azul, o que salario es aquella cantidad monetaria que de manera clara deja ver el pago que el capitalista hace a sus obreros, y que por lo tanto la subcontratación y los trabajadores independientes no implican una relación asalariada.

En ese sentido, considero que en realidad estamos en la profundización del régimen salarial, que hay más obreros asalariados y formas de estar desempleado o empleado; por lo que, sin duda, temas como la precarización del trabajo son fundamentalmente expresiones de la acumulación mundial de capital y no la esencia del problema laboral. Así pues, estas expresiones refuerzan las manifestaciones previas y las novedosas, de suerte que tenemos un gran fenómeno laboral que se concreta en una enorme masa de sujetos, a quienes calificamos según nuestro pensamiento como flexibles, polivalentes, segmentados, precarizados, terciarizados, informales, desempleados, subcontratados, pobres urbanos o pobres rurales, etcétera, denominaciones que son definidas esencialmente por el tipo de proceso de trabajo capitalista dominante internacionalmente, el patrón dominante de acumulación internacional de capital, el ejército industrial-internacional de reserva, y la productividad y la competitividad internacionales.

De ahí que haya que delimitar rigurosamente la cuestión del mercado laboral tanto en su nivel teórico como en el empírico y en consonancia con los indicadores a utilizar. Por ejemplo, para América Latina sí hay una particularidad estructural, ya que si bien es cierto que los fenómenos laborales anteriores podrían presentarse en los países desarrollados, resulta que no son los ejes centrales de su estructura económica-laboral, y desde luego de su lógica de acumulación de capital.

Hay cinco mecanismos interrelacionados: 1] la necesidad específica que el proceso de trabajo capitalista dominante en América Latina tenga en cuanto al tipo de fuerza de trabajo, en sus condiciones tanto técnicas como procreativas; 2] la competencia entre empresas nacionales y transnacionales que tienen como estrategia reducir los costos; 3] el debilitamiento de la posición negociadora y, en esencia, de lucha, por parte de los trabajadores; 4] la desregulación de los mercados de trabajo y de la seguridad social por parte del Estado, y 5] el espacio socioterritorial visto a través de un razonamiento histórico-materialista para comprender el porqué de enormes aglomeraciones urbanas y de un ejército internacional de reserva.

METROPOLIZACIÓN, SUPEREXPLOTACIÓN DEL TRABAJO, PRECARIZACIÓN DEL TRABAJO

> Las leyes de la economía política expresan la enajenación del obrero en su objeto; así,
> mientras más produce el obrero, menos tiene para consumir;
> mientras más valores crea, menos valioso, más desposeído se vuelve;
> mientras mejor formado es su producto, más se deforma el obrero;
> mientras más civilizado su objeto, más bárbaro se hace el obrero;
> mientras más poderosa se hace la fuerza de trabajo, es más indefenso el obrero;
> mientras más ingenioso se hace el trabajo, menos ingenioso se hace el obrero
> y más un siervo de la naturaleza.
> La economía política oculta la enajenación inherente a la naturaleza del trabajo
> al no considerar la relación directa existente entre el obrero (el trabajo) y la producción.
>
> MARX, 1844: 104.

Cuando Engels analizaba la situación de la clase obrera en la ciudad más importante del mundo en ese entonces, Londres, no hacía mención a la cantidad de personas, o no consideraba que el problema central de esa ciudad fuese el tamaño de la población, a él le preocupaba el tipo de relaciones sociohistóricas que imperaban y hacían de una ciudad un *desdoblamiento de mónadas* antes que un espacio humanizado.

Hoy, por el contrario, predomina la perspectiva de que *la población es el problema* y la causa de problemas tales como la precarización de la vida cotidiana, el desempleo, la estructura ocupacional espuria, *la escasez de agua, vivienda y alimentos*, etcétera; por consiguiente, según esta manera de ver las cosas, habría que reducir el crecimiento poblacional, sacar de las ciudades a quienes no deben estar más, aumentar el gasto público, lanzar costosas campañas de anticoncepción o quizás esperar a que se reduzca a través de la sed, el desempleo, la migración, el hambre o por el riesgo socioambiental.

Pero entonces qué debe suceder con esa perspectiva cuando uno de los problemas fenoménicos más notables en las megaciudades latinoamericanas es una estructura ocupacional que se caracteriza por la generación de empleos informales y precarios, y un desempleo agravado principalmente entre los jóvenes con mayores niveles de preparación profesional, ¿deben cambiar sus fundamentos o continuar con las mismas conclusiones y *recetarios* de política económica que sólo refuerzan la *racionalidad económica* del capital frente al trabajo? En ese sentido, es pertinente cuestionar si: ¿en realidad el científico social pierde *objetividad* si políticamente asume una posición crítica radical frente al sistema económico capitalista no para "hacerlo más humano" sino para abolirlo?

Entre las propuestas del recetario normalmente destacan una política económica y recientemente una planeación urbano-regional acorde a la coyuntura, que apoye las diferentes actividades en el campo, la industria, el comercio y los servicios, como también el impulso de ciertos remedios *caseros*, como el control de la inflación, la óptima recaudación fiscal y los apoyos sociales a determinadas regiones o sectores de la sociedad para "combatir" la pobreza y el desempleo; pero, ¿cuáles son los alcances de eso?, ¿hasta dónde somos capaces de establecer los límites entre la propuesta de una transformación radical de la sociedad y la propuesta de una determinada política social dentro de la esfera del capital y el Estado?

Aun cuando considero que es importante establecer una determinada *política social* que no permita al capital un despotismo absoluto, también considero que el científico social debe ir más allá de proponer una *política social* de desarrollo económico y regional como colofón de su investigación para "solucionar" o atenuar los diversos problemas sociales, ya que tiene que atender el hecho de que los grandes desafíos que representa la realidad en las ciudades subdesarrolladas está en relación directa con las formas en que se ha desarrollado el proceso internacional de acumulación de capital en los últimos 35 años en América Latina.

¿Radical? ¿Qué se entiende por eso? Más aún, ¿qué acaso nuestro tiempo y espacio no exige una transformación de raíz? ¿Qué hacer? ¿Cuál es la propuesta? La de la presente investigación ha sido, a lo largo de su desarrollo, insistir en la reflexión crítica de nuestros conceptos y fundamentos filosóficos para –además de describir– explicar y hacer comprensible la totalidad concreta del mundo del trabajo.

Así pues, al contrario de las perspectivas dominantes que consideran que el estudio descriptivo de las estadísticas de la población trabajadora es la única manera de hacer ciencia social, se considera que: 1] sí es importante analizar a la población trabajadora, pero esencialmente a través de responder la pregunta de por qué esa población trabajadora es excedentaria, o respecto de qué lo es; 2] también es fundamental responder la cuestión de por qué la precarización del trabajo se relaciona con la espacialidad del capital que configura un determinado proceso de metropolización; 3] igualmente, habría que preguntarse sobre los aspectos estructurales que determinan y precisan de un traslado de *población trabajadora excedentaria* a otros sectores o ramas de la producción de bajo desarrollo tecnológico o en ocupaciones clasificadas como *terciarias* o *informales*; 4] además, es esencial conocer en qué medida esas otras formas de absorción de *población trabajadora excedentaria* podrían ser consideradas productivas o improductivas de acuerdo con el proceso de valorización del capital en un determinado espacio como las metrópolis latinoamericanas, pero considerando las conexiones internacionales, ya que; 5] la elevada concentración de la fuerza de trabajo disponible en zonas urbanas no siempre ha encontrado un acomodo productivo en los sectores secundario y terciario de la economía, dada la incapacidad estructural de la planta productiva y de servicios para generar los suficientes puestos de trabajo; es decir, esta situación ha traído como resultado el asentamiento en las zonas urbanas de un vasto ejército industrial de reserva que en realidad es internacional, de acuerdo con la actual lógica y dinámica del patrón de reproducción del capital imperante en Latinoamérica.

PROCESO DE METROPOLIZACIÓN Y EJÉRCITO INDUSTRIAL DE RESERVA

Si hay algún resultado territorial derivado de la transformación internacional de la estructura productiva en las últimas tres décadas que se mantendrá como tendencia general hasta por lo menos las próximas tres del siglo XXI, será el actual desarrollo urbano de las ciudades subdesarrolladas que se encuentran bajo un complejo proceso de metropolización; esto porque, de acuerdo con el Fondo de Población de las Naciones Unidas, se estima que para 2015 las ciudades que tienen menos de un millón de habitantes habrán agregado 400 millones de personas, y que más del 90% de este crecimiento ocurrirá en ciudades con menos de 500 000 habitantes (UNFPA, 2004: 24); situación que desde la perspectiva de la presente investigación merece que se analice bajo dos aspectos relacionados, y en la que el segundo es el factor determinante; el primer aspecto *tiene que ver con el fenómeno socioterritorial que implica la combinación entre el proceso urbano y el crecimiento demográfico, pero que de acuerdo con un segundo aspecto histórico-concreto del desarrollo capitalista se entenderá como la espacialidad del capital que configura la relación entre el proceso de metropolización y el ejército industrial de reserva*; por lo que la cuestión fundamental a responder está en demostrar que es viable teóricamente la articulación del tan estudiado proceso de metropolización con la categoría marxista: *ejército industrial de reserva.*

Una primera contradicción que se debe analizar y debatir es la imposibilidad real del pleno empleo en la sociedad capitalista, pues permanentemente el capital requiere de excluir la propia fuente directa de su proceso de valorización: el trabajo vivo, y las crisis no harán más que mostrar periódicamente esa contradicción incluso la propia teoría económica no puede negar esa contradicción:

> Dentro de los países progresados, la idea de que el pleno empleo resulta ya una quimera se consolida cada vez más. Serían precisos varios años de crecimiento sostenido de la economía (por lo menos, por encima del 3%; en 1994 se está en Europa en cifras cero o negativas) para alumbrar la posibilidad de creación masiva de puestos de trabajo. Ello, todavía, chocaría con los límites al crecimiento que los recursos naturales están manifestando. No sólo el trabajo bien pagado deja de ser una realidad presente. Otras cosas están cambiando: el bienestar y la seguridad que proporcionaron políticas sociales y crecimiento sostenidos de la economía durante las últimas cuatro décadas; el concepto de la permanencia en el puesto de trabajo; las garantías conquistadas por los sindicatos; la flexibilidad de la entrada y salida en el mercado de trabajo, etcétera. El propio concepto trabajo está siendo sometido a vaivenes que afectan a su constitución y a su consideración (Aizpuru y Rivera, 1994: 399).

Una segunda contradicción que habría de comprenderse y detallarse es la relacionada con la "absorción productiva" de la clase trabajadora urbana; ya a finales de los setenta y a principios de los ochenta se estableció un debate en relación con la posibilidad o no de una *absorción productiva* de la fuerza de trabajo urbana en América Latina por parte de la estructura ocupacional capitalista, discusión que para entonces favorecía, o por lo menos conservaba la polémica, a quienes mostraban, a través de las estadísticas, que sí fue posible una adecuada *ocupación productiva* en la mayoría de las economías de la región. Dos décadas después, no sólo teóricamente es clara la imposibilidad estructural de una ocupación productiva de la gran mayoría de los trabajadores, sino que además las estadísticas, con todo y sus deficiencias, indican que es esencialmente errónea la tesis de Aníbal Pinto, quien planteaba en los ochenta que la *metropolización* y la *terciarización* son malformaciones estructurales del desarrollo latinoamericano (Pinto, 1984: 22), y que en realidad son condiciones estructurales necesarias para la actual forma de desarrollo capitalista de América Latina.

Lo anterior es un aspecto que desde la segunda mitad del siglo XIX fue explicado por Marx, quien planteaba que la acumulación capitalista produce de manera constante una *población trabajadora relativamente excedentaria*, esto es, excesiva para las necesidades medias de valorización del capital, y por lo tanto superflua. De igual forma, planteaba que las fluctuaciones de la sobrepoblación pueden adoptar la forma más notoria de la repulsión de trabajadores ocupados anteriormente (desempleo masivo) o la forma no tan evidente –pero no menos eficaz– de una absorción más dificultosa de la población trabajadora excedentaria a través de canales habituales, como el de los sectores en los que no se ha aplicado exitosamente la *maquinaria* (Marx, 2003: 784), tal es el caso de la industria informal y la industria que ha construido el llamado sector servicios.

Es importante reconocer además que tanto el proceso de metropolización como el del ejército industrial de reserva se hallan escindidos a través de disciplinas como el marxismo (ejército industrial de reserva) y la geografía urbana (metropolización); no obstante, aunque parezca perogrullada, el desarrollo urbano-regional y la acumulación de capital desde la perspectiva marxista son un mismo proceso, y no se entenderá el espacio sin las condicionantes que le impone la acumulación de capital, y esta última, sin las condicionantes que el espacio le antepone como dificultades u oportunidades a su lógica; por lo que, al igual que Lefebvre, se considera que categorías teóricas como la de "ejército industrial de reserva" puede y debe ser fortalecida con la exposición explícita del espacio social:

> Las numerosas consideraciones emitidas por Marx no tienen sentido y alcance sino en un contexto social, la realidad urbana, o se piensa que Marx no habla de ello. Una o dos veces solamente, pero de manera decisiva, relaciona el eslabonamiento de los conceptos a este contexto, no obstante continuamente implícito (Lefebvre, 1973: 32).

La conformación de un ejército mundial de reserva beneficia al capital en todas las dimensiones de la relación capital-trabajo; ya que abarata el costo del trabajo, flexibiliza las relaciones laborales, favorece la lógica de los sectores productivos informales y permite nuevas formas de desarrollo urbano y regional que están en consonancia con el desarrollo de la acumulación de capital. Por lo tanto, el *ejército industrial de reserva* es una condición vital y funcional de la industria moderna y de lo que ahora se conoce como terciarización de la economía. Sin embargo, cuando se habla de hechos funcionales al desarrollo del capital, se agrega además el argumento de que no sólo se trata de una desarticulación entre la estructura productiva y los mercados de trabajo debido a las dificultades que el sistema encuentra para continuar su reproducción según la ley del valor y la explotación del trabajo social (Sotelo, 2003: 15), sino también que la actual estructura ocupacional de la metrópoli es funcional a dicho proceso.

Hasta aquí sólo he planteado la relevancia de la crítica que Marx realizó a la economía política; en particular, destacando la relevancia de comprender *la ley general de la acumulación de capital* en relación con la categoría *producción progresiva de una sobrepoblación trabajadora relativa* (o *ejército industrial de reserva*). Empero, es trascendental saber cuáles serían los otros fundamentos teórico-metodológicos que el marxismo pudiera ofrecer para lograr una articulación explicativa entre la categoría de *ejército industrial de reserva* y la actual situación del mundo del trabajo en las grandes ciudades latinoamericanas en tanto la *terciarización* y *precarización* del empleo urbano.

Considero que podría ser a través de las nociones *patrón de reproducción* y *espacialidad del capital*, la primera para comprender que el actual mecanismo de acumulación internacional de capital es la superexplotación del trabajo, y la segunda serviría para superar las metáforas en ocasiones útiles de "lo local y lo global", "el centro, la periferia y la semiperiferia", etcétera, con la finalidad de entender los diferentes desdoblamientos de la contradicción valor de uso/valor.

TEORÍA DE LA DEPENDENCIA, SUPEREXPLOTACIÓN DEL TRABAJO Y ESPACIALIDAD DEL CAPITAL

De alguna manera he intentado argumentar que centralmente entiendo por espacialidad del capital una forma diferente de concebir la geografía que se construye a partir de los diferentes desdoblamientos de la contradicción esencial del capitalismo, que se establece con la relación valor de uso/valor, que es el sentido histórico o la norma que se impone sobre la totalidad histórico-concreta.

Y en ese sentido, considero que los fenómenos de *terciarización* y precarización del empleo urbano en las ciudades latinoamericanas son producto de la actual *espacialidad del capital*, fenómeno que se puede seguir observando a través de la aún existente lógica entre países del centro, de la periferia y de la semiperiferia, y que en esencia se puede ver a través de los diferenciales socioterritoriales que sobre el espacio social se manifiestan a través de procesos socioterritoriales concretos, como la ciudad, la región urbana y la metropolización, lo que de alguna manera podría "actualizar" la teoría de la dependencia en tanto su cualidad explicativa de la acumulación de capital a escala internacional en relación con la materia de lo geográfico, dado que hoy se presentan comportamientos fenoménicos diferentes, ya que las relaciones entre las zonas metropolitanas de países centrales y de la periferia ofrecen una importante fuente de análisis para explicar el actual proceso de valorización del capital.[1]

Lo anterior exige plantear la interrelación entre el proceso de valorización y los mecanismos que son esenciales a un determinado patrón de reproducción del capital, así como el abandono de la idea del espacio social absolutamente homogéneo o heterogéneo, ya que se propone la conexión teórica entre un proceso socioterritorial determinado y una lógica-dinámica global que impone la acumulación mundial

[1] Esta hipótesis surge al momento de revisar el fenómeno de la terciarización y precarización del empleo urbano en la Zona Metropolitana de la Ciudad de México (ZMCM) en mi tesis de maestría (Padilla, 2006), y al observar dos aspectos: 1] que dicho problema es una consecuencia de la reestructuración productiva a escala internacional por la crisis de los años setenta, pero que en esencia sigue prevaleciendo la lógica en la relación entre países de la periferia y del centro, y 2] que ante el hecho de la producción y comercio de manufacturas y materias primas entre el centro y la periferia, se hizo necesario responder a la cuestión de si el análisis de las zonas metropolitanas como método analítico de *lo local a lo global* podría articular una forma complementaria para explicar la actual relación de dependencia entre los países; la conclusión fue que no, y se prefirió el diseño teórico de una noción como la de *espacialidad del capital*.

de capital, a través de la noción de espacialidad del capital que ayudaría a la explicación y comprensión de la *desacumulación por desposesión* entre *el centro y la periferia.*

Por muchos años la *teoría de la dependencia* ha ocupado un papel central en la explicación de los aspectos vinculados a la relación económica entre los países; además, su desarrollo teórico con el tiempo ha generado o diferenciado más de una posición teórico-política, y en consecuencia se podría hablar de varias teorías de la dependencia; sin embargo, es importante reconocer que es una teoría que nace como resultado del pensamiento crítico latinoamericano, y quizás ha sido el planteamiento teórico más destacado y desarrollado de los estudios latinoamericanos.

Dicha teoría surge en un contexto internacional muy particular desde los años sesenta, cuando: *a*] hay movimientos libertarios en América Latina que buscan explicar y solucionar los grandes problemas sociales que América Latina enfrenta como una región particular; *b*] en un escenario que presentaba una mayor conciencia por el deterioro ambiental y la calidad de vida en las ciudades; *c*] en un ambiente de mayor organización sindical y estudiantil; *d*] en la motivación política e ideológica que las revoluciones de Cuba y China ofrecieron; *e*] con la tensión entre Estados Unidos y la Unión Soviética, y *f*] bajo la intención de establecer un frente teórico surgido desde América.

Lo anterior sería suficiente para demostrar que la teoría de la dependencia, además de ser un movimiento político y científico latinoamericano, no puede ser reducida y criticada a partir del esquema que planteaba una división entre países de *la periferia y del centro.*

En primera instancia, es importante reconocer que la lógica centro-periferia es una *metáfora geométrica* que se ha usado frecuentemente para describir la oposición o contradicción entre dos tipos de *lugares*, tanto desde una concepción territorial como funcional: lo dominante (centro) y lo dominado (periferia);[2] pero para el caso de ciertas perspectivas de la teoría de la dependencia ello no era relevante, lo relevante eran los mecanismos que hacían posible dicha relación y el porqué no era una situación de tipo coyuntural sino estructural del desarrollo capitalista de América Latina, tal es el caso de teóricos como Ruy Mauro Marini (1973), que a través de la categoría *superexplotación del trabajo* logra fundamentar una estructura analítica.

Hay que señalar además que el uso de esa metáfora es un recurso esquemático que debe implicar otros niveles de abstracción más rigurosos para evitar un empleo simplista del mismo en las cuestiones con la lógica del desarrollo urbano o con las relaciones productivas y comerciales entre países.

Ahora bien, esos otros niveles de abstracción servirían esencialmente para que

[2] "Esta pareja conceptual se remonta por lo menos a Werner Sombart (*Der moderne Kapitalismus*, 1902), si no es que a Marx (las relaciones ciudad/campo), y fue utilizada por los teóricos del imperialismo (Rosa Luxemburg, Bujarin), pero los economistas de las desigualdades del desarrollo fueron los que le dieron su forma contemporánea (Samir Amin, *Le développement inégal*, 1973). Habría que agregar además a un importante grupo de teóricos que de formas muy diferentes trabajaron desde la teoría de la dependencia la idea del centro y la periferia, tales como André Gunder Frank, Theotonio dos Santos, Fernando Henrique Cardoso y Ruy Mauro Marini, ya que cada uno configuró una particular forma de distinguir entre países del centro y de la periferia.

el esquema fuese capaz de mostrar aquellas relaciones determinantes entre los dos bloques, lugares; un elemento podrían ser los flujos (de personas, mercancías, capitales, información) y otro elemento la asimetría (como las jerarquías, las relaciones de poder, etc.); empero, no sería suficiente, pues se requiere que haya un núcleo articulador como el que ofrece Marini (*op. cit.*) en relación con el término de *superexplotación* en su teoría de la dependencia.

Un elemento más estaría en establecer la esencia que hace del centro el elemento dominante y de la periferia una posición que no puede ser modificada sino bajo cierto escenario histórico; el sistema debe considerar entonces que el centro no sólo controla, sino además que el sistema impulsa como dinámica intrínseca la reproducción de condiciones histórico-concretas que hacen de la centralidad y la periferia una situación estructural.

Si se toman como base los argumentos explicados en los anteriores apartados, podríamos ver que la lógica centro-periferia, y en concreto el subdesarrollo y la dependencia en el sentido que lo señala Marini (*op. cit.*), se ha desarrollado a diferentes escalas geográficas, por lo que tenemos una lógica y dinámica que ya no es la exportación clásica de bienes primarios, pues se trata ahora de una compleja red productiva basada en la exportación de bienes primarios y manufacturados; *además, el esquema debería considerar como base la situación de la clase trabajadora en las grandes ciudades y no recurrir a otras metáforas para validar otra metáfora*, como lo hacen Georges Benko y Alain Lipietz con su famosa idea de "regiones ganadoras" y "regiones perdedoras".[3]

LA ESPACIALIDAD DE LA POBREZA, SUPEREXPLOTACIÓN Y PRECARIZACIÓN DEL TRABAJO

Espacialidad: la precarización del empleo como un mecanismo de apropiación gratuita de trabajo, del proceso socioterritorial entero. Exportación de desempleo, de trabajo precario. Los servicios, lo precario como sectores de exclusión que profundizan la desigualdad y la pobreza urbanas pero que no debe dejar de verse la contraparte: ¿y la riqueza? El obrero colectivo en Marx. ¿Qué no se trata de "refuncionalizar la relación salario individual y salario social"

[3] "Entonces, ¿cuáles son los verdaderos debates? Lancemos nuestras dudas en desorden. ¿El distrito es verdaderamente la forma que han encontrado por fin las industrias de la poscrisis? ¿Todos los distritos son regiones ganadoras? Por otra parte, ¿qué es una "región ganadora"? ¿Una región que sale adelante (desde el punto de vista de los empleos, de la riqueza, del arte de vivir) por su propia actividad, o una región que vive a expensas de las que han perdido, incluso de una parte de sus propios habitantes? ¿Es la jerarquía de las regiones el resultado (quizá provisional) de un triunfo desigual, o la causa de las ventajas de que disfrutan las primeras, que serían por tanto los centros de una periferia? Y, aun cuando los futuros centros fueran distritos (llamémosles entonces metrópolis), ¿han de ser necesariamente enormes? ¿Enjambres de distritos? ¿Deben las metrópolis, para ganar, convertirse en megalópolis?" (Benko y Lipietz, 1994: 22).

Es evidente que en los países subdesarrollados latinoamericanos, entre un cuarto y la mitad de la población urbana económicamente activa no puede "ganarse" la vida de manera adecuada y estable, pues teniendo en cuenta los pocos empleos ofrecidos por las empresas formalmente establecidas, o por los gobiernos, la población tiene que encontrar o crear sus propias fuentes de ingresos, esfuerzos que han favorecido el rápido crecimiento del llamado "sector o economía informal".

Ahora bien, si bien muchas personas *oficialmente* no están empleadas, la mayoría trabaja en fábricas y empresas no formalmente establecidas, vendiendo mercancías en las calles y en diferentes servicios que el sector privado y público ofrecen sin *reconocimiento oficial*, para acceder, *aunque sea*, a la tan deteriorada seguridad social, confeccionando prendas de vestir en sus hogares, como sirvientes, guardias, meseros, etcétera, en jornadas laborales de más de ocho horas diarias en seis o siete días de la semana; todo ello parecería suficiente como para pensar en un sentido simple en la "superexplotación del trabajo"; sin embargo, eso no es la *superexplotación del trabajo* desde una perspectiva marxista:

> La superexplotación apunta a dar cuenta de una modalidad de acumulación en donde de manera estructural y recurrente se viola el valor de la fuerza de trabajo [...] La noción de superexplotación explica la forma como en las economías dependientes se reproduce el capital, en el marco del desarrollo de dicho sistema [...] La superexplotación, en tanto violación del valor de la fuerza de trabajo, no implica mayor explotación [...] La noción de explotación en el capitalismo remite al problema de la apropiación por parte del capital de un producto excedente gestado por los trabajadores. La gestación de ese producto excedente se da por la diferencia entre el valor de la fuerza de trabajo y el valor producido más allá de aquel valor. O, dicho de otra manera, por la existencia de un trabajo excedente más allá del tiempo de trabajo necesario. El incremento del producto excedente puede darse de múltiples maneras: prolongando la jornada de trabajo; elevando la productividad del trabajo y reduciendo el tiempo de trabajo necesario; intensificando el trabajo; apropiándose el capital de parte del fondo de consumo (o parte del tiempo de trabajo necesario) para convertirlo en fondo de acumulación. A esta última modalidad es la que Marini llama superexplotación. Remite por tanto a *una forma de explotación en donde no se respeta el valor de la fuerza de trabajo* (Osorio, 2004: 90-93).

En ese sentido, la superexplotación del trabajo es una cuestión central que habría de explicarse y comprenderse en tanto que hay diversas maneras de ir afectando el *valor total* de la fuerza de trabajo y de ahí a su *valor diario*:

> El valor diario de la fuerza de trabajo se debe calcular entonces considerando un determinado tiempo de vida útil de los trabajadores y de vida promedio total, de acuerdo con las condiciones imperantes de la época. Los avances en la medicina social, por ejemplo, han permitido elevar la esperanza de vida, por lo que el tiempo de vida productiva y de vida total también se han prolongado. Esto implica que si en la actualidad un individuo puede laborar 30 años bajo condiciones normales, el pago diario de la fuerza de trabajo debe permitirle

reproducirse de tal forma que pueda presentarse en el mercado laboral durante 30 años y vivir un determinado monto de años de retiro en condiciones normales, y no menos. Un salario insuficiente o un proceso de trabajo con sobredesgaste (sea por la prolongación de la jornada laboral, sea por la intensificación del trabajo) que acorten el tiempo de vida útil y de vida total, constituyen casos en donde el capital se está apropiando hoy de años futuros de trabajo y de vida. En definitiva, estamos frente a procesos de superexplotación, en tanto se viola el valor de la fuerza de trabajo (Osorio, 2004: 45).

Lo anterior supone que remunerar a la fuerza de trabajo por su valor no puede se reducida a la discusión cuantitativa del salario, pues el capital requiere de que la clase trabajadora encuentre las condiciones indispensables para reproducirse constantemente como tal, y bajo ciertas características que le hacen ser un *obrero colectivo* directa o indirectamente productivo para la acumulación de capital. Y es precisamente en ese punto donde la noción de espacialidad del capital aporta a la explicación y comprensión de que el valor de la fuerza de trabajo no sólo se configura a través de un proceso de trabajo particular, ni con el promedio del resto de los procesos de trabajo, sino a través del complejo conjunto de requerimientos socioterritoriales. El capital necesita constituir una determinada estructura social de la clase trabajadora por géneros, edades, grados de especialización, desempleados, semiempleados, grados de desvalorización de la fuerza de trabajo a través de la *desespecialización* o por condiciones de salud, edad, etcétera.

Así, cuando se argumenta que la estructura ocupacional de las megaciudades latinoamericanas está bajo el mecanismo de la superexplotación del trabajo no se parte de la simple consideración salarial, y mucho se dice que estamos volviendo a Hipócrates en su reflexión acerca de que la incidencia de la naturaleza del terreno físico (la ciudad, por ejemplo) influye en el carácter de los individuos de una manera mecánica; por el contrario, se considera que es la espacialidad del capital la que impone ciertas relaciones sociales diferenciadas socioterritorialmente; no comparto la idea de que la situación social de la pobreza y de las formas de vida cotidiana en una ciudad puedan comprenderse a partir de la interpretación de las historias de vida de personas que viven en una zona u otra de la ciudad, y menos que a partir de eso se pueda definir la forma de su estado de pobreza en un sentido estructural, considero que su utilidad es otra, ya que tiene potencialidades y límites diferentes a otras formas de ver la realidad de manera estructural.

Para el caso del salario, quizá sirva más la idea de un "salario social o colectivo" que impacta de forma directa sobre la relación entre tiempo necesario y tiempo excedente de los procesos de trabajo, así como en el *valor total* de la fuerza de trabajo y en su *valor diario*; y el Estado ha sido pieza clave para que el capital logre lo anterior; por ejemplo, de qué le sirve al capital que pueda tomar parte de los salarios de los trabajadores bajo el supuesto de que le preocupa que sus obreros no ahorren, ¿sólo se trata de hacer rentable monetariamente el dinero del trabajador a favor de la especulación financiera del capitalista? ¿Eso no tiene nada que ver con la apropiación de años futuros de trabajo y de vida?

Sabemos, por ejemplo, que el capital financiero, a través de bancos, cajas de ahorro, etcétera, promueve diversos instrumentos financieros[4] para hacer productivos los "ahorros salariales" del obrero, y rentable para el sistema capitalista al reunir todo el ahorro de los obreros en masa, ¿se trata entonces de que ese ahorro sea sólo rentable para el capital en la especulación financiera o también rentable socialmente en tanto masa salarial social que repercute sobre la disminución del valor de la fuerza de trabajo o incluso de la violación del valor de la fuerza de trabajo?

Y es a través de esa hipótesis como además encuentro una relación estrecha entre la *terciarización* y *precarización* del trabajo a través de la desvalorización de la mercancía fuerza de trabajo.

Pero encuentro también una superexplotación del trabajo en tanto que el "fondo de consumo" de los asalariados entra a una *espacialidad del capital* que, de acuerdo con el actual patrón de reproducción del capital en Latinoamérica, impone despóticamente a territorios nacionales o localidades la lógica del mercado exterior:

> Con la gestación de un nuevo modelo volcado al exterior, en las últimas décadas del siglo XX, América Latina vuelve a reeditar, bajo nuevas condiciones, los desfases y desequilibrios sociales del modelo agrominero exportador. La agudización de las formas de explotación (ocultas en categorías como flexibilidad laboral o precariedad del empleo) no hacen sino poner de manifiesto una modalidad de desarrollo capitalista que en lo sustancial privilegia el consumo de los mercados externos y en la esfera alta interna, deteriorando el mercado conformado por los salarios. La polarización social, la informalidad y el subempleo no son sino algunas de las manifestaciones más inmediatas de este proceso (Osorio, 2004: 175).

En consecuencia, como ya habíamos dicho para el caso del fenómeno de la *terciarización del empleo*, la *precarización del trabajo* en las grandes ciudades es una manifestación más de un proceso más complejo y oculto de la acumulación internacional de capital, la cual, para el caso de la región latinoamericana en la actualidad, se apoya fundamentalmente en la superexplotación del trabajo; que opera estructuralmente a través de un determinado patrón de reproducción del capital que a su vez ha configurado una determinada espacialidad del capital, que no es más que la expresión transfigurada o el reflejo invertido del espacio social concreto que histórica y territorialmente ha desdoblado la contradicción valor de uso/valor.

Lo anterior cambia radicalmente la literalidad imperante en relación con el cómo percibir el concepto de "precariedad del trabajo", no como algo que se refiere sólo de manera general a todas las posibles formas de inseguridad, incertidumbre, flexibilidad e inadecuadas condiciones físicas o morales del trabajo, que irían desde el empleo informal, ilegal, temporal y flexible, hasta la subcontratación y el autoempleo, pasando por la explotación infantil y femenina en condiciones inhumanas; sería eso, pero como fenómenos, entendiendo que tienen una explicación

[4] Como el pago salarial a través de tarjetas de débito, vales de despensa, crédito al salario, seguros médicos, pensiones y ahorros para el retiro de todo tipo, crédito a la vivienda, venta de acciones de la empresa al obrero, etcétera.

esencial en la necesidad del capital de pagar sólo por el valor de uso de la fuerza de trabajo del obrero en tanto que se apropiará de su trabajo; es decir, al obrero no se le paga por el trabajo o por el valor total generado dentro o fuera del proceso de trabajo, sino solamente se le paga por usarlo como un objeto más que tiene la cualidad de ser el único factor capaz de crear valor y hacer posible la transferencia del valor de los medios de producción, y al mismo tiempo la recuperación del mismo con el tiempo gracias al trabajo de la clase trabajadora.

Por ello, la precarización del trabajo no la entiendo como un simple deterioro visible de la clase trabajadora, sino como un conjunto de fenómenos que resultan de la relación contraria entre el valor de uso que son los trabajadores como fuerza de trabajo y el valor del cual el capital se quiere apropiar, relación social enajenada que siempre está en constante enfrentamiento, unos por creer que aumentando el precio (salario) de su valor de uso como mercancía fuerza de trabajo lograrán "vivir mejor", y los otros por "creer" que de manera mágica aumenta el valor inicial que invirtieron, pues suponen que sólo por reunir en un espacio los medios de producción y la fuerza de trabajo, ellos han generado empleos y riqueza, y que además buscan enajenadamente garantizar de forma continua (consciente o inconsciente) su propia reproducción como clase social capitalista, a través de reducir aún más el valor de la fuerza de trabajo y aumentar el valor total que sólo los trabajadores garantizan.

BIBLIOGRAFÍA

Aizpuru, Mikel y Antonio Rivera, 1994, "El trabajo en la sociedad actual", en *Manual de historia social del trabajo,* Madrid, Siglo XXI.

Altvater, Elmar, 1985, "Notas sobre algunos problemas del intervencionismo de Estado", en Heinz Rudolf y Héctor Valecillos, *El Estado en el capitalismo contemporáneo,* México, Siglo XXI.

— y Birgit Mahnkopf, 2002, "Terciarización, feminización, informalización, o ganadores y perdedores de la globalización", en *Las limitaciones de la globalización: Economía, ecología y política de la globalización,* México, UNAM, Centro de Investigaciones Interdisciplinarias en Ciencias y Humanidades, Siglo XXI.

Alvarado, Concepción y Antonio Vieyra, 2002, "La subcontratación de las grandes empresas de la confección en la Zona Metropolitana de la Ciudad de México", en *Problemas del desarrollo. Revista Latinoamericana de Economía,* vol. 33, núm. 130, julio-septiembre, México, Instituto de Investigaciones Económicas-UNAM.

Barreda, Andrés, 1995, "El espacio geográfico como fuerza productiva estratégica en *El Capital* de Marx", en Ana Esther Ceceña (coord.), *La internacionalización del capital y sus fronteras tecnológicas,* México, El Caballito, Instituto de Investigaciones Económicas-UNAM.

Benko G. y A. Lipietz, (comps.), 1994, *Las regiones que ganan. Distritos y redes. Los nuevos paradigmas de la geografía económica,* Valencia, Ed. Alfons el Magnànim.

Castells, Manuel, 2001, "La economía informacional y el proceso de globalización", y "La transformación del trabajo y el empleo: Trabajadores en red, desempleados y trabajadores a tiempo flexible", en *La era de la información: Economía, sociedad y cultura,* vol. I, *La sociedad red,* México, Siglo XXI.

Comisión Económica para América Latina y el Caribe, 1962, "Creación de oportunidades de empleo en relación con la mano de obra disponible", en Philip Hausser (ed.), *La urbanización en América Latina,* Argentina, Solar, Librería Hachette, UNESCO.

Coriat, Benjamin, 1976, *Ciencia, técnica y capital,* España, Hermann Blume Ediciones.

—, 1989, *El taller y el cronómetro,* México, Siglo XXI.

—, 1992, *El taller y el robot. Ensayos sobre el fordismo y la producción en masa en la era de la electrónica,* México, Siglo XXI.

Costa, Wanderley y Antonio Moraes, 1999, *Geografia crítica: A valorização do espaço,* São Paulo, Hucitec.

Couriel, Alberto, 1984, "Pobreza y subempleo en América Latina", en *Revista de la CEPAL,* núm. 24, diciembre, Chile.

De la Garza, Enrique, 2000, "La flexibilidad del trabajo en América Latina", en *Tratado latinoamericano de sociología del trabajo,* México, Fondo de Cultura Económica.

De Mattos, Carlos, 2004, "Santiago de Chile de cara a la globalización, ¿otra ciudad?", en Adrián Aguilar (coord.), *Procesos metropolitanos y grandes ciudades. Dinámicas recientes en México y otros países,* México, Instituto de Geografía-UNAM, Centro Regional de Investigaciones Multidisciplinarias, Programa Universitario de Estudios sobre la Ciudad, Consejo Nacional de Ciencia y Tecnología, Miguel Ángel Porrúa.

Escamilla, Irma, 2002, "Dinamismo del mercado laboral urbano en la región centro de México", en *Scripta Nova,* Barcelona, España, revista electrónica de geografía y ciencias sociales, Universidad de Barcelona, 1 de agosto, vol. VI, núm. 119 (61), disponible en <http://www.ub.es/geocrit/sn/sn119-61.htm>, consulta: 1 de noviembre de 2004, ISSN: 1138-9788.

Escamilla, Irma y Antonio Vieyra, 2004, "La periferia expandida de la ciudad de México. Transformaciones de su estructura industrial y laboral", en Adrián Aguilar (coord.), *Procesos metropolitanos y grandes ciudades. Dinámicas recientes en México y otros países,* México, Instituto de Geografía-UNAM, Centro Regional de Investigaciones Multidisciplinarias, Programa Universitario de Estudios sobre la Ciudad, Consejo Nacional de Ciencia y Tecnología, Miguel Ángel Porrúa.

Fajnzylber, Fernando, 1987, "Reflexiones sobre las particularidades de América Latina y el Sudeste Asiático y sus referencias en el mundo industrializado", en *Investigación Económica,* México, núm. 180, abril-junio, Facultad de Economía-UNAM.

Ferrer, Aldo, 1998, "América Latina y la globalización", en *Revista de la CEPAL,* número extraordinario, Santiago de Chile.

Gereffi, Gary, 2001, "Las cadenas productivas como marco analítico para la globalización", en *Problemas del Desarrollo,* vol. 32, núm. 125, abril-junio, México, Instituto de Investigaciones Económicas-UNAM.

Gorz, André, 1977, *Ecología y libertad,* España, Gustavo Gili.

—, 1982, *Adiós al proletariado (Más allá del socialismo),* Madrid, El Viejo Topo.

Guerrero, Diego, 1997, "La teoría del trabajo productivo e improductivo en perspectiva histórica", en *Historia del pensamiento económico heterodoxo,* Madrid, Universidad Complutense de Madrid, Facultad de Ciencias Políticas y Sociología, Trotta, consulta en línea: <http://pc1406.cps.ucm.es/>, 30 de agosto de 2004.

Harvey, David, 1973, *Urbanismo y desigualdad social,* México, Siglo XXI.

—, 1982, *Los límites del capitalismo y la teoría marxista,* México, Fondo de Cultura Económica.

—, 2004 [1989], *La condición de la posmodernidad: Investigación sobre los orígenes del cambio cultural,* Buenos Aires, Amorrortu.

—, 1993, "From space to place and back again: Reflections on the condition of postmodernity", en Jon Bird, Barry Curtis, Tim Putnam, George Robertson y Lisa Tickner (eds.), *Mapping the futures: Local culture, global change,* Londres y Nueva York, Routledge.

Heineberg, Heinz, 2005, "Las metrópolis en el proceso de globalización", en *Biblio 3W,* revista bibliográfica de geografía y ciencias sociales, Universidad de Barcelona, España, vol. X, núm. 563, 5 de febrero, disponible en <http://www.ub.es/geocrit/b3w-563.htm>, consulta: 4 de marzo de 2005, ISSN: 1138-9796.

Hirsch, Joachim, 2001, "Estado, sistema de Estados y democracia", en *Estado nacional de competencia. Estado, democracia y política en el capitalismo global,* México, Universidad Autónoma Metropolitana, Unidad Xochimilco, División de Ciencias Sociales y Humanidades.

Horbath, Jorge, 2002, "El trabajo y la ciudad de México: Una revisión desde la geografía de las actividades productivas urbanas", en *Scripta Nova,* revista electrónica de geografía y ciencias sociales, Universidad de Barcelona, España, 1 de agosto, vol. VI, núm. 119 (55), disponible en <http://www.ub.es/geocrit/sn/sn119-55.htm>, consulta: 1 de noviembre de 2004, ISSN: 1138-9788.

Hualde, Alfredo, 2003, "¿Existe un modelo maquilador?", en *Nueva Sociedad,* núm. 184, Venezuela.

Instituto Nacional de Estadística, Geografía e Informática, 2000, *Cuaderno estadístico de la Zona Metropolitana de la Ciudad de México,* Aguascalientes, INEGI.

Iturbe, Alejandro, 2000, "Desempleo: Un rasgo estructural del capitalismo", en *Marxismo Vivo,* Comité Coordinador por la Construcción de un Partido Obrero Internacional, núm. 2, octubre, disponible en <http://www.marxismalive.org/iturbe2esp.html>, consulta: 1 de junio de 2005 [Nota: La revista *Marxismo Vivo* es la continuación de la *Revista del Koorkon*].

Jessop, Bob, 1999, "Fordismo y postfordismo: Una reformulación crítica", y "¿Hacia un Estado de trabajo schumpeteriano? Observaciones preliminares sobre la economía política postfordista", en *Crisis del Estado de Bienestar. Hacia una nueva teoría del Estado y sus consecuencias sociales,* Colombia, Siglo del Hombre Editores.

Jury, Salvador, 1984 [1981], *La urbanización en América Latina. Comentarios críticos a algunas interpretaciones,* México, Universidad Autónoma Metropolitana, Unidad Xochimilco, División de Ciencias y Artes para el Diseño, Cuadernos Divisionales, núm. 2.

Kosik, Karen, 1967 [1963], *Dialéctica de lo concreto (Estudios sobre los problemas del hombre y el mundo),* México, Grijalbo.

Lefebvre, Henri, 1970, "Forma, función y estructura en *El capital*", en *Estructuralismo y marxismo,* México, Grijalbo.

—, 1971, *De lo rural a lo urbano,* Madrid, Península, serie Universitaria: historia, ciencia y sociedad, núm. 79.

—, 1973, *El pensamiento marxista y la ciudad,* México, Extemporáneos.

—, 1976, *Tiempos equívocos,* España, Kairós.

Lipietz, Alain, 1979 [1977], *El capital y su espacio,* México, Siglo XXI.

Lojkine, Jean, 1979, *El marxismo, el Estado y la cuestión urbana,* México, Siglo XXI.

Marini, Ruy, 1985 [1973], *Dialéctica de la dependencia,* México, Era, serie Popular, núm. 22.

Martínez, Javier, 2000, "Periferia y fábrica mundial", en *Aportes,* año V, núm. 15, Facultad de Economía de la Benemérita Universidad Autónoma de Puebla.

Marx, Carlos, 1977 [1844], "El trabajo enajenado y el capital", en E.K. Hunt y J.G. Schwartz (selección), *Crítica de la teoría económica,* México, Fondo de Cultura Económica, El Trimestre Económico, Lecturas, número 21.

—, 2005 [1857-1858], *Elementos fundamentales para la crítica de la economía política (grundrisse) 1857-1858,* México, Siglo XXI, Biblioteca del Pensamiento Socialista, serie Los Clásicos, tres tomos.

—, 2000 [1863-1866], *El Capital,* libro I, capítulo VI (inédito), *Resultados del proceso inmediato de producción,* México, Siglo XXI, Biblioteca del Pensamiento Socialista, serie Los Clásicos.

—, 2003 [1867], *El Capital. Crítica de la economía política,* México, Siglo XXI, Biblioteca del Pensamiento Socialista, serie Los Clásicos, tres tomos divididos en ocho volúmenes.

Mendoza, Jorge, 2003, "Especialización manufacturera y aglomeración urbana en las grandes ciudades de México", en *Economía, Sociedad y Territorio*, núm. 13, México.

Micheli, Jordy, 2004, "El telemarketing: Producción post-industrial en la ciudad de México", en *Scripta Nova*, revista electrónica de geografía y ciencias sociales, Universidad de Barcelona, España, 1 de agosto, vol. VIII, núm. 170 (10), disponible en <http://www.ub.es/geocrit/sn/sn-170-10.htm>, consulta: 4 de octubre de 2004, ISSN: 1138-9788.

Moncayo, Édgar, 2002, "Las políticas regionales: Un enfoque por generaciones", y "Un mundo de geometría variable: Los territorios que ganan y los que pierden", en *Nuevos enfoques teóricos, evolución de las políticas regionales e impacto territorial de la globalización*, Chile, Instituto Latinoamericano y del Caribe de Planificación Económica y Social, CEPAL.

Organización Internacional del Trabajo, 2004, *Por una globalización justa: Crear oportunidades para todos*, Suiza, OIT.

Osorio, Jaime, 2004, *Crítica de la economía vulgar. Reproducción del capital y dependencia*, México, Universidad Autónoma de Zacatecas, Miguel Ángel Porrúa.

Padilla, Omar, 2006, "Patrón de reproducción y espacialidad del capital: El caso de la terciarización y precarización del trabajo en la Zona Metropolitana de la Ciudad de México", tesis de Maestría en Urbanismo, Posgrado de la Facultad de Arquitectura, México, UNAM.

Pérez, Enrique, 2002, "El sector servicios de la ciudad de México. Heterogeneidad y precariedad del empleo", tesis de maestría, México, Universidad Autónoma Metropolitana, Unidad Azcapotzalco.

Pinto, Aníbal, 1984, "Metropolización y terciarización: Malformaciones estructurales en el desarrollo latinoamericano", en *Revista de la CEPAL*, núm. 24, diciembre, Chile.

Programa de las Naciones Unidas para el Desarrollo/Secretaría del Trabajo y Previsión Social, 1986, "La revolución tecnológica. Potencialidades y asechanzas de una nueva realidad", en *Revolución tecnológica y empleo: Efectos sobre la división internacional del trabajo*, México, Oficina Internacional del Trabajo del PNUD y STPS.

Rifkin, Jeremy, 1996, *El fin del trabajo*, España, Paidós.

Santos, Milton, 1973, *Geografía y economía urbanas en los países subdesarrollados*, Madrid, Oikos-Tau.

—, 2000 [1996], *La naturaleza del espacio*, Madrid, Ariel.

Sassen, Saskia, 1988, "The rise of global cities and the new labor demand", en *The mobility of labor and capital. A study in international investment and labor flow*, Gran Bretaña, Cambridge University Press.

Sotelo, Adrián, 2003, *La reestructuración del mundo del trabajo, superexplotación y nuevos paradigmas de la organización del trabajo*, México, Escuela Nacional para Trabajadores, Universidad Obrera de México, Ítaca.

Stiglitz, Joseph, 2003, "El rumbo de las reformas. Hacia una nueva agenda para América Latina", en *Revista de la CEPAL*, núm. 80, agosto, Chile.

Sunkel, Osvaldo, 1975, "Desarrollo, subdesarrollo, dependencia, marginación y desigualdades espaciales. Hacia un enfoque totalizante", en Luis Unikel y Andrés Necochea (selección), *Desarrollo urbano y regional en América Latina. Problemas y políticas*, Lecturas 15, México, Fondo de Cultura Económica.

UNFPA, 2004, "Migración y urbanización", en *Estado de la población mundial, 2004. El Consenso de El Cairo, diez años después: Población, salud reproductiva y acciones mundiales para eliminar la pobreza*, Fondo de Población de las Naciones Unidas.

Valenzuela, José, 1990, *¿Qué es un patrón de acumulación?*, México, Facultad de Economía-UNAM, serie Economía de los 80.

Veraza, Jorge, 1987, *Para la crítica a las teorías del imperialismo*, México, Ítaca.

Vilas, Carlos, 2000, "¿Globalización o imperialismo?", en *Estudios Latinoamericanos*, nueva época, año VII, núm. 14, julio-diciembre, México, Facultad de Ciencias Políticas y Sociales-UNAM.

Weller, Jurgen, 2000, "Tendencias del empleo en los años noventa en América Latina y el Caribe", en *Revista de la CEPAL*, núm. 72, diciembre, Chile.

Ziccardi, Alicia (coord.), 1991, *Ciudades y gobiernos locales en la América Latina de los noventa*, México, Instituto Mora, FLACSO, Miguel Ángel Porrúa.

CONSTRUCCIÓN DE INDICADORES DE CALIDAD DE VIDA DE LA POBLACIÓN ADULTA MAYOR

VERÓNICA MONTES DE OCA*
MIRNA HEBRERO**
JOSÉ LUIS URIONA***

A Silvia Luna Santos, in memoriam

INTRODUCCIÓN

Este trabajo presenta una experiencia concreta de diagnóstico sociodemográfico y antropológico que pretende evaluar y dar seguimiento a los esfuerzos en materia de diseño de políticas públicas dirigidas a la población adulta mayor del estado de Guanajuato. La experiencia muestra cómo en la primera etapa del diagnóstico se tuvo la oportunidad de levantar información con un instrumento original que permite fijar un punto desde el cual partir en los próximos años para dar el seguimiento. Se presentan algunas evidencias sobre salud física, mental y emocional encontradas en la población con 50 años y más de la entidad. Algunas de las variables que se captaron y construyeron son: 1] función física; 2] rol físico; 3] dolor corporal; 4] salud general; 5] vitalidad; 6] función social; 7] rol emocional; 8] salud mental, y 9] la percepción de la salud el año anterior. Este trabajo propone algunos elementos para tomar en consideración. Se muestra un modelo de intervención para evaluar y dar seguimiento a procesos de mayor escala en la entidad. Se mencionan las dimensiones que, a partir de nuestra experiencia, consideramos que se deben tomar en cuenta: seguimiento sociodemográfico a través de una caracterización metodológica, participación social y multidimensionalidad, formación de recursos humanos y profesionalización, y desempeño institucional. Estas dimensiones involucran tanto a la misma población sujeta de atención como a las instituciones y sus recursos humanos. Un aspecto adicional es que se considera la dimensión interinstitucional y el poder que la temática tiene en la agenda pública. A su vez, se dan algunos elementos para el diseño de nuevos indicadores que reflejen de manera pertinente la cuestión a evaluar.

* Instituto de Investigaciones Sociales de la Universidad Nacional Autónoma de México (UNAM).
** Investigadora de la Secretaría de Salud (SSA).
*** Facultad de Ciencias Políticas y Sociales de la Universidad Nacional Autónoma de México y Universidad Estatal del Valle de Ecatepec (UNEVE).

ANTECEDENTES DE INVESTIGACIÓN

El presente documento aporta una experiencia de trabajo sobre investigación y diseño de políticas públicas en el estado de Guanajuato. En este proceso se llevaron a cabo varias aproximaciones sociodemográficas que permitieron identificar nuevos elementos sobre la calidad de vida de la población adulta mayor, especialmente en el medio urbano y rural. Este último aspecto es novedoso, ya que pocas encuestas arrojan información al respecto. Al contar con el apoyo del gobierno de la entidad se logró levantar una muestra de 2 000 casos sobre la situación de hombres y mujeres con 50 años y más. Comprendimos a este grupo de la población desde los 50 años de edad cumplida, justamente para poder dar seguimiento en los próximos diez años y subsecuentes, en función de una serie de indicadores que de manera innovadora se construyeron a partir del instrumento creado: la Encuesta Estatal para Personas Adultas Mayores en Guanajuato, la cual se realizó entre agosto y octubre de 2004. Adicionalmente a esta encuesta, la misma investigación abarcó una incursión a localidades rurales (<2 500 hab.) y urbanas (>2 500 hab.) para captar la percepción y las representaciones de mujeres y varones adultos mayores, ello con la finalidad de corroborar las tendencias estadísticas encontradas, pero también para conocer cuál es el autoconcepto de vejez que ellos mismos tienen, pues partimos de la consideración de que la vejez es una construcción social que está determinada históricamente y donde el tiempo y el espacio son factores importantes. La vejez se nos presenta como una etapa que tiene una serie de estigmas y que conlleva una serie de significaciones populares negativas que requieren ser reconfiguradas. Ello responde a que pensamos a las personas adultas mayores como recursos sustantivos de las sociedades en desarrollo que deben ser incluidos en los programas sociales con un enfoque de derechos humanos para que fortalezcan su ciudadanía (Huenchuan y Morlachetti, 2006). Otro elemento sustantivo en esta investigación fue el análisis de las percepciones de los funcionarios y de los representantes de las organizaciones no gubernamentales. Esta información fue captada inicialmente y permitió conocer los programas de gobierno, pero también la cauda de conocimientos, percepciones y experiencias que los mismos actores involucrados en las políticas del estado tenían sobre su área de trabajo, así como de la relación interinstitucional que mantenían entre sí.

Cabe señalar que Guanajuato es una de las cuatro primeras entidades expulsoras de migrantes hacia Estados Unidos, tiene uno de los índices de desarrollo humano (IDH) más bajos del país, cuenta con más de la tercera parte de su población mayor residiendo en localidades rurales y los niveles de pobreza, tanto en áreas urbanas como rurales, no son despreciables, lo que se ha considerado un motivo de expulsión de su población joven hacia el exterior. La condición de desigualdad hacia las mujeres, especialmente hacia las de la tercera edad, constata la necesidad de una perspectiva de género que esté inmersa en el diseño de políticas públicas. En ese tenor, las evidencias mostraron que las categorías de género, sector socioeconómico, generación, etnia y tamaño de la localidad son pertinentes para ubicar situaciones de exclusión y de desigualdad social.

Llegamos a la conclusión, entonces, de que, como sucede en la gran mayoría del país, la situación de hombres y mujeres adultos mayores está inmersa en condiciones de desigualdad en la vejez, las cuales difícilmente serán superadas generacionalmente si no se adoptan estrategias compartidas entre la academia y la formulación de políticas públicas. Por lo tanto, esta experiencia es muy importante en la conformación de su calidad de vida, la cual involucra arreglos familiares específicos, apoyos institucionales y una estructura y dinámica de redes sociales que se ve afectada por la migración y, en esa medida, repercute de manera indirecta en el bienestar de las personas adultas mayores.

La investigación, entonces, se sustentó en evidencias tanto cualitativas como cuantitativas, y a partir de la condición específica de los adultos mayores guanajuatenses se propusieron algunos programas –que fueron aceptados, con modificaciones– ante las instituciones gubernamentales y algunas organizaciones de la sociedad civil. El producto esencial de esta investigación tomó cuerpo en el Programa Especial Gerontológico,[1] que constituye la primera experiencia que enlaza la investigación social con una perspectiva gerontológica, y la planeación estratégica en el diseño de políticas públicas hacia la vejez en el estado de Guanajuato. A partir de esta experiencia y ante la necesidad de darle seguimiento a los programas diseñados para adultos mayores, nos dimos a la tarea de proponer una serie de indicadores que permitieran recuperar el trabajo previo y dar seguimiento a los esfuerzos en política desarrollados hasta este momento.

LA CAPTACIÓN DE INFORMACIÓN, PUNTO BASAL PARA LA CONSTRUCCIÓN DE INDICADORES

La calidad de vida de la población adulta mayor es un tema complejo por la gran cantidad de aspectos que involucran su bienestar tanto físico como mental, entre ellos su situación económica, su condición de pensionados y su configuración familiar. Se partió de considerar la calidad de vida de las personas adultas mayores desde la perspectiva del *envejecimiento activo*, el cual se entiende *como el proceso de optimización de las oportunidades de salud, participación y seguridad a medida que las personas envejecen* (OMS, 2002). Amartya Sen (1996) menciona que la calidad de vida debe evaluarse en términos de la capacidad de las personas para alcanzar funcionamientos valiosos.

- Los funcionamientos son las cosas que una persona puede ser o hacer al vivir.
- La capacidad de una persona refleja combinaciones alternativas de los funcionamientos que ésta puede lograr.

[1] Para mayor información véase <http://www.guanajuato.gob.mx/upie/>.

Con base en esta definición se retomaron las discusiones vertidas en la Segunda Asamblea Mundial de Envejecimiento que se realizó con expertos en salud, seguridad económica y redes sociales, y en la que participaron el Banco Interamericano de Desarrollo (BID), la Organización Internacional del Trabajo (OIT), la Organización Mundial de la Salud (OMS-OPS), el Instituto de Migración y Servicios Sociales de España (Imserso), la Comisión Económica para América Latina y el Caribe (CEPAL) y el Centro Latinoamericano de Demografía de la CEPAL (ONU). En la asamblea se llegó al consenso de priorizar tres áreas de acción para la instrumentación de políticas de vejez.[2] Estas áreas son:

Primera área prioritaria: Seguridad económica en la vejez

Es la capacidad de las personas mayores de disponer y usar de forma independiente una cierta cantidad de recursos económicos adecuados y sostenibles que les permitan llevar una vida digna y segura. Las fuentes de seguridad económica son de distinto origen, dependiendo de la trayectoria de empleo y de acceso a oportunidades que hayan tenido las actuales generaciones de personas mayores en el transcurso de sus vidas. Esta área se relaciona estrechamente con las limitadas coberturas que existen en materia de jubilación y pensiones, con los ingresos derivados del trabajo, con las actividades económicas desarrolladas, con el papel de las transferencias gubernamentales y con los apoyos económicos derivados de los familiares y otros miembros de redes sociales.

Segunda área prioritaria: Fomento a la salud y bienestar en la vejez

La salud física, mental y emocional en la vejez son efectos tanto de las condiciones y prácticas desarrolladas desde las etapas más tempranas de la vida (cuidado de la salud en general, nutrición y actividad física y recreativa), como del adecuado funcionamiento de las instituciones de seguridad social y del resto de los servicios de salud.

Tercera área prioritaria: Entornos propicios y favorables para las personas adultas mayores

La creación o reestructuración de los entornos sociales y físicos son dos asuntos importantes para lograr la integración al desarrollo en esta etapa de la vida, es decir, para prolongar su autonomía e independencia en la sociedad. Existen factores protectores de orden familiar y redes sociales no familiares que es posible fortalecer. El

[2] Estas tres reuniones de expertos pueden seguirse en la página de la CEPAL: <http://www.eclac.cl/celade/envejecimiento>.

hecho de que una pequeña proporción de la población adulta mayor resida en instituciones como asilos o albergues, muestra que la familia sigue siendo la principal fuente de apoyo en la edad avanzada. Sin embargo, muchas familias en condiciones de pobreza no pueden cuidar y apoyar adecuadamente a las personas mayores y se ven obligadas a buscar como alternativa su institucionalización. Es necesario reducir la existencia de situaciones de maltrato, inadecuadas condiciones de albergue, de cuidado o los conflictos familiares, y propiciar un manejo respetuoso de la imagen de los adultos mayores en los medios de comunicación.

Tomando en cuenta estas tres áreas prioritarias, y considerando que muchos de estos temas no se han diagnosticado debido a la insuficiencia de las fuentes de información secundarias (censos, conteos, encuestas, entre otros), se optó por construir un instrumento específico denominado Encuesta Estatal para Personas Adultas Mayores (EEPAM), la cual tuvo un diseño muestral de 2 000 casos a nivel estatal con representatividad urbana y rural. Esta encuesta incluyó los temas que anotamos en la figura 1.

Cada uno de los aspectos que se captan en dicha encuesta se desglosan en ítems específicos, los cuales orientan el marco y la estructura de las preguntas aplicadas a la población (cuadro 1).

Estas temáticas pueden agruparse de manera cruzada, de tal forma que podemos obtener información sobre cada área prioritaria pero también podemos mezclar elementos de cada una de ellas, cualidad que es difícil encontrar en las encuestas tradicionales, que sólo se enfocan al empleo, a la salud o a la migración, mucho menos con profundidad en la población adulta mayor. A continuación se presentan algunos de los resultados más interesantes en materia de salud física, mental y emocional derivados de esta encuesta, que se relacionan más directamente con la calidad de vida y que no se habían presentado en ninguna investigación previa sobre envejecimiento en México.

EVIDENCIAS IMPORTANTES EN EL ÁREA DE SALUD: NUEVOS INDICADORES SOBRE LA CALIDAD DE VIDA

Entre las áreas más novedosas de esta investigación, en materia de indicadores, sobresale el fomento a la salud física, mental y emocional. Actualmente la OMS define a la salud como "el completo bienestar físico, mental y social y no sólo como la ausencia de enfermedad" (OMS, 2002). También se menciona que las políticas y los programas que promueven las relaciones entre la salud mental y social son tan importantes como los que mejoran las condiciones de salud física (OMS, 2002). En este sentido, como se pudo observar en la EEPAM, se tienen ocho dimensiones de salud para validar la salud física y mental: 1] función física; 2] rol físico; 3] dolor corporal; 4] salud general; 5] vitalidad; 6] función social; 7] rol emocional; 8] salud mental, así como la percepción de la salud el año anterior, *"transición de salud notificada"* (Ware, 1993, citado en Hebrero, 2004).

Esta autopercepción de la salud representa la percepción de las mismas personas mayores sobre su salud. En Guanajuato esta evaluación se concentra en los valores inferiores (92.7%), es decir que la población reporta una percepción de su salud de regular a mala (gráfica 1). Esta autopercepción tiene valores más bajos en las mujeres que en los varones, y más en las zonas rurales que en las urbanas.

La función física, por su parte, se concentra en los valores máximos, lo que indica que la población con 50 años y más reporta no tener serias limitaciones para realizar actividades físicas (gráfica 2). La información sugiere que los hombres pueden realizar mejor sus actividades que las mujeres, y que las realizan mejor aquellos que viven en áreas rurales que en urbanas.

En cuanto al rol físico, la información muestra que un segmento muy importante de la población con 50 años y más (38.8%) reporta tener dificultades para realizar sus actividades de trabajo u otras labores. En ese sentido, han disminuido el tiempo dedicado al trabajo o han hecho menos de lo que les hubiera gustado hacer. No obstante, poco más del 60% no manifiesta tener limitaciones en sus actividades laborales o sociales (gráfica 3). Esto es más patente en los varones que en las mujeres y más en las áreas rurales que en las urbanas.

En cuanto al dolor corporal, el 56% de la población con 50 años y más de Guanajuato reporta no tener dolor o limitaciones físicas debido a éste. El 44% se distribuye de manera irregular en diferentes intensidades de dolor. Llama la atención el 20% que reporta intenso dolor corporal (gráfica 4). Este indicador del dolor es mayor en mujeres y hombres residentes en áreas rurales, probablemente por las jornadas de trabajo y el tipo de actividades que realizan.

La vitalidad, el rol emocional, la salud mental y la función social constituyen los componentes para evaluar la salud mental y emocional. La vitalidad es un indicador que se aproxima al estado emocional de las personas en general, y de las adultas mayores en particular. Al respecto, la información de la EEPAM muestra que la población con 50 años y más se concentra en el 70% en los valores inferiores, lo que significa una pérdida de vitalidad y muy bajos niveles de energía y entusiasmo con la vida (gráfica 5). Esto es más alarmante en las mujeres y en los residentes en áreas rurales con menos de 2 500 habitantes.

Por otra parte, el rol emocional refiere si la persona se ha sentido deprimida o ansiosa, si ha tenido problemas emocionales que le impiden realizar sus actividades de trabajo o sociales. La información que arroja la EEPAM indica que la población con 50 años y más se concentra tanto en los valores inferiores como en los superiores, ello significa que un segmento importante (47%) tiene un bajo rol emocional, proclive a la depresión (gráfica 6). Quienes peor rol emocional manifiestan son los hombres y los residentes en áreas urbanas.

La salud mental es otro novedoso aspecto de la revisión de la salud desde una perspectiva integral. Al respecto, en la EEPAM los guanajuatenses con 50 años y más reportaron una salud mental que concentra sus valores en el centro y en los niveles superiores, es decir que la gran mayoría tiene sensaciones de paz, felicidad y calma. No obstante, cerca de una quinta parte de la población experimenta nerviosismo o depresión (gráfica 7). Entre áreas rurales y urbanas no hay diferencias significativas, pero entre hombres y mujeres adultos mayores concentran sus valores de regular a mala.

La función social muestra el impacto real que tienen las limitaciones físicas y emocionales en la realización de las actividades sociales normales con la familia, los amigos, los vecinos o los grupos. Aquí se puede observar si los problemas les impiden continuar con su interacción social con los parientes más próximos, los amigos o los grupos organizados. Al respecto, la información que arroja la encuesta muestra que dos terceras partes no tienen serias limitaciones que les impidan continuar con sus relaciones con familiares, amigos, vecinos y grupos. No obstante, una tercera parte sí experimenta autoaislamiento y no visita a sus parientes y amigos (gráfica 8). Las limitaciones son más fuertes para las mujeres mayores y para todos los adultos con 50 años y más residentes en las áreas rurales.

Otro indicador importante es la transición a la salud notificada, que representa la comparación que hace el adulto mayor al momento de la encuesta con los dos años previos. La información muestra que muy pocas personas sienten una mejoría en su estado de salud general comparada. La gran mayoría se concentra en los valores centrales a los más bajos o peores (gráfica 9). Sólo las mujeres reportan una ligera mejoría entre su estado de salud actual y la de hace dos años.

Si unimos todas estas variables relacionadas con la salud física y mental y calculáramos un índice global del estado de la salud física y mental de la población adulta mayor de Guanajuato, obtendremos una gráfica que tiende a concentrarse en los valores más altos (gráfica 10). No obstante, la imagen tiene segmentos entre los primeros valores, lo que indica que hay grupos de la población con 50 años y más que experimentan un deterioro significativo de algunos aspectos de su salud física o de su salud mental, como pudo observarse en las gráficas anteriores (gráfica 10).

Es posible desarrollar una serie de indicadores relacionados con la calidad de vida en materia de salud en un momento y en un espacio determinados. Este punto inicial es fundamental para dar seguimiento a la población al paso del tiempo. En este caso la población con 50-59 años es la misma que dentro de diez años tendrá 60-69 años cumplidos, y en los cuales se espera tener una ligera mejoría o al menos mantener las condiciones de salud ubicadas en el grupo de edad inicial. Esto si se toman en cuenta el efecto de los servicios de salud y los programas específicos dirigidos hacia este segmento de la población.

En ese sentido, existen una serie de indicadores que aplican directamente sobre la población sujeta de estudio, pero también es importante desarrollar otra serie de indicadores sobre los programas dirigidos hacia los mayores, así como a los procesos de interacción interinstitucional que generan y ejecutan políticas hacia la vejez. Algunos de estos tipos de indicadores se exponen en las páginas siguientes.

MODELO PARA LA EVALUACIÓN Y SEGUIMIENTO DE LA CALIDAD DE VIDA DE LOS ADULTOS MAYORES Y LAS POLÍTICAS DE VEJEZ

A partir de la presentación del Programa Especial Gerontológico para el estado de Guanajuato, en febrero de 2005, el mismo gobierno del estado propuso al equipo investigador la creación de un conjunto de indicadores para cada una de las áreas prioritarias. Ante esa solicitud realizamos la siguiente propuesta, no sólo para las áreas prioritarias sino también para dar continuidad a los procesos institucionales, a la vinculación interinstitucional y al seguimiento de los programas dirigidos a la población adulta mayor. Nuestra propuesta es que este conjunto de indicadores pueden ser cuantitativos y cualitativos.

Un primer conjunto de indicadores se orienta a evaluar las condiciones de la población sujeta de estudio a través de una *caracterización* de índole *metodológica*, y tiene como objetivo ubicar al interesado en la pertinencia de las fuentes primarias y secundarias existentes tanto a nivel estatal como federal (año, nombre, tipo de muestra, temática, cobertura, características de la población, potencialidades y limitaciones, entre otros). En ese mismo apartado se considera la importancia de dar seguimiento a la investigación a través de diferentes estrategias metodológicas, cualitativas o cuantitativas, que estudian las condiciones de vida de las personas adultas mayores y sus arreglos residenciales, así como el impacto de este desarrollo en el área temática y su retroalimentación con los procesos de construcción de percepciones gerontológicas por parte de los funcionarios del gobierno estatal (diagrama 1).

Un antecedente obligado de esta propuesta es el trabajo de Saad (2004), quien planteó un sistema de seguimiento mediante indicadores distribuidos en tres grandes fuentes de información: aquellos que devienen de la *evaluación participativa, los indicadores instrumentales* y *los indicadores de resultados* (cuadro 2).

La *evaluación participativa* comprende la incorporación de los sujetos de análisis en el proceso de seguimiento y la evaluación. Este tipo de fuente de datos propone técnicas cualitativas y la realización de seminarios, talleres y conferencias en donde sea posible captar las opiniones de las personas involucradas.

En cuanto a los *indicadores instrumentales* es muy importante contar con la información de las administraciones de los tres niveles de gobierno (ingreso y gasto presupuestal), así como las estrategias de intervención de las ONG, del sector privado y de otras instituciones, sean éstas religiosas, cooperativas, sindicales o académicas.

Por último, los *indicadores de resultados* advierten sobre la pertinencia de las fuentes secundarias de información (año, nombre, tipo de muestra, temática, cobertura, características de la población, potencialidades y limitaciones, entre otros) existentes a nivel municipal, estatal y federal. Con ello es posible construir un banco de datos abiertamente disponibles que reflejen una historia del proceso metodológico construido a la par del diseño de las políticas públicas de vejez. Hay que advertir que estos procesos raramente son dejados como testimonios sociológicos o sociodemográficos.

Por otra parte, nosotros proponemos un segundo conjunto de indicadores que busca captar los avances en la *formación de recursos humanos y profesionales* tanto entre la población adulta mayor en Guanajuato como entre el personal de gobierno, así como a través de la capacitación por parte de las universidades públicas y privadas en el estado, y que se refleja en un aprovechamiento del discurso y avance en el conocimiento gerontológico que se espera llegue a reflejarse en la ejecución de los programas. A partir de ello, habría que observar los cambios en la percepción de una cultura de la vejez entre funcionarios y actores sociales clave.

Un tercer grupo de indicadores se aglutinan en la *participación social*, que pretende captar y medir los niveles de participación y la diversidad de dimensiones en las que el discurso de la vejez y el envejecimiento está siendo incluido (*multidimensionalidad*). Este apartado considera pertinente dar seguimiento al incremento o la transformación de las organizaciones no gubernamentales en las políticas públicas de vejez, considerando importante la diversidad de aspectos y temáticas relacionadas (medios de comunicación, malos tratos, manejo de la imagen, artistas en la vejez, participación cultural, cronistas, conservación de las tradiciones y la memoria, medicina y gastronomía, entre otros). Asimismo, analiza las estrategias para el fortalecimiento del asociacionismo y la visibilidad de las redes de apoyo sociales y comunitarias entre las personas adultas mayores a fin de fortalecer las relaciones intergeneracionales e intragénero en los grupos asociados (diagrama 1).

Una cuarta dimensión de aspectos que es necesario medir la hemos denominado de *desarrollo institucional*, que considera la presencia o ausencia de infraestructura social (clínicas, escuelas, hospitales, farmacias, espacios de entretenimiento, entre otros) y de servicios (atención médica, psicológica, comunitaria, entre otros) dirigidos a las personas mayores a nivel municipal y local, o al desarrollo social tomando en consideración la dispersión geográfica al interior del estado. Esta valoración, junto con otras dimensiones, permite ubicar la etapa del desarrollo institucional gubernamental en la entidad en materia de vejez y envejecimiento entre los diferentes sectores: salud, economía y social, principalmente. A partir de tal desarrollo institucional es posible asociar el desenvolvimiento del carácter cooperativo que guardan con otras entidades de gobierno en función de sus propias competencias jurisdiccionales que le rigen sus actuaciones y sus no intervenciones. Esas jurisdicciones compartidas pueden llegar a propiciar acciones duplicadas, ausencias institucionales y una división del trabajo gubernamental que es necesario visualizar a fin de potenciar la sinergia institucional y la creación formal o el fortalecimiento de una red interinstitucional (diagrama 1).

El modelo de evaluación y seguimiento derivan del análisis general anterior por cada una de sus dimensiones. Cada una de ellas permite no sólo conformar una evaluación integral de los procesos micro y de los cambios en la calidad de vida de la población, sino también visualizar los procesos macro en materia de política y desarrollo institucional que llegan a conducir eficientemente las políticas públicas de vejez. Estos procesos a nivel estatal muchas veces entorpecen o facilitan la continuidad de los programas sociales en cada una de las instituciones públicas. Igualmente,

DIAGRAMA 1. ELEMENTOS ASOCIADOS Y PERTINENTES A LA EVALUACIÓN Y SEGUIMIENTO DE LAS POLÍTICAS PÚBLICAS DE VEJEZ

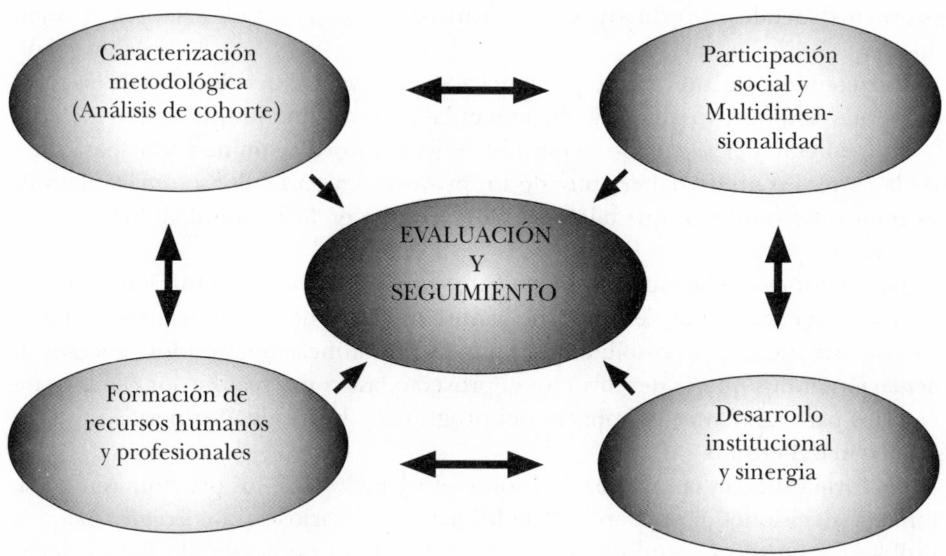

FUENTE: Montes de Oca, V., 2006, Observatorio del Programa Especial Gerontológico, México, Gobierno del Estado de Guanajuato.

incentiva la participación de los grupos organizados de la sociedad civil. Lo que cabe de cierto es que la política de vejez debe incluir cada una de estas dimensiones, pues conllevan a muchos actores e instituciones que intervienen y que no pueden ver la conformación paulatina de este proceso. Cada demarcación político-administrativa tiene su propia normatividad, su propia estructura y dinámica institucional, así como su población adulta mayor tiene características propias derivadas de la interacción de procesos sociales, económicos y culturales a nivel local y global.

Como se podrá advertir, la evaluación no sólo involucra a la población sujeto de políticas públicas, sino a otras dimensiones del quehacer institucional, como es el desarrollo del estado del conocimiento, el cual se concibe como un proceso de construcción (ida y vuelta) sobre la que se fincan las actividades y las metas de los programas. Además, es sustantivo considerar la actualización de indicadores con perspectiva de cohorte y género, puesto que tomará en cuenta el cambio generacional de los próximos hombres y mujeres adultos mayores. El proceso de construcción y reconstrucción del conocimiento está íntimamente involucrado con la concepción metodológica que integra tanto los instrumentos de medición y análisis como las fuentes de información derivadas.

CONFORMACIÓN DE INDICADORES PARA LAS POLÍTICAS DE VEJEZ

En particular se proponen tres indicadores que hagan posible contar con información útil sobre el desarrollo de las políticas de vejez (programas específicos, proyectos sociales, productivos o educativos): *impacto social, desempeño y seguimiento.*

Este conjunto de indicadores permite hacer una evaluación adecuada de los resultados más significativos que lleguen a tener las políticas una vez puestas en marcha.

La medición del *impacto social* permite tener la información necesaria para señalar la certeza o no de haber apoyado un proyecto en particular. Lo más relevante es el impacto (positivo) que tal desarrollo ocasionó en la comunidad donde se instrumentó.

Lo anterior se relaciona estrechamente con el *desempeño* o actuación tanto del propio programa como de los participantes en el mismo. La información obtenida con este indicador posibilita hacer ajustes o modificaciones en los procesos de actuación en los que se desenvuelve el proyecto, así como realizar los cambios necesarios para aumentar el impacto del programa y los resultados positivos que se obtengan del mismo.

De forma similar, la información sobre el *seguimiento* de los programas nutre la toma de decisiones al proporcionarle los datos necesarios para corregir cualquier problema que se presente en cualquiera de las fases de desarrollo del proyecto, incluso desde las etapas de gestión previas al otorgamiento de los recursos de financiamiento.

Características de los indicadores

Un indicador es un valor identificable en una variable que sirve para medir su comportamiento en función del nivel de logro de una meta planificada. Es también una especificación cuantitativa de la relación entre dos o más variables que permiten verificar el nivel de logro alcanzado en el cumplimiento de los objetivos.[3]

Al construir cualquier indicador es importante definir sus estándares o criterios de comparación, debe conocerse en qué unidad o grupo de interés se aplicará, cuál será la magnitud del resultado, cuál será el tiempo en que se aplicará el indicador y dónde se aplicará.

Asimismo, en el proceso de construcción de indicadores deben tomarse en cuenta varios criterios transversales de validez de los mismos, tales como:

Validez. La operacionalización entre datos y componentes debe corresponder conceptualmente a lo que se quiere medir, es decir, el indicador debe ser pertinente.
Confiabilidad. Las fuentes, los instrumentos y los procesos de recolección de datos

[3] Marco lógico: Instrumento para la formulación de programas, Chile, Mideplan, 2002.

deben asegurar siempre la obtención de los mismos resultados.
Sensibilidad. Deben identificarse las variaciones en las escalas en las cuales se está midiendo.[4]

Condiciones de un indicador

- Pertinencia: Los indicadores deben ser pertinentes a los procesos y productos esenciales del programa, de modo que reflejen íntegramente el grado de cumplimiento de sus objetivos.
- Unidades comparables: Las unidades escogidas para ser medidas deben ser comparables de un año a otro.[5]
- Independencia: Deben responder a acciones desarrolladas por el programa y estar exentos de condiciones externas.
- Consideración de situaciones extremas: Poner especial cuidado de que los promedios pueden dejar fuera situaciones extremas que deban ser consideradas especialmente.
- Confiabilidad y costo mínimo: La información debe ser recolectada a un costo razonable y con las garantías de confiabilidad necesarias.
- Uso público: Los resultados deben ser conocidos y accesibles.
- Generación participativa: Debe involucrar a todos los actores relevantes.
- Simplicidad y facilidad de comprensión: De la información presentada.
- Número apropiado: Suficientes para cubrir todos los aspectos del programa y que no excedan la capacidad de análisis de sus usuarios.

Procedimiento para construir indicadores

Son cuatro los procedimientos fundamentales para la construcción de indicadores, de acuerdo con los propósitos perseguidos:

1. Listar los objetivos, los productos y las actividades.
2. Identificar las palabras clave que requieren un acuerdo sobre su significado.
3. Construir un significado común para cada una de las palabras clave identificadas.
4. Relacionar los significados atribuidos a cada palabra clave e incluir la definición cuantitativa del indicador (número absoluto, porcentaje).

[4] I. Irarrázaval, 2006.

[5] En México hasta hace muy poco no existía la cultura de la evaluación, así que aunque no se tenga comparabilidad siempre es importante tener un año basal a fin de darle seguimiento posteriormente. Lo recomendable es empezar y no variar el tipo de indicador para poder darle continuidad.

Ficha de captura para definición de un indicador[6]

La construcción de un indicador debe incluir los siguientes componentes:

- Nombre del indicador: Expresión verbal que "personifica" o "singulariza" al indicador respectivo.
- Fórmula de cálculo: Expresión matemática para medir la modificación de la variable.
- Periodicidad del cálculo: Señala la temporalidad de recolección de la información para calcular las modificaciones de las variables contenidas en el indicador.
- Unidad de medida: Unidad en la que se formula el indicador.
- Reconocimiento de palabras clave: Identifican inmediatamente el tema y la ubicación del indicador.
- Rango: Margen esperado de valor que tendrá el indicador, representado según la unidad de medida correspondiente, previamente determinada.
- Objetivo: Explicación de los atributos del indicador (cualidad o calidad) que puede ser por género, nivel de escolaridad, por región, entre otros, que da cuenta de lo que se pretende medir.
- Resultado o lectura: Resumen de las principales implicaciones de acuerdo con las variaciones de las variables que componen el indicador.

La configuración, el diseño y los procedimientos para la construcción de indicadores varían dependiendo de los intereses de lo que se busca evaluar, de la población sujeta de estudio, de los programas sociales orientados a la población y de los procesos de conformación de la política específica, entre otros. También dependen de las dimensiones de lo que se busca evaluar y dar seguimiento. Todos estos procesos macro y micro son importantes en el diseño de políticas públicas y es recomendable que se tomen en cuenta para optimizar los recursos humanos y financieros destinados a los programas sociales.

CONCLUSIONES

La cultura de la evaluación nos ha obligado a mantener un mayor seguimiento sobre los procesos de construcción de política, así como de los programas sociales. Las intervenciones gubernamentales en materia de políticas sociales, económicas y culturales repercuten en las comunidades y en las poblaciones, y es cada vez más importante observar su impacto más de cerca a fin de modificar lo más pronto posible las estrate-

[6] Retomado y adaptado de la metodología desarrollada por el Sistema Nacional de Indicadores Municipales de Chile (SINIM). <www.sinim.cl>.

gias de intervención que utilizan tanto las instituciones gubernamentales como las no gubernamentales. Estos procesos de evaluación y de seguimiento tienen la ventaja de ahorrar recursos y optimizar los esfuerzos de las instituciones de manera individual, y facilitan la coordinación de las estrategias conjuntas. En esa lógica, para evaluar estos procesos y programas se expuso la experiencia realizada en Guanajuato, donde la investigación trató de incidir en la planeación estratégica y en la inversión social del gobierno en materia de envejecimiento y población adulta mayor. En la segunda sección del PEG se observaron una serie de estrategias de intervención en la que cada una de las instituciones públicas era responsable, por ello es importante que este esfuerzo conjunto sea coordinado y que se le dé seguimiento y evaluación a las acciones de cada una de ellas. Justamente por ese motivo se presenta un modelo de evaluación y seguimiento tanto de la calidad de vida de la población mayor como del desempeño institucional. Esta última parte involucra varios aspectos, tanto la profesionalización de los recursos humanos que ejecutan y coordinan los programas específicos, como la formación de recursos humanos (estudiantes, maestros, funcionarios municipales, entre otros) aunque hay que darle importancia a la capacitación y el empoderamiento de las propias personas que ya experimentan su vejez.

Este modelo de evaluación de procesos considera una caracterización metodológica en la cual se pueda dar seguimiento a la calidad de vida a través de fuentes secundarias. Los indicadores que se construyan deberán tomar en cuenta el enfoque de cohorte y la perspectiva de género. Los indicadores deberán ser construidos con los mismos criterios a fin de dar un seguimiento contundente. Otras esferas como la formación de recursos humanos ya han sido comentados previamente. También es relevante en el modelo de intervención el tema de la participación social y la multidimensionalidad, lo cual significa considerar la capacidad de inserción de las temáticas sobre vejez en la agenda pública y política de la entidad; mientras mayor número de dimensiones atraviese el tema de la vejez (arte, transporte, vivienda, migración, familia, salud, tradiciones, etc.) mayor incidencia se tendrá en la vida colectiva y más conciencia se construirá social y políticamente sobre el envejecimiento. El desarrollo institucional es otra dimensión que muchas veces no se observa como relevante, pero que es sustantivo en la ejecución de los programas gubernamentales y no gubernamentales. El desempeño institucional muchas veces depende de la colaboración entre las instancias de gobierno y la sociedad civil, pero esta red institucional nunca se observa como un actor fundamental para optimizar los esfuerzos y eficientar los recursos humanos y financieros.

Este artículo, a su vez, propone una serie de consideraciones para construir indicadores sociales, de desempeño y de seguimiento, a fin de responder a una necesidad más concreta que permita observar los efectos sociales, la capacidad de acción y las variaciones en el tiempo. Integra sugerencias transversales y de mayor duración en el tiempo. Como se mencionó, estos indicadores pueden ser tanto cuantitativos como cualitativos, ambos son de gran importancia en el diseño, configuración y modificación de programas y políticas para grupos específicos, como es el caso de las personas adultas mayores.

BIBLIOGRAFÍA

Cartagena, Ángel *et al.*, 2005, "Envejecimiento activo y programas de intervención gerontológica en contextos rurales", ponencia presentada en el curso "Envejecimiento en el Mundo Rural", Cartagena de Indias.

Cartagena, Ángel, 2005, "El Profe de Corrientes. Los programas dirigidos a los adultos mayores", "Programas de intervención en el medio rural, I", "Programas de intervención en el medio rural, II", y "Voluntariado y redes", ponencias presentadas en el curso "Envejecimiento en el Mundo Rural", Cartagena de Indias.

Gobierno de Guanajuato, 2004, Programa Especial Gerontológico, UPIE, Guanajuato.

Hebrero, M., 2004, "Evaluación del estado de salud como una dimensión del bienestar de la población mexicana con 50 años y más y análisis de sus factores asociados", tesis de maestría en demografía por el Centro de Estudios Demográficos y de Desarrollo Urbano de El Colegio de México, México.

Heisel, Marsel A., 1989, "El envejecimiento en el marco de las políticas demográficas de los países en desarrollo", en Naciones Unidas, Nueva York.

Huenchuan Navarro, S., 2004, "Las políticas de envejecimiento en el marco de la estrategia regional", ponencia presentada en la Reunión de Expertos sobre Envejecimiento, II Foro Centroamericano sobre Políticas para Adultos mayores, 10-12 de noviembre, San Salvador.

Huenchuan, S. y Morlachetti, A., 2006, "Análisis de los instrumentos internacionales y nacionales de derechos humanos de las personas mayores", Notas de Población núm. 81, CEPAL. Santiago de Chile, pp. 42-72.

Irarrázaval, I., 2006, "Construcción de indicadores sociales para la evaluación y seguimiento de programas", en Miguel Vera (ed.), *Evaluación para el desarrollo social: Aportes para un debate abierto en América Latina,* Guatemala.

López, M. de la P., 2005, *Indicadores de Desarrollo Humano y Género en México,* PNUD.

Mascareño Quintana, C. E., 2001, "Redes sociales territorializadas: Nuevos espacios para la política social (alusión al caso venezolano)", en *Contraste,* pp. 169-196, vol. 1, núm. 2, julio-diciembre, Universidad Autónoma de Tlaxcala, Tlaxcala.

Ministerio de Planificación y Cooperación (2002), "Marco Lógico: Instrumento para la formulación de programas", Chile, Mideplan, 2002.

Organización Mundial de la Salud, 2002, "Envejecimiento activo: Marco político", *Revista Española de Geriatría y Gerontología,* núm. 37, España.

Ortegón, E., J. F. Pacheco y A. Prieto, 2005, "Metodología del marco lógico para la planificación, el seguimiento y evaluación de proyectos y programas", Instituto Latinoamericano y del Caribe de Planificación Económica y Social (ILPES), Chile, 124 pp.

Saad, P., 2004, "Indicadores para el seguimiento de la Estrategia Regional", ponencia presentada en la Reunión de Expertos sobre Envejecimiento, II Foro Centroamericano sobre Políticas para Adultos Mayores, 10-12 de noviembre, San Salvador.

Sen, Amartya, 1996, "Capacidad y bienestar", en Martha C. Nussbaum y Amartya Sen (comps.), *La calidad de vida,* México, Fondo de Cultura Económica.

Sistema Nacional de Indicadores Municipales de Chile, <www.sinim.cl>.

Ware, J. E., 1993, "SF-36 Health Survey Update", en *Spine,* vol. 25, núm. 24, 3130-3139, Estados Unidos.

FIGURA 1. ESQUEMA CONCEPTUAL PARA EL ESTUDIO DE LOS DETERMINANTES DE LA CALIDAD DE VIDA DE LAS PERSONAS MAYORES

CUADRO 1. DETERMINANTES DE LA CALIDAD DE VIDA Y MÓDULOS DE LA EEPAM-GUANAJUATO, 2004

Transversales	*Económicos*	*Salud y seguridad*	*Longitudinales*	*Entorno social*	*Conductuales*	*Entornos físicos*	*Factores personales*
Sexo Tamaño de localidad Rural Urbana Condición étnica Religión	Cond. Actividad Empleo actual Ingresos Beneficios laborales Pensiones Transferencias	Morbilidad Derecho a servicios médicos Uso de servicios médicos Atención a la salud Salud física, mental y emocional Gastos médicos	Historia de uniones Historia laboral Historia migratoria Padecimientos de la niñez	Tipo de hogares Redes sociales (primarias secundarias y terciarias) Participación comunitaria Apoyos sociales Reciprocidad Ayuda a ascendentes Educación y alfabetismo	Hábitos de riesgo Tabaquismo Alcoholismo Nutrición	Tipo de vivienda Seguridad en la vivienda Servicios públicos Accesibilidad de la vivienda	Factores psicológicos Capacidad cognitiva Sociabilidad Satisfacción con la vida Vitalidad Rol emocional

CUADRO 2. FUENTES DE INFORMACIÓN Y TIPOS DE INDICADORES

Tipo de fuente	*Fuentes de datos*		
Evaluación participativa	Grupos focales o grupos de discusión Modelos Delphi	Seminarios Talleres y conferencias	Historias orales, entrevistas individuales
Indicadores instrumentales	Tres niveles de gobierno (federal, estatal y municipal)	ONG y sector privado	Instituciones religiosas, cooperativas, sindicatos, academias
Indicadores de resultados	Encuestas estatales	Encuestas nacionales	Censos de población

FUENTE: Saad, P., 2004, "Indicadores para el seguimiento de la estrategia regional", ponencia presentada en la Reunión de Expertos sobre Envejecimiento, II Foro Centroamericano sobre Políticas para Adultos Mayores, 10-12 de noviembre, San Salvador.

GRÁFICA 1. GUANAJUATO. EVALUACIÓN DE LA AUTOPERCEPCIÓN DE SALUD DE LA POBLACIÓN CON 50 AÑOS Y MÁS, 2004

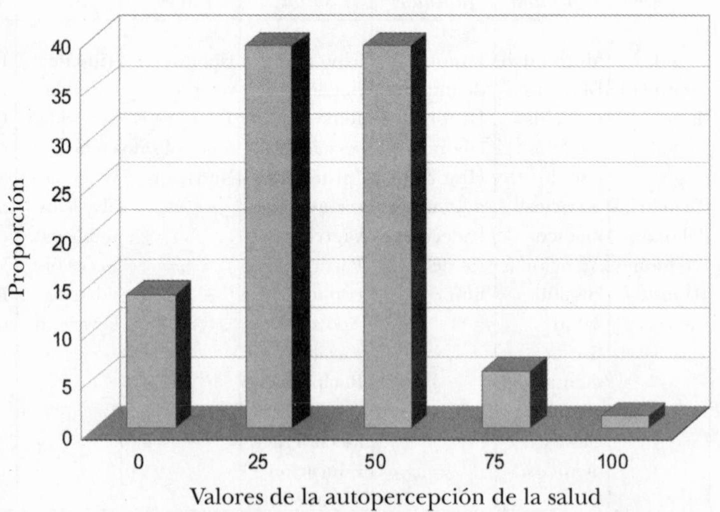

FUENTE: UPIE-IIS-UNAM, 2004, *Encuesta Estatal para Personas Adultas Mayores,* Guanajuato.

GRÁFICA 2. GUANAJUATO. EVALUACIÓN DE LA FUNCIÓN FÍSICA DE LA POBLACIÓN CON 50 AÑOS Y MÁS, 2004

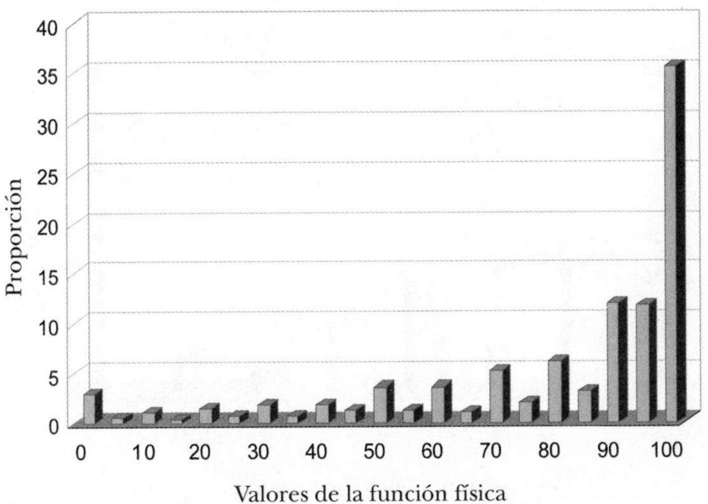

FUENTE: UPIE-IIS-UNAM, 2004, *Encuesta Estatal para Personas Adultas Mayores*, Guanajuato.

GRÁFICA 3. GUANAJUATO. EVALUACIÓN DEL ROL FÍSICO DE LA POBLACIÓN CON 50 AÑOS Y MÁS, 2004

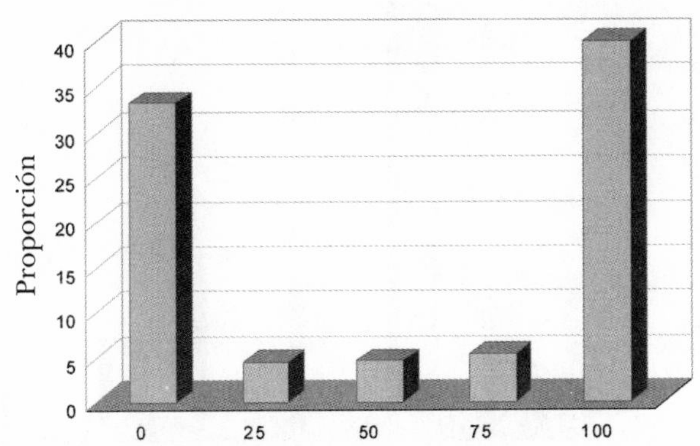

FUENTE: UPIE-IIS-UNAM, 2004, *Encuesta Estatal para Personas Adultas Mayores*, Guanajuato.

GRÁFICA 4. GUANAJUATO. EVALUACIÓN DEL DOLOR CORPORAL DE LA POBLACIÓN CON 50 AÑOS Y MÁS, 2004

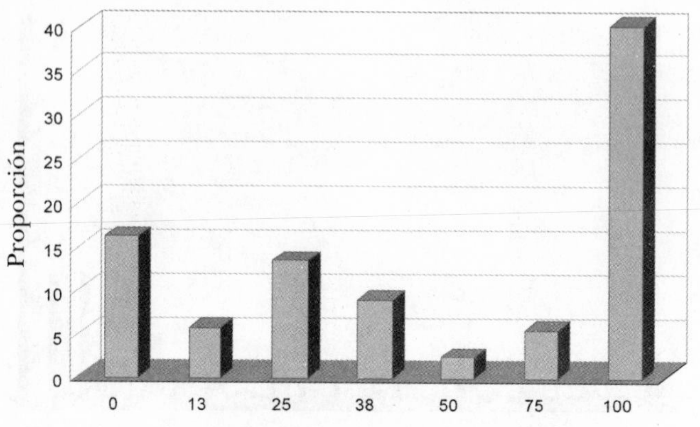

FUENTE: UPIE-IIS-UNAM, 2004, *Encuesta Estatal para Personas Adultas Mayores*, Guanajuato.

GRÁFICA 5. GUANAJUATO. EVALUACIÓN DE LA VITALIDAD DE LA POBLACIÓN CON 50 AÑOS Y MÁS, 2004

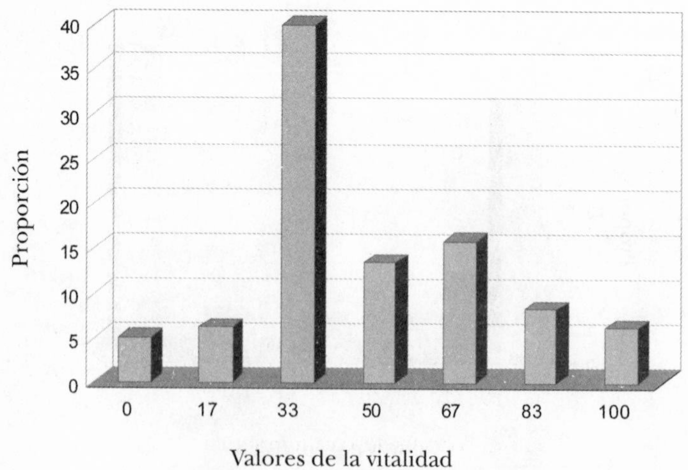

FUENTE: UPIE-IIS-UNAM, 2004, *Encuesta Estatal para Personas Adultas Mayores*, Guanajuato.

GRÁFICA 6. GUANAJUATO. EVALUACIÓN DEL ROL EMOCIONAL DE LA POBLACIÓN CON 50 AÑOS Y MÁS, 2004

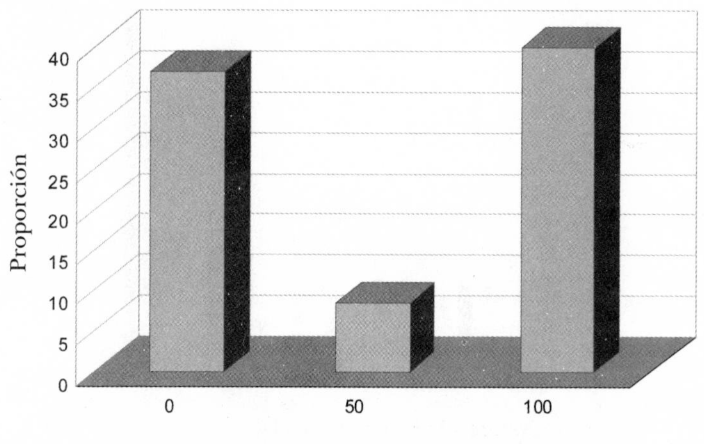

FUENTE: UPIE-IIS-UNAM, 2004, *Encuesta Estatal para Personas Adultas Mayores*, Guanajuato.

GRÁFICA 7. GUANAJUATO. EVALUACIÓN DE LA SALUD MENTAL DE LA POBLACIÓN CON 50 AÑOS Y MÁS, 2004

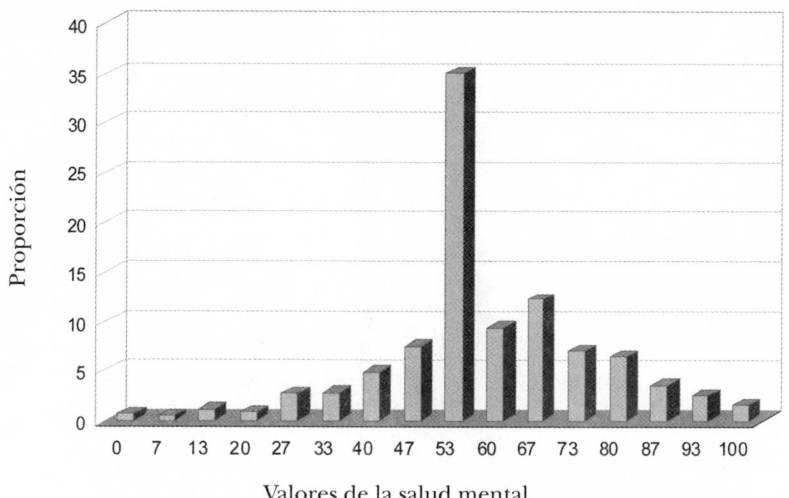

FUENTE: UPIE-IIS-UNAM, 2004, *Encuesta Estatal para Personas Adultas Mayores*, Guanajuato.

GRÁFICA 8. GUANAJUATO. EVALUACIÓN DE LA FUNCIÓN SOCIAL DE LA POBLACIÓN CON 50 AÑOS Y MÁS, 2004

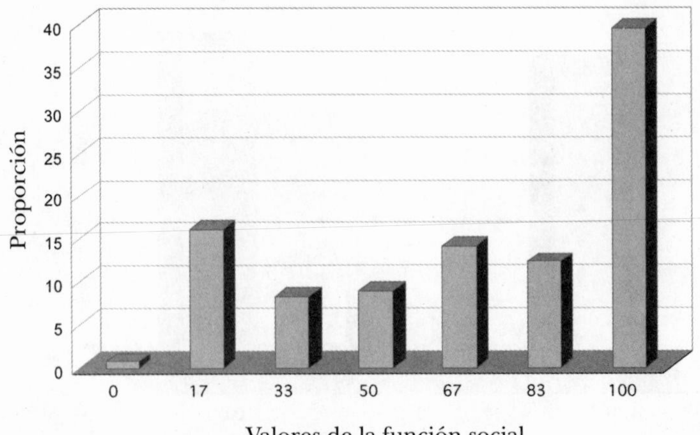

FUENTE: UPIE-IIS-UNAM, 2004, *Encuesta Estatal para Personas Adultas Mayores*, Guanajuato.

GRÁFICA 9. GUANAJUATO. EVALUACIÓN DE LA TRANSICIÓN DE SALUD NOTIFICADA DE LA POBLACIÓN CON 50 AÑOS Y MÁS, 2004

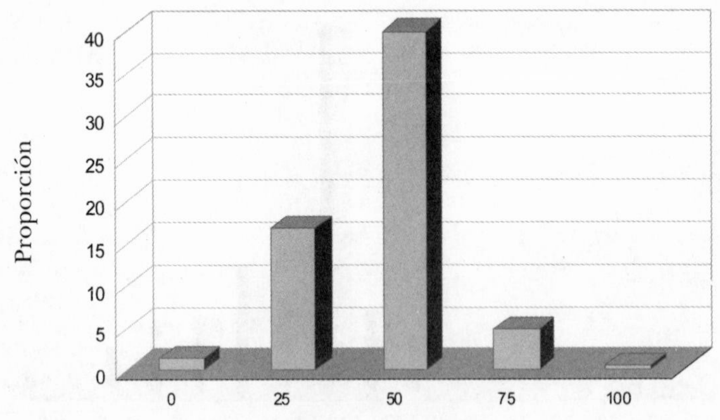

FUENTE: UPIE-IIS-UNAM, 2004, *Encuesta Estatal para Personas Adultas Mayores*, Guanajuato.

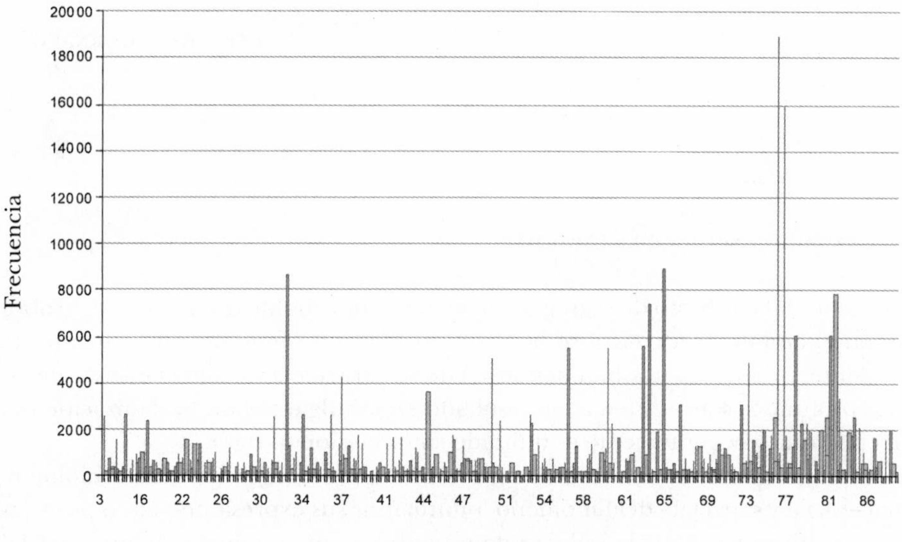
20000
18000
16000
14000
12000
10000
8000
6000
4000
2000
0
Frecuencia
3
16
22
26
30
34
37
41
44
47
51
54
58
61
65
69
73
77
81
86
Valor del índice

LA SEGREGACIÓN SOCIAL DEL ESPACIO Y LA DIMENSIÓN TERRITORIAL EN LOS ESTUDIOS DE POBREZA URBANA

EFTYCHIA BOURNAZOU*

LA SEGREGACIÓN SOCIAL DEL ESPACIO

La difusión del concepto de segregación en el discurso político y mediático, y sobre todo en el ámbito académico, se ha dado en forma ascendente. Sin embargo, lo polivalente, multifacético y bidimensional de su carácter, así como la escasez de estudios profundos sobre el tema, ha resultado en la vulgarización y satanización del concepto, que frecuentemente es utilizado sin precisión ni rigor.

Nuestro propósito es aportar elementos para esclarecer la naturaleza bidimensional –social y espacial– del fenómeno, puntualizar sus expresiones, tanto positivas como negativas, y sugerir la utilidad de un enfoque predominantemente espacial para su estudio, que permita reconocer y explorar nuevos aspectos territoriales de la pobreza, especialmente en el contexto latinoamericano.

EL DEBATE SOBRE EL BINOMIO ESPACIO-SOCIEDAD

La interrelación e interacción entre sociedad y espacio ha dado inicio a un debate sumamente interesante y fructífero especialmente en el ámbito de los estudios urbanos. La amplia gama de posturas abarca desde el enfoque simplista de correspondencia total, hasta el reconocimiento de dos estructuras independientes, interconectadas bajo relaciones multidireccionales.

La asimetría en la distribución de los fenómenos sociales en el espacio, que tiene como resultado un territorio social heterogéneo y jerarquizado, no es algo novedoso. Sin embargo, la atención de los estudiosos hacia la dimensión espacial de los sucesos sociales presenta su auge apenas en las últimas décadas y ha hecho conciencia sobre la trascendencia de este enfoque en la toma de decisiones de la gestión territorial (Buzai, 2003).

Es a partir de finales de la década de los años ochenta cuando se reconoce y se enfatiza la importancia de la dimensión física en el desarrollo de procesos sociales, a tal grado que el *espacio* pierde su carácter absoluto y se convierte en una *construcción social* (Harvey, 1973).

Hoy en día está ampliamente reconocida la importancia del enfoque bidimen-

* Facultad de Arquitectura, Universidad Nacional Autónoma de México.

sional, que se basa en la compleja interacción entre ambas dimensiones. No obstante, su fundamentación teórica sigue representando un reto.

La postura que reconoce en la conformación del espacio el simple reflejo de la estructura social y que dominó la investigación en ciencias sociales hasta finales de los ochenta, está por lejos superada. Ese enfoque simplista, según Sabatini (2003), surge de la confusión entre la diferencia ontológica y epistemológica entre las dos categorías.

Harvey (*op. cit.*) argumenta que los procesos sociales y la forma del espacio se consideran frecuentemente como dos conceptos distintos, aunque en realidad no suceda tal cosa. Es común que en nuestra mente aparezcan como dos formas de análisis diferentes e irreconciliables. De ahí surgen dos corrientes, que se basan en la "imaginación sociológica" y la "imaginación geográfica".

La "imaginación sociológica" abarca la historia y la biografía de las personas, así como la relación entre ambas, en la sociedad. La "imaginación geográfica" hace evidente el papel del espacio, la localización de la biografía del individuo y su relación con el territorio que lo rodea. También ilustra la influencia del espacio que separa a los individuos en sus transacciones y organizaciones.

Actualmente se reconoce que el espacio no representa el simple campo en donde se realizan las actividades de la sociedad, sino que es el medio a través del cual las relaciones sociales se producen y se reproducen (Díaz Orueta, 2003). Massey y Denton (1993) señalan que las divisiones sociales están condicionadas por su forma de distribuirse en el espacio.

El *espacio*, entonces, a través de su estructura "propia", se concibe como un *elemento más de la estructura urbana* que se encuentra en interacción continua con la dimensión social. Esta interacción entre lo social y lo espacial también es sostenida por Harvey (*op. cit.*) cuando afirma que las formas espaciales no son objetos dentro de los cuales se desarrollan los procesos sociales, sino "entes" que contienen a lo social de la misma manera que los procesos sociales contienen a lo espacial.

El análisis y la cuantificación de fenómenos que incluyen ambas dimensiones se conectan con problemas *metodológicos*. Al tratar con estudios bidimensionales surge el problema de la escala, de la selección de la unidad territorial homogénea como referencia de lo social. A través de la agregación o disgregación de datos con cierta referencia territorial se ignoran las diferencias en los patrones de relaciones que existen en otros niveles de análisis.

Los filósofos del espacio afirman que no podemos seleccionar la geometría apropiada o la escala de observación para estudiar el espacio, independientemente del proceso objeto de análisis. El proceso mismo es el que define la naturaleza del "sistema de coordenadas" que debemos usar.

Harvey (*op. cit.*) agrega que esta conclusión puede aplicarse intacta en la esfera social, y concluye que *cada forma de actividad social define su propio espacio.* De ahí podemos concluir que cada escala geográfica de análisis define una faceta distinta de cierta problemática social: el problema de la pobreza cambia sustancialmente si se hace referencia a la unidad territorial del barrio, del municipio o de una región más amplia.

Por lo tanto, para comprender el *espacio social* estamos forzados a integrar la "imaginación sociológica" con la "imaginación geográfica". Hay que relacionar el comportamiento social con la forma en que la ciudad asume cierta organización, y al mismo tiempo hay que reconocer que el surgimiento de cierta conformación espacial tiende a institucionalizar y, en ciertos aspectos, a determinar el futuro desarrollo de los procesos sociales.

La compleja interrelación entre espacio y sociedad refuta la afirmación de que la heterogeneidad espacial puede justificarse y explicarse sólo por la existencia de una sociedad estratificada. La asimetría constatada entre espacio social y físico imposibilita que a través del análisis de uno se pueda deducir la estructura del otro.

Si al estudiar la ciudad nos concentramos en la problemática puramente social sin considerar su dimensión física, los resultados representan una realidad parcial que impide la verdadera formulación de cualquier fenómeno. Existen problemas que sólo se hacen "visibles" a través del análisis del territorio.

Si tomamos como ejemplo *la pobreza*, identificamos rasgos de la misma que hacen referencia a *desventajas colectivas* relacionadas con grupos y no con individuos. Al hablar de la pobreza en términos de *cluster* o red de privaciones, la dimensión espacio se vuelve fundamental.

La trascendencia del espacio se hace aún más evidente cuando la pobreza se relaciona directamente con *localizaciones excluidas*. Los patrones bajo los cuales la pobreza se localiza en el territorio representan un rasgo fundamental del fenómeno y están condicionados por una serie de procesos urbanos que conducen a la mayor o menor *concentración de "problemas"* en determinadas localizaciones de la ciudad. Existe una abismal diferencia entre mil pobres distribuidos por toda de la ciudad y esos mismos pobres concentrados en un solo sector.

La desigual repartición de recursos que genera el sistema capitalista en los diferentes niveles de la organización social se manifiesta también en el espacio geográfico en forma de "rugosidades", generadas por las diferentes intensidades de la incorporación de capital al territorio, que a su vez crean una inercia que amplía constantemente las diferencias (Santos, 1990). El espacio se reconoce como elemento intensificador de diferencias sociales.

Concluyendo, el único marco conceptual para entender la problemática urbana es el que combina y se construye sobre un enfoque tanto sociológico como espacial. Por lo tanto, para garantizar el éxito de cualquier política, es indispensable reconocer a "lo social" y a "lo espacial" como distintas formas de pensar sobre una misma "cosa" (Harvey, *op. cit.*).

LA SEGREGACIÓN Y SU POLIVALENCIA

Es frecuente encontrar definiciones de la segregación que la identifican con una variedad de problemas y fenómenos urbanos: la pobreza, la discriminación, la exclusión social, y como resultado directo de las desigualdades socioeconómicas.

Estas interpretaciones, aunque válidas para cierto tipo de análisis, resultan limitativas para la riqueza del concepto que emana precisamente de su carácter primordialmente espacial, el cual permite la interpretación de procesos actuales de corte territorial que condicionan o matizan problemáticas de gran complejidad, como la pobreza urbana.

La definición de Sabatini (2003) nos parece muy acertada, porque permite captar precisamente ciertas tendencias en la morfología social de la gran ciudad latinoamericana que no se pueden vislumbrar a través de análisis de corte social o económico: "La segregación es un fenómeno espacial interconectado de modo complejo con características de la población que pueden ser de tipo socioeconómico, cultural, étnico, racial, ocupacional u otro" (Sabatini, 2003: 11).

El fenómeno de la segregación, entendido como la *división social de la ciudad*, es un proceso antiguo. Desde la ciudad preindustrial se observa la separación funcional y espacial que se redefine en la ciudad industrial bajo nuevos criterios.

La difusión de la investigación en torno del fenómeno se debe en gran parte a las ideas desarrolladas a inicios del siglo XX por la Escuela de Chicago, y especialmente por Park y Burgess con el desarrollo de la ecología urbana. Estos principios son retomados durante la década de los sesenta y los setenta por los llamados neomarxistas, que reformulan la problemática. Sus principales representantes son Castells, Lojkin, Harvey y Lefebvre.

El primer significado de la segregación fue "restrictivo, e incluye la idea de la intencionalidad, la voluntad de un grupo dominante de apartar a un grupo dominado, definido este último por rasgos raciales, étnicos o religiosos, pero raramente definido por rasgos sociales" (Madoré, 2004). Un ejemplo lo constituyen los guetos judíos en Europa y los guetos étnicos y raciales en Norteamérica y Sudáfrica.

Después de esa primera noción, se desarrolla una ampliación del concepto, referido al estudio de la *división social del espacio urbano*, utilizado por los geógrafos y sociólogos franceses a partir de los años setenta.

Manuel Castells (1972: 287) define la segregación como "la tendencia a la organización del espacio en zonas con fuerte homogeneidad social interna y fuerte disparidad social entre ellas; esa disparidad debe ser entendida no sólo en términos de diferencia, sino también de jerarquía".[1]

Grafmeyer (1996: 38, cit. en Madoré, 2004), investigador francés especialista en la temática, hace un interesante intento de definir la segregación bajo tres diferentes formas que al mismo tiempo considera complementarias:

- Medida de distancias residenciales entre grupos definidos sobre bases demográficas, pero sobre todo sociales o étnicas.
- *Acceso desigual a bienes y servicios ofertados por la ciudad.*
- Estudios de enclaves con perfil muy marcado por su carácter étnico, racial o social, que se resume en la imagen de gueto.

[1] Traducción propia del texto francés.

LA SEGREGACIÓN: UN FENÓMENO BIDIMENSIONAL

La segregación socioespacial es un fenómeno bidimensional que "se inscribe en una de las 'bisagras' más difíciles de resolver para la teoría y la investigación en ciencias sociales: aquella que conecta las dimensiones económicas, culturales y políticas, con las dimensiones espaciales de la realidad social" (Cáseres y Sabatini, 2004: 277).

La "variable social"

La elección del criterio para definir la variable social de la segregación varía según el contexto en donde se lleve a cabo el estudio y depende de la problemática específica. Hay cinco condiciones básicas que influyen en la determinación de la categoría social (Preteceille, 2004):

- Las tradiciones y vivencias profundas plasmadas a lo largo de la historia propia local.[2]
- El problema social real a investigar en el lugar y el momento histórico específico.[3]
- Las políticas públicas, que a su vez se asocian con el punto anterior.
- Las peculiaridades del funcionamiento de los mercados inmobiliarios.
- El tipo de datos estadísticos oficiales desagregados que obedecen a la lógica político-administrativa de los órganos de estadística pública, que también se relacionan con los puntos anteriores.[4]

La escala espacial

Respecto de la segunda variable, la discusión se desarrolla en torno de la unidad territorial de referencia para la variable social. Aquí nos enfrentamos a una decisión muy delicada. Los resultados de la investigación y el éxito del estudio dependen en gran parte de la atinada selección de la escala de análisis. Esta última puede oscilar desde el espacio mínimo, la vivienda, hasta el límite máximo, la ciudad en su totalidad. ¿Cómo se hace entonces la elección?

[2] Un excelente ensayo al respecto es *Las migraciones, la tolerancia y lo intolerable*, de Umberto Eco (1999).

[3] Para hacer estudios comparativos entre ciudades no es suficiente homogeneizar los criterios para la dimensión social y la unidad territorial, mientras la problemática social local sea distinta.

[4] Un ejemplo ilustrador es el manejo de los grupos de ingreso en México en el Censo General de Población del INEGI. El ingreso de la PEA se mide en unidades de salarios mínimos y no en unidad monetaria (peso). Por lo tanto, un comparativo directo de los cambios en la PEA entre 1990 y 2000 se vuelve inoperante si tomamos en cuenta que el salario mínimo en precios constantes ha disminuido. Queda clara la intención de esta forma de manejo de información.

En este punto emerge la esencia de la segregación como fenómeno no autónomo, sino algo que se estudia para entender otros problemas. Por lo tanto, el estudio de la segregación no representa una finalidad en sí misma, sino el "conducto" para llegar a entender problemas reales urbanos.

Dicho lo anterior, queda claro que el punto de partida es algo identificado como problema, y la escala bajo la cual se manifiesta con mayor fuerza determinaría la unidad territorial adecuada. Éste sería sin embargo el caso idóneo, suponiendo la disponibilidad de información confiable en la escala de desagregación identificada como ideal.

LAS FACETAS DE LA SEGREGACIÓN

En el contexto latinoamericano existen varios trabajos que aportan nuevos elementos para una comprensión multifacética del fenómeno (Sabatini, 2001, 2003, 2006; Preteceille, *op. cit.*; Buzai, *op. cit.*), que se adapta a la pluralidad de procesos y tendencias actuales de la gran ciudad.

Para el propósito del presente artículo seleccionamos cuatro facetas del fenómeno:

- La concentración, dimensión referente a la población, como la tendencia de ciertos grupos de aglomerarse en algunas partes o barrios de la ciudad (faceta positiva).
- La homogeneidad, que se refiere al espacio y su nivel de homogeneidad social (faceta negativa).
- La jerarquización entre las zonas definidas como homogéneas (faceta negativa).
- El acceso deficitario a bienes públicos (faceta negativa).

Faceta positiva

Dado el hecho incuestionable de una sociedad urbana estratificada, las diferencias entre sus habitantes son sobreentendidas, y por consiguiente la heterogeneidad de la estructura de la ciudad en todas sus dimensiones parece no sólo inevitable, sino el rasgo por excelencia de lo urbano. La agrupación o aglomeración de los individuos en el espacio según sus rasgos de homogeneidad resulta ser un fenómeno "natural" (Lefebvre, 2003).

En términos de segregación socioespacial se puede afirmar que estas conformaciones reflejan su dimensión positiva (Sabatini, 2003). Un ejemplo representa la formación de enclaves étnicos, en donde predomina un cierto grupo y en donde se propaga la preservación de sus costumbres y las características socioculturales, hecho que enriquece a la ciudad en su conjunto.

Las "diferencias" socioespaciales, por lo tanto, representan en sí un fenómeno positivo porque reafirman el rasgo más importante de lo urbano, su heterogeneidad. La "diferencia", como escribe Lefebvre, presupone interrelación e intercambio y se vuelve un aspecto positivo para la convivencia humana.

Facetas negativas

Tres son los aspectos que a nuestro juicio marcan la distinción entre la diferenciación socioespacial, o segregación positiva, y la compleja problemática que resulta de la segregación en su expresión negativa:

a] La homogeneidad social intrazonal (heterogeneidad interzonal).
b] La jerarquía entre las unidades homogéneas.
c] El acceso deficitario a bienes públicos.

a] La homogeneidad social de la unidad territorial

En la mayoría de los casos, cuando se habla de segregación se hace referencia exclusivamente al grado de concentración de un grupo en ciertas unidades territoriales. Esas aglomeraciones de individuos "iguales" en el espacio, los llamados enclaves sociales, sin embargo, reflejan las diferencias que permiten el intercambio y aportan a la preservación de los valores culturales de dichos grupos.

El problema surge cuando paralelamente a las altas concentraciones de la población se presentan altos grados de homogeneidad interna en las unidades espaciales. Esa coincidencia en el espacio de un alto nivel de agrupamiento de individuos con rasgos similares con alta homogeneidad, se expresa a través de la segregación, ya no como fenómeno, sino como problema.

Las zonas caracterizadas por altas concentraciones y alta homogeneidad resultan ser espacios excluidos o excluyentes social, económica, política y culturalmente. En el caso de la población precaria, ese tipo de conformaciones socioespaciales representan los llamados *guetos urbanos*,[5] que se caracterizan por su compleja problemática social. En el caso de la población privilegiada, la concentración y densidad de ventajas se reconoce en las llamadas urbanizaciones cerradas (*gated communities*).

En otras palabras, la homogeneidad social es una característica del espacio, y se expresa a través del alto grado de acumulación exclusiva en el territorio de ciertas ventajas o desventajas sociales.

[5] El gueto urbano es un concepto que hace referencia a espacios en donde se concentran los problemas sociales más agudos y cuyas expresiones varían sustancialmente en cada contexto social, económico, político y cultural. Los mecanismos estructurales que lo producen, así como las formas espaciales que asume, son muy variados y dependen del contexto histórico de clases, del estado y del espacio que caracterizan a cada sociedad en un momento histórico (Wacquant, 2006).

La gravedad de la homogeneidad como faceta negativa de la segregación se manifiesta, en el caso de la población precaria, porque incide en la generación de problemas adicionales a los que padece cada individuo por su condición debida a carencias propias. La problemática más importante al respecto es el incremento y la perpetuación de su pobreza.

b] La jerarquía: Inequidad entre las unidades territoriales

El otro aspecto negativo del fenómeno de la segregación es la jerarquización de las zonas definidas como segregadas. Aunque la jerarquización está en alguna forma implícita en una sociedad estratificada, nos parece interesante puntualizar ciertos aspectos importantes del término.

La jerarquización resulta de la valorización diferenciada del espacio social y se experimenta a nivel multidimensional: social, económico, político y cultural. En este trabajo nos limitaremos a los aspectos físico-espaciales que hacen referencia al nivel de integración, inserción y accesibilidad de las distintas unidades socioespaciales al sistema global urbano y sus beneficios.

La jerarquización es un rasgo adicional a la segregación definida por homogeneidad. Bajo la misma característica de la homogeneidad se pueden generar espacios segregados que se ubican en posiciones extremas en una escala de valoración. El caso de los guetos urbanos representa el ejemplo de alta homogeneidad, y por lo tanto de alta acumulación espacial de desventajas de sus habitantes, que resulta en la extrema desvalorización de esos espacios con base en criterios objetivos, pero también subjetivos, como es su "estigmatización" (Sabatini, 2003). Ese tipo de segregación se caracteriza por ser involuntaria o forzosa.

En el otro extremo de la escala de valores se encuentran los casos de acumulación homogénea en el territorio de privilegios individuales, como alto ingreso, nivel educativo y otros. Estos fenómenos tienen frecuentemente su expresión territorial a través de los espacios excluyentes, cuya nueva expresión física son los "barrios cerrados", delimitados por barreras y que representan el caso de la "segregación voluntaria".

El resultado de la jerarquización del espacio es una ciudad que se fragmenta en "barrios buenos" y "barrios malos", que independientemente de su valoración objetiva, en cuanto al estatus de sus habitantes y la calidad del espacio físico (tanto a nivel de unidad-vivienda como a nivel urbano), estigmatiza de forma adicional a los espacios pobres y deficientes, provocando un círculo vicioso en la propagación y perpetuación de la pobreza de esos territorios, y por supuesto de sus habitantes.

c] El acceso deficitario a bienes públicos

La mayoría de los estudios sobre la segregación presentan una gran variedad de enfoques, aunque similares en el aspecto espacial que se concibe en forma indiferente de su "localización". Al constatar, sin embargo, que el espacio urbano es el conjunto de localizaciones jerarquizadas, resulta primordial considerar a lo urbano como espacio relativo.

La primera condición inherente de la ciudad como territorio es su desigualdad. Esta desigualdad se puede definir con base en distintas variables, como valores y usos del suelo, tipo de propiedad, dotación de infraestructura, dotación en equipamiento, accesibilidad y otros.

Comúnmente los estudios de la segregación se concentran en los patrones y en la intensidad del fenómeno en el espacio, sin tomar en cuenta "en dónde" se lleva a cabo esta separación. Sucede, sin embargo, que hay una gran diferencia entre un área con alta homogeneidad espacial de pobres en el centro de la ciudad que en la periferia lejana, suponiendo una estructura monocéntrica con concentración de bienes en el centro urbano.

Al incorporar el enfoque del "espacio relativo" la segregación se entiende como exclusión espacial de ciertos derechos de ciudadanía, en el sentido de la *privación propia del territorio de bienes comunes o su inaccesibilidad con localizaciones servidas.*

Este enfoque para concebir la segregación se relaciona con la geografía de bienes de consumo colectivo (Madoré, *op.cit.*). Dada la trascendencia de esos satisfactores para el desarrollo y el bienestar humano, su carencia representa una nueva forma de segregación en el sentido de su exclusión de ciertos bienes de consumo colectivo.

De todo lo expuesto, es importante rescatar esta característica de la segregación, es decir, de correlacionarse con atributos adicionales a nivel de espacio urbano. A través de ciertas formas de catalogación de los individuos en el territorio, por ejemplo la homogeneidad en el caso de grupos precarios, la segregación crea nuevas particularidades espaciales que no reflejan sólo las carencias individuales o del espacio unitario, la vivienda. *La segregación introduce por lo tanto factores de desigualdad adicional al espacio.*

NUEVOS RASGOS TERRITORIALES DE LA POBREZA INTRAURBANA EN LA CIUDAD LATINOAMERICANA

El incremento de los pobres urbanos en términos tanto absolutos como porcentuales es un hecho contundente. Estudios recientes de la CEPAL (2005) indican que en el caso mexicano, aunque la pobreza ha disminuido en todo el país en 2.4 puntos porcentuales entre 2002 y 2004, esta mejora se concentró en las áreas rurales. La pobreza urbana, en cambio, aumentó 0.4 puntos (del 32.2 al 32.6%).

Según Damián y Boltvinik (2003) entre 1992 y 2000 hubo un incremento porcentual de los pobres urbanos, de 7.26 hasta 9.43 puntos según el método de medición aplicado (cuadro 1).

Junto a este aumento de la pobreza urbana a nivel personal y de hogares se observan nuevas manifestaciones de corte territorial. Analizaremos dos de estos rasgos que pueden ser expresados a través de las facetas ya indicadas de la segregación y que agravan de forma decisiva la pobreza general de los habitantes en la gran ciudad latinoamericana:

- *Nuevas formas de inequidad espacial*, ya no tanto a nivel de vivienda (NBI:[6] privaciones de tipo habitacional), sino de su entorno, entendidas como acceso deficitario a bienes de consumo colectivo (equipamiento, servicios y accesibilidad física) (Arriagada, 2000).
- La creciente *concentración de los pobres* en espacios con alta densidad y homogeneidad social, denominados guetos urbanos (Kaztman, 2003; Kaztman y Retamoso, 2005). Este proceso se relaciona con: a] el incremento del porcentaje de pobres que habitan en zonas ocupadas predominantemente por pobres (guetos), y b] el incremento de estos guetos urbanos.

A pesar de ciertos indicios que sugieren la posible interrelación entre ambos rasgos de la pobreza, la falta de fundamentación empírica impide su constatación.

NUEVAS FORMAS DE INEQUIDAD TERRITORIAL: ACCESO DEFICITARIO A BIENES PÚBLICOS

En la gran ciudad latinoamericana el perfil actual de la pobreza se caracteriza por el continuo incremento de los pobres por ingreso y otras privaciones, mientras que ciertas Necesidades Básicas Insatisfechas (NBI) presentan un retroceso.[7] A cambio de estas mejoras, adjudicadas a ciertos beneficios de la urbanización, se observa el agravamiento de mecanismos de exclusión urbana a través del acceso deficitario a bienes de consumo colectivo. *Esas privaciones podrían identificarse como la nueva forma predominante de NBI*, la cual no se refiere a la unidad espacial, la vivienda, sino a su entorno (Arriagada, *op. cit.*) (gráfica 1, cuadro 2).

Los posibles factores explicativos asociados con este proceso son múltiples. En primer término figuran los de tipo social, económico, político y cultural, y en segundo, se agregan los de tipo socioterritorial. Nos vamos a referir sólo a los últimos por su relación con el objetivo central de este artículo.

En las ciudades medias en proceso expansivo[8] y en ciudades de gran tamaño se

[6] El método por Necesidades Básicas Insatisfechas (NBI) se basa en las carencias inherentes a la pobreza, como deficiencias de tipo habitacional, de nutrición, de acceso a salud y educacionales (independientemente del nivel de ingreso).

[7] La baja de la pobreza por NBI se observa principalmente respecto de variables educacionales, de mortalidad infantil y de acceso al agua potable. Sin embargo, al incluir otros aspectos, como el servicio de drenaje, las NBI incrementan y aún más cuando se evalúan los niveles de hacinamiento domiciliario.

[8] Son ciudades que experimentan gran inversión en el sector industrial, hecho que impulsa la dinámica económica y la inmigración.

observa que el aumento de la dimensión urbana (física y demográfica) se acompaña de una mayor fragmentación y dispersión de su territorio. La cantidad de espacios intersticiales vacíos aumenta y paralelamente surgen grandes reservas de suelo en la periferia.[9] Este proceso se traduce en un mayor incremento relativo de la mancha urbana en comparación con el aumento demográfico, cuya expresión cuantitativa se refleja en la baja de las densidades brutas de población.

En el caso de la Zona Metropolitana del Valle de México (ZMVM) se observa que entre 1950 y 2000 el incremento poblacional fue de 517%, mientras que la expansión del territorio representó el 711% (Perló y Zamorano, 2005). El comportamiento de las densidades durante este medio siglo se observa en la gráfica 2.

La ciudad pequeña, a cambio, con su reducida expansión territorial en forma compacta (altas densidades), ofrece por lo menos un alto nivel de accesibilidad física de sus bienes públicos para toda su población. La gran urbe, con su espacio extenso, "desparramado" y disperso, cuya conformación se acompaña de un rezago en nuevos equipamientos y servicios, genera nuevas inequidades territoriales intraurbanas.

Este fenómeno conforma uno de los factores que empeoran aún más los niveles de pobreza de los grupos más deprimidos que se expulsan hacia la periferia lejana, hecho que obstaculiza su acceso a los bienes de consumo colectivo y empeora su nivel de pobreza.

Los espacios rezagados en equipamiento básico –tanto en cantidad como en calidad– y accesibilidad física, vialidades y transporte público, tienen serias repercusiones en amplios rasgos de la pobreza y se relacionan con el derecho a la ciudadanía (Borja, 2001). Junto con las implicaciones directas, como nivel educativo, estado de salud, integración política y cultural y movilidad física, surgen otras indirectas, como la movilidad social, integración social, acumulación del capital social y oportunidades económicas y productivas, que finalmente confluyen en la reproducción y perpetuación de la pobreza.

La pobreza del tiempo personal, entendida como privación del recurso tiempo, asociada con el transporte deficiente y los largos recorridos que ello provoca, es un aspecto frecuentemente olvidado a pesar de representar uno de los elementos fundamentales para el bienestar de todo ser humano. El espacio pobre es un espacio más "caro" para sus habitantes por los mayores gastos monetarios y por la inversión de tiempo que implica.

Esta nueva escala de pobreza territorial se expresa a través de las características del barrio o vecindario e influye en las estructuras de oportunidades del entorno social inmediato de los hogares para la acumulación o el bloqueo de activos (Kaztman, *op. cit.*). También constituye la base para una nueva geografía de oportunidades que se caracteriza por la distribución desequilibrada tanto de satisfactores básicos como de fuentes de empleo. *El "espacio" se vuelve por lo tanto una barrera* para la inserción de sus ocupantes en varios aspectos de la vida urbana.

[9] Profundizar en las causas de este fenómeno no entra en los alcances de este trabajo.

La trascendencia de estos bienes públicos, reconocidos como fuente de activos en capital físico, humano y social, conduce a ciertos autores considerar la falta de acceso a estos satisfactores como un factor explicativo de la pobreza (Small y Newman, 2001). Por el contrario, el acceso justo y equilibrado a los bienes públicos se convierte en un mecanismo de *distribución de ciertos elementos de la riqueza urbana* que puede mejorar algunos aspectos de su pobreza.

El estudio de la pobreza territorial debería, por lo tanto, rebasar los límites de la unidad espacial, la vivienda, e incluir la localización y distribución en el territorio de servicios y equipamiento básico en relación con el estatus socioeconómico de la población. La oferta de vivienda para grupos vulnerables, sea por parte del sector público o del sector privado, debe ser concebida no sólo como el espacio propio por habitar, sino también como el medio para acceder a bienes básicos, como el equipamiento de educación, salud, abasto, recreación y transporte público.

LOS GUETOS DE POBREZA Y LA "GUETIZACIÓN" DE LA CIUDAD LATINOAMERICANA

En el indudable incremento de los pobres urbanos en la gran ciudad latinoamericana destaca otro fenómeno de corte socioterritorial que merece la atención por sus serias implicaciones en la pobreza general. La constitución territorial de la pobreza se caracteriza cada vez más por su mayor homogeneización. Esta tendencia tiene repercusiones variadas que se asocian con serios problemas relacionados con el aislamiento social, la reproducción y la perpetuación de la pobreza.

En el caso del Área Metropolitana de la Ciudad de México (AMCM), a falta de estudios comparativos, se puede simplemente constatar el alto porcentaje (79.4%) de la población de menores recursos que vive en unidades (AGEB) pobres –testimonio de su alta homogeneidad–, frente a la relativa heterogeneidad espacial que caracteriza a los del ingreso más alto, ya que sólo una menor parte de ellos (36.4%) habita en unidades ricas (cuadro 3).

Los rasgos territoriales que caracterizan esta nueva modalidad espacial, que podríamos denominar *gueto,*[10] marcan la diferencia con el tradicional barrio pobre. Los guetos urbanos se identifican por su alta proporción en población pobre (más del 40%), la elevada homogeneidad en los rasgos de pobreza, su dotación deficitaria en bienes públicos y su localización *desventajosa frente a nodos de servicios y equipamiento básico.* Su formación es involuntaria o forzosa, a falta de otras opciones. Son espacios que expresan las facetas negativas de la segregación socioespacial mencionadas anteriormente.

Con mucha frecuencia la segregación se utiliza como sinónimo de marginación, pobreza, discriminación y otros problemas. Esta postura, la más difundida actualmen-

[10] Recordamos que existen diferencias sustanciales entre guetos de población negra en Estados Unidos y las concentraciones homogéneas y aisladas de los pobres, en el caso latinoamericano.

te, limita una concepción más amplia que permite reconocer distintas facetas del fenómeno y sus efectos variados. La pregunta que surge es si cualquier concentración en el espacio de individuos "iguales" representa un hecho perjudicial para ellos y para la sociedad en su conjunto. Un contraejemplo son los enclaves étnicos, con alta concentración de un grupo social, pero no excluyentes de otros grupos, que aportan elementos de heterogeneidad y diversidad cultural, que son la esencia de lo urbano.

En la literatura especializada sobre temas de segregación se hace específica esta distinción entre enclave *versus* gueto urbano (Marcuse, 2004, y Cáseres y Sabatini, *op. cit.*). El enclave se entiende como el resultado de un acto voluntario en búsqueda de afirmación de identidades sociales, de convivir con los "similares" a uno, o de mejorar su entorno de vida. Sus efectos positivos se relacionan con un espacio socialmente heterogéneo que posibilita el intercambio y las relaciones sociales entre todos sus miembros. El resultado es un entorno que propicia la movilidad social y la integración social y enriquece la vida urbana en su conjunto.

El enclave representaría, en palabras de Lefebvre (*op. cit.*), lo que él denomina como *espacio diferenciado*, que se caracteriza por elementos particulares que lo transforman en espacio variado y contrastante. Cuando se habla de diferencia se hace referencia a relaciones y, por lo tanto, a nexos de proximidad, que se conciben, perciben e insertan en un espacio con un doble carácter: cercano y distante. Esos rasgos generan relaciones dinámicas entre sus componentes, que forman parte de una estructura, la ciudad, que contiene el espacio como "un todo".

El mismo autor contrapone al espacio diferenciado, el espacio que define como *segregado*, que rompe con las relaciones entre los elementos que lo componen. Constituye un orden totalitario, cuya meta estratégica es quebrantar la "unidad" que caracteriza a lo urbano. Ese tipo de espacio genera un territorio descuartizado y fragmentado, cuyos elementos no se relacionan entre sí ni forman parte de la totalidad. La segregación destruye la complejidad, la heterogeneidad y la centralidad, y por lo tanto a la ciudad como sistema y como estructura. La segregación es elemento destructor de lo urbano.

Los escasos estudios empíricos que intentan buscar asociaciones entre problemas sociales con la modalidad socioterritorial del gueto coinciden sobre sus efectos malignos. Los viejos barrios de los pobres, caracterizados por la alta concentración intragrupal, podrían contribuir en ciertos privilegios para sus habitantes. Su actual modalidad, el gueto, parece conducirlos a la desintegración social y a la creación de "subculturas" de desesperanza. Es lo que Massey y Denton (*op. cit.*) definen como el "efecto de gueto" *(ghetto effect)* o "cultura de segregación" (*culture of segregation)*.

Estudios llevados a cabo en el caso chileno comprueban la alta asociación entre esta faceta de segregación –el gueto– y serios problemas sociales. En específico, un estudio realizado para Santiago de Chile (Cáseres y Sabatini, *op. cit.*), permite observar la alta correlación entre la segregación de los dos grupos más bajos y la inactividad juvenil, el desempleo del jefe de hogar y el desempleo juvenil (cuadro 4).

La proliferación de estos espacios homogéneos de pobreza se acompaña de transformaciones en la estructura productiva y en el mercado laboral, de la destrucción de puestos de trabajo de baja calificación, del aumento de precariedad e inestabilidad laboral y del incremento en la brecha de ingresos por nivel de calificación.

Aunque faltaría mayor comprobación empírica, existen suficientes indicios para asociar el hecho de vivir en un gueto con el debilitamiento de los vínculos con el mercado de trabajo, así como con los mecanismos que afectan el acceso a bienes de consumo colectivo que son fuentes de activos en capital físico, humano y social (Kaztman y Retamoso, *op. cit.*).

Otro rasgo que empeora aún más esta tendencia de "guetización" –aumento en la homogeneidad de los espacios pobres e incremento de su cantidad– podría ser el cambio de su localización, que tiende hacia las zonas periféricas (Kaztman, *op. cit.*). Los viejos barrios de los trabajadores, espacios emblemáticos de la pobreza, se sustituyen hoy por los nuevos guetos, en donde la vulnerabilidad de los pobres se agudiza por el aislamiento social, mecanismo clave que perpetúa las condiciones precarias de sus ocupantes.

Las condiciones del territorio, homogeneidad social y aislamiento físico, representan el terreno fértil que activa mecanismos que reproducen irremediablemente las desigualdades existentes a nivel sociedad (Kaztman y Retamoso, *op. cit.*).

La afirmación anterior carece sin embargo de suficiente comprobación empírica y se confronta con la postura opuesta, que sostiene que en épocas de crisis los grupos más vulnerables tienden a acercarse físicamente a los grupos pudientes (Sabatini, 2003).

Al considerar que recientes propuestas para estudiar la pobreza se enfocan en la importancia de promover la participación en el empleo para prevenir y mejorar la pobreza y la exclusión social (Bardon y Guio, 2005), la investigación sobre la posible asociación entre rasgos socioterritoriales, segregación y vínculos con el mercado laboral se vuelve imperante.

REFLEXIONES FINALES

Los recientes *rasgos territoriales de la pobreza* en la gran ciudad latinoamericana demandan nuevos enfoques y categorías para expresar el fenómeno tanto cualitativa como cuantitativamente. La *segregación* social del espacio, concebida como fenómeno bidimensional y multifacético, puede ser el medio para representar algunas manifestaciones de la pobreza, como el acceso deficitario a *bienes de consumo colectivo* ofertados por la ciudad y el incremento de la *homogeneidad* de los espacios habitados por los pobres.

El fenómeno de la segregación, entendido como la *división social del espacio urbano*, es un proceso antiguo que acompaña a las sociedades diversas y estratificadas. Es a través del surgimiento de la *gran urbe capitalista*, que se caracteriza por el crecimiento poblacional y la expansión física, que estos procesos segregativos se vuelven ampliamente percatables, y con ello la segregación cobra *amplia difusión.*

A los *problemas de tipo estructural*, como la pobreza y la desigualdad, se añade "la ampliación de las distancias físicas entre las clases", que "profundiza *las huellas territoriales* de las disparidades económicas elevando la visibilidad de las desigualdades sociales" (Kaztman, 2003: 20).

Independientemente de los efectos perjudiciales de ciertas expresiones de la segregación, quizás habría que reconocer bajo sus nuevas facetas más explícitas una especie de acto de "denuncia pública", a nivel aún más tangible y palpable, de la ya institucionalizada injusticia social.

Sin embargo, hay que insistir en la relativa independencia de estos rasgos territoriales de la estructura socioeconómica, que es la razón principal de la relevancia del estudio de la segregación. Expresiones de la segregación, como la del acceso deficitario a bienes públicos y el gueto, son resultado de múltiples factores –funcionamiento de los mercados, políticas públicas, identidad social, desigualdad, entre otros– que rebasan los meros cambios de la estructura socioeconómica.

El acceso deficiente a *satisfactores de consumo colectivo* –equipamiento de educación, salud, abasto y esparcimiento, entre otros, así como la accesibilidad física–, elemento trascendental de los activos en capital físico, humano y social, conduce a ciertos autores considerar este tipo de privaciones como un factor explicativo de la pobreza (Small y Newman, *op. cit.*). El testimonio de que la calidad del territorio (el entorno de la vivienda), medida en bienes básicos, es más crucial para los pobres debido a su limitada movilidad física, fortalece aún más la afirmación anterior.

Los criterios para determinar una distribución justa de los bienes públicos, fundamentales para el bienestar, abre el interesante debate sobre la idea de *igualdad de oportunidades frente a la igualdad de resultados* (Talen, 1998; Apparicio y Seguin, 2006). En vista de las abismales asimetrías socioeconómicas, políticas y culturales que caracterizan a la ciudad latinoamericana, el segundo enfoque figura como el único para intentar alcanzar cierta justicia social. Las zonas más deprimidas deberían dotarse con más y mejores servicios y equipamiento si se pretende contrarrestar sus profundas desventajas.

Los estudios realizados sobre los efectos del gueto urbano llaman la atención acerca de ciertas asociaciones perversas entre características del territorio –homogeneidad espacial– y serios problemas, como el debilitamiento de los vínculos con el mercado de trabajo y el aislamiento social, y otros más particulares, como el incremento en la deserción escolar, la delincuencia y la drogadicción, entre otros. Intentar explicar esta problemática bajo la ausencia de la dimensión espacio, resultaría en un análisis parcial. Estos hechos innegables en la gran urbe latinoamericana incitan a la investigación empírica, actualmente escasa, para fortalecer los supuestos sobre la relación maligna entre territorio y pobreza.

La eficiencia de las iniciativas de corte espacial para atacar problemas de pobreza ha sido ampliamente criticada. La limitación de los recursos aplicados, que atienden sólo "la punta del iceberg", la parte más notoria del problema, ha sido uno de los argumentos.

A pesar de las críticas, en parte justificadas, al enfoque "espacialista" de políticas en contra de la pobreza, se reconoce que la concentración de privaciones en el territorio contribuye sustancialmente a la reproducción e intensificación de problemas experimentados a nivel individual. Las intervenciones puntuales en el territorio se vuelven entonces necesarias para limitar la propagación espacial de la pobreza y la exclusión social (Gordon y Monastiriotis, 2006).

En esta dirección, se vuelve ineludible repensar la forma de comprender el territorio. La concepción de la ciudad a base de una "territorialidad areolar", definida por zonas más o menos homogéneas con límites "intransigentes", resulta poco acertada.

La composición social del territorio de la gran ciudad se puede reflejar mejor bajo la idea de las redes urbanas, en donde el espacio vivido se concibe bajo una "territorialidad reticular" que sobrepasa la zonificación tradicional de fronteras rígidas (Dupuy, 1998). Bajo la misma perspectiva, el espacio resulta de la sobreposición de distintas capas de usos y grupos sociales, que borra los límites y dibuja un territorio de zonas con fronteras flexibles, difusas y porosas.

Finalmente, queda el reto de aplicar estos enfoques en concebir a lo urbano, en la formulación de políticas que a través de la dispersión espacial tanto de las élites como de la vivienda popular y de las grandes obras de infraestructura y servicios, tiendan hacia una heterogeneidad del territorio y contrarresten la segregación y sus efectos malignos para los pobres urbanos.

BIBLIOGRAFÍA

Andersson, Roger, 2006, "Breaking Segregation", en *Urban Studies*, vol. 43, núm, 4, abril, Reino Unido, University of Glasgow.

Antúnez, Ivonne y Sergio Galilea O., 2003, "Servicios públicos urbanos y gestión local en América Latina y el Caribe: Problemas, metodologías y políticas", en *Medio ambiente y desarrollo*, núm. 69, Santiago de Chile, División de Medio Ambiente y Asentamientos Humanos, CEPAL-ECLAC, Naciones Unidas.

Apparicio, Philippe y Anne-Marie Seguin, 2006, "Measuring the accessibility of services and facilities for residents of public housing in Montreal", en *Urban Studies*, vol. 43, núm. 1, Reino Unido, enero, University of Glasgow.

Arriagada, Camilo, 2000, "Pobreza en América Latina: Nuevos escenarios y desafíos de políticas para el hábitat urbano", en *Medio ambiente y desarrollo*, núm. 27, Santiago de Chile, CEPAL-ECLAC, Naciones Unidas.

Atkinson, Rowland, 2006, "Padding the Bunker", en *Urban Studies*, vol. 43, núm. 4, abril, Reino Unido, University of Glasgow.

Bardon, Laura y Anne-Catherine Guio, 2005, "In-Work Poverty", en *Statistics in Focus. Population and Social Conditions*, núm. 5, European Communities.

Borja, Jordi, 2001, *La ciudadanía europea* (con la colaboración de M. Ángels Espuny y Valery Peugeot), Barcelona, Península (versión electrónica).

Bournazou, Eftychia, 2005, "Segregación y pobreza del espacio urbano en la ciudad intermedia", tesis de doctorado, Facultad de Arquitectura, mimeografiado, UNAM.

Buzai, Gustavo, 2003, *Mapas sociales urbanos*, Buenos Aires, Lugar Editorial.

Cáseres, Gonzalo y Francisco Sabatini (eds.), 2004, *Barrios cerrados en Santiago de Chile*, Boston, Massachusetts, Lincoln Institute of Land Policy.

Castells, Manuel, 1972, *La question urbaine*, París, Maspero.

Comisión Económica para América Latina, 2005, *Panorama social de América Latina, 2005*, Santiago de Chile, CEPAL, Naciones Unidas.

Damián, Araceli, 2003, "La pobreza del tiempo. Una revisión metodológica", en *Estudios Demográficos y Urbanos*, 52, vol. 18, núm. 1, enero-abril, México, El Colegio de México.

Damián, Araceli y Julio Boltvinik, 2003, "Evolución y características de la pobreza en México", en *Comercio Exterior*, vol. 53, núm. 6, junio, México.

Díaz Orueta, Fernando, 2003, "Pobreza y desarrollo urbano, nuevas pautas de segregación", en varios autores, *Pobreza urbana. Perspectivas globales, nacionales y locales*, México, Gobierno del Estado de México, CEMAPEM, Miguel Ángel Porrúa.

Dupuy, Gabriel, 1998, *El urbanismo de las redes*, Barcelona, Oikos-Tau.

Eco, Umberto, 1999, *Cinco escritos morales*, Barcelona, Lumen.

Gordon, Ian y Vassilis Monastiriotis, 2006, "Urban size, spatial segregation and inequality in educational outcomes", en *Urban Studies*, vol. 43, núm. 1, enero, Reino Unido, University of Glasgow.

Harvey, David, 1973, *Social Justice and the City*, Reino Unido, Oxford, Basil Blackwell.

Kaztman, Rubén, 2003, "La dimensión espacial en las políticas de superación de la pobreza urbana", en *Medio Ambiente y Desarrollo*, 59, CEPAL-ECLAC, Naciones Unidas, Santiago de Chile.

Kaztman, Rubén y Alejandro Retamoso, 2005, "Segregación espacial, empleo y pobreza en Montevideo", *Revista de la CEPAL*, 85, abril, Santiago de Chile.

Lefebvre, Henry, 2003, *The urban revolution*, Minneapolis, University of Minnesota Press.

Madoré, François, 2004, *Ségrégation sociale et habitat*, Rennes, Presses Universitaires de Rennes.

Marcuse, Peter, 2004, "Enclaves sim, guetos não: A segregação e o estado", en *Segregaçoes urbanas. Espaço y debates, Revista de Estudos Regionais e Urbanos*, vol. 24, núm. 45s, São Paulo, Núcleo de Estudios Regionais e Urbano.

Marcuse, Peter y Ronald van Kempen (eds.), 2000, *Globalizing Cities, A new Spatial Order?*, Oxford, Reino Unido, Blackwell Publishers.

Massey, Douglas y Nancy Denton, 1993, *American apartheid: Segregation and the making of the underclass*, Cambridge, Harvard University Press.

Perló, Manuel y Luis Zamorano, 2005, "Recent Trends In Urban Growth and Demand for Land in Mexico City", Third Urban Research Symposium on "Land Development, Urban Policy and Poverty Reduction", Brasilia, D.F. , IPEA, abril, The World Bank(versión electrónica).

Pírez, Pedro, 2000, "Servicios urbanos y equidad en América Latina. Un panorama con base en algunos casos", en *Medio Ambiente y Desarrollo*, 26, Santiago de Chile, CEPAL-ECLAC, Naciones Unidas.

Preteceille, Edmond, 2004, "A construção social da segregação urbana: Convergencias e divergencias", en *Segregaçoes urbanas. Espaço y debates, Revista de Estudos Regionais e Urbanos*, vol. 24, núm. 45, São Paulo, Núcleo de Estudios Regionais e Urbanos.

Rubalcava, Rosa María y Martha Schteingart, 2000, "Segregación socioespacial", en Gustavo Garza (coord.), *La ciudad de México en el fin del segundo milenio*, México, Gobierno del Distrito Federal y El Colegio de México.

Sabatini, Francisco, septiembre de 2006, Curso impartido en el mes de septiembre en PUEC, UNAM, ciudad de México (mimeo).

Sabatini, Francisco Julio, 2003, "La segregación social del espacio en las ciudades de América Latina", en *Documentos del Instituto de Estudios Urbanos y Territoriales*, serie Azul, núm. 35, Santiago de Chile, Pontificia Universidad Católica de Chile.

Sabatini, Francisco Julio, Gonzalo Cáseres y Jorge Cerdá, 2001, "Residential Segregation Pattern Changes in Main Chilean Cities", artículo para el Seminario Internacional "Segregation in the city", Boston, Massachusetts, Lincoln Institute of Land Policy (version electrónica).

Santos, Milton, 1990, *Por una geografía nueva,* Madrid, España-Universidad.

Small, Mario Luis y Katherine Newman, 2001, "Urban Poverty after The Truly Disadvantaged: The rediscovery of the family, the neighborhood, and the culture", en *Annual Review of Sociology,* 27, Cambridge, Massachusetts, Department of Sociology, Harvard University.

Talen, Emily, 1998, "Visualizing Fairness", en *Journal of the American Planning Association,* invierno, vol. 64, núm. 1, Chicago, American Planning Association.

Wacquant, Loïc, 2006, "Ghetto, Banlieue, Favela, etc. Tools for rethinking urban marginality", prefacio a *Urban Outcasts: A Comparative Sociology of Advanced Marginality,* Cambridge, Polity Press (version electrónica).

CUADRO 1. MÉXICO: EVOLUCIÓN DEL NÚMERO DE POBRES SEGÚN ÁMBITO URBANO Y RURAL
(UMBRAL DEL TAMAÑO: 15 000 HABITANTES). VARIOS MÉTODOS 1992-2000

	1992	*1994*	*1996*	*1998*	*2000*
pobreza urbana					
MMIP*	31.63	32.60	40.02	40.06	38.89
LP3** ct correg.	28.83	28.28	42.12	40.25	38.26
Pobreza rural					
MMIP	32.08	35.12	35.79	36.48	34.67
LP3 ct correg.	25.01	28.11	31.80	36.48	34.67

* MMIP: Método de medición integrada de la pobreza.

** LP3: Línea de pobreza 3, propuesta por el Comité Técnico para la Medición de la Pobreza.

FUENTE: A. Damián y J. Boltvinik, 2003, "Evolución y características de la pobreza en México", en *Comercio Exterior,* vol. 53, núm. 6, México.

GRÁFICA 1. AMÉRICA LATINA (1980-1997)
DE LA POBREZA POR NBI A LA POBREZA POR INGRESO

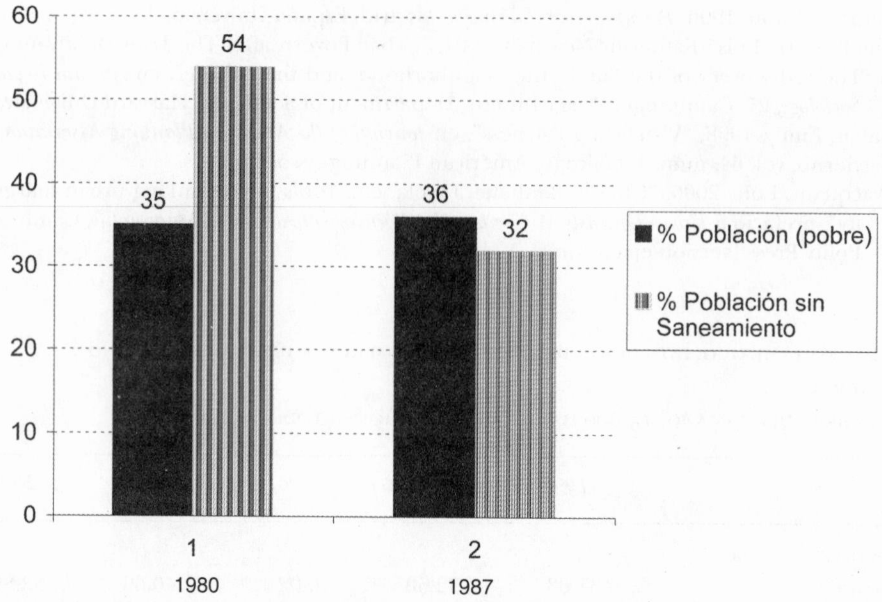

FUENTE: Arriagada (2000).

CUADRO 2. MÉXICO: EVOLUCIÓN DE LA INCIDENCIA DE LA POBREZA POR DIMENSIONES DEL MMIP:* URBANO
(*porcentaje de personas pobres*)

	MMIP	*NBI*
1992	68.0	41.3
1994	68.5	36.6
1996	76.4	38.0
1998	74.4	34.8
2000	69.1	32.6

* Método de Medición Integrada de Pobreza.

FUENTE: A. Damián y J. Boltvinik, 2003, "Evolución y características de la pobreza en México", en *Comercio Exterior*, México, vol. 53, núm. 6.

GRÁFICA 2. EVOLUCIÓN DE LA DENSIDAD EN EL ZMVM
(*Distrito Federal y 59 municipios conurbados*)

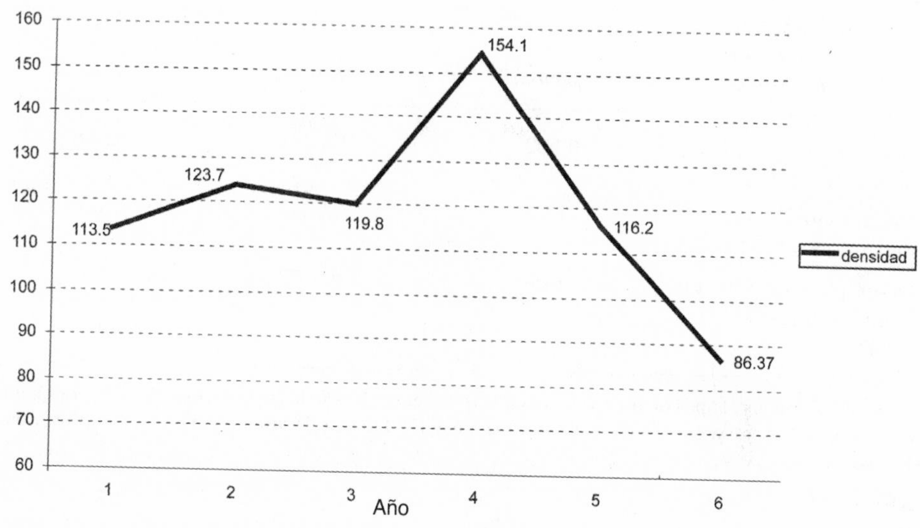

FUENTE: Perló y Zamorano, 2005.

CUADRO 3. ÁREA METROPOLITANA DE LA CIUDAD DE MÉXICO: DISTRIBUCIÓN DE LA POBLACIÓN EN LOS AGEB CORRESPONDIENTES A LAS DELEGACIONES Y MUNICIPIOS CLASIFICADOS EN LOS ESTRATOS ALTO Y MUY BAJO (1990)

Estrato	*Alto* *Cant.* AGEB	*Alto* *% pobl.*	*Muy bajo* *Cant* AGEB	*Muy bajo* *% pobl.*
Alto	168	36.40	1	0
Muy bajo	0	0	166	79.4

FUENTE: Rubalcava y Schteingart, 2000.

CUADRO 4. SANTIAGO DE CHILE 2002: CORRELACIONES SIMPLES ENTRE SEGREGACIÓN RESIDENCIAL Y PROBLEMAS SOCIALES

Correlación entre porcentaje de Hogares D y E en cada área con	*Comuna*	*Distrito*	*Zona*
Inactividad juvenil de personas E y D (15-24)	0.902	0.722	0.576
Desempleo juvenil de personas E + D (15-24)	0.57	0.284	0.178
Desempleo de jefe de hogar en hogares E + D	0.79	0.847	0.632

NOTAS: D y E son los grupos de menor ingreso: D representa el 34% de la población y E el 19 por ciento. Áreas de medición con promedio de población: Comuna: 152 115 hab.; Distrito: 13 866 hab.; Zona: 3 897 hab.
FUENTE: Sabatini, 2006.

MAPAS DE POBREZA ¿LA DIMENSIÓN TERRITORIAL?*

PRISCILLA CONNOLLY**

INTRODUCCIÓN

La investigación y las políticas sobre la dimensión territorial de los fenómenos sociales recurren de manera creciente a las representaciones cartográficas. El tema que nos convoca en esta oportunidad no es la excepción; abundan los ejemplos que visualizan el problema mediante la elaboración y análisis de mapas de marginación, pobreza, exclusión, división social del espacio, segregación urbana y otros fenómenos relacionados, todos proyectados en dos dimensiones en el papel o en el monitor.

El propósito de este artículo es, primero, llamar la atención sobre ciertos aspectos perversos del "poder de los mapas" en general, y en particular del poder de los mapas digitalizados, cuya factura se ha facilitado enormemente con la revolución de las tecnologías de la información geográfica. En segundo término se exponen en detalle algunas limitaciones específicas de la visualización cartográfica de la pobreza, con base en ejemplos concretos. Por último, se esbozan caminos alternativos que explotan las posibilidades tecnológicas de información geográfica para comprender y combatir la pobreza urbana.

Lo expuesto aquí es resultado parcial de una investigación más amplia, denominada "Ciudad de Mapas", que explora el impacto de la cartografía digitalizada y de los sistemas de información geográfica en nuestra percepción de los espacios urbanos y de las prácticas derivadas de ello. La preocupación sobre el tema empezó cuando me encontré a cargo de la construcción de un sistema de información geográfica de la ciudad de México (el Observatorio de la Ciudad de México-Sistema de Información Geográfica –OCIM-SIG–, de la Universidad Autónoma Metropolitana-Azcapotzalco). De ahí, es importante aclarar que la intención de la investigación es la autocrítica, más que cuestionar el trabajo de otros. Mi interés particular en el mapeo de la pobreza surgió a raíz de una invitación del Centro Operacional de Poblamiento y Vivienda (Copevi) para participar en seminarios de discusión en torno de su proyecto "Mapa de Exclusión Social", realizado en colaboración con la Secretaría de Desarrollo Social del Distrito Federal. A Copevi y a los colegas que asistieron a aquellas reuniones, celebradas en San Pedro de los Pinos entre 2004 y 2005, les agradezco sobremanera por haberme impulsado hacia esta línea de análisis.

* Este trabajo fue elaborado durante una estancia sabática como investigador visitante en el Instituto de Geografía de la Universidad Nacional Autónoma de México.

** Universidad Autónoma Metropolitana-Azcapotzalco.

EL PODER DE LOS MAPAS: UNA BREVE DECONSTRUCCIÓN

Mi investigación general sobre el impacto de la cartografía digitalizada en la percepción de los espacios urbanos y en las prácticas derivadas de ello, parte de cuatro enunciados sobre la poderosa relación entre mapas, en general, y el territorio.[1] Esto es necesario no sólo porque las cartografías generadas se diseñan con base en la cartografía tradicional (Sluter, 2001: 8), sino porque los SIG multiplican las posibilidades de generar, reproducir y difundir mapas electrónicamente.

Uno: El mapa es el territorio; el mapa representa o describe el territorio científicamente, de acuerdo con determinadas convenciones geográficas. Desde los viajes de exploración de los navegantes ibéricos y la difusión renacentista de los tratados de Tolomeo, el espacio –celestial y terrenal– se concibe como algo preexistente, capaz de ser medido y representado de modo objetivo. Este modo es un modelo en dos dimensiones llamado mapa, plano o carta, que aplica reglas geométricas para proyectar el espacio elipsoide de la tierra en una superficie plana, y que se entiende mediante una serie de signos establecidos, como son las simbologías para denotar determinados elementos –ríos, calles, entidades administrativas y demás–, o la norma de ubicar el norte hacia arriba. Hasta hace poco yo entendía los mapas solamente en este sentido, ya fuera para sacar de ellos información "objetiva" sobre el territorio, o bien para comprobar la veracidad de algún resultado de investigación. Incluso, como es el caso de un plano programático, he utilizado mapas para demostrar cómo se vería la realidad si se realizara tal o cual medida de planeación. Un mapa de pobreza, así definido, representa la ubicación y la medición de la pobreza en el espacio de acuerdo con criterios científicos (figura 1). Un texto tomado de una página de la internet del gobierno de Guatemala ejemplifica esta idea.

> Los mapas de pobreza son una herramienta importante para identificar de manera gráfica las áreas geográficas en donde se concentran las poblaciones en condiciones económicas más desfavorables.[2]

Las preguntas que surgen de este enunciado son del siguiente orden: ¿dónde están los pobres?, ¿dónde están los más –o menos– pobres?, ¿qué nos dice el mapa sobre su estado de pobreza (exclusión social, marginación, índice de desarrollo humano, etcétera)?

[1] Hay una literatura importante y creciente cuyo objetivo es develar el discurso de los mapas. Pionero en esta empresa fue el cartógrafo histórico Brian Harley (1988, 1989, 1990, 2001), quien, siguiendo a Foucault, deconstruye el texto cartográfico, denunciando sus atributos como representaciones del poder. Este reconocimiento de la importancia de la cartografía en la aprehensión y posesión del mundo no siempre es motivo de denuncia. El historiador mexicano Edmundo O'Gorman analiza el papel de las representaciones cartográficas en *La invención de América*, pero no ve nada malo en ello (O'Gorman, 1986), al igual que Thrower (1999: 1), quien ve el mapa como un excelente indicador del desarrollo de la cultura y la civilización humana. En cambio, y con referencia a cartografías modernas, Denis Wood (1992) expone cómo funcionan los mapas a favor de intereses determinados. En un plano más práctico, Mark Monmonier (1996) enseña los trucos de la persuasión cartográfica.

[2] <http://www.segeplan.gob.gt/docs/ERP/pobreza/resumen/usomapas.htm>

Dos: El mapa no es el territorio: ¡obvio!, y en el mismo sentido paradójico de la pintura de Magritte: *Ceci n'est pas une pipe* (figura 2). El mapa no es el territorio, es una imagen en papel o de píxeles en la pantalla digital, que representan un territorio mediante simbologías visuales codificadas culturalmente. El mapa no puede ser el territorio ni tampoco representar el territorio exactamente; si lo hiciera, no tendría función alguna, como dice Jorge Luis Borges (1960) en su multicitada fábula sobre la futilidad de un mapa a escala natural. Pero al reconocer el carácter simbólico de los mapas, como representaciones parciales de la realidad, surge una serie de nuevas consideraciones. Primero, se abre la definición de "mapa" para denotar cualquier "representación gráfica que facilita la comprensión espacial de cosas, conceptos, condiciones, procesos o eventos en el mundo humano" (Harley y Woodward, 1987: xvi) y no sólo las representaciones que se apegan a las convenciones del mapa moderno. Segundo, si el sistema simbólico incorporado en un mapa tiene particularidades culturales, preocupa ahora la historia y la fuente de su autoridad.[3] De ahí, es relevante preguntar sobre la autoría, propósito y selección de técnicas de representación de los mapas. En un mapa cuya temática trasciende las convenciones geográficas normales, como es el caso de la pobreza (aunque ya hay convenciones para ello), preocupa también la metodología de su elaboración. Por ejemplo, para que nos diga algo sobre la pobreza mundial el mapa de la figura 1, hay que conocer las fuentes de datos, supuestos de las ecuaciones matemáticas y simbología empleados. De ahí podemos entender algo sobre su intencionalidad y efecto. La figura 3 es una visión alterna del mismo tema, que rompe con las convenciones geográficas para transmitir otro mensaje acerca de la pobreza mundial.

Tercero: los territorios son mapas. El que el mapa, como cualquier texto, no sea el territorio sino la representación que alguien hace de éste, no sería problema si no fuera por su corolario: los territorios son construidos a partir de mapas. Esto es muy fácil de entender en el sentido literal, como es por ejemplo la construcción de una casa con base en planos arquitectónicos. Pero también es cierto en un sentido más amplio. El poder de los mapas en la construcción social del territorio ha sido estudiado en relación con el imperialismo, con la constitución de derechos de propiedad y con la consolidación de estados nacionales (Buisseret, 1992). ¿Se puede imaginar un estado nacional sin mapa? En este sentido, si la pintura de Magritte no es una pipa, el mapa de la figura 4 sí es Francia. En otro sentido, todavía más amplio, resulta que no podemos aprehender el territorio sin la ayuda de algún tipo de mapa, aunque éste no necesariamente tenga coordinados geográficos, escala y rosa de los vientos. De ahí el uso metafórico del término de "mapa" para significar cualquier esquema mental que nos permite aprehender –y aprender– la realidad. Incluso, se ha planteado que el desarrollo del lenguaje, tanto al nivel individual (Piaget, 1967, citado en Turnbull, 1993: 1) como en la evolución del *homo sapiens* (Lewis, 1987, citado en Turnbull, *op. cit.*: 2), se origina en la percepción y comunicación de nuestra ubicación en el espacio.

[3] Sobre la evolución cultural del poder o la "utilidad" de la simbología de los mapas, véase Wood (1992).

En resumen, necesitamos mapas mentales para conocer la pobreza, y necesitamos mapas geográficos para aprehender la pobreza en el territorio. Sin embargo, hay que estar conscientes de que el tipo de mapa que hacemos refleja sólo un punto de vista sobre la pobreza, a la vez que este mismo mapa, en la medida en que se mira y se aplica, va construyendo la visión de territorios considerados pobres. Esta consideración nos lleva a otro enunciado.

Cuarto: los mapas son mapas en el sentido de que los mapas pueden existir independientemente de la realidad territorial que pretenden representar. De hecho, para poder evaluar un mapa de la pobreza, es requisito previo conocer esta vida propia: ¿De dónde viene este tipo de mapa? ¿Quién lo hizo y para qué? ¿Con base en qué y con qué técnicas y metodologías? ¿En qué contexto se realizó y se aplicó? ¿Quiénes lo miraron y con qué efecto? En un sistema de información geográfica, este tipo de información debe estar incluido en los metadatos, que muchas veces están ausentes o son incompletos e inexactos.

De todo lo anterior debe quedar claro que no pretendo lanzar una crítica a los mapas de pobreza en lo abstracto: son indispensables para empezar a pensar sobre la pobreza. Es más, cualquier mapa que representa la pobreza es preferible a uno que no lo haga. Las figuras 5a y 5b representan dos megaproyectos para el lago de Texcoco (que no se hicieron), donde los pobres se borraron del mapa. Enfáticamente, sí necesitamos mapas de pobreza, pero ¿cuáles? En este sentido, quiero llamar la atención sobre ciertos riesgos inherentes a un tipo de mapas de pobreza en particular. Me refiero al tipo de mapa que ha proliferado muchísimo en los últimos años gracias a la revolución informática, y que pretende clasificar el territorio urbano por índices compuestos de pobreza. Este tipo de mapa (figuras 6a y 6b) se deriva de la disciplina de la geodemografía, empleada de forma creciente en la formulación y ejecución de políticas sociales a lo largo y ancho del mundo. La proliferación de esta técnica para ubicar a los pobres en el plano se ha acompañado de un auge en industrias relacionadas: para la elaboración y comercialización de *software*; para la oferta de programas educativos para aprender su manejo; para la generación, y muchas veces la comercialización, de la información estadística y cartografía necesarias. Cada vez que regreso al tema lo encuentro crecido; hoy, una búsqueda en Google de "Poverty Mapping" (palabras juntas) arroja unos 80 000 resultados. (La búsqueda de "Poverty" y "Map" arroja más de 8 millones; en español, "mapa" con "pobreza": casi 4 millones.)

Para acotar un poco este mundo cartográfico, me voy a referir principalmente a los mapas de pobreza urbana en el contexto latinoamericano, con énfasis en México, dejando de lado los globales, regionales o nacionales. Empiezo con el cuarto enunciado y las preguntas derivadas: ¿de dónde vienen, qué son y cómo se hacen los mapas de pobreza urbana?

EL MAPA ES EL TERRITORIO: LA POBREZA VISTA POR LOS MAPAS

Antecedentes: Mapas de pobreza en el territorio y mapas de pobreza territorial

Los primeros mapas sociodemográficos se remontan al siglo XIX, coincidente con la emergencia de la geografía y la sociología como ramas disciplinarias separadas, pero unidas bajo el mismo enfoque del positivismo compteano. La figura 7 es un mapa de una serie que muestra "estadísticas morales" de Francia en 1833 por la técnica del coropleta. En este caso, la intensidad del achurado indica el orden de los departamentos en esta materia y se puede comparar visualmente con el número de suicidios y crímenes contra las personas y las propiedades (Guerry, 1833, citado en Friendly y Denis, 2006). El territorio ya se clasifica por indicadores estadísticos oficiales y el propósito del mapa es la correlación visual de indicadores de criminalidad para fines gubernamentales.

A finales de ese siglo, en un contexto de radicales reformas sociales y políticas en Europa y Estados Unidos, aparecieron los primeros mapas de pobreza urbana, propiamente. Los renombrados mapas de Londres, elaborados a cuenta propia por el filántropo Charles Booth, clasifican las calles por estrato socioeconómico (figura 8a). De ahí se derivaron mapas de coropletas que zonifican la ciudad por áreas clasificadas por su nivel de pobreza (figura 8b). El propósito aquí fue denunciar la pobreza existente, localizando su incidencia por grado, así como orientar las medidas paliativas que surgían en ese momento.

Los mapas de Hull House, de Chicago, impulsados por la premio Nobel Jane Addams[4] y sus colaboradoras, clasifican cada predio y vivienda por nivel de ingreso, y también por nacionalidad de los ocupantes. A diferencia de los mapas de Booth, que cubren prácticamente todo Londres, los de Hull House analizan en mayor detalle, hogar por hogar, las áreas atendidas por ese centro (figura 9). Los mapas se publicaron con textos analíticos que reconocen el impacto de nacionalidad y etnia, así como la tipología de vivienda en las condiciones de pobreza. Entre otras cosas, se señala que las condiciones de habitabilidad son mejores en las casuchas viejas que en los nuevos edificios de departamentos –*tenements*– construidos expresamente para alojar a los pobres (Holbhook, 1895). También son mapas para el trabajo a largo plazo; para registrar los cambios y trayectorias de los diferentes grupos sociales. En este sentido, es interesante notar el antagonismo entre este grupo de Hull House, dominado por mujeres, y el emergente grupo de sociólogos, exclusivamente del sexo masculino, de la Universidad de Chicago. Los mapas de los llamados "ecologistas" eran esquemáticos y a pequeña escala (figura 10); el espacio se clasificaba a grandes rasgos a partir de modelos teóricos basados en observaciones generales. El resultado fueron los mapas de pobreza optimistas: los pobres recién llegados transitan por los tugurios centrales rumbo al sueño americano hacia la

[4] Jane Addams recibió el premio Nobel de la Paz en 1930 por su trabajo en la lucha contra la pobreza. Agradezco a Teresita Quiroz por haberme introducido a la obra de Jane Addams.

periferia. Muy diferente de las observaciones minuciosas, y menos optimistas, de las mujeres de Hull House.

Estos ejemplos históricos los incluyo porque demuestran algunas diferencias marcadas entre mapas de pobreza elaborados por personas de variado perfil, para fines diversos y con técnicas igualmente distintos. En este sentido, cabe notar el efecto diferente del mapa coroplético, que representa valores promedios de un área determinada, y el mapa que ubica la incidencia de pobreza caso por caso. El mapa de coropletas es muy útil para fines administrativos y analíticos, ya que la generalización territorial es una forma de reducción o de simplificación de datos. Ciertamente, los valores representados en el coropleta se calculan con base en datos de casos individuales o de grupos, como familias, bloques de vivienda o comunidades. El valor asignado a cada polígono puede representar el rango que ocupa en relación con todas las demás (como el mapa de la instrucción de Francia), la suma de los casos, el promedio u otro indicador calculado. Empero, una vez determinado este valor, en este caso el grado de pobreza, es asignado a todos los casos individuales pertenecientes al área, generalmente por motivo de residencia. Así, la calidad de pobreza se transmite del caso individual al territorio; la pobreza del territorio es equivalente a la pobreza de los individuos. De ahí, el territorio vuelve a transmitir esta calidad "equis" de pobreza –este rango, promedio, indicador– a los individuos, sin importar si realmente les corresponde. La pobreza del territorio y la pobreza de las personas son intercambiables, pero se pierden las características individuales, tanto del territorio como de las personas.

Los mapas de Hull House, en cambio, representan los casos individuales de pobreza como tal. También lo hace el mapa de Booth, aunque el fin ulterior de éste es construir, justamente, una versión más científica, generalizadora, en coropleta: la zonificación de la pobreza. Los mapas de Hull House, de hecho, no intentan ninguna generalización de los niveles de ingreso, por ejemplo, en clases sociales, como lo hace el mapa de Booth. La falta de generalización permite, en este caso, la exploración verbal de la relación entre pobreza, etnia, vivienda y otros factores, incorporando observaciones personales, información cualitativa como historias de vida y narrativas descriptivas. Entre otras cosas, se diferencia entre los factores de pobreza relacionados con los individuos o familias, con los del territorio, propiamente. La pobreza de las personas y la pobreza del territorio se pueden analizar por separado, justamente para conocer los vínculos entre ambas.

Los mapas de la pobreza en la era de la informática

Durante los primeros dos tercios del siglo XX se generalizó el empleo de los dos tipos de mapas de pobreza para fines específicos; muchas veces los coropléticos se derivaron de los mapas detallados, como fue el caso de los mapas de Booth. En México tenemos ejemplos importantes de mapas elaborados por ambas técnicas, con el fin de conocer, ubicar y remediar la pobreza habitacional en la ciudad de

México.[5] Para la última década del siglo la elaboración de mapas de pobreza recibió un impulso inusitado por dos motivos interrelacionados. Primero, como parte de la revolución informática irrumpieron en el escenario la cartografía digital y los sistemas de información geográfica. En segundo lugar, y facilitado por lo anterior, los organismos internacionales y los gobiernos nacionales empezaron a establecer metas para la reducción de la pobreza y, con ello, la necesidad de establecer indicadores para medirla. Así, al igual que la idea del espacio a partir del Renacimiento, el concepto de pobreza se convierte en algo mensurable y representable. Las discusiones al respecto se alejan de la reflexión sobre las causas para concentrarse en las ventajas relativas de las diversas técnicas de medición.[6]

Una primera aproximación a un mapa de pobreza podría lograrse mediante el cómputo del número o porcentaje de personas u hogares que perciben menos de determinado ingreso en cada una de las zonas en el mapa, asignar rangos a estos valores y representar cada rango con un color o por la intensidad del achurado. Este método, sin embargo, enfrenta tres dificultades. Primero, no siempre se dispone de datos sobre ingresos desagregados territorialmente; segundo, los datos sobre ingresos generalmente son muy inexactos, y tercero, hoy en día existe el consenso de que el ingreso, por sí solo, no indica el grado de pobreza, ya que están involucrados muchos otros factores. La cuantificación de la pobreza conlleva así a la búsqueda de indicadores que expresen múltiples dimensiones de la pobreza, a la vez que tales indicadores sean generalizables, es decir, que puedan aplicarse en el mismo o en distintos universos para efectos comparativos. Esto implica la reducción de datos complejos a indicadores sencillos, lo que se logra a través de la estadística probabilística.

Ahora bien, la generalización de datos y la generalización de datos en el territorio van de la mano. Ya no interesan las características específicas de la pobreza que son propias de un territorio determinado, sino la distribución o concentración en el territorio de indicadores de pobreza establecidas independientemente del territorio.

En realidad, los mapas de pobreza contemporáneos no ubican la pobreza en el territorio, sino que representan el grado de concentración de ciertos indicadores de pobreza en un plano bidimensional. Gana la versión coroplética de los mapas de pobreza históricos. En todos los paquetes de *software* de sistemas de información geográfica, la generación de mapas temáticos, es decir de coropletas, está incluida de manera integrada con algunos elementos estadísticos. También Excel, SPSS y otros paquetes estadísticos vienen con capacidades rudimentarias para representar los indicadores estadísticos en mapas temáticos. Incluso, la generación de mapas temáticos es prácticamente lo primero que se enseña en un cursillo de SIG, a tal

[5] Por ejemplo, los estudios del Banco Nacional y de Obras y Servicios Públicos, la Investigación de vivienda en once ciudades, del Instituto Mexicano del Seguro Social, y los trabajos del Instituto Nacional de Vivienda.

[6] En otro artículo he considerado más ampliamente las transformaciones recientes en la conceptualización de la pobreza y su relación con la revolución informática (Connolly, 2006).

grado que a veces se piensa que la utilidad principal de un SIG es su capacidad para generar mapas coropléticos.

En realidad, estas técnicas tienen mucho más que ver con la ciencia de la estadística y su aplicación a la medición de pobreza, que con la explotación de las posibilidades técnicas de los SIG. Éstos, de hecho, son capaces de registrar, almacenar y analizar grandes cantidades de información cualitativa y geográficamente única, producto de observaciones de campo, estudios de caso, monitoreo humano o por imágenes fotográficas o satelitales. Sin embargo, estas técnicas no son comúnmente incorporadas en el mapeo de la pobreza, que tienden a favorecer el empleo de estadísticas oficiales y de encuestas.

Para comprobar la afirmación anterior, cabe recordar algunos principios básicos de los mapas de pobreza. Esencialmente hay dos tipos, cada uno de los cuales tiene un sinnúmero de variantes.[7] El primer tipo de acercamiento se deriva del concepto de "línea de pobreza", es decir, el establecimiento de un ingreso mínimo o de algún otro indicador de consumo total necesario para asegurar ciertos satisfactores básicos. Diferentes líneas pueden indicar diferentes grados de pobreza. Aquí casi siempre se enfrenta el problema de la insuficiencia de todos los datos sobre los satisfactores desagregados territorialmente. Para superar esta dificultad se han elaborado metodologías, generalmente agrupadas bajo la denominación "estimación en áreas pequeñas" (*small area estimators*), que combinan los resultados de encuestas con aquellos datos censales que sí son desagregados territorialmente. La encuesta permite calibrar un modelo que relaciona un indicador compuesto de consumo mínimo necesario con las variables censales. Está técnica permite establecer el número absoluto y relativo de habitantes de una zona que se encuentra por debajo de la línea de pobreza. El mapa resultante generalmente representa el porcentaje de individuos o de familias en tal situación. La técnica de estimación en áreas pequeñas se ha aplicado ampliamente en Estados Unidos para fines de planeación y focalización de inversión social. Su empleo en países del sur ha sido impulsado por el Banco Mundial (Davis, 2003: 5).

En América Latina las diseñadoras de los mapas de pobreza, sobre todo de los mapas de pobreza urbana, han preferido el segundo tipo de metodología, a saber, el del índice compuesto, más afín a la medición de pobreza por necesidades insatisfechas. Este método, en lugar de calificar el territorio por la concentración de personas debajo de la línea de pobreza, calcula un indicador que pretende sintetizar varios aspectos que contribuyan al síndrome de ser pobre. Hay varios métodos para ello, con distintos grados de complejidad y problemas para su aplicación, pero son tres los que más se han aplicado en la elaboración de mapas de pobreza en América Latina: el análisis factorial, el método de componentes principales y el análisis de conglomerados (*cluster*). No estoy capacitada para comentar sobre los méritos relativos de cada técnica, pero sí para observar cómo se han aplicado en la elaboración

[7] Este resumen sobre las diferentes técnicas de mapas de pobreza está basado en Henninger y Snel (2002) y Davis (2003).

de mapas. Para ello, he seleccionado dos ejemplos que emplean variantes de estas técnicas: los mapas de exclusión social de São Paulo y los mapas del índice de marginación generados en México por Conapo y por el gobierno del Distrito Federal.

Mapas de pobreza urbana en América Latina

a] Brasil

En América Latina, toda discusión sobre mapas de pobreza urbana en los últimos años necesariamente tiene como punto de referencia los mapas generados por los gobiernos locales brasileños desde mediados de la década de 1990-2000. El ejemplo protagónico de estos esfuerzos es el mapa de exclusión/inclusión social de São Paulo, elaborado para la prefeitura de esa ciudad por el equipo de investigadores de la Universidad Católica de São Paulo, bajo la coordinación de Aldaíza Sposati.[8] La primera versión se publicó en 1996, y fue revisada en el 2000, con actualizaciones posteriores. En ambas versiones se clasificaron los 96 distritos administrativos de la ciudad de São Paulo en seis estratos, de acuerdo con un índice de exclusión/inclusión social definido conceptualmente "desde el punto de vista de lo que se puede considerar como una calidad básica de vida" (Sposati, 2000b). Reconociendo el carácter multifacético de la calidad de vida, se diseñó un índice compuesto, integrado por cuatro dimensiones, o subíndices, referidos a la autonomía (económica), la calidad de vida, el desarrollo humano y la igualdad (de género). Cada uno de estos subíndices considera, a su vez, varias dimensiones o indicadores compuestos, que son calculados a partir de una o más variables (cuadro 1). Las treinta variables así incluidas corresponden a datos censales de agregados por distrito y, en algunos casos, a información derivada de encuestas. Para cada variable se propuso un valor de referencia correspondiente al nivel considerado como un mínimo aceptable, o "utopía", para no padecer la exclusión social: por ejemplo, tener menos de 0.5% de viviendas sin agua, tener un promedio de menos de 56 minutos de viaje al trabajo, tener cero analfabetismo etcétera.[9] A este nivel se le asignó el número cero, y a cada distrito se le asignó el valor normalizado de las variables, de 0 a +1 y de 0 a −1, según su distancia por arriba o por debajo del nivel de referencia. Los valores resultantes corresponden a los índices de exclusión/inclusión para cada variable. Estos índices se agregan[10] para estimar los índices compuestos para cada concepto y categoría, y éstos, a su vez, se agregan para estimar el índice de exclusión/inclusión final. La

[8] Para la elaboración de este inciso me he basado en Sposati (2000a, 2000b, 2002), Câmara y otros (2004), Câmara y Vieira (2001), así como en apuntes elaborados por Copevi para su seminario sobre "Mapa de Inclusión/Exclusión Social, 2004", en especial, el documento titulado "Métodos revisados sobre medición de exclusión/inclusión social, pobreza y hambre", 24 de septiembre de 2004.

[9] Para la determinación del valor de referencia se tomó en consideración el grado de discrepancia entre el mejor y el peor caso, así como el punto medio.

[10] No he podido encontrar la explicación de cómo se agregan los subíndices para calcular los índices compuestos, ni el índice de exlusión/inclusión final (Sposati, 2000a y 2000b; Câmara y otros, 2001).

figura 11 es el mapa de exclusión/inclusión basado en el índice integrado. Sin embargo, este índice es sólo uno de varios que se construyen en el proceso. Los demás índices que generan mapas son los índices de exclusión/inclusión por categoría; los índices de discrepancia, y los índices de cambio de las variables en el tiempo, registrados entre cada evento censal. La metodología para determinar estos índices de exclusión/inclusión en principio no incluye el análisis de regresión; todas las variables están representadas en el índice integrado, independientemente de su grado de correlación con los demás: o así parece. Sin embargo, para verificar los resultados y para estudios derivados sí se han aplicado análisis de regresión, incluso para proponer una nueva zonificación administrativa de la ciudad, más acorde con la distribución de la pobreza (Câmara y Vieira, 2001). Sobre esto comentaré más adelante.

El mapa de exclusión/inclusión de São Paulo sin duda trata de reflejar un concepto de pobreza, o de "exclusión social", basado en los principios de derechos humanos y equidad social: las "utopías" que determinan los valores de los subíndices. Para ello se incorpora un número de variables mucho mayor que en otros mapas de pobreza. El ejercicio está fundamentado en la convicción de que se trata de una metodología de construcción de indicadores que no solamente retraten o diagnostiquen la realidad, sino que apunten criterios de eficacia para políticas enmarcadas en la justicia social, en la ética de los derechos y en la preocupación con un padrón básico de ciudadanía. "El mapa es al mismo tiempo una metodología y una pedagogía de inclusión social" (Sposati, 2000a: 33). La metodología se ha aplicado en varias ciudades en Brasil y ha servido de modelo e inspiración dentro y fuera del país.[11] Cabe notar que, además de sus funciones pedagógicas, de denuncia y de análisis, el mapa de inclusión/exclusión ha aportado criterios para focalizar la inversión pública en programas sociales, en São Paulo y en las otras ciudades donde se han generado índices y mapas parecidos.

No obstante su discurso ideológico e, insisto, independientemente del tipo de política social que facilitó, el mapa de exclusión/inclusión no difiere en lo esencial de los otros mapas de pobreza. El establecimiento de un valor límite para cada variable conducente a la construcción de "utopías" locales para la conquista de la ciudadanía se asemeja a la fijación de líneas de pobreza para fines de reconocimiento de derechos humanos. La metodología brasileña padece la misma dependencia de la disponibilidad de datos, aunque, ciertamente, la información censal y de encuestas especializadas es bastante buena para el caso de São Paulo. Pero donde el mapa de exclusión/inclusión más se asemeja a los mapas convencionales de pobreza es en el propio concepto y modo de representación de la pobreza territorial: la proyección de índices compuestos y promediados en el espacio plano bidimensional representado por el mapa de coropletas.

[11] Por ejemplo, la estratificación socioeconómica de Bogotá, con base en información censal por manzana, es materia de decreto legislativo (DAPD s.f., Alcaldía Mayor de Bogotá, 2004) y se han realizado proyectos con propósitos afines en Buenos Aires y Montevideo (Veiga y Rivoir, 2006: 23-32) y, al nivel departamental, en Costa Rica, Guatemala y El Salvador (Feliciano y otros, 1995).

FIGURA 1. ¿DÓNDE ESTÁN LOS POBRES?
Mapa de la pobreza mundial

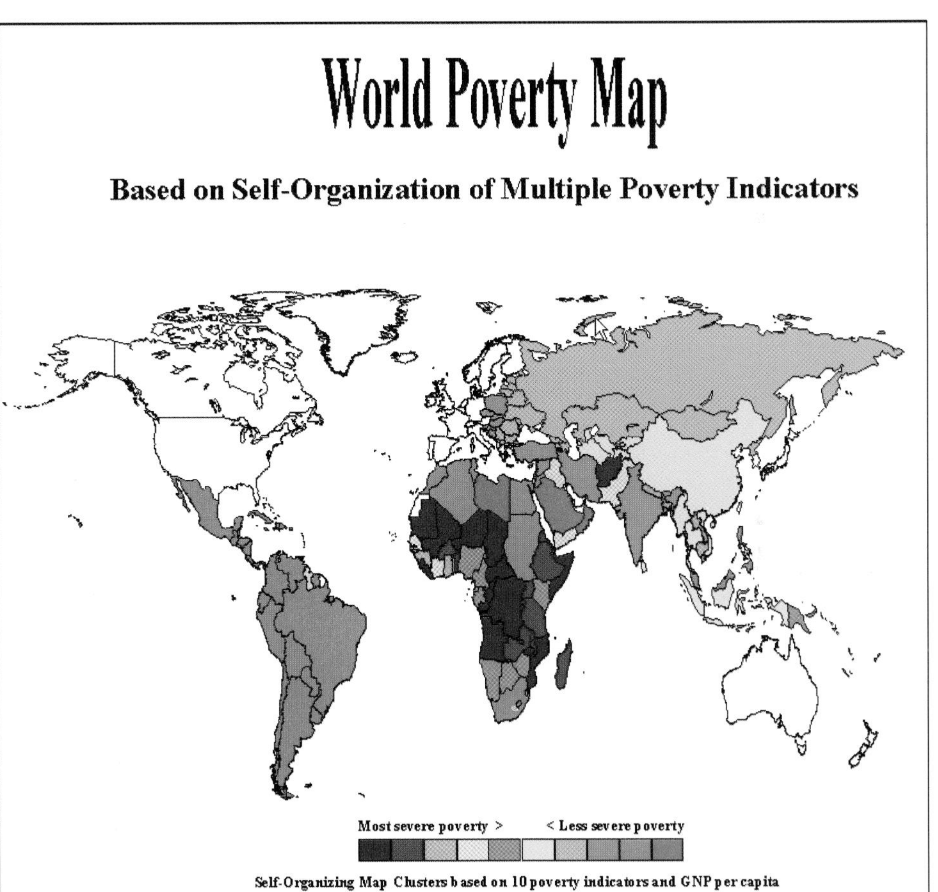

<http://www.dokus.com/PapersontheWeb/Poverty.htm>

FIGURA 2. LOS MAPAS NO SON TERRITORIOS

Ceci n'est pas une pipe. René Magritte

FIGURA 3. OTRO *MAPA MUNDI* DE LA POBREZA

Una vista alternativa del mundo UNEP-GRID

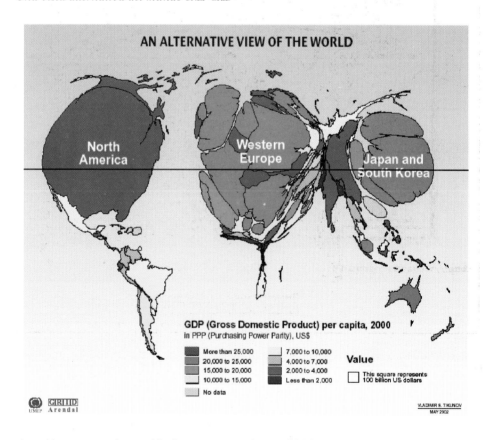

AN ALTERNATIVE VIEW OF THE WORLD

North America

Western Europe

Japan and South Korea

GDP (Gross Domestic Product) per capita, 2000
in PPP (Purchasing Power Parity), US$

More than 25,000
20,000 to 25,000
15,000 to 20,000
10,000 to 15,000
No data
7,000 to 10,000
4,000 to 7,000
2,000 to 4,000
Less than 2,000

Value
This square represents 100 billion US dollars

UNEP GRID Arendal

VLADIMIR S. TIKUNOV
MAY 2002

<http://www.acrr.org/resourcities/waste_resources/res_worldwide.htm>

FIGURA 4. LOS TERRITORIOS SON MAPAS
Mapa de Francia, siglo XVIII
La France divisée par gouvernements géneraux
Robert de Vaugandy, 1750. Grabado en cobre y acuarela, 15 x 15 cm.

<http://www.antique-prints.de/shop/catalog.php?cat=CAT26&product=P000174>

FIGURA 5. DOS MEGAPROYECTOS PARA EL LAGO DE TEXCOCO (QUE NO SE HICIERON) QUE BORRARON A LOS POBRES DE SU MAPA

FIGURA 5A. FORMA Y LEVANTADO DE LA CIUDAD DE MÉXICO. 1628 DE JUAN GÓMEZ DE TRANSMONTE

Cromolitografía, A. Ruffoni, Florencia, 1907, 620 x 550 mm. Cortesía de la Biblioteca Benson, University of Texas at Austin.

FIGURA 5B. HILTON, CAMINO REAL Y FIESTA AMERICANA INTERESADOS EN TEXCOCO

<http://www.anfytrion.com/espaniol/mexico/showhtml.php3?pagina=texcoco.htm>

FIGURA 6. MAPAS DE POBREZA PARA LA ADMINISTRACIÓN LOCAL

FIGURA 6A. ATLANTA, GEORGIA. MAPA DE POBREZA POR ETNIA Y RECIPIENTES DE ASISTENCIA SOCIAL

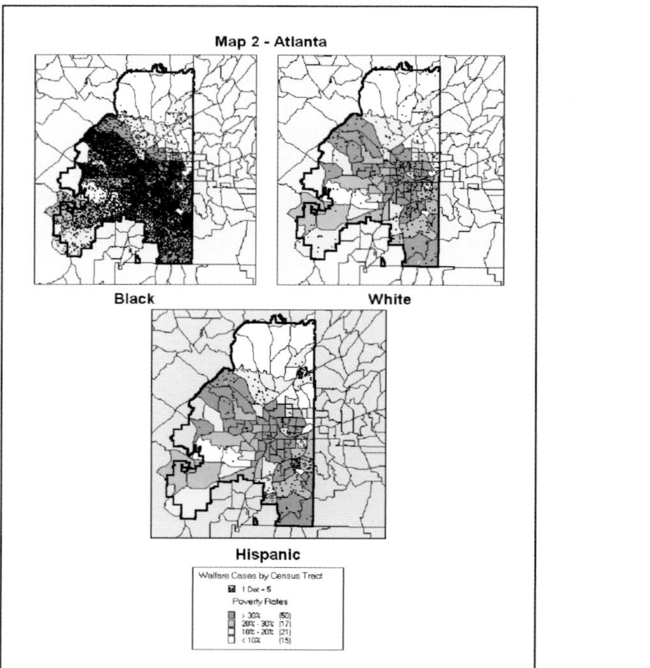

<http://www2.urban.org/nnip/pdf/wtwmp3_1.jpg>

FIGURA 6B. PAOT-GDF FUENTE: SISTEMA DE ATENCIÓN DE DENUNCIAS Y ACTUACIONES DE OFICIO AL 31 DE DICIEMBRE DE 2003

<http://paot.org.mx/centro/paot/informe2003/delega/gam.html>

FIGURA 7. EL PRIMER MAPA COROPLETA DE DATOS SOCIODEMOGRÁFICOS

Niveles de instrucción en Francia, 1833, André Michel Guerry (1802-1866)

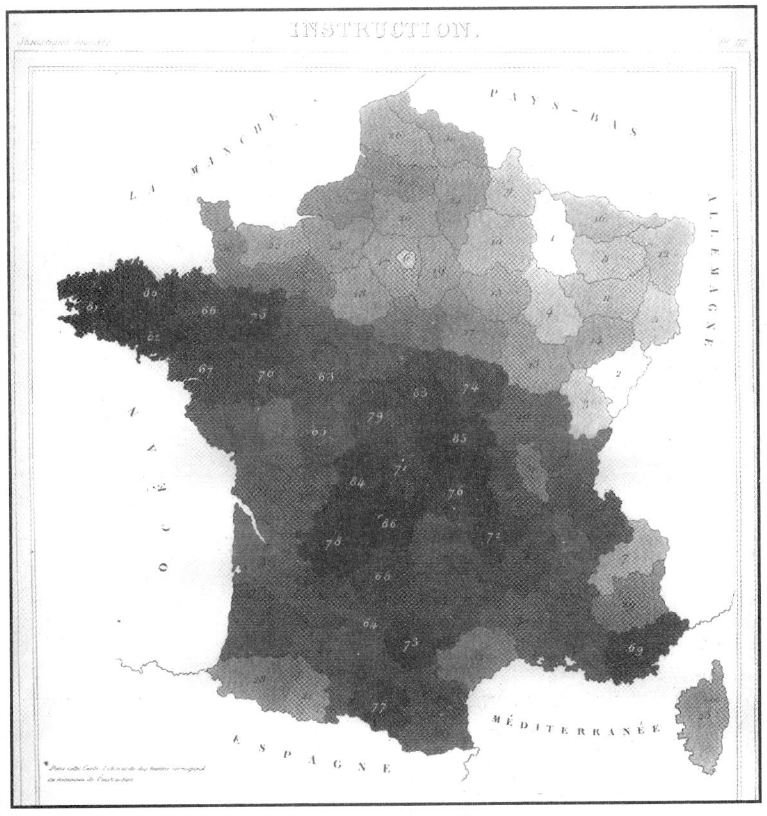

<http://www.math.yorku.ca/SCS/Gallery/milestone/sec.5.html>

FIGURA 8. MAPAS DE POBREZA EN LA ERA REFORMISTA
Survey of Life and Labour of the People in London' Charles Booth, Londres, 1889

FIGURA 8A. MAPA DE LA ENCUESTA DE POBREZA POR BLOQUE DE VIVIENDAS

FIGURA 8B. CLASIFICACIÓN ARIAL DE LONDRES POR GRADO DE POBREZA, PUBLICADO EN EL APÉNDICE DEL VOL. II, *STANFORD'S GEOGRAPHICAL ESTABLISHMENT, 1891*

The Streets are coloured according to the general condition of the inhabitants, as under:--

- Lowest class. Vicious, semi-criminal.
- Very poor, casual. Chronic want.
- Poor. 18s. to 21s. a week for a moderate family.
- Mixed. Some comfortable, others poor.
- Fairly comfortable. Good ordinary earnings.
- Middle-class. Well-to-do.
- Upper-middle and Upper classes. Wealthy.

A combination of colours— as dark blue and black, or pink and red— indicates that the street contains a fair proportion of each of the classes represented by the respective colours.

<http://www.umich.edu/~risotto/>

<http://www.ideal-homes.org.uk/lambeth-poverty-map-1-1891.htm>

FIGURA 9. MAPAS DE POBREZA VISTA DE CERCA: HULL HOUSE 1895
MAPAS DE HULL HOUSE DE UN BARRIO DE CHICAGO 1995.
INDICAN NIVELES DE INGRESO Y NACIONALIDAD POR LOTE Y VIVIENDA

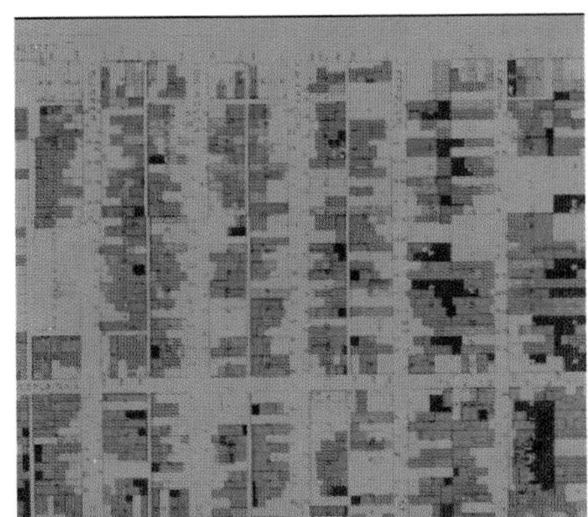

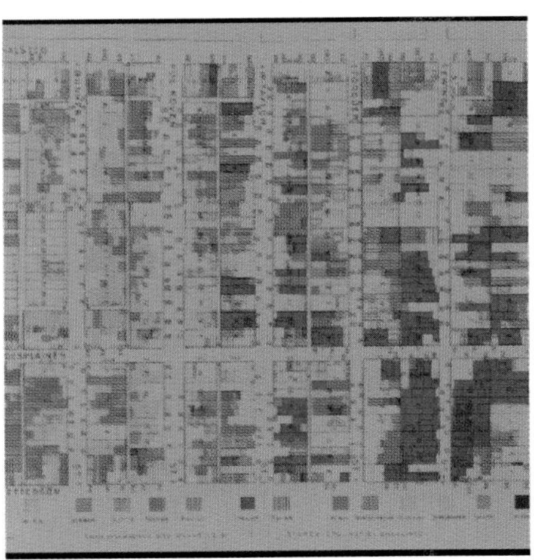

<http://www2.pfeiffer.edu/~Iridener/DDS/Addams/hht.html>

FIGURA 10. MAPA DE LA POBREZA TRANSITORIA: ESCUELA DE CHICAGO 1925
Los anillos concéntricos de Ernest Purgess. (Burgess y McKenzie, 1925)

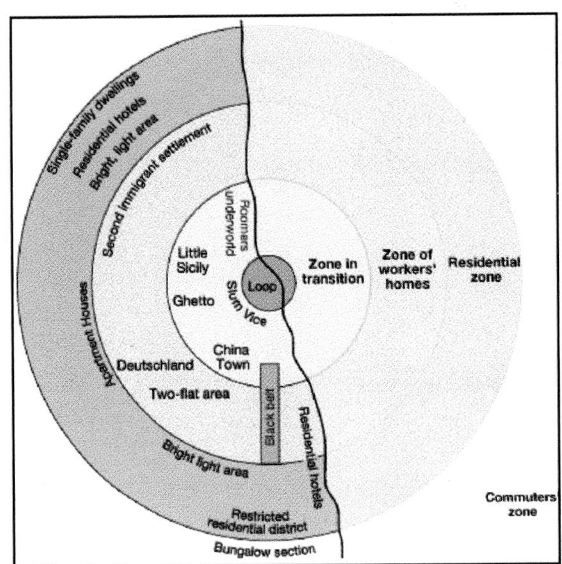

<http://193.204.196.115/eurex/details.asp?9452>

CUADRO 1. SÃO PAULO: EL ÍNDICE DE INCLUSIÓN/EXCLUSIÓN

Categorías, Indicadores, Variables y Criterios Empleados en el Mapa de Inclusión/Exclusión Social de São Paulo 2000 Câmara y otros (2004)

Categorías	*Indicadores compuestos*	*Variables = Mapa de 1995*	*Valores de referencia*
Índice de autonomía	IEX-Pobre condiciones de sobrevivencia familiar	Jefes de familia por debajo de la línea de pobreza (sin ingresos)	0% familias
	IEX-Autonomía en ingresos	Ingresos de jefe de familia	3-5 salarios mínimos
		Oferta de empleos	0,55
	IEX-Población en condición de calle	Tasa de pobreza entre adultos	0%
		Tasa de riesgo de pobreza entre niños	0% familias
Índice de calidad de vida	IEX-Calidad del ambiente	Vivienda con servicio de agua deficiente	0.50%
		Vivienda con servicio de drenaje deficiente	0.50%
		Vivienda con servicio de recolección de basura deficiente	0.30%
	IEX-Saneamiento	Densidad de personas por vivienda	4 personas/ vivienda
		Baños por vivienda	1 baño/vivienda
		Personas por baño	3 personas/baño
	IEX-Privacidad	Recámaras por vivienda	2 recámaras/ vivienda
		Personas por recámara	2 personas/ recámara
	IEX-Vivienda deficiente	Porcentaje de población que habita una vivienda deficiente	0.50%
	IEX-Tiempo de traslado al trabajo	Tiempo promedio en trasladarse al trabajo	56 minutos
	IEX-Servicios sociales deficientes	Potencial de acceso a servicios básicos de salud	40% con acceso
		Potencial de acceso a guardería	40% niños en guarderías
		Potencial de acceso a educación pre-escolar	100% con acceso
		Potencial de acceso a escuela primaria	100% con acceso
Índice de desarrollo humano	IEX-Bajo alfabetismo	Jefes de familia analfabetos	0% tasa de alfabetismo
	IEX-Desarrollo educativo	Años de escolaridad del jefe de familia	8 años de escolaridad

(*continuación*)

Categorías	*Indicadores compuestos*	*Variables = Mapa de 1995*	*Valores de referencia*
	IEX-Riesgo de muerte	Porcentaje población mayor a 70 años	3%
		Mortalidad infantil	25 por 1 000 nacimientos
		Mortalidad juvenil	3.76 por 100 000
		Potencial de pérdida de años de vida	43 años
	IEX-Violencia	Casos de asalto	0 casos
		Casos de robo	0 casos
		Casos de robo de vehículos	0 casos
		Casos de homicidio	0 casos
Índice de igualdad (de género)		Concentración de mujeres como jefas de familia	2% familias
		Concentración de mujeres analfabetas como jefas de familia	0.4% familias

FUENTE: Câmara, Gilberto, Antonio Miguel Monteiro, Federico Roman Ramos, Aldaiza Sposati y Dirce Kroga (2004), "Mapping Social Exclusion/Inclusion in Developing Countries: Social Dynamics of São Paulo in the 1990s"
<http://www.dpi.inpe.br/geopro/papers/saopaulo_csiss.pdf>

FIGURA 11. MAPA DE EXCLUSIÓN SOCIAL DE LA CIUDAD DE SÃO PAULO

Prefectura de la Ciudad de São Paulo. Secretaría Municipal de Coordinación de las Subprefecturas

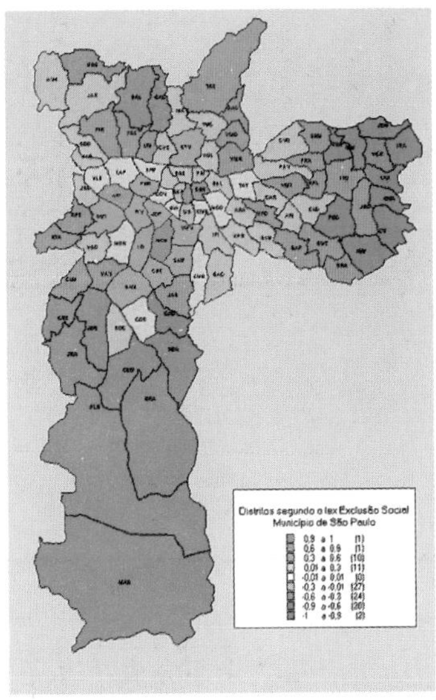

<http://www2.prefeituras.sp.govbr/secretarias/subprefeituras/proyeto/0010>

CUADRO 2. ESQUEMA CONCEPTUAL DE LA MARGINACIÓN DE CONAPO, MÉXICO

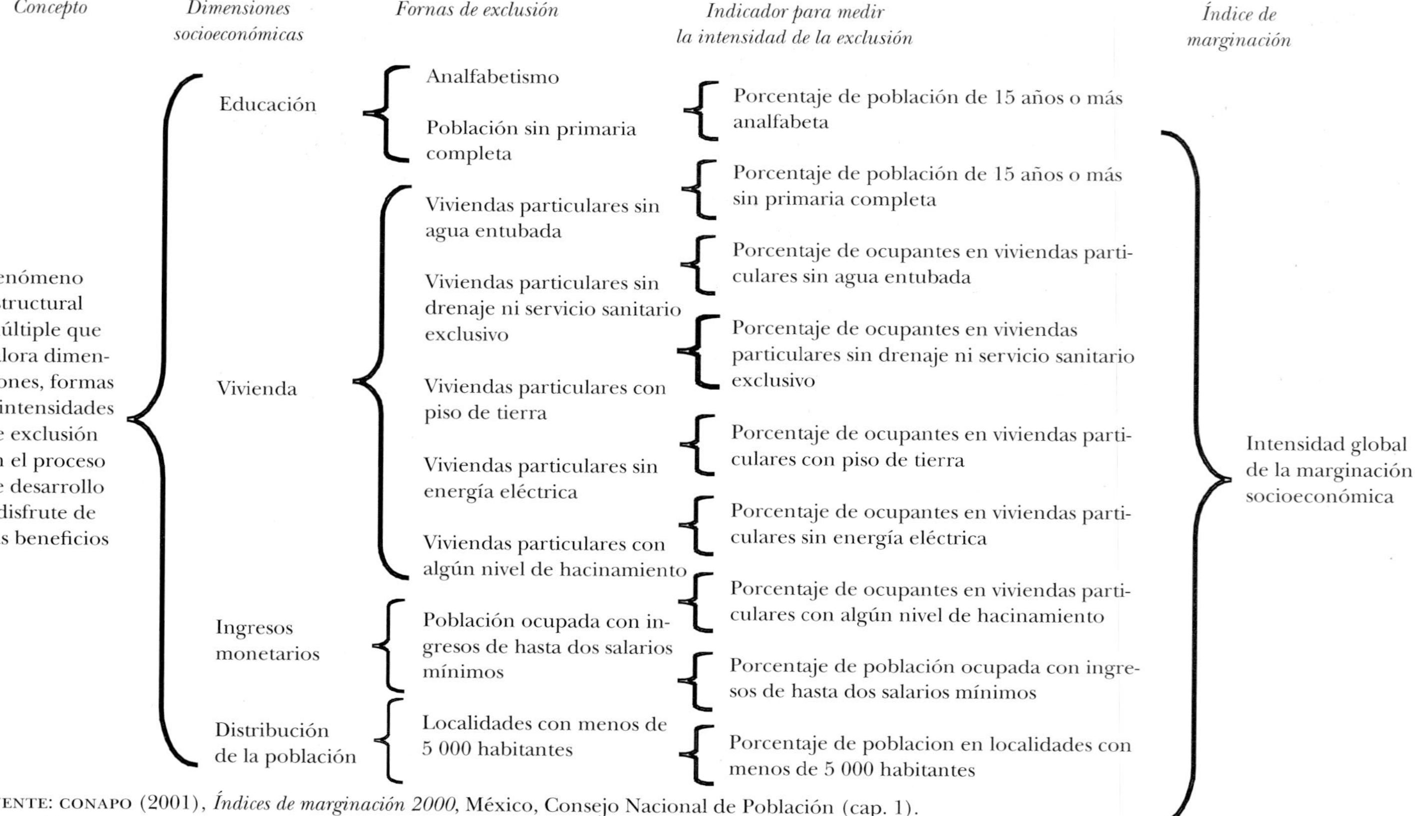

Concepto	*Dimensiones socioeconómicas*	*Fornas de exclusión*	*Indicador para medir la intensidad de la exclusión*	*Índice de marginación*
Fenómeno estructural múltiple que valora dimensiones, formas e intensidades de exclusión en el proceso de desarrollo y disfrute de sus beneficios	Educación	Analfabetismo	Porcentaje de población de 15 años o más analfabeta	Intensidad global de la marginación socioeconómica
		Población sin primaria completa	Porcentaje de población de 15 años o más sin primaria completa	
	Vivienda	Viviendas particulares sin agua entubada	Porcentaje de ocupantes en viviendas particulares sin agua entubada	
		Viviendas particulares sin drenaje ni servicio sanitario exclusivo	Porcentaje de ocupantes en viviendas particulares sin drenaje ni servicio sanitario exclusivo	
		Viviendas particulares con piso de tierra	Porcentaje de ocupantes en viviendas particulares con piso de tierra	
		Viviendas particulares sin energía eléctrica	Porcentaje de ocupantes en viviendas particulares sin energía eléctrica	
		Viviendas particulares con algún nivel de hacinamiento	Porcentaje de ocupantes en viviendas particulares con algún nivel de hacinamiento	
	Ingresos monetarios	Población ocupada con ingresos de hasta dos salarios mínimos	Porcentaje de población ocupada con ingresos de hasta dos salarios mínimos	
	Distribución de la población	Localidades con menos de 5 000 habitantes	Porcentaje de poblacion en localidades con menos de 5 000 habitantes	

FUENTE: CONAPO (2001), *Índices de marginación 2000*, México, Consejo Nacional de Población (cap. 1). <http://www.conapo.gob.mx/publicaciones/indices/pdfs/001.pdf>

FIGURA 12. ÍNDICE DE MARGINACIÓN EN EL DISTRITO FEDERAL
Programa General de Desarrollo Urbano del Distrito Federal 2001

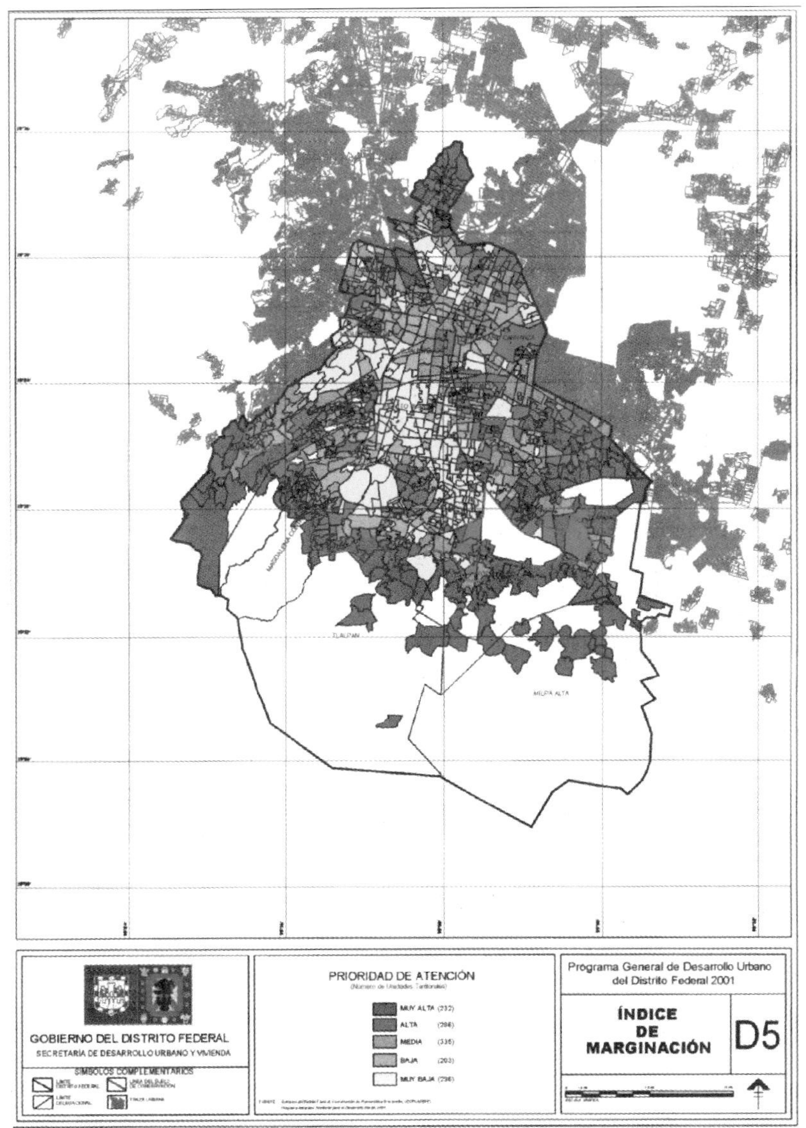

FIGURA 13. MISMOS DATOS, DIFERENTE ESCALA

Grado de marginación en Azcapotzalco por Unidad Territorial y por manzana

COPLADET (2001)

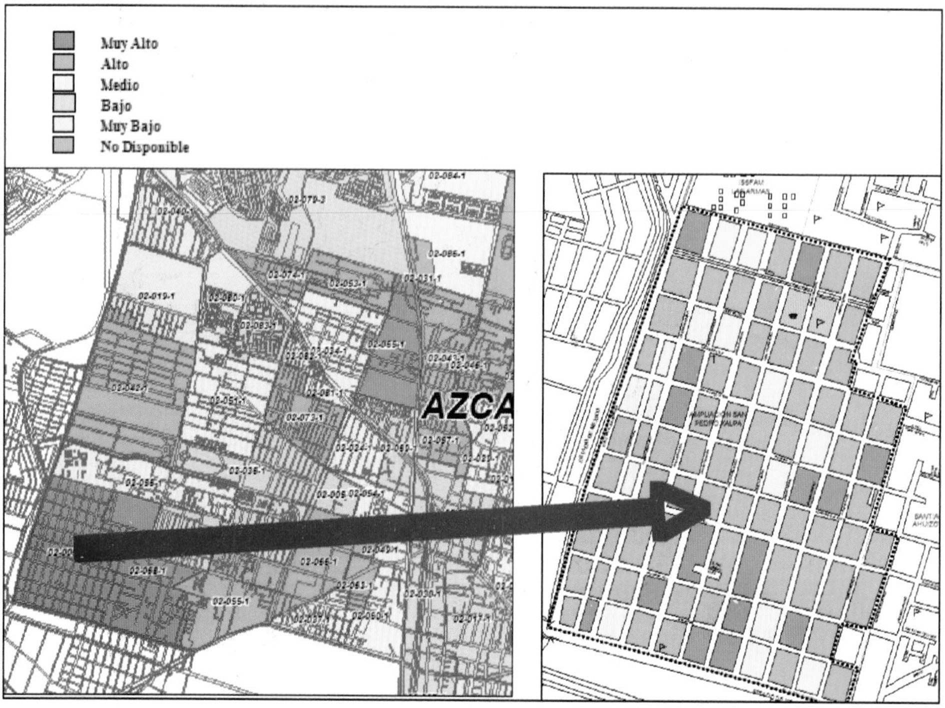

Muy Alto
Alto
Medio
Bajo
Muy Bajo
No Disponible

AZCA

FIGURA 14. MISMO DATO, DIFERENTE CRITERIO DE REPRESENTACIÓN

Número de viviendas sin agua potable en su interior: Número absoluto y porcentaje del total

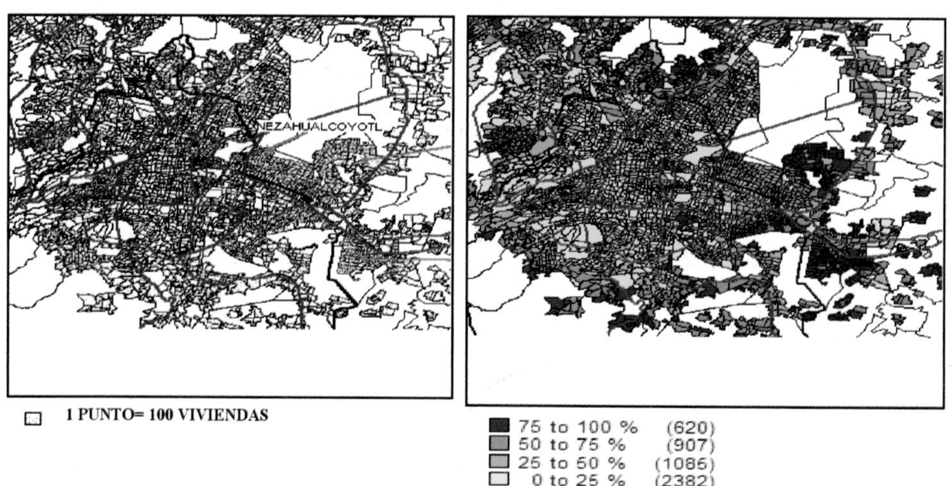

FIGURA 15. LA POBREZA TERRITORIAL INSTITUCIONALIZADA

Bogotá: la estratificación socioeconómica por decreto 289

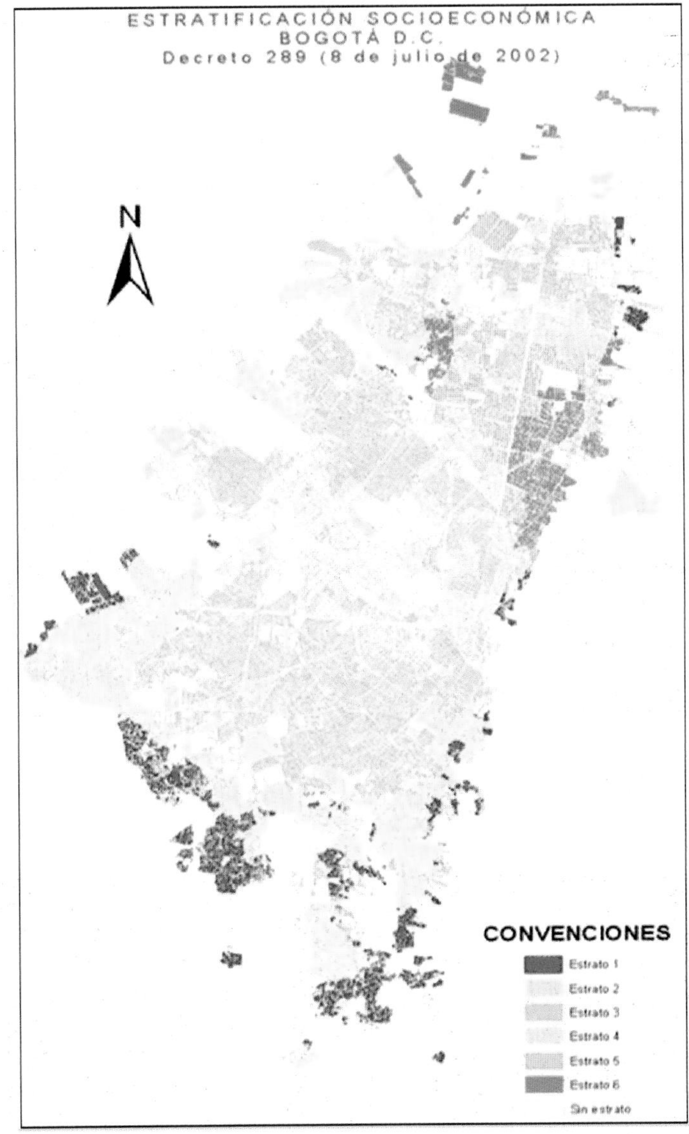

<http://www.redbogota.com/endatos/0200/02-030-vivienda/02.03.01.htm>

CUADRO 3. LA DEFINICIÓN DE POBREZA EN EL DISTRITO FEDERAL

Indicadores para la determinación de la marginación de las unidades territoriales a NIVEL AGEB's

Dimensiones	*Categoría*	*Indicadores para medir la marginación*
Educación	• Secundaria incompleta	Población de 15 años y más sin secundaria completa
	• Niños que no saben leer ni escribir	Poblacion de 6 a 14 años que no saben leer ni escribir
Ingreso*	• Población ocupada que recibe hasta dos salarios mínimos mensuales	Población ocupada que no recibe ingreso o que recibe hasta 2 salarios mínimos mensuales de ingreso por su trabajo
Patrimonio familiar	• Bienes domésticos	Viviendas particulares habitadas que no disponen de radio o radiograbadora, televisión, videocasetera, licuadora, refrigerador, lavadora, teléfono y boiler.
Vivienda	• Estructura de las viviendas	Viviendas particulares habitadas con piso de tierra Viviendas particulares habitadas con paredes de materiales precarios Viviendas particulares habitadas con techos de materiales precarios
	• Servicios de las viviendas	Viviendas particulares habitadas sin agua entubada dentro de la vivienda Viviendas particulares habitadas sin drenaje
	• Espacios de la vivienda	Viviendas particulares habitadas con cocina no exclusiva Viviendas particulares habitadas sin servicio sanitario exclusivo

* El salario mínimo mensual de 2000 para el Área geográfica A (a la cual corresponde el Distrito Federal) fue de $1 370.

FUENTE: Elaborado por la Coordinación de Planeación del Desarrollo Territorial con información del XII Censo General de Población y Vivienda 2000, INEGI, a nivel manzanas.

FIGURA 16. PROPUESTA DE DISTRITOS ADMINISTRATIVOS HOMOGÉNEAMENTE RICOS Y POBRES

São Paulo: Comparación de las zonas administrativas actuales con los "Regímenes sociales identificados por el índice de exclusión/inclusión"

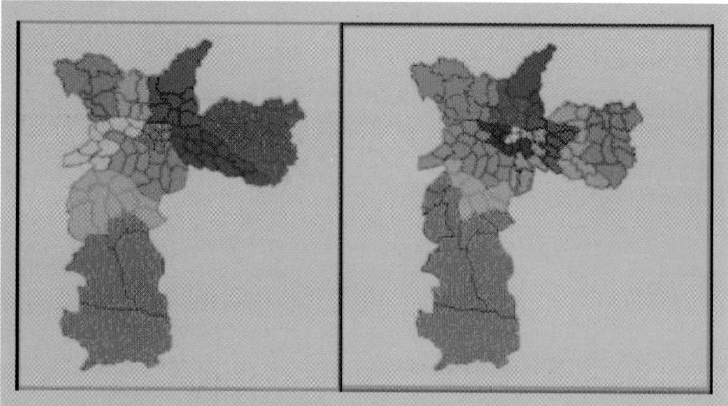

Izquierda: Zonas administrativas actuales en São Paulo.
Derecha: Regímenes espaciales identificados por el Índice de Exclusión Social.
Câmara, Monteiro, Ramos, Sposati y Koga (2004); Câmara y Veiera (2002).

b] México

En México, la representación cartográfica de la marginación territorial por municipio fue elaborada por primera vez en 1993 por el Consejo Nacional de Población (Conapo-CNA, 1993; Conapo, 1995) con base en indicadores censales.[12] Hay una versión actualizada con los datos censales de 2000 que incluye mayores explicaciones sobre la metodología aplicada (Conapo, 2006). La influencia de los conceptos de exclusión social es evidente:

> El índice de marginación considera cuatro dimensiones estructurales de la marginación; identifica nueve formas de exclusión y mide su intensidad espacial como porcentaje de la población que no participa del disfrute de bienes y servicios esenciales para el desarrollo de sus capacidades básicas (Conapo, 2006).

Las cuatro dimensiones de la marginación consideradas son: educación, vivienda, ingresos monetarios y distribución de la población (tamaño de la localidad), que integran un total de nueve variables censales (cuadro 2). La técnica empleada para integrar todas estas variables es la de "componentes principales", que aplica el análisis factorial para reducir un número de variables a un solo índice, sin perder el peso relativo de cada factor. También sirve para analizar la interrelación de las variables, o dimensiones de la pobreza, en este caso. El índice corresponde a una "primera componente estandarizada" (una especie de variable virtual) extraída del conjunto de correlaciones lineales entre las variables, que explique la mayor varianza en todas ellas. La incidencia de cada variable en el índice se pondera de acuerdo con su participación en la varianza total de la componente principal. El valor resultante para cada unidad espacial –entidad federativa o municipio– se distribuyó en cinco rangos mediante la "Técnica de Estratificación Óptima" (Conapo, 2006). Es importante recordar que el propósito principal del ejercicio fue normar la distribución de los subsidios federales a los municipios a través de los diversos programas de inversión social.

La metodología de Conapo para clasificar a los municipios por grado de marginación fue adoptada por los dos primeros gobiernos electos del Distrito Federal, también con el fin de orientar territorialmente el gasto social. Las primeras clasificaciones se realizaron entre 1998 y 2000, cuando se construyó un índice de marginación por AGEB basado en datos censales, aunque la metodología no trascendió en la política social. En cambio, la administración 2000-2006 tempranamente convirtió la clasificación territorial en eje de su política social: el Programa Integrado Territorial de Desarrollo Social (PITDS). El fin era apoyar más "a los más desprotegidos", entendidos éstos como los residentes de zonas de alta y muy alta marginación, y

[12] En realidad, la novedad aquí fue la posibilidad de realizar el análisis a escala municipal y representarlo cartográficamente. Estudios anteriores de marginación territorial presentaron los resultados desglosados por entidad federativa (Coplamar, 1982).

articular la gestión de los programas con la participación ciudadana. El nivel de desagregación seleccionado fueron las 1 352 Unidades Territoriales (UT) delimitadas por la Ley de Participación Ciudadana, para efectos de la elección de los Comités Ciudadanos.[13] Se clasificaron las UT en cinco estratos por grado de marginación con base en datos censales, aplicando un método estadístico de componentes principales de indicadores censales del 2000, similar al que empleó el Conapo para el mapa de marginación municipal, utilizando para ello la paquetería de SPSS (Copladet, 2001). El cuadro 3 señala las cuatro dimensiones consideradas y las variables censales correspondientes, y la figura 12 es el mapa de los índices de marginación por UT. Como no se dispone de datos censales agregados por UT, en un principio la unidad de análisis fueron las AGEB, pero luego se realizó la clasificación con base en datos agregados por manzana. A diferencia del propio Conapo y de las alcaldías de São Paulo y Bogotá, la Comisión de Desarrollo Territorial del Gobierno del Distrito Federal no ha publicado los criterios de estratificación, ni una descripción detallada de la metodología empleada para asignar valores a las UT con base en información por AGEB o manzana.

Al igual que el mapa de exclusión/inclusión, los mapas de marginación social del Conapo y del gobierno del Distrito Federal proyectan un índice cuantitativo de pobreza en el plano bidimensional. El territorio adquiere así este valor computado con base en los promedios de datos censales, recopilados a nivel de vivienda o de individuo y agregados al nivel manzana, AGEB, unidad electoral, municipio o estado. La pobreza territorial así representada es la pobreza definida por los indicadores censales seleccionados: nueve u once, según el caso. La unidad de análisis, o escala de resolución, corresponde a alguna división administrativa, y aun cuando se emplean unidades inferiores en la construcción del índice, se vuelve a combinar para lograr un mayor nivel de aglomeración, como es el caso del Distrito Federal. En estos casos, sin embargo, y a diferencia del índice de exclusión/inclusión de São Paulo, la asignación del índice de pobreza-exclusión-marginación se hace mediante la aplicación de un tipo de análisis factorial, aplicando para ello la paquetería estadística comercial. Esto implica, en primer lugar, que la generación de índices se realiza un tanto "a ciegas", en el sentido de que no se controla la operación de los algoritmos y se toman decisiones a lo largo del proceso sin conocer todas las implicaciones. Por otra parte, las comparaciones estadísticas se realizan dentro de determinado universo –ciudad-municipio-región o país–. Por lo tanto, los índices siempre se refieren –y solamente se refieren– a este universo. No podemos comparar los índices de diferentes ciudades o universos. No hay noción absoluta de pobreza, sino que ésta es relativa a la situación de cada ciudad, municipio o estado.

Más allá de la preocupación compartida de ubicar a los pobres en el territorio, las diversas metodologías aplicadas en la elaboración de los mapas no responden a ideologías o líneas políticas diferenciadas. Ciertamente, el discurso envolvente del

[13] Ley de Participación Ciudadana del Distrito Federal, *Gaceta Oficial del Distrito Federal*, 21 de diciembre de 1998, artículo 86.

mapa de Exclusão Social de São Paulo es un poco diferente a los del Conapo, del Banco Mundial o de la FAO. Sin embargo, las diferencias semánticas del discurso no se reflejan en la metodología, que se basan más o menos en los mismos principios. Mucho menos se pueden distinguir diferencias ideológicas o políticas entre la metodología aplicada por el Conapo y la del Programa Integrado Territorial de Desarrollo Social del Distrito Federal.

EL MAPA NO ES EL TERRITORIO: LO QUE NO DICEN LOS MAPAS DE POBREZA

A partir de mi exposición hasta ahora, debe resultar poco sorprendente la siguiente afirmación: los mapas de pobreza descritos arriba dicen bastante poco sobre la condición de la pobreza. Y no sólo eso: la pobreza que representan corresponde a una visión parcial y sesgada. (No por ello, sin embargo, dejan de ser útiles para determinados propósitos.) Vamos por partes para elaborar sobre estas ideas.

La pobreza de los datos censales

Los mapas de pobreza y de exclusión social analizados se basan en datos numéricos; las técnicas estadísticas aplicadas así lo requieren. Casi siempre los datos provienen de censos o de encuestas oficiales. ¿Qué nos dicen los censos sobre la pobreza, su dimensión territorial, su dinámica, sus causas y, por ende, de sus soluciones? México tiene una buena información censal sobre el nivel escolar de la población, sus características laborales y demográficas, su idioma, religión y otros atributos, incluyendo el dato poco creíble de sus ingresos monetarios. Los censos indican también el número de viviendas de determinadas características, sobre todo si es vivienda "tradicional", hecha de materiales orgánicos, adobe y materiales similares, sin luz, agua o drenaje, o es vivienda "moderna", hecha de tabique y concreto, con servicios, etcétera. También da cuenta del tamaño de las viviendas por número de cuartos. Los censos no proporcionan información alguna sobre otros síntomas de lo que podremos llamar "pobreza habitacional", y que de manera creciente afecta a los pobres: calidad o riesgo estructural, calidad de los servicios, dificultades de acceso y falta de medios de transporte e infraestructura, estado constructivo y necesidades de mantenimiento, o riesgos ambientales, como amenazas de inundaciones o inestabilidad del subsuelo. Menos información todavía podemos extraer del censo sobre otros indicadores de calidad de vida, como dieta, estado de salud, posibilidades recreativas, seguridad personal y otros. Otros indicadores, como las desigualdades de género o edad, por su naturaleza, no pueden levantarse en cuestionarios y censos.

La dependencia de los datos censales también implica otra limitación; se refieren exclusivamente a la pobreza de los residentes de vivienda. Deja de lado otros territorios de pobreza en la ciudad, como las calles, los espacios públicos y los servicios. Tampoco considera a pobres como las empleadas domésticas, que viven con los ricos. Y quedan borrados totalmente del mapa de la pobreza los más desamparados: los sin techo, o como se dice hoy en día, "las personas en situación de calle".

Los mapas de pobreza: Espacios sin historia

Los mapas modernos, a diferencia de otros tipos de mapas, como los elaborados por los pueblos prehispánicos, construyen y representan la noción de espacio que es independiente del tiempo (Massey, 2005; Padrón, 2004). Los mapas de la pobreza no son la excepción: retratan y reconstruyen un concepto atemporal de pobreza. Representan el número o la proporción de personas en tal o cual situación en un momento dado, incluso el cambio que se ha dado entre un registro censal y otros. Pero no relata, ni mucho menos explica, la dinámica de esta pobreza: de dónde viene y a dónde va. Muchas personas nos hemos encontrado en un momento de nuestra vida en una o más de las situaciones que componen los indicadores de pobreza: habitar una vivienda "inadecuada", estar temporalmente desempleada y cosas por el estilo. Pero no nos convertimos en pobres por ese hecho. Hoy en día, la atención de algunos estudiosos de la pobreza se enfoca cada vez más en los aspectos temporales: la transmisión de pobreza de una generación a otra (Bradbury, Jenkins y Mickelthwaite, 2001; Reyes y otros, 2004) o el tiempo de duración de la condición de pobreza de un individuo o familia (Herrera y Roubaud, 2002; Mitlin, 2000). Nada de eso está representado ni analizado en los mapas de pobreza vistos hasta el momento.

Pobreza territorial o píxel pobre

Quizá más importante que los problemas anteriores, aunque menos evidente, es la forma como los mapas de pobreza nos representan y construyen el concepto de pobreza territorial. Ya se han mencionado las limitaciones de la visión coroplética. Aquí se analizan más a fondo dichas limitaciones.

a] Escalas de pobreza o escalas de agregación estadística

Las escalas de la pobreza y de exclusión social son variables y acumulativas, a todas luces distintas a los niveles de disgregación de los datos. Por ejemplo, un individuo puede ser discriminado por los otros miembros de su hogar por su género, edad o capacidad mental. Una familia puede ser discriminada dentro de su barrio de residencia por motivo de su etnia, raza o idioma. Es difícil pintar esto en un mapa convencional. En cambio, si todos o la mayoría de los residentes de un barrio se encuentran en desventaja por riesgos ambientales o por deficiencias de servicios, es relativamente fácil delimitar el problema geográficamente. Sin embargo, es poco probable que la escala de desagregación de los datos en el mapa corresponda con el área del barrio.

No obstante la poca o nula relación que tienen con las escalas de la pobreza palpables, las escala de la desagregación territorial de los datos tiene una fuerte influencia en la manera como se clasifican las áreas en el mapa y, por lo tanto, de cómo se pintan. Como ejemplo de ello, la figura 13 compara los mapas de marginación social de la delegación Azcapotzalco, desagregada por UT por un lado, y por manzana, por el otro.

b] Promedios y polígonos

La cartografía sociodemográfica en general, y los mapas de la pobreza en particular, procuran identificar y delimitar zonas homogéneas en cuanto a las características socioeconómicas de su población residente. La clasificación del territorio habitacional, de esta manera, obedece el supuesto de que la población de características afines tiende a agruparse en las mismas zonas. Tal supuesto tiene dos problemas. Primero: es sólo parcialmente cierto que la población de una zona comparte las mismas características. Segundo: no es deseable que esto suceda.

El supuesto de la vecindad homogénea se fundamenta en la teoría de la renta urbana, por la cual la población de menores ingresos es excluida de los lugares más favorables por los altos precios del suelo. A grandes rasgos, esto es cierto; la población pobre no ocupa las colonias residenciales ni la población rica reside en la periferia lejana. Sin embargo, el mercado inmobiliario funciona de manera imperfecta, sobre todo en México. Sí excluye a los pobres de los sitios más preciados, pero no del todo. Por un lado, tenemos a pobres que viven en lugares relativamente bien ubicados por motivo de la propiedad originaria de la tierra, por invasiones, por movilizaciones políticas, etcétera. Y por el otro, los pobres no siempre son pobres para siempre, pero justamente por la no funcionalidad del mercado inmobiliario no se cambian de casa al mejorar su situación económica. Los ricos y los no tan ricos, al empobrecerse, por las mismas razones tampoco se cambian a barrios pobres. Dos tipos de áreas en la ciudad de México se caracterizan por tener un alto grado de heterogeneidad social: las áreas urbanizadas hace más de cincuenta años y las colonias populares consolidadas. En cambio, la población residente de las unidades habitacionales y de los fraccionamientos residenciales "exclusivos", sobre todo los más nuevos, tiende a ser más homogénea.

Por muchas razones, es preferible la convivencia de diferentes estratos de población en una localidad a su segregación en zonas exclusivas y excluyentes, sobre todo desde el punto de vista de la población de menos recursos (Sabatini, 2003). Por ejemplo, si una colonia popular empieza a tener habitantes de mayores recursos, ya sea por la invasión de sectores medios durante las etapas avanzadas de la consolidación, ya sea porque algunos de los colonos originales tuvieron cierta movilidad socioeconómica ascendente, esto beneficiaría a los residentes más pobres de la colonia. Habrá mejor oferta de servicios y hasta de fuentes de trabajo. La heterogeneidad social de un barrio puede ser un factor importante para la superación de la pobreza y la exclusión social (Herrera y Roubaud, *op. cit.*). Por el contrario, la concentración exclusiva de los más pobres reproduce y refuerza la pobreza, la marginación y la exclusión social. Son los lugares de donde buscan salirse los que logran superarse un poco, donde las mejoras son lentas, donde existen factores de alto riesgo, donde no hay servicios.

El espacio residencial evidentemente afecta de manera decisiva las trayectorias individuales y colectivas de la exclusión social. Pero, ¿cuáles serían los indicadores de esta dimensión territorial de la pobreza? Desde luego no son los promedios, porcentajes de totales e índices compuestos derivados de ellos, todos los cuales presuponen la relevancia de la situación promedio por polígono. En cuanto a datos cuantitativos, sería mejor buscar indicadores de heterogeneidad u homogeneidad de la población residente que la correlación de los valores promedio por polígono. Un promedio porcentual no dice nada sobre la distribución de este valor entre la población. La correlación de variables de los promedios por polígono no es lo mismo que la correlación de variables en un solo individuo u hogar. De todas formas, la dimensión territorial de los fenómenos sociales no puede agotarse con indicadores cuantitativos; más importante para el conocimiento de esta dimensión es el saber local, la información cualitativa, localizada sobre el lugar.

c] Polígonos y territorios de pobreza

Una tercera limitación de la capacidad de los SIG generalmente empleados para generar mapas de pobreza se deriva de las tres anteriores. Los polígonos donde se localizan los índices promedio de pobreza o exclusión no son lugares; no coinciden, ni en escala ni por su delimitación, con las entidades territoriales que constituyen los ámbitos espaciales de la pobreza, ni mucho menos con los lugares donde se puede superar la pobreza. Los polígonos empleados son distritos administrativos, como en el caso de São Paulo, subzonas electorales como el caso del Distrito Federal, o unidades territoriales del censo. Raras veces estas demarcaciones tienen una identidad cotidiana funcional que puede influir en las trayectorias de exclusión social; no son lugares como puede ser una colonia o un segmento de colonia, calle, vecindario o barrio.

d] Clasificación por grado de pobreza y representación cartográfica: ¿la visión de quién?

La figura 14 contrasta dos representaciones cartográficas del mismo dato censal. El primer mapa de puntos expresa el número absoluto de viviendas sin agua entubada en cada AGEB, y el otro, el mapa de coropletas representa el porcentaje de viviendas en esta condición en relación con el total de viviendas en el AGEB. Este último tipo de representación se asemeja más a los índices de pobreza o exclusión social. La localización de las áreas con mayores carencias de agua entubada varía según el tipo de mapa. Por ejemplo, Ciudad Nezahualcóyotl aparenta tener mayores problemas de agua en el mapa de puntos. Las opciones no sólo se limitan a la disyuntiva entre valores absolutos o relativos, o cualquier otra técnica estadística. El mensaje transmitido por un mapa depende también del grosor de las líneas y los puntos, de la selección de la gama de colores o de achurados, del número de rangos y otras opciones más. La elaboración de un mapa que significa algo depende de las decisiones de alguien. No resulta de forma natural o automática de los datos.

Se me podrá objetar aquí que no es la representación visual del mapa lo que importa sino la clasificación de los polígonos con base en técnicas estadísticas probabilísticas y en todo lo que se vio anteriormente. Esto es cierto, aunque para los no muy doctos en teoría estadística, el producto del ejercicio sigue siendo el mapa de colores o achurados. En todo caso, el procesamiento estadístico no difiere en esencia del seguimiento de las instrucciones de Mapinfo u otro *software* comercial para la elaboración de mapas. Hay que determinar primero los indicadores y ponderarlos por su importancia relativa; luego se selecciona la técnica de clasificación, ya sea ésta por componentes principales, por conglomerados de *n* tipos, por variable o por registro, por análisis de regresión o por cualquier otro método. Hay que decidir también sobre el número de rangos del índice: deciles, quintiles, etcétera. Así, intervienen un sinnúmero de decisiones, de las cuales va a depende el qué tan pobre (marginado, excluido) se pinte mi barrio, colonia, casa, persona o distrito electoral. Como en cualquier investigación, en el mejor de los casos, estas decisiones dependerán de los objetivos que se persigan, de las hipótesis o conceptos previos subyacentes; en el peor de ellos, resultarán de elecciones arbitrarias. Algunas de estas decisiones pueden ser explícitas y transparentes, justificadas y publicadas en apéndices metodológicos. El problema es que entre los afectados por estas decisiones, sean éstos políticos o pobres, son pocos los que entienden las ecuaciones matemáticas presentadas en los apéndices. Y muchas veces éstos ni siquiera se publican, o no son elaborados con el detalle necesario.

Las variaciones entre uno y otro mapa, de acuerdo con las decisiones de los autores, se agravan en el caso específico de los mapas generados por los SIG. Justamente por tratarse de bases de datos ligadas con cartografía, la construcción de un sistema de información geográfica requiere múltiples decisiones concernientes al ajuste de datos y a la rectificación de cartografía. Estas decisiones son tomadas no por la coordinadora del proyecto, ni por el cliente, ni por los beneficiarios afectados, sino en gran parte por los asistentes y ayudantes. Aparte de las injusticias laborales, el problema de la autoría y propiedad intelectual de los SIG ha sido ampliamente comentado (Curry, 1998: 89-99). Pero más allá de las implicaciones éticas, legales y económicas de la autoría de los SIG y de los mapas que generan, hay otra cuestión preocupante relacionada con las cartografías de la pobreza. Si el mapa producido por un SIG representa la visión de alguien, ¿de quién es esta visión? Lo único seguro es que pocas veces es la visión de los pobres y excluidos.

LOS TERRITORIOS SON MAPAS: ESPACIOS DE POBREZA CREADOS POR LOS MAPAS

Los mapas crean territorios en por lo menos dos sentidos. Los crean en lo jurídico, en lo institucional, en lo administrativo. Pero también los crean en lo conceptual. Dependiendo del grado de aprendizaje que tengamos de las convenciones cartográficas, la exposición reiterada a estas representaciones de la pobreza terminará por hacernos ver la pobreza como algo que se distribuye por rangos de colores en un territorio plano integrado por zonas homogéneas.

La institucionalización de la pobreza zonificada

Los mapas de pobreza (exclusión/inclusión o marginación social) analizados arriba, con la excepción de los de Chicago, fueron elaborados para informar y normar la política social. En el caso de los mapas de América Latina, este propósito es explícito: se trata de crear zonas diferenciadas para la focalización del gasto público. Así, el mapa crea territorios diferenciados entre sí por motivos muy concretos, como puede ser al acceso de sus residentes a beneficios sociales y el monto otorgado a éstos. No es mi intención aquí discutir sobre la focalización de los gastos: como todo, tiene sus ventajas y desventajas. Sin embargo, sí quisiera externar algunas preocupaciones acerca del uso e, incluso, del abuso administrativo de mapas de pobreza basados en índices compuestos.

Primero, la creación de territorios clasificados por índices compuestos puede no resultar en la distribución más eficiente del gasto. El índice integra un número mayor o menor de atributos de pobreza. En cambio, los rubros de gasto generalmente no se enfocan a la pobreza "en general", sino a aspectos específicos: vivienda, infraestructura, subsidios monetarios, etcétera. Si un territorio se clasifica como muy pobre porque carece de agua potable, sus habitantes no necesariamente son los que más se beneficiarían de desayunos escolares. Si lo que se pretende es asegurar que el gasto social alcance a los más necesitados, entonces sería mejor focalizar de acuerdo con mapas de pobreza sectoriales, no los basados en índices compuestos.

Segundo, la creación de territorios clasificados puede generar efectos no previstos de diversa índole. Por ejemplo, pueden empezar a crearse derechos políticos espurios a favor de los residentes de las zonas clasificadas como "más pobres", que excluyan a los residentes de otras áreas. Por el contrario, los residentes de zonas clasificadas como "muy pobres" pueden encontrarse todavía más perjudicados si otras instancias también emplean el mapa de pobreza para focalizar sus atenciones: las agencias de seguros o de empleos, los prestadores de servicios a domicilio, por ejemplo. Para los residentes de una zona de "alta marginación" puede resultar imposible o más costoso pedir una pizza o un taxi, conseguir un empleo o contratar un seguro. Por último, es muy probable que la zonificación de la pobreza tenga impactos negativos sobre la valorización de los bienes inmuebles por efecto del mercado y por criterio de avalúo profesional. En este sentido, cabe recordar la experiencia norteamericana del empobrecimiento de vastas áreas de sus ciudades por la práctica de *redlining* (la delineación en rojo de zonas donde los bancos no otorgaban préstamos).

En el Distrito Federal, la clasificación de las UT por grado de marginación no se difunde ampliamente, aunque tampoco es difícil obtener esta información. Sin embargo, el mapa de marginación municipal del Conapo es "oficial" y ampliamente difundido por la internet. En Colombia, la zonificación por estrato de hábitat y características socioeconómicas de las ciudades grandes, chicas y áreas rurales, está a cargo del Departamento Administrativo Nacional de Estadística en combinación con las autoridades catastrales de cada localidad. En Bogotá, la estratificación socioeconómica por manzana es responsabilidad de la Alcaldía Mayor a partir de la legislación de 1995. Después de reformas legales en 1999, los planos resultantes son objeto de decreto distrital para ser aplicadas forzosamente en diversas instancias de planeación y programación de políticas públicas, tales como el cobro de servicios públicos y la distribución de subsidios (figura 15).[14]

En São Paulo, algunos miembros del equipo responsable de la elaboración del mapa de exclusión/inclusión han recomendado una reorganización de los límites distritales más acorde con los conglomerados generados por el índice (Câmara y otros, *op. cit.*); proponen que el régimen espacial resultante "sostendrá una división administrativa con una orientación más social" (figura 16). Sería algo así como dividir en dos a la delegación Miguel Hidalgo para facilitar la "gestión de la pobreza" en la parte más empobrecida al norte de la demarcación. Este tipo de medida podría facilitar la tarea de los investigadores en la obtención de índices estadísticamente más confiables, pero la institucionalización de territorios pobres podría acarrear serios riesgos; por ejemplo, castigaría las finanzas públicas de zonas pobres. De herramienta de diagnóstico podría convertirse en norma prescriptiva. De auxiliar en la atención a la pobreza, podría convertirse en factor de arraigo de la miseria.

La pobreza territorial de los mapas de pobreza

Está todavía por investigarse el impacto de los mapas de pobreza sobre los imaginarios y prácticas cotidianos de la ciudad. Ya he señalado arriba algunas críticas a la reducción de la pobreza territorial a índices compuestos y promediados asignados a unidades territoriales, en función de la situación de sus residentes. Pero éstos no son los únicos mapas que pueden representar la pobreza. Puede haber mapas que, más que zonificar las medidas de atención, señalen las rutas de salida; mapas que expresen demandas más que dosificar remedios; mapas que faciliten soluciones negociadas; mapas que representen la visión y las prioridades de los pobres y no las del cartógrafo. Existen tecnologías para ello. Las capacidades de los sistemas de in-

[14] Información tomada de DAPD (2002), y <http://www.redbogota.com/endatos/0200/02-030-vivienda/02.03.01.htm>.

formación geográfica en realidad deben hacer redundantes las técnicas de análisis estáticas y rígidas. El monitoreo por imágenes ráster y el registro de información dinámica con sistemas de geoposicionamiento global son capaces de trascender el enfoque territorial de la zonificación planar. Lo cierto es que toda visión de la pobreza es territorial y toda visión territorial de la pobreza necesita un mapa. Hagamos mapas para salir de la pobreza.

BIBLIOGRAFÍA

Borges, Jorge Luis 1960, *El hacedor*, Barcelona, Alianza Editorial [1985, México, Fondo de Cultura Económica].

Bradbury, Bruce, Stephen P. Jenkins y John Mickelthwaite, 2001, *The Dynamics of Child Poverty in Industrialised Countries*, Cambridge, Cambridge University Press/UNICEF.

Buisseret, David (ed.), 1992, *Monarchs Ministers and Maps. The Emergence of cartography as a Tool of Government in early Modern Europe*, Chicago y Londres, University of Chicago Press.

Câmara, Gilberto, y Antônio Miguel Vieira Monteiro, 2001, "Geocomputation techniques for spatial analysis: are they relevant to health data?", en *Cad. Saúde Pública*, 17-5, septiembre-octubre, Río de Janeiro.

Câmara, Gilberto, A. Monteiro, F. Ramos, A. Sposati y D. Koga, 2004, "Mapping Social Exclusion/Inclusion in Developing Countries: Social Dynamics of São Paulo in the 90's", en D. Jonelle y M. Goodchild (eds.), *Best Practices in GIS*, Center for Spatially Integrated Social Science, Oxford University Press, Santa Bárbara, CA.

(versión preliminar: <http://www.dpi.inpe.br/geopro/exclusao/artigos.html>).

Consejo Nacional de Población/CNA, 1993, *Indicadores Económicos e Índices de Marginación Municipal, 1990*, México, Conapo/CNA.

—/Programa de Educación, Salud y Alimentación, 1995, *Índices de marginación, 1995*, México, Conapo/Progresa.

—, 2006, *Índices de marginación, 2000.* <http://www.conapo.gob.mx/00cifras/2000.htm>

Centro Operacional de Población y Vivienda, 2004, "Métodos revisados sobre medición de exclusión/inclusión social, pobreza y hambre", inédito, 24 de septiembre, México, Copevi.

Coordinación General del Plan Nacional de Zonas Deprimidas y Grupos Marginados, 1982, *Geografía de la marginación. Necesidades esenciales de México. Situación actual y perspectivas al año 2000*, México, IMSS/Coplamar y Siglo XXI Editores.

Connolly, Priscilla, 2006, "Mapas y democracia: Reflexiones críticas sobre la georreferenciación de carencias para la programación de políticas sociales", en Lucía Álvarez, Carlos San Juan y Cristina Sánchez-Mejorada (coords.), *Democracia y exclusión. Caminos encontrados en la ciudad de México*, México, UNAM/UM/UACM/INAH/Plaza y Valdés.

Coordinación de Planeación del Desarrollo Territorial, 2001, *Metodología para la determinación del índice de marginación de las unidades territoriales a nivel de áreas geoestadisticas básicas*, inédito, México, Gobierno del D.F., Copladet, Dirección de Planeacion.

Curry, Michael R, 1998, *Digital Places*, Londres y Nueva York, Routledge.

Departamento Administrativo de Planeacion Distrital, 2002, *La estratificación socioeconómica de Bogotá D.C., 1995-2000*, Bogotá, DAPD, Subdirección Económica de Competitividad e Innovación, Gerencia de Estratificación y Monitoreo Urbano, Alcaldía Mayor de Bogotá.

Davis, Benjamin, 2003, *Choosing a method for Poverty Mapping*, Food and Agricultural Organization of the United Nations, Roma. <http://www.povertymap.net/publications/doc/CM

PM%20DAVIS%2013%20apr03%20sec.pdf#search=%22Davis%20Choosing%20a%20method%20poverty%22>

Feliciano, Fabrizio, Rafael Menjívar Larín y Gabrielle Quinti, 1995, *Análisis de la exclusión social a nivel departamental*, Guatemala, FLACSO, UNOPS, PNUD.

Friendly, Michael, y Daniel J. Denis, 2006, *Milestones in the History of Thematic Cartography, Statistical Graphics, and Data Visualization, An illustrated chronology of innovations*. <http://www.math.yorku.ca/SCS/Gallery/milestone/sec5.html> 18/09/06

Guerry, A.M., 1833, *Essai sur la statistique morale de la France*, París, Crochard, [traducción al inglés: Hugh P. Whitt y Victor W. Reinking, 2002, Lewiston, Nueva York, Edwin Mellen Press,].

Harley, J. Brian, 1988, "Maps, Knowledge and Power", en *The Iconography of Landscape: Essays on the Symbolic representation, Design and Use of Past Environments. Cambridge Studies in Historical Geography 9*, Denis Cosgrove y Stephen Daniels (eds.), Cambridge, Cambridge University Press [reeditado en J.B. Harley, 2001, *The New Nature of Maps. Essays in the History of Cartograph*, Baltimore y Londres, Johns Hopkins University Press].

—, 1989, "Deconstructing the map", en *Cartographica*, 26: 2. 1-20, Toronto. Disponible en: <http://utpjournals.metapress.com/content/c21115120603xj14/fulltext.pdf>

—, 1990, "Cartography, ethics and social theory", en *Cartographica*, 27: 2, 1-23, Toronto. Disponible en: <http://utpjournals.metapress.com/content/e635782717579t53/fulltext>.pdf

—, 2001, *The New Nature of Maps. Essays in the History of Cartography*, Baltimore y Londres, The Johns Hopkins University Press.

—, y David Woodward, 1987, "Preface", en *The History of Cartography*, vol. I, *Cartography in Prehistoric, Ancient, and Medieval Europe and the Mediterranean*, Chicago y Londres, J. Brian Harley y David Woodward (eds.), University of Chicago Press.

Henninger, Norbert, y Mathilde Snel, 2002. *Where are the Poor? Experiences with the Development and Use of Poverty Maps*, Washington D.C., World Resources Institute, y Arendal, Noruega UNEP/GRID, <http://population.wri.org/ y http://www.povertymap.net/pub.htm>

Herrera, Javier, y François Roubaud, 2002, "Dinámica de la pobreza urbana en el Perú y en Madagascar, 1997-1999: un análisis sobre datos de panel", en *Bulletín del Insitituto. Francés de Estudios Andinos*, 31: 3, 495-552. Lima, Perú, <http://redalyc.uaemex.mx/redalyc/src/inicio/ArtPdfRed.jsp?iCve=12631304>

Holbhook, Agnes Sinclair,1895, "Map notes and comments", en *Hull House Maps and Papers*, Chicago [reimpreso en Nueva York, Arno Press, 1970], <http://www2.pfeiffer.edu/-lridener/DSS/Addams/hh1.htm>l

Massey, Doreen, 2005, *For Space*, Londres, Sage Publications.

Mitlin, Diana, 2000, "Chronic poverty in urban areas", en *Environment & Urbanization*, vol. 17, núm. 2, Londres

Monmonier, Mark, 1996, *How to Lie with Maps*, Chicago, University of Chicago Press.

O'Gorman, Edmundo, 1986 [1956], *La invención de América*, México, Fondo de Cultura Económica.

Padrón, Ricardo, 2004, *The Spatious World. Cartography, Literature and Empire in Early Modern Spain*, Chicago, University of Chicago Press.

Park, Robert, Ernest, W. Burgess y Roderick D. McKenzie, 1925, *The City*, Chicago, University of Chicago Press.

Reyes, Hortensia y otros, 2004, "The family as a determinant of stunting in children living in conditions of extreme poverty: a case control study", en *BioMed Central Public Health*, 4: 57. <http://www.pubmedcentral.nih.gov/articlerender.fcgi?artid=539253>

Sabatini, Francisco, 2003, *La segregación social del espacio en las ciudades de América Latina*, Documentos del Instituto de Estudios Urbanos y Territoriales, serie Azul, núm. 35, Santiago de Chile.

Sluter, Claudia Robbi, 2001, “Sistema especialista para geração de mapas temáticos”, en *Revista Brasileira de Cartografia*, núm. 53, diciembre, Brasil.

Sposati, Aldaíza (coord.), 2000a, *Mapa da Exclusão/Inclusão Social da Cidade de São Paulo/2000. Dinâmica Social dos Anos 90*, PUC/SP, São Paulo, <http://www.dpi.inpe.br/geopro/exclusao/mapas.html>

—, (coord.), 2000b, *Mapa da Exclusão/Inclusão Social. São Paulo Brasil 2000*, São Paulo, Pontifícia Universidade Católica de São Paulo, Programa de Estudos Pós Graduados em Serviço Social.

—, 2002, “Políticas publicas. Proteção e emancipação. Mapa da exclusão/inclusão social”, en *Com-Ciencia. Revista de Jornalismo Científico*, SBPC/Labjor, Brasil, <http://www.comciencia.br≥.

Thrower, Norman J.W., 1999 [1972], *Maps and Civilization*, Chicago y Londres, University of Chicago Press.

Turnbull, David, 1993, *Maps are Territories. Science is an Atlas*, Chicago, University of Chicago Press. [primera edición, Australia Deakin University, 1989].

Veiga, Danilo, y Ana Laura Rivoir, 2006, *Sociedad y territorio: Montevideo y el Área Metropolitana*, Montevideo, Universidad de la República, Facultad de Sociología, <http://www.rau.edu.uy/fcs/soc/Publicaciones/Libros/SociedadyTerritorio.html>

Wood, Denis, con John Fels, 1992, *The Power of Maps*, Nueva York y Londres, The Guildford Press.

ÍNDICE

III. LAS CARAS DE LA DESIGUALDAD SOCIAL Y ESPACIAL

IV. DESIGUALDAD, EXCLUSIÓN Y EJERCICIO DE LA CIUDADANÍA

V. INDICADORES, MEDICIONES Y MAPAS PARA EL ANÁLISIS DE LA POBREZA, LA EXCLUSIÓN Y LA DESIGUALDAD